OEUVRES COMPLÈTES ILLUSTRÉES

DE

ÉMILE ZOLA

— ÉDITION NE VARIETUR —

LES QUATRE ÉVANGILES

TRAVAIL

TOME PREMIER

I0536105

PARIS

BIBLIOTHÈQUE-CHARPENTIER

EUGÈNE FASQUELLE, ÉDITEUR

11, RUE DE GRENELLE, 11

1906
Tous droits réservés.

TRAVAIL

ŒUVRES COMPLÈTES ILLUSTRÉES DE ÉMILE ZOLA

— ÉDITION NE VARIETUR —

LES QUATRE ÉVANGILES

TRAVAIL

TOME PREMIER

PARIS

BIBLIOTHÈQUE-CHARPENTIER

EUGÈNE FASQUELLE, ÉDITEUR

11, RUE DE GRENELLE, 11

1906

TRAVAIL

LIVRE PREMIER

Dans sa promenade au hasard, Luc Froment, en sortant de Beauclair, avait remonté la route de Brias, qui suit la gorge où coule le torrent de la Mionne, entre les deux promontoires des Monts Bleuses. Et, comme il arrivait devant l'Abîme, nom que portent dans le pays les Aciéries Qurignon, il aperçut, à l'angle du pont de bois, peureusement rasées contre le parapet, deux figures noires et chétives. Son cœur se serra. C'était une femme à l'air très jeune, pauvrement vêtue, la tête à demi cachée sous un lainage en loques; et c'était un enfant, de six ans environ, à peine couvert, la face pâle, qui se tenait dans ses jupes. Tous les deux, les yeux fixés sur la porte de l'usine, attendaient, immobiles, avec la patience morne des désespérés.

Luc s'était arrêté, regardant lui aussi. Il allait être six heures, le jour baissait déjà, par cette humide et lamentable soirée du milieu de septembre. On était au samedi, et depuis le jeudi, la pluie n'avait pas cessé. Elle ne tombait plus, mais un vent impétueux continuait à chasser dans le ciel des nuages de suie, des haillons d'où filtrait un crépuscule sale et jaune, d'une tristesse de mort. La route, sillonnée de rails, aux gros pavés disjoints par les continuels charrois, roulait un fleuve de boue noire, toutes les poussières délayées des houillères prochaines de Brias, dont les tombereaux défilaient sans cesse. Et ces poussières de charbon, elles avaient noirci de leur deuil la gorge entière, elles ruisselaient en flaques sur l'amas lépreux des bâtiments de l'usine, elles semblaient salir jusqu'à ces nuages sombres qui passaient sans fin, ainsi que des fumées. Une mélancolie de désastre soufflait avec le vent, on eût dit que ce crépuscule frissonnant et louche apportait la fin d'un monde.

Comme Luc s'était arrêté à quelques pas de la jeune femme et de l'enfant, il entendit ce dernier qui disait, d'un air avisé et décidé déjà de petit homme :

— Écoute donc, ma grande, veux-tu que je lui parle, moi? Peut-être que ça le mettrait moins en colère.

Mais la femme répondit :

— Non, non, frérot, ce n'est pas des affaires pour les gamins.

Et ils se remirent à attendre, silencieux, de leur air de résignation inquiète.

Luc regardait l'Abîme. Il l'avait visité, par une curiosité d'homme du métier, lorsqu'il avait une première fois traversé Beauclair, au dernier printemps. Et, depuis les quelques heures qu'un brusque appel de son ami Jordan l'y ramenait, il avait eu des détails sur l'affreuse crise que venait de traverser le pays : une terrible grève de deux mois, des ruines accumulées de part et d'autre, l'usine ayant beaucoup souffert de l'arrêt du travail, les ouvriers étant à demi morts de faim, dans la rage accrue de leur impuissance. C'était l'avant-veille, le jeudi seulement, que le travail avait fini par reprendre, après des concessions réciproques, furieusement débattues, arrachées à grand'peine. Et les ouvriers étaient rentrés sans joie, inapaisés, comme des vaincus qu'enrage leur défaite, qui ne gardent au cœur que le souvenir de leurs souffrances et l'âpre désir de les venger.

Sous la fuite éperdue des nuages de deuil, l'Abîme étendait l'amas sombre de ses bâtiments et de ses hangars. C'était le monstre, poussé là, qui avait peu à peu élargi les toits de sa petite ville. A la couleur des toitures dont les nappes s'étalaient, se prolongeaient dans tous les sens, on devinait les âges successifs des constructions. Maintenant, il tenait plusieurs hectares, il occupait un millier d'ouvriers. Les hautes ardoises bleuâtres des grandes halles, aux vitrages accouplés, dominaient les vieilles tuiles noircies des installations premières, beaucoup plus humbles. Par-dessus, on apercevait de la route, rangées à la file, les ruches géantes des fours à cémenter, ainsi que la tour à tremper, haute de vingt-quatre mètres, où les grands canons, debout et d'un jet, étaient plongés dans un bain d'huile de pétrole. Et, plus haut encore, les cheminées fumaient, les cheminées de toutes tailles, la forêt qui mêlait son souffle de suie à la suie volante des nuages, tandis que les minces tuyaux d'échappement jetaient, à des intervalles réguliers, les panaches blancs de leur haleine stridente. On eût dit la respiration du monstre, les poussières, les vapeurs, qui s'exhalaient sans cesse de lui, qui lui faisaient une continuelle nuée de la sueur de sa besogne. Puis, il y avait le battement de ses organes, les chocs et les grondements qui sortaient de son effort, la trépidation des machines, la cadence claire des marteaux cingleurs, les grands coups rythmés des marteaux-pilons, résonnant comme des cloches, et dont la terre tremblait. Et, plus près, au bord de la route, au fond d'un petit bâtiment, une sorte de cave où le premier Qurignon avait forgé le fer, on entendait la danse violente et acharnée de deux martinets, qui battaient là comme le pouls même du colosse, dont tous les fours flambaient à la fois, dévorateurs de vies.

Dans la brume crépusculaire, roussâtre et si désespérée, qui noyait peu à peu l'Abîme, pas une lampe électrique n'éclairait encore les cours. Aucune lumière ne luisait aux fenêtres poussiéreuses. Seule, sortant d'une des grandes halles, par un portail béant, une flamme intense trouait l'ombre, d'un long jet d'astre en fusion. Ce devait être un maître puddleur qui venait d'ouvrir la porte de son four. Et rien autre, pas même une étincelle perdue, ne disait l'empire du feu, le feu grondant dans cette ville assombrie du travail, le feu intérieur dont elle était tout entière embrasée, le feu dompté, asservi, pliant et façonnant le fer comme une cire molle, donnant à l'homme la royauté de la terre, depuis les premiers Vulcains qui l'avaient conquis.

Mais l'horloge du petit beffroi, dont la charpente surmontait le bâtiment de l'administration, sonna six heures Et Luc entendit de nouveau l'enfant pauvre disant de sa voix claire :

— Écoute donc, ma grande, les voilà qui vont sortir.

— Oui, oui, je sais bien, répondit la jeune femme. Tiens-toi tranquille.

Dans le mouvement qu'elle avait fait pour le retenir, le lainage en loques s'était un peu écarté de sa face, et Luc resta surpris de la délicatesse de ses traits. Elle n'avait sûrement pas vingt ans, des cheveux blonds en désordre, une pauvre petite figure mince qui lui parut laide, avec des yeux bleus meurtris de larmes, une bouche pâle, amère de souffrance. Et quel corps léger de fillette sous la vieille robe usée ! et de quel bras tremblant et faible elle serrait dans ses jupes l'enfant, le petit frère sans doute, blond comme elle, bien mal peigné aussi, mais d'air plus fort et plus résolu ! Luc avait senti sa pitié grandir, tandis que les deux tristes êtres, méfiants, commençaient à s'inquiéter de ce monsieur, qui s'était arrêté là, qui les examinait avec tant d'insistance. Elle, surtout, semblait gênée de cette attention d'un garçon de vingt-cinq ans, si grand, si beau, avec des épaules carrées et des mains larges, avec un visage de santé et de joie, dont les traits fermes étaient dominés par un front droit en forme de tour, la tour des Froment. Elle avait détourné les yeux, devant les yeux bruns du jeune homme, franchement ouverts, qui la regardaient bien en face. Puis, elle s'était risquée encore, d'un coup d'œil furtif; et, l'ayant vu alors qui lui souriait avec bonté, elle avait reculé un peu, dans le trouble de sa grande infortune.

Il y eut une volée de cloche, un mouvement se fit dans l'Abîme, et la sortie commença des équipes de jour, que les équipes de nuit allaient remplacer; car jamais la vie dévorante du monstre ne s'arrête, il flambe et forge jour et nuit. Pourtant, les ouvriers tardèrent à paraître, la plupart avaient demandé une avance, bien que le travail n'eût repris que depuis le jeudi, tant la faim était grande dans les ménages, après les deux mois de terrible grève. Et on les vit enfin qui sortaient, qui défilaient, un à un ou par petits groupes, la tête basse, sombres et pressés, serrant au fond de leur poche les quelques pièces blanches, si chèrement gagnées, qui allaient donner un peu de pain aux petits et à la femme. Et ils disparaissaient, par la route noire.

— Le voilà, ma grande, murmura l'enfant. Tu le vois bien, il est avec Bourron.

— Oui, oui, tais-toi.

Deux ouvriers venaient de sortir, deux compagnons puddleurs. Et le premier, celui qui était avec Bourron, avait sa veste de drap jetée sur l'épaule, âgé de vingt-six ans à peine, roux de cheveux et de barbe, plutôt de petite taille, mais de muscles solides, le nez recourbé, sous un front proéminent, les mâchoires dures et les pommettes saillantes, pourtant de rire agréable, ce qui en faisait un mâle à conquêtes. Tandis que Bourron, de cinq ans plus âgé, serré dans sa vieille veste de velours verdâtre, était un grand diable sec et maigre, dont la face chevaline, aux joues longues, au menton court, aux yeux de biais, exprimait la tranquille humeur d'un homme facile à vivre, toujours plié sous la domination de quelque camarade.

D'un coup d'œil, ce dernier avait aperçu la triste femme et l'enfant, de l'autre côté de la route, à l'angle du pont de bois; et il donna un coup de coude au compagnon.

— Vois donc, Ragu. La Josine et Nanet sont là... Méfie-toi, si tu ne veux pas qu'ils t'embêtent.

Ragu, rageur, serra les poings.

— Sacrée fille! J'en ai assez, je l'ai fichue à la porte... Qu'elle me cramponne, tu vas voir!

Il semblait un peu ivre, comme la chose arrivait, les jours où il dépassait les trois litres, dont il disait avoir besoin pour que le brasier du four ne lui desséchât pas la peau. Et, dans cette demi-ivresse, il cédait surtout à la vantardise cruelle de montrer à un camarade comment il traitait les filles, quand il ne les aimait plus.

— Tu sais, je vais te la coller au mur. J'en ai assez!

Josine, avec Nanet dans ses jupes, s'était avancée doucement, peureusement. Mais elle s'arrêta, en voyant deux autres ouvriers aborder Ragu et

Bourron. Ceux-là faisaient partie d'une équipe de nuit, ils arrivaient de Beauclair. Le plus âgé, Fauchard, un garçon de trente ans, qui en paraissait quarante, était un arracheur, ruiné déjà par le travail vorace, la face bouillie, les yeux brûlés, son grand corps cuit et comme noué par l'ardeur des fours à creusets, d'où il tirait le métal en fusion. L'autre, Fortuné, son beau-frère, un garçon de seize ans, à qui l'on en aurait donné à peine douze, tant il était de chair pauvre, le visage maigre, les cheveux décolorés, semblait n'avoir plus grandi, hébété, mangé par sa besogne machinale de manœuvre, assis à la manette de mise en marche d'un marteau cingleur, dans l'ahurissement de la fumée et du vacarme qui l'aveuglait et l'assourdissait.

Fauchard avait au bras un vieux panier d'osier noir, et il s'était arrêté, pour demander aux deux autres, de sa voix sourde :

— Est-ce que vous avez passé?

Il voulait savoir s'ils avaient passé à la caisse, s'ils venaient de toucher une avance. Et, lorsque Ragu, sans répondre, eut simplement tapé sur sa poche, où des pièces de cent sous sonnèrent, il eut un geste d'attente désespérée.

— Tonnerre de bon Dieu! dire qu'il faut que je me serre le ventre jusqu'à demain matin, et que, cette nuit, je vais encore crever de soif, à moins que ma femme, tout à l'heure, ne fasse le miracle de m'apporter ma ration!

Sa ration, à lui, était de quatre litres par journée ou par nuit de travail, et il disait que ça suffisait bien juste à lui humecter le corps, tellement les fours lui tiraient l'eau et le sang de la chair. Il avait eu un regard désolé sur son panier vide, où ne ballottait qu'un morceau de pain. Quand il n'avait pas ses quatre litres, c'était la fin de tout, l'agonie noire dans le travail écrasant, devenu impossible.

— Bah! dit complaisamment Bourron, ta femme ne va pas te lâcher, il n'y a pas sa pareille pour décrocher le crédit.

Mais tous les quatre, arrêtés dans la boue gluante du chemin, se turent et saluèrent. Luc venait de voir s'avancer sur le trottoir, assis au fond d'une petite voiture qu'un domestique poussait, un vieux monsieur à la face large, aux grands traits réguliers, encadrés de longs cheveux blancs. Et il avait reconnu Jérôme Qurignon, monsieur Jérôme comme tout le pays l'appelait, le fils de Blaise Qurignon, l'ouvrier étireur, fondateur de l'Abîme. Très âgé, devenu paralytique, il se faisait ainsi promener, par tous les temps, sans une parole. Ce soir-là, comme il passait devant l'usine, pour rentrer chez sa fille, à la Guerdache, une propriété du voisinage, il avait d'un simple signe donné l'ordre au domestique de ralentir; et, de ses yeux restés clairs, vivants et profonds, il regardait longuement le monstre en travail, les ouvriers de jour qui sortaient et les ouvriers de nuit qui entraient, sous le louche crépuscule tom-

bant du ciel livide, sali de la fuite éperdue des nuages. Puis, son regard
s'arrêta sur la maison du directeur, une bâtisse carrée au milieu d'un jardin,
qu'il avait lui-même fait construire quarante ans plus tôt, et où il avait régné
en roi conquérant, gagnant des millions.

— Ce n'est pas monsieur Jérôme qui est embarrassé pour son vin de ce
soir, avait repris Bourron en ricanant, à voix plus basse.

Ragu haussa les épaules.

— Vous savez que mon arrière-grand-père était le camarade du père de
monsieur Jérôme. Deux ouvriers, parfaitement! et qui étiraient ici le fer
ensemble, et la fortune pouvait tout aussi bien venir à un Ragu qu'à un
Qurignon. C'est la chance, quand ce n'est pas le vol.

— Tais-toi donc, murmura de nouveau Bourron, tu vas te faire arriver
des histoires.

La crânerie de Ragu tomba, et comme monsieur Jérôme, en passant
devant le groupe, regardait les quatre hommes de ses grands yeux fixes et
limpides, il salua de nouveau, avec le respect peureux de l'ouvrier qui veut
bien crier contre le patron, mais qui a le long esclavage dans le sang, et qui
tremble devant le dieu souverain, dont il attend toute vie. Lentement, le
domestique poussait toujours la petite voiture, et monsieur Jérôme disparut,
par la route noire conduisant à Beauclair.

— Bah! conclut philosophiquement Fauchard, il n'est pas si heureux,
dans sa roulante; et puis, s'il comprend encore, ça n'a pas été si drôle pour
lui, les affaires qui se sont passées. Chacun a ses peines... Ah! tonnerre de
bon Dieu! pourvu seulement que Natalie m'apporte mon vin!

Et il entra dans l'usine, emmenant le petit Fortuné, qui, l'air hébété,
n'avait rien dit. Leurs épaules déjà lasses se perdirent dans l'ombre croissante, dont le flot noyait les bâtiments; tandis que Ragu et Bourron se remettaient en marche, l'un débauchant l'autre, l'emmenant vers quelque cabaret
de la ville. On pouvait bien boire un coup et rire un peu, après tant de
misère.

Alors, Luc, qu'une curiosité apitoyée avait fait rester là, adossé au parapet du pont, vit Josine marcher de nouveau à petits pas chancelants, pour
barrer la route à Ragu. Un instant, elle avait dû espérer qu'il prendrait le
pont et rentrerait chez lui; car c'était la route directe du vieux Beauclair, un
amas sordide de masures où habitaient la plupart des ouvriers de l'Abîme. Mais,
lorsqu'elle eut compris qu'il descendait vers le beau quartier, elle fut
envahie par la certitude de ce qui allait arriver, le cabaret, la paye bue, la
soirée passée encore à attendre, mourante de faim avec son petit frère, au
vent aigre de la rue. Et la souffrance, la colère brusque lui donnèrent un tel
courage, qu'elle vint se planter, elle si chétive et si lamentable, devant
l'homme.

— Auguste, dit-elle, sois raisonnable, tu ne peux pas me laisser dehors.
Il ne répondit pas, voulut passer outre.

— Si tu ne rentres pas tout de suite, donne-moi au moins la clef... Depuis
ce matin, nous sommes à la rue, nous n'avons pas mangé une bouchée de pain.
Du coup, il éclata.

— Fiche-moi la paix, hein! As-tu fini de me cramponner?

— Pourquoi as-tu emporté la clef, ce matin?... Je ne te demande que de
me donner la clef, tu rentreras quand tu voudras... Voici la nuit, tu ne veux
pas que nous couchions sur le trottoir.

— La clef! la clef! je ne l'ai pas; et je l'aurais que je ne te la donnerais
pas... Comprends donc que j'en ai assez, que je ne te veux plus, que c'est
trop d'avoir crevé deux mois la faim ensemble, et que tu peux aller voir ailleurs si j'y suis!

Il lui criait cela dans la figure, violemment, sauvagement; et elle, la
pauvre petite, frémissait toute sous l'injure, tandis qu'elle s'obstinait avec
douceur, avec l'acharnement résigné des misérables qui sentent la terre s'abî-
mer sous eux.

— Oh! tu es méchant, tu es méchant... Ce soir, quand tu rentreras, nous
causerons. Je m'en irai demain, s'il le faut. Mais aujourd'hui, aujourd'hui
encore, donne-moi la clef.

Alors, l'homme fut pris d'une rage, il la bouscula, la jeta de côté d'un
geste brutal.

— Sacré bon Dieu! la route n'est donc plus à tout le monde!... Va te
faire fiche où tu voudras! Je te dis que c'est fini!

Et, comme le petit Nanet, en voyant sa grande sœur éclater en sanglots,
s'avançait de son air décidé, avec sa tête rose, aux blonds cheveux embrous-
saillés:

— Ah! le môme à présent, toute la famille sur mes bras! Attends, vaurien, je vais te mettre mon pied quelque part!

Vivement, Josine avait ramené Nanet contre elle. Et tous deux restèrent
là, plantés dans la boue noire, grelottants de leur désastre, tandis que les
deux ouvriers continuaient leur route, disparaissaient au milieu des ténèbres
accrues, du côté de Beauclair, dont les lumières commençaient à s'allumer
une à une. Bourron, brave homme au fond, avait eu un mouvement pour
intervenir; puis, par forfanterie, sous l'ascendant du camarade beau mâle
et noceur, il avait laissé faire. Et Josine, après avoir hésité un instant, s'être
demandé à quoi bon les suivre, se décida, quand ils eurent disparu, s'entêta
en désespérée. Lentement, elle descendit derrière eux, traînant son petit
frère par la main, filant le long des murs, prenant toutes sortes de précautions, comme s'ils avaient pu la voir et la battre, pour l'empêcher de s'attacher à leurs pas.

Luc, indigné, avait failli se jeter sur Ragu et le corriger. Ah! cette misère du travail, l'homme changé en loup par la besogne écrasante, injuste, par le pain si dur à gagner et que la faim se dispute! Pendant les deux mois de grève, on s'était arraché les miettes, dans l'exaspération vorace des querelles quotidiennes; puis, au jour de la première paye, l'homme courait à l'étourdissement de l'alcool retrouvé, laissait dehors la compagne de souffrance, femme légitime ou fille séduite. Et Luc revivait les quatre années qu'il venait de passer déjà dans un faubourg de Paris, dans une de ces grandes bâtisses empoisonnées, où la misère ouvrière sanglote et se bat à tous les étages. Que de drames il avait vus, que de douleurs il avait tenté vainement d'apaiser! L'effrayant problème des hontes et des tortures du salariat s'était souvent posé à lui, il avait sondé à fond l'iniquité atroce, l'effroyable chancre qui achève de ronger la société actuelle, passant des heures de fièvre généreuse à rêver au remède, se brisant toujours contre le mur d'airain des réalités existantes. Et voilà que, le soir même du jour où il revenait à Beauclair, amené par un brusque incident, il retombait sur cette scène sauvage, cette triste et pâle créature jetée à la rue, mourante de faim, par la faute du monstre dévorateur, dont il entendait le feu intérieur gronder et s'échapper en fumée de deuil, sous le ciel tragique!

Une rafale passa, quelques gouttes de pluie volèrent, dans le vent qui se lamentait. Luc était resté sur le pont, la face tournée vers Beauclair, tâchant de reconnaître le pays, à la lueur mourante tombée des nuages de suie. A sa droite, il avait l'Abîme, dont les bâtiments bordaient la route de Brias; sous lui, roulait la Mionne, tandis que plus haut, sur un remblai, à sa gauche, passait le chemin de fer de Brias à Magnolles. Et tout le fond de la gorge était ainsi occupé, entre les derniers escarpements des Monts Bleuses, à l'endroit où ils s'élargissaient, pour s'ouvrir sur l'immense plaine de la Roumagne. C'était dans cette sorte d'estuaire, au débouché du ravin sur la plaine, que Beauclair étageait ses maisons, une misérable bourgade de masures ouvrières, que prolongeait, en terrain plat, une petite ville bourgeoise, où étaient la sous-préfecture, la mairie, le tribunal et la prison, tandis que l'église, ancienne, dont les vieux murs menaçaient de crouler, se trouvait à cheval entre la cité neuve et le vieux bourg. Ce chef-lieu d'arrondissement ne comptait guère que six mille âmes, sur lesquelles près de cinq mille étaient de pauvres âmes obscures, dans des corps de souffrance, broyés et déjetés par l'inique travail. Et Luc acheva de se reconnaître, lorsqu'il aperçut, au delà de l'Abîme, le haut fourneau de la Crêcherie, à mi-rampe du promontoire des Monts Bleuses, et dont il distinguait encore le profil sombre. Le travail, le travail! qui donc le relèverait, qui donc le réorganiserait, selon la loi naturelle de vérité et d'équité, pour lui rendre son rôle de toute-puissance noble et régulatrice en ce monde, et pour que les richesses de la terre

Lentement, elle descendit derrière eux, traînant son petit frère.

fussent justement réparties, réalisant enfin le bonheur dû à tous les hommes !

Bien que la pluie eût de nouveau cessé, Luc finit par redescendre, lui aussi, vers Beauclair. Des ouvriers sortaient encore de l'Abîme, il marcha parmi eux ; dans cette reprise rageuse du travail, à la suite des désastres de la grève. Une telle tristesse de révolte et d'impuissance l'avait envahi, qu'il serait reparti le soir, à l'instant même, s'il n'avait craint de fâcher Jordan. Celui-ci, le maître de la Crêcherie, était dans un grand embarras, depuis la mort subite du vieil ingénieur qui dirigeait son haut fourneau ; et il avait écrit à Luc, l'appelant, pour qu'il examinât les choses et qu'il lui donnât un bon conseil. Puis, comme le jeune homme accourait, par affection, il venait de trouver une autre lettre, où Jordan lui contait toute une catastrophe : la brusque fin tragique d'un cousin, à Cannes, qui l'obligeait à partir sur-le-champ, à s'absenter trois jours, avec sa sœur. Il le suppliait de les attendre jusqu'au lundi soir, de s'installer dans un pavillon qu'il mettait à sa disposition, où il vivrait comme chez lui. Luc avait donc deux jours à perdre encore, et, désœuvré, jeté ainsi dans cette petite ville qu'il connaissait à peine, il était sorti pour flâner ce soir-là, il avait même dit au domestique chargé de le servir qu'il ne rentrerait pas dîner, se proposant de manger n'importe où, dans quelque cabaret, passionné toujours des mœurs populaires, aimant à voir, à comprendre et à s'instruire.

Des réflexions nouvelles l'envahirent, pendant que, sous la tempête effarée du ciel, il marchait dans la boue noire, au milieu du lourd piétinement des ouvriers harassés et silencieux. Il eut honte de sa faiblesse sentimentale. Pourquoi donc serait-il parti, lorsqu'il retrouvait là, si poignant, si aigu, le problème dont la solution le hantait ? Il ne devait pas fuir le combat, il amasserait des faits, il découvrirait peut-être enfin la voie certaine, dans l'obscure confusion où il se cherchait encore. Fils de Pierre et de Marie Froment, il avait, comme ses trois frères, Mathieu, Marc et Jean, appris un métier manuel, en dehors de ses études spéciales d'ingénieur ; il était tailleur de pierres, architecte constructeur ; bâtisseur de maisons ; et, s'étant plu à travailler de son état, aimant à faire des journées dans les grands chantiers parisiens, il n'ignorait rien des drames du travail actuel, il rêvait fraternellement d'aider au triomphe pacificateur du travail de demain. Mais que faire, où porter son effort, par quelle réforme commencer, comment accoucher de la solution imprécise et flottante dont il se sentait gros ? Plus grand, plus fort que son frère Mathieu, avec son visage ouvert d'homme d'action, avec son front en forme de tour, son haut cerveau toujours en gésine, il n'avait jusque-là embrassé que le vide, de ses deux grands bras, impatients de créer, de construire un monde. Un brusque coup de vent passa, un vent d'ouragan qui l'emplit d'un frisson sacré. Était-ce donc

en Messie qu'une force ignorée le faisait tomber dans ce coin de pays douloureux, pour la mission rêvée de délivrance et de bonheur?

Lorsque, relevant la tête, Luc se dégagea de ces réflexions vagues, il
s'aperçut qu'il était rentré dans Beauclair. Quatre grandes voies, aboutissant à une place centrale, la place de la Mairie, coupent la ville en quatre
parties à peu près égales; et chacune de ces rues porte le nom de la cité voisine, où elle conduit : la rue de Brias au nord, la rue de Saint-Cron à
l'ouest, la rue de Magnolles à l'est, la rue de Formeries au sud. La plus
populaire, la plus encombrée, avec ses boutiques débordantes, est la rue de
Brias, dans laquelle il se trouvait. Car toutes les fabriques sont là, voisines,
dégorgeant à chaque sortie le flot sombre des travailleurs. Justement,
comme il arrivait, la grand porte de la cordonnerie Gourier, appartenant au
maire de la ville, s'ouvrit, lâcha la bousculade de ses cinq cents ouvriers,
parmi lesquels on comptait plus de deux cents femmes et enfants. Puis,
c'étaient, dans des rues à côté, l'usine Chodorge, où l'on ne fabriquait que
des clous, l'usine Hausser, une forge qui livrait plus de cent mille faulx et
serpes par an, l'usine Mirande, une maison qui construisait spécialement
des machines agricoles. Toutes avaient souffert de la grève de l'Abîme, où
elles s'approvisionnaient de fer et d'acier, la matière première. La détresse,
la faim avaient passé sur toutes, et la population hâve et maigrie dont elles
inondaient le pavé boueux, gardait des yeux de rancune, des bouches de
muette révolte, dans l'apparente résignation du troupeau qui se pressait et
piétinait. La rue en était noire, sous les rares becs de gaz, dont les flammes
jaunes vacillaient au vent. Et ce qui achevait de barrer la circulation,
c'étaient les ménagères, ayant enfin quelques sous, courant chez les fournisseurs, se donnant le régal d'un gros pain et d'un peu de viande.

Luc eut cette sensation qu'il se trouvait dans une ville assiégée, au soir de
la levée du siège. Des gendarmes allaient et venaient parmi la foule, toute
une force armée, qui surveillaient de près les habitants, comme dans la
crainte de la reprise des hostilités, d'une brusque fureur, renaissant des
souffrances cuisantes encore, achevant de saccager la ville, en une crise
dernière de destruction. Le patronat, l'autorité bourgeoise avait pu avoir
raison des salariés; mais les esclaves domptés restaient si menaçants, dans
leur silence passif, qu'une affreuse amertume empoisonnait l'air et qu'on y
sentait souffler tout l'effroi des vengeances, des grands massacres possibles.
Un grondement indistinct sortait de ce troupeau qui défilait, écrasé, impuissant; et l'éclair d'une arme, les galons d'un uniforme, çà et là, dans
les groupes, disaient la peur inavouée des maîtres, suant de leur victoire,
derrière les épais rideaux des maisons oisives. La foule noire des travailleurs, des meurt-de-faim, défilait toujours, se bousculait, se taisait, la tête
basse.

Tout en continuant sa flânerie, Luc se mêlait aux groupes, s'arrêtait, écoutait, étudiait. Et il fit ainsi une halte devant une grande boucherie, largement ouverte au plein air de la rue, et dont les becs de gaz flambaient, parmi les viandes saignantes. Dacheux, le maître boucher, un gros homme apoplectique, aux gros yeux à fleur de tête, dans une face courte et rouge, était là, sur le seuil, à surveiller la marchandise, empressé avec les bonnes des maisons cossues, soupçonneux dès qu'une ménagère pauvre entrait. Depuis un instant, il guettait, à la porte, une grande blonde mince, l'air misérable, pâle et dolente, d'une jeunesse couperosée, flétrie déjà, qui traînait un bel enfant de quatre à cinq ans, et qui avait au bras un lourd panier, d'où sortaient les goulots de quatre litres. Il avait reconnu la Fauchard, qu'il était las de décourager dans ses continuelles demandes de petits crédits. Et, comme elle se décidait à entrer, il lui barra presque le passage.

— Que voulez-vous encore, vous?

— Monsieur Dacheux, bégaya Natalie, si c'était un effet de votre bonté... Vous savez que mon mari est rentré à l'usine, il touchera demain matin un acompte. Alors, monsieur Caffiaux a bien voulu m'avancer les quatre litres que j'ai là; et, si c'était un effet de votre bonté, monsieur Dacheux, de m'avancer un peu de viande, rien qu'un peu de viande.

Le boucher s'emporta, tempêta, dans le flot de sang qui lui monta au visage.

— Non, je vous ai déjà dit que non!... Votre grève, elle a failli me ruiner. Comment serais-je assez bête pour être avec vous autres? Il y en aura toujours de trop des ouvriers fainéants qui empêchent les honnêtes gens de faire leurs affaires... Quand on ne travaille pas assez pour manger de la viande, on n'en mange pas.

Il s'occupait de politique, était avec les riches, les forts, très redouté, borné et sanguinaire; et ce mot « la viande » prenait dans sa bouche une importance considérable, aristocratique : la viande sacrée, la nourriture de luxe réservée aux heureux, lorsqu'elle devrait être à tous.

— Vous êtes déjà en retard de quatre francs, de l'été dernier, reprit-il. Il faut bien que je paye, moi!

Natalie s'effondrait, insistait, d'une voix basse, éplorée. Mais il se passa un fait qui acheva sa déroute. Madame Dacheux, une petite femme laide, noire et insignifiante, qui, disait-on, arrivait quand même à faire son mari abominablement cocu, s'était avancée avec sa fillette Julienne, une enfant de quatre ans, saine, grasse, d'une gaieté blonde épanouie. Et, les deux enfants s'étant aperçus, le petit Louis Fauchard avait commencé par rire, dans sa misère, tandis que l'opulente Julienne, amusée, n'ayant sans doute pas encore conscience des inégalités sociales, s'approchait, lui prenait les

mains. Si bien qu'il y eut un brusque joujou, dans l'enfantine allégresse de
la réconciliation future.

— Sacrée gamine! cria Dacheux hors de lui. Elle est toujours dans mes
jambes... Veux-tu bien aller t'asseoir!

Puis, se fâchant contre sa femme, il la renvoya brutalement à son
comptoir, en lui disant qu'elle ferait mieux de veiller sur sa caisse, pour
qu'on ne la volât pas, comme on l'avait volée l'avant-veille. Et il continua,
s'adressant à toutes les personnes qui se trouvaient dans la boutique, hanté
par ce vol, dont il ne cessait de se plaindre et de s'indigner depuis deux jours.

— Parfaitement! une espèce de pauvresse qui s'était introduite et qui a
pris cent sous dans la caisse, pendant que madame Dacheux regardait rire
les mioches... Elle n'a pas pu nier, elle avait encore les cent sous dans la
main. Et ce que je vous l'ai fait coffrer! elle est à la prison... C'est effrayant,
effrayant! on nous volera, on nous pillera bientôt, si nous n'y mettons pas
bon ordre.

Et ses regards soupçonneux surveillaient la viande, s'assuraient que des
mains d'affamées, d'ouvrières sans travail n'en volaient pas des morceaux à
l'étalage, comme elles voleraient l'or précieux, l'or divin, dans la sébile des
changeurs.

Luc vit alors la Fauchard prendre peur et se retirer, avec la vague crainte
que le boucher n'appelât un gendarme. Un moment, elle resta immobile,
avec son petit Louis, au milieu de la rue, dans la bousculade, devant une
belle boulangerie, ornée de glaces, gaiement éclairée, qui se trouvait là, en
face de la boucherie, et dont une des vitrines, ouverte, libre, étalait sous le
nez des passants des gâteaux et de grands pains dorés. La mère et l'enfant,
tombés en contemplation, regardaient les pains et les gâteaux. Et Luc, les
oubliant, s'intéressa à ce qui se passait dans la boulangerie.

Une voiture venait de s'arrêter à la porte, un paysan en était descendu,
avec un petit garçon de huit ans et une fillette de six. Au comptoir, était
la boulangère, la belle madame Mitaine, une forte blonde restée superbe à trente-cinq ans, et dont tout le pays avait été amoureux, sans
qu'elle eût cessé d'être fidèle à son mari, un homme maigre, silencieux et
blême, qu'on voyait rarement, toujours à son pétrin ou à son four. Près
d'elle, sur la banquette, son fils Évariste se trouvait assis, un garçonnet
de dix ans, déjà grand, blond comme elle et d'un visage aimable, aux yeux
tendres.

— Tiens! monsieur Lenfant! Comment allez-vous?... Et voilà votre Arsène
et votre Olympe. On n'a pas besoin de vous demander s'ils se portent bien.

Le paysan, âgé de trente et quelques années, avait une face large
et calme. Il ne se pressa pas, finit par répondre, de son ton réfléchi :

— Oui, oui, la santé est bonne, ça ne va pas trop mal, aux Combettes...

C'est la terre qui est la plus malade. Je ne pourrai pas vous fournir le son que je vous avais promis, madame Mitaine. Tout a coulé. Et, comme je suis venu à Beauclair, ce soir, avec la voiture, j'ai voulu vous prévenir.

Il continua, dit toute sa rancœur, la terre ingrate qui ne nourrissait plus le travailleur, qui ne payait même plus les frais de fumier et de semence. Et la belle boulangère, apitoyée, hochait doucement la tête. C'était bien vrai, il fallait maintenant beaucoup de travail pour pas beaucoup de contentement. Personne ne mangeait plus à sa faim. Elle ne s'occupait pas de politique, mais que les choses tournaient mal, mon Dieu! Ainsi, pendant cette grève, cela lui crevait le cœur de savoir que de pauvres gens se couchaient, sans avoir seulement une croûte, lorsque sa boutique était pleine de pains. Mais le commerce était le commerce, n'est-ce pas? On ne pouvait pas donner la marchandise, d'autant plus qu'on aurait l'air d'encourager la révolte.

Et Lenfant approuvait.

— Oui, oui, chacun son bien. C'est légitime qu'on gagne sur les choses, quand on a pris de la peine. Mais, tout de même, il y en a qui veulent gagner trop.

Évariste, que la vue d'Arsène et d'Olympe intéressait, s'était décidé à quitter le comptoir, pour leur faire les honneurs de la boutique. Et, en grand garçon de dix ans, il souriait avec complaisance à la fillette de six, dont la grosse tête ronde et gaie devait l'amuser.

— Donne-leur donc à chacun un gâteau, dit la belle madame Mitaine, qui gâtait beaucoup son fils et qui l'élevait tendrement.

Et, comme Évariste commençait par Arsène, elle se récria, elle plaisanta.

— Mais on est galant, mon chéri, on donne d'abord aux dames!

Alors, Évariste et Olympe, confus, s'égayèrent, tout de suite camarades. Ah! ces chers petits, c'était ce qu'il y avait de meilleur dans l'existence! S'ils étaient sages, un jour, ils ne se dévoreraient plus, comme les gens d'aujourd'hui. Et Lenfant s'en alla, en disant qu'il espérait tout de même apporter le son, mais plus tard. Madame Mitaine, qui l'avait accompagné jusqu'à la porte, le regarda monter en voiture et redescendre la rue de Brias. Ce fut à ce moment que Luc remarqua madame Fauchard, tout d'un coup résolue, traînant son petit Louis, osant aborder la boulangère. Elle balbutia quelques mots qu'il ne put entendre, la demande d'un nouveau crédit sans doute, car tout de suite la belle madame Mitaine rentra, avec un geste de consentement, et lui remit un grand pain, que la malheureuse se hâta d'emporter, serré contre sa maigre poitrine.

Dacheux, dans son exaspération soupçonneuse, venait de suivre la scène, de l'autre trottoir. Il cria :

— Vous vous ferez voler. On vient encore de voler des boîtes de sardines, chez Caffiaux. On vole partout.

— Bah ! répondit gaiement madame Mitaine, revenue sur le seuil de sa boutique, on ne vole que les riches.

Lentement, Luc continua de descendre la rue de Brias, dans le piétinement de troupeau, sans cesse grossi. Il lui semblait maintenant qu'une terreur passait, qu'un souffle de violence allait emporter cette foule assombrie et muette. Puis, comme il arrivait à la place de la Mairie, il retrouva la voiture de Lenfant, arrêtée au coin de la rue, devant une quincaillerie, une sorte de bazar, que tenaient les époux Laboque. Et, les portes s'ouvrant en larges baies, il entendit un violent marchandage, entre le paysan et le quincaillier.

— Ah ! bon sang ! vous les vendez au poids de l'or, vos bêches... Voilà encore que vous augmentez celle-ci de deux francs !

— Dame ! monsieur Lenfant, il y a eu cette maudite grève, ce n'est pas notre faute, à nous, si les usines n'ont pas travaillé, et si tout a renchéri... Je paye les fers plus cher, et il faut bien que je gagne dessus.

— Que vous gagniez, oui ! mais pas que vous doubliez le prix des choses... Vous en faites un commerce ! On ne pourra bientôt plus acheter un outil.

Ce Laboque était un petit homme maigre et sec, au nez et aux yeux de furet, très actif ; et il avait une femme de sa taille, vive, noire, d'une âpreté au gain prodigieuse. Tous deux avaient commencé dans les foires, colportant, traînant dans une voiture des pioches, des râteaux, des scies. Et, depuis dix ans qu'ils avaient ouvert là une étroite boutique, ils étaient parvenus à l'élargir d'année en année, ils se trouvaient maintenant à la tête d'un vaste commerce, intermédiaires entre les usines du pays et les consommateurs, revendant avec de gros gains les fers marchands de l'Abîme, les clous des Chodorge, les faulx et les serpes des Hausser, les machines et les outils agricoles des Mirande. Toute une déperdition de force et de richesse s'engouffrait chez eux, dans leur honnêteté relative de commerçants, qui volaient selon l'usage, avec la joie chaude, chaque soir, lorsqu'ils faisaient leur caisse, de l'argent ramassé, prélevé sur les besoins des autres. Des rouages inutiles, qui mangeaient de l'énergie, et dont grinçait la machine, en train de se détraquer.

Alors, pendant que le paysan et le quincaillier se querellaient furieusement, à propos d'un rabais de vingt sous, Luc remarqua de nouveau les enfants. Il y en avait deux dans la boutique : un grand garçon de douze ans, Auguste, l'air réfléchi, qui était en train d'apprendre une leçon ; et une fillette de cinq ans à peine, Eulalie, très sagement assise sur une petite chaise, l'air grave et doux, comme si elle eût jugé les gens qui passaient. Dès la porte, elle s'était intéressée à Arsène Lenfant, le trouvant à son goût sans doute, l'accueillant de son air de petite personne bienveillante. Et la rencontre fut

La fille devient la petite maman de son frère, dès l'âge de seize ans.

Pagination incorrecte — date incorrecte

NF Z 43-120-12

au complet, lorsqu'une femme entra, en amenant un cinquième enfant, la femme du puddleur Bourron, Babette, toute ronde et toute fraîche, dans sa gaieté que rien n'entamait, et qui avait à la main sa fillette Marthe, une bambine de quatre ans, aussi grasse, aussi réjouie qu'elle. Tout de suite, d'ailleurs, celle-ci lui lâcha la main, courut à Auguste Laboque, qu'elle devait connaître.

Babette coupa court au marchandage du paysan et du quincaillier, qui tombèrent d'accord, en partageant les vingt sous. Elle rapportait une casserole, achetée la veille.

— Elle fuit, monsieur Laboque. Je m'en suis aperçue en la mettant sur le feu. Je ne puis pourtant pas garder une casserole qui fuit.

Et, pendant que Laboque l'examinait, maugréant, puis se décidait à faire l'échange, madame Laboque parla de ses enfants. De vrais pots, qui ne bougeaient pas de la journée, l'une sur sa chaise, l'autre le nez dans ses livres. Bien sûr qu'on aurait raison de leur gagner de l'argent, car ils ne ressemblaient guère à leurs père et mère, ils ne partaient pas pour en gagner beaucoup. Sans entendre, Auguste Laboque souriait à Marthe Bourron, Eulalie Laboque tendait sa petite main à Arsène Lenfant, tandis que l'autre Lenfant, Olympe, achevait d'un air songeur le gâteau que le petit Mitaine lui avait donné. Et cela était très gentil, très doux, une bonne et fraîche odeur d'espoir en demain, dans le souffle cuisant de haine et de lutte qui embrasait la rue.

— Si vous croyez qu'on gagne, avec des histoires pareilles, reprit Laboque, en remettant une autre casserole à Babette. Il n'y a plus de bons ouvriers, tous sabotent la besogne... Et ce qu'il y a de coulage, dans une maison comme la nôtre ! Entre qui veut, on est comme à la foire d'empoigne, avec ces étalages sur la rue... Cet après-midi, on nous a encore volés.

Lenfant, qui payait lentement sa bêche, s'étonna.

— Alors, c'est vrai, ces vols dont on parle ?

— Comment, si c'est vrai ! Ce n'est pas nous qui volons, ce sont les autres qui nous volent... Ils sont restés deux mois en grève, et n'ayant pas de quoi acheter, ils volent ce qu'ils peuvent... Là, tenez, dans cette case, il y a deux heures, on m'a volé des couteaux et des tranchets. Ce n'est guère rassurant.

Et il eut un geste de soudaine inquiétude, une pâleur, un frisson, en montrant la rue menaçante, emplie de la sombre foule, comme s'il avait craint une brusque ruée, un envahissement qui l'aurait dépossédé, en balayant le marchand et le propriétaire.

— Des couteaux et des tranchets, répéta Babette avec son continuel rire, ça ne se mange pas, qu'est-ce que vous voulez qu'on en fiche ?... C'est comme Caffiaux, en face, qui se plaint qu'on lui a volé une boîte de sardines. Quelque gamin qui aura voulu y goûter !

Elle était toujours contente, toujours certaine que les choses finiraient bien. Ce Caffiaux, en voilà un que les ménagères auraient dû maudire! Elle venait d'y voir entrer Bourron, son homme, avec Ragu, et c'était pour sûr une pièce de cent sous qu'il allait casser là. Mais, quoi! il était naturel qu'un homme s'amusât un peu, après avoir tant peiné. Et elle reprit la main de sa fillette Marthe, elle s'en alla, heureuse de sa belle casserole neuve.

— Voyez-vous, continua d'expliquer Laboque au paysan, il faudrait de la troupe. Moi, je suis pour qu'on donne une bonne leçon à tous ces révolutionnaires. Nous avons besoin d'un gouvernement solide, qui tape dur, afin de faire respecter ce qui est respectable.

Lenfant hochait la tête. Son bon sens soupçonneux hésitait à se prononcer. Il partit, emmena Arsène et Olympe, en disant :

— Pourvu que ça ne finisse pas très mal, ces histoires entre bourgeois et ouvriers!

Depuis un instant, Luc examinait la maison Caffiaux, qui occupait, en face, l'autre coin de la rue de Brias et de la place de la Mairie. Les Caffiaux n'avaient d'abord tenu là qu'une boutique d'épicerie, très prospère aujourd'hui, avec son étalage de sacs ouverts, de boîtes de conserves empilées, de toutes sortes de comestibles entassés, que des filets protégeaient contre les mains agiles des maraudeurs. Puis, l'idée leur était venue d'y joindre un commerce de vin, ils avaient loué la boutique d'à côté pour y établir un débit de vin restaurant, où ils faisaient des affaires d'or. Les usines voisines, l'Abîme surtout, consommaient une quantité d'alcool effroyable. Un défilé ininterrompu d'ouvriers ne cessait d'entrer, de sortir, surtout les samedis de paye. Beaucoup s'y oubliaient, mangeaient là, n'en sortaient qu'ivres morts. C'était le poison, l'antre empoisonneur où les plus forts laissaient leur tête et leurs bras. Aussi Luc eut-il tout de suite l'idée d'entrer, pour savoir ce qui s'y passait; et c'était bien simple, il n'avait qu'à y dîner, puisqu'il devait dîner dehors. Que de fois, à Paris, sa passion de connaître le peuple, de descendre au fond de toutes ses misères et de toutes ses souffrances, l'avait fait s'attarder des heures dans les pires bouges!

Tranquillement, Luc s'installa devant une des petites tables, près du vaste comptoir d'étain. La salle était grande, une douzaine d'ouvriers consommaient debout, tandis que d'autres, attablés, buvaient, criaient, jouaient aux cartes, dans l'épaisse fumée des pipes, où les becs de gaz ne faisaient plus que des taches rouges. Et, dès le premier regard, il reconnut à une table voisine, Ragu et Bourron, face à face, se parlant violemment dans le nez. Ils avaient dû commencer par boire un litre; puis, ils s'étaient fait servir une omelette, des saucisses, du fromage; de sorte que, les litres se succédant, ils étaient très ivres. Mais ce qui intéressa surtout Luc, ce fut la présence de Caffiaux, debout près de leur table, causant. Lui, avait commandé une tranche de bœuf rôti, et il mangeait, il écoutait.

Ce Caffiaux était un gros homme, gras et souriant, à la face paterne.

— Quand je vous dis que, si vous aviez résisté trois jours de plus, vous auriez eu les patrons à votre merci, pieds et poings liés!... Sacré bon Dieu! vous n'ignorez pas que je suis avec vous autres, moi! Ah! oui, ce ne sera pas trop tôt, lorsque vous m'aurez fichu par terre tous ces bougres d'exploiteurs.

Ragu et Bourron, très excités, lui tapèrent sur les bras. Oui, oui! ils le connaissaient, ils savaient bien qu'il était un bon, un solide. Mais, tout de même, c'est trop dur à supporter, la grève, et il faut toujours que ça finisse par finir.

— Les patrons seront toujours les patrons, bégaya Ragu. Alors, quoi? faut bien les accepter, en leur en donnant le moins possible pour leur argent... Encore un litre, père Caffiaux, vous allez le boire avec nous.

Caffiaux ne dit pas non. Il s'installa. Il était pour les idées violentes, parce qu'il avait remarqué que son établissement, après chaque grève, s'était élargi. Rien n'altérait comme les querelles, l'ouvrier exaspéré se jetait dans l'alcool, l'oisiveté rageuse habituait les travailleurs au cabaret. Et, d'ailleurs, en temps de crise, il savait être aimable, il ouvrait de petits crédits aux ménagères, il ne refusait pas un verre de vin aux hommes, certain qu'il serait payé, se créant une réputation de brave cœur, poussant à l'exécrable consommation du poison qu'il débitait. Certains disaient pourtant que Caffiaux, avec ses allures cafardes, était un traître, un mouchard des patrons de l'Abîme, qui l'auraient commandité pour faire causer les hommes, en les empoisonnant. Et c'était la perdition fatale, le salariat misérable, sans plaisir ni joie, qui nécessitait le cabaret, et le cabaret qui achevait de pourrir le salariat. Un mauvais homme, un mauvais lieu, une boutique de misère à raser et à balayer.

Luc fut un instant distrait de la conversation voisine, en voyant la porte intérieure de l'épicerie s'ouvrir et une jolie fille d'une quinzaine d'années paraître. C'était Honorine, la fille des Caffiaux, petite, brune, fine, avec de beaux yeux noirs. Elle ne restait jamais dans le débit de vin, elle servait à l'épicerie. Et elle se contenta d'appeler sa mère, qui était au grand comptoir d'étain, une grosse femme souriante et paterne, comme son mari. Tous ces commerçants si âpres, tous ces fournisseurs égoïstes et durs, avaient de bien beaux enfants. Et ces enfants deviendraient-ils donc éternellement aussi âpres, aussi durs et égoïstes?

Soudain, Luc eut comme une vision délicieuse et triste. Au milieu des odeurs empestées, dans la fumée épaisse des pipes, dans les éclats d'une rixe qui venait d'éclater devant le comptoir, Josine était là, debout, tellement vague et noyée, qu'il ne la reconnut pas d'abord. Elle avait dû entrer furtivement, en laissant Nanet à la porte. Tremblante, hésitante encore, elle se tenait derrière Ragu, qui ne la voyait pas, ayant le dos tourné. Et Luc put l'examiner un instant, si frêle dans sa pauvre robe, le visage si doux, si perdu d'ombre, sous le fichu en loques. Mais un détail qu'il n'avait pas remarqué, là-bas, devant l'Abîme, le frappa : la main droite s'était dégagée des jupes, et, elle apparaissait fortement bandée d'un linge, emmaillotée jusqu'au poignet, sans doute un pansement à quelque blessure.

Josine, enfin, prit tout son courage. Elle avait dû descendre jusque chez Caffiaux, regarder à travers les vitres, apercevoir Ragu attablé. Et elle s'avança de son petit pas défaillant, elle lui posa sa petite main de fillette sur l'épaule. Mais lui, dans l'ivresse qui le brûlait, ne la sentit même pas; et elle finit par le secouer, jusqu'à ce qu'il se retournât.

— Tonnerre de Dieu, c'est encore toi! Qu'est-ce que tu viens fiche ici?

Il avait donné un tel coup de poing sur la table, que les verres et les litres dansèrent.

— Il faut bien que j'y vienne, puisque tu ne rentres pas, répondit-elle, très pâle, fermant à demi ses grands yeux épeurés, devant la brutalité qu'elle pressentait.

Mais Ragu n'écoutait même plus, s'enrageait, gueulait pour la galerie de camarades.

— Je fais ce qu'il me plaît, je ne veux pas qu'une femme me moucharde. Tu entends, je suis mon maître, et je resterai ici, tant que ça me fera plaisir.

— Alors, dit-elle éperdue, donne-moi la clef, pour que je ne passe pas au moins la nuit sur le trottoir.

— La clef! la clef! hurla l'homme, tu demandes la clef?

Et, d'un mouvement de sauvagerie furieuse, il se leva, l'empoigna par sa main blessée, la traîna au travers de la salle, pour la jeter dehors.

— Quand je te dis que c'est fini, que je ne te veux plus!... Va donc voir si elle est dans la rue, la clef!

Josine, égarée, trébuchante, jeta un cri perçant de douleur.

— Oh! tu m'as fait du mal.

Dans la violence du geste, le pansement de la main droite venait d'être arraché, le linge rougit tout de suite d'une large tache de sang. Ce qui n'empêcha pas l'homme, aveuglé, fou d'alcool, d'ouvrir toute grande la porte, de pousser la femme au trottoir. Puis, quand il fut revenu s'asseoir lourdement devant son verre, il bégaya avec un rire épais :

— Ah bien! si on les écoutait, on en aurait du plaisir!

Hors de lui, Luc fermait les poings, pour tomber sur Ragu. Mais il vit la rixe, une bataille avec toutes ces brutes. Et, étouffant dans cet abominable lieu, il se hâta de payer; tandis que Caffiaux, qui avait pris la place de sa femme au comptoir, tâchait de raccommoder les choses, en disant de son air paterne qu'il y avait tout de même des femmes bien maladroites. Qu'est-ce que vous voulez obtenir d'un homme qui a bu un coup? Sans répondre, Luc s'élança au dehors, respirant avec soulagement l'air frais de la rue, regardant de tous côtés, fouillant la foule; car il n'avait eu qu'une idée en sortant si vite, celle de retrouver Josine, de lui venir en aide, de ne pas la laisser mourante de faim, sans pain, sans asile, par cette nuit sombre de tempête. Mais il eut beau remonter la rue de Brias au pas de course, revenir sur la place de la Mairie, galoper parmi les groupes : Josine et Nanet avaient disparu. Sans doute, sous la terreur d'une poursuite, ils s'étaient terrés quelque part, et les ténèbres de pluie et de vent les avaient repris.

Quelle affreuse misère, quelle souffrance exécrable, dans le travail gâché, corrompu, devenu le ferment honteux de toutes les déchéances! Et Luc, le cœur saignant, le cerveau assombri des plus noires prévisions, se remit à errer au milieu de la cohue louche et menaçante, qui augmentait dans la rue de Brias. Il retrouvait là ce souffle de terreur indistinct, qui passait sur les têtes, venu de la récente lutte de classes, lutte jamais finie, dont on sentait dans l'air le prochain recommencement. La reprise du travail n'était qu'une paix menteuse, la résignation des travailleurs avait un grondement sourd, un besoin muet de revanche, des yeux de cruauté mal éteints, prêts à flamber de nouveau. Aux deux côtés de la rue, les cabarets regorgeaient, l'alcool dévorait la paye, exhalait son poison jusque sur la chaussée, tandis que les boutiques des fournisseurs ne désemplissaient pas, prélevaient sur le maigre argent des ménagères l'inique et monstrueux gain du commerce. Partout, les travailleurs, les meurt-de-faim étaient exploités, mangés, broyés sous les rouages de la machine sociale grinçante, dont les dents étaient d'autant plus dures, qu'elle se détraquait. Et, dans la boue, sous les becs de gaz effarés, Beauclair entier tournoyait là, avec son piétinement de troupeau perdu, comme s'il allait aveuglément au gouffre, à la veille de quelque grande catastrophe.

Dans la foule, Luc reconnut plusieurs des personnes qu'il avait vues déjà, lors de son premier passage à Beauclair, au dernier printemps. Les autorités étaient là, sans doute dans la crainte de quelque aventure. Il vit passer ensemble le maire Gourier et le sous-préfet Châtelard : le premier, gros propriétaire inquiet, aurait voulu de la troupe; mais l'autre, plus fin, aimable épave de Paris, avait eu la sagesse de se contenter des gendarmes. Le président du tribunal, Gaume, passa également, ayant avec lui le capitaine retraité Jollivet, qui allait épouser sa fille. Et, devant chez Laboque, ils s'arrêtèrent, pour saluer les Mazelle, d'anciens commerçants que leurs rentes, vite gagnées, avaient fini par faire recevoir dans la belle société de la ville. Tout ce monde parlait bas, la mine peu rassurée, avec des coups d'œil obliques sur le lourd défilé des travailleurs, fêtant le samedi. Comme il passait près d'eux, Luc entendit les Mazelle, qui, eux aussi, parlaient de vol, ayant l'air de questionner le président et le capitaine. Les commérages couraient de bouche en bouche, la pièce de cent sous prise dans le comptoir de Dacheux, la boîte de sardines enlevée à l'étalage de Caffiaux. Mais, surtout, les tranchets, volés à Laboque, soulevaient les plus graves commentaires. La terreur épandue gagnait les gens sages, était-ce donc que les révolutionnaires s'armaient, qu'ils avaient projeté quelque massacre pour la nuit, cette nuit d'ouragan qui pesait si noire sur Beauclair? La grève désastreuse avait tout désorganisé, la faim faisait se ruer les misérables, l'alcool des cabarets leur soufflait la démence dévastatrice et meurtrière. Et c'était ainsi, par l'immonde chaussée boueuse, le long des trottoirs gluants, tout l'empoisonnement et toute la dégradation du travail inique du plus grand nombre pour la jouissance égoïste de quelques-uns, le travail déshonoré, exécré, maudit, l'effroyable misère qui en résulte, le vol et la prostitution qui en sont comme les végétations monstrueuses. Des filles blêmes passaient, des ouvrières de fabrique séduites par quelque galant, puis glissées au ruisseau, de la basse chair à plaisir, sordide et douloureuse, que des hommes ivres emmenaient dans les flaques enténébrées des chantiers voisins, pour quatre sous.

Une pitié croissante, une révolte faite de colère et de douleur, envahissait Luc. Où donc était Josine? dans quel coin d'ombre affreuse était-elle allée tomber, avec le petit Nanet? Et, tout d'un coup, il y eut des clameurs, une rafale sembla passer sur la cohue, la fit tourbillonner, l'emporta. On put croire que c'était l'assaut donné aux boutiques, la mise à sac des provisions étalées au deux bords de la rue. Des gendarmes se précipitèrent, il y eut des galopades, des bruits de bottes et de sabres. Qu'était-ce donc? qu'était-ce donc? Et les questions se pressaient, volantes, balbutiantes, dans la terreur accrue, et les réponses se croisaient, affolées.

Puis, Luc entendit les Mazelle qui revenaient, en disant :

— C'est un enfant qui a volé un pain.

Maintenant, la foule violente et hargneuse remontait la rue, au galop. L'événement avait dû se produire plus haut, vers la boulangerie Mitaine. Des femmes criaient, un vieillard tomba, qu'il fallut ramasser. Un gros gendarme courait si fort, au milieu des groupes, qu'il renversa deux personnes.

Luc lui-même s'était mis à courir, emporté dans le coup de panique général. Et il passa près du président Gaume, qui disait de sa voix lente au capitaine Jollivet :

— C'est un enfant qui a volé un pain.

La phrase revenait, comme scandée par le galop de la foule. Mais on se bousculait, on ne voyait toujours rien. Les marchands, sur le seuil de leurs boutiques, pâlissaient, prêts à fermer les volets. Déjà un bijoutier enlevait les montres de sa vitrine. Il y eut un grand remous autour du gros gendarme qui jouait des coudes.

Et Luc, près duquel couraient aussi le maire Gourier et le sous-préfet Châtelard, surprit de nouveau la phrase, le murmure dolent et grandissant, avec son petit frisson :

— C'est un enfant qui a volé un pain.

Alors, Luc qui arrivait devant la boulangerie Mitaine, dans le sillon du gros gendarme, le vit se ruer pour prêter main-forte à un camarade, un gendarme maigre et long, qui tenait fortement par le poignet un enfant de cinq à six ans. Et Luc reconnut Nanet, avec sa tête blonde ébouriffée, qu'il portait quand même très haute, de son air résolu de petit homme. Il venait de voler un pain, à l'étalage de la belle madame Mitaine : le vol était indéniable, car il tenait encore le grand pain, presque aussi haut que lui; et c'était donc bien ce vol d'un enfant qui venait de soulever, de bouleverser ainsi toute la rue de Brias. Des passants, l'ayant aperçu, l'avaient dénoncé au gendarme, qui s'était mis à courir. Mais l'enfant filait vite, disparaissait au milieu des groupes, et le gendarme acharné, déchaînant un bruit d'orage, aurait fini par ameuter Beauclair entier. Maintenant, il triomphait, il ramenait le coupable sur le lieu de son vol, pour le confondre.

— C'est un enfant qui a volé un pain, répétaient les voix.

Madame Mitaine, étonnée d'un tel vacarme, était venue, elle aussi, sur le seuil de sa boutique. Elle resta toute saisie, lorsque le gendarme, s'adressant à elle, dit :

— Tenez, madame, c'est ce vaurien qui vient de vous voler ce gros pain-là.

Et, secouant Nanet, il voulut le terrifier.

— Tu sais que tu vas aller en prison... Dis, pourquoi as-tu volé un pain?

Mais le petit ne se troublait guère. Il répondit clairement, de sa voix de flûte :

— J'ai pas mangé depuis hier, ma sœur non plus.

Cependant, madame Mitaine s'était remise. Elle regardait le gamin de ses beaux yeux, si pleins d'une indulgente bonté. Pauvre petit bougre! et sa sœur, où l'avait-il donc laissée? Un instant, la boulangère hésita, tandis qu'une rougeur légère montait à ses joues. Puis, avec son rire aimable de belle femme que toute sa clientèle courtisait, elle dit d'un air gai et paisible :

— Vous faites erreur, gendarme, cet enfant ne m'a pas volé un pain. C'est moi qui le lui ai donné.

Béant, le gendarme se tenait devant elle, sans lâcher Nanet. Dix personnes avaient vu celui-ci prendre le pain à l'étalage et se sauver. Et, tout d'un coup, le boucher Dacheux, qui avait traversé la rue, intervint, avec une passion furieuse.

— Mais je l'ai vu, moi!... Justement, je regardais. Il s'est jeté sur le plus gros, puis il a galopé... Aussi vrai qu'on m'a volé cent sous avant-hier, et qu'on a volé aujourd'hui encore chez Laboque et chez Caffiaux, cette vermine d'enfant vient de vous voler, madame Mitaine... Vous n'allez pas dire non.

Toute rose de son mensonge, la boulangère répéta doucement :

— Vous vous trompez, mon voisin, c'est moi qui ai donné le pain à cet enfant. Il ne l'a pas volé.

Et, comme Dacheux s'emportait contre elle, en lui prédisant qu'avec cette belle indulgence elle finirait par les faire tous piller et égorger, le sous-préfet Châtelard, qui avait jugé la scène de son coup d'œil d'homme prudent, s'approcha du gendarme, lui fit lâcher Nanet, auquel il souffla d'une voix de Croquemitaine :

— Sauve-toi vite, gamin!

Déjà la foule grondait, se fâchait. Puisque la boulangère affirmait qu'elle l'avait donné, ce pain! Un pauvre petit gars, haut comme une botte, qui jeûnait depuis la veille! Des cris, des huées s'élevèrent, une voix brusque et tonnante se dégagea, domina tous les bruits.

— Ah! tonnerre de Dieu! c'est donc les mômes de six ans qui doivent nous donner l'exemple?... Il a eu raison, cet enfant. Quand on a faim, on peut tout prendre. Oui, tout ce qui est dans les boutiques est à nous, et c'est parce que vous êtes des lâches que vous crevez de faim!

La cohue s'agita, reflua, comme lorsqu'un pavé est jeté dans une mare. Des questions s'élevaient : « Qui est-ce? qui est-ce? » Et des réponses tout de suite coururent : « C'est le potier, c'est Lange, c'est Lange! » Luc, alors, au milieu des groupes qui s'écartaient, aperçut l'homme, un homme petit et trapu, de vingt-cinq ans à peine, à la tête carrée, embroussaillée de barbe et de cheveux noirs. D'aspect rustique, les yeux brûlant d'intelligence, il parlait, les mains dans les poches, avec les rudes envolées d'un poète mal dégrossi, criant son rêve.

— Les provisions, l'argent, les maisons, les vêtements, c'est à nous qu'on a tout volé, c'est nous qui avons le droit de tout reprendre! Et pas demain, mais ce soir, nous devrions rentrer en possession du sol, des mines, des usines, de Beauclair entier, si nous étions des hommes! Et il n'y pas deux moyens, il n'y en a qu'un, flanquer d'un coup l'édifice par terre, détruire partout l'autorité à coups de hache, pour que le peuple, à qui tout appartient, puisse tout reconstruire enfin!

Des femmes prirent peur. Les hommes eux-mêmes, devant la véhémence agressive de ces paroles, se taisaient maintenant, reculaient, inquiets des suites. Peu comprenaient, le plus grand nombre n'en étaient pas à cette révolte exaspérée, sous l'écrasement séculaire du salariat. A quoi bon tout ça? on n'en crèverait pas moins de faim, et on irait en prison.

— Je sais, vous n'osez pas, continua Lange, d'un air de goguenardise terrible. Mais il y en a bien qui oseront un jour... Votre Beauclair, on le fera sauter, à moins qu'il ne tombe lui-même de pourriture. Vous n'avez guère de nez, si vous ne sentez pas, ce soir, que tout est gâté et que ça empoisonne la charogne! Tout ça n'est plus que fumier, et il n'y a vraiment pas besoin d'être grand prophète pour annoncer que le vent qui souffle emportera la ville et tous les voleurs, tous les assassins, nos maîtres... Que tout croule et que tout crève! A mort, à mort!

Le scandale devenait tel, que le sous-préfet Châtelard, bien qu'il fût pour l'indifférence, se vit forcé de sévir. Il fallait arrêter quelqu'un, trois gendarmes se jetèrent sur Lange et l'emmenèrent, par une rue tranversale, sombre et déserte, où le bruit de leurs bottes se perdit. D'ailleurs, il n'y avait eu, dans la foule, que des mouvements contraires et comme indistincts, vite apaisés. Et l'attroupement se trouva dispersé, le piétinement recommença, lent et silencieux, dans la boue noire, d'un bout à l'autre de la rue.

Mais Luc avait frémi. La menace prophétique éclatait comme l'effroyable conséquence de ce qu'il voyait, de ce qu'il entendait, depuis la tombée du jour. Tant d'iniquité et de misère appelait la catastrophe finale, que lui aussi avait senti venir du fond de l'horizon, telle qu'une nuée vengeresse qui brûlerait, qui raserait Beauclair. Et il souffrait, dans son horreur de la violence. Quoi! le potier aurait-il raison? faudrait-il la force, faudrait-il le vol et le meurtre, pour rentrer dans la justice? Bouleversé, il avait cru, au milieu de dures et sombres faces de travailleurs, voir passer les faces pâles du maire Gourier, du président Gaume et du capitaine Jollivet. Puis, c'étaient les deux visages des Mazelle, suant la peur, qui repassaient devant lui, dans l'effarement d'un bec de gaz. La rue lui fit horreur, il n'eut plus qu'une idée de pitié et de consolation, rattraper Nanet, le suivre, savoir dans quel coin de ténèbres était tombée Josine.

Nanet marchait, marchait, de tout le courage de ses petites jambes. Et Luc, qui l'avait vu filer par le haut de la rue de Brias, du côté de l'Abîme, le rattrapa cependant assez vite, tant le cher enfant avait de la peine à traîner son grand pain. Il le serrait sur sa poitrine, de ses deux bras, dans la crainte de le perdre, et sans doute aussi dans celle qu'un méchant homme ou qu'un gros chien ne le lui arrachât. Lorsqu'il entendit le pas pressé de Luc derrière lui, il dut être pris d'une peur affreuse, il s'efforça de courir. Mais, s'étant retourné, ayant reconnu, à la lueur d'une des dernières boutiques, le monsieur qui leur avait souri, à lui et à sa grande, il se rassura, il se laissa rattraper.

— Veux-tu que je le porte, ton pain ? lui demanda le jeune homme.

— Oh ! non, je le garde, ça me fait trop plaisir.

Maintenant, on était sur la route, en dehors de Beauclair, dans l'obscurité du ciel bas et tumultueux. Seules, à quelque distance, commençaient à luire les lumières de l'Abîme. Et l'on entendait le petit clapotis de l'enfant dans la boue, tandis que, d'une étreinte plus courte, il relevait le pain bien haut, pour ne pas le salir.

— Tu sais où tu vas ?

— Bien sûr.

— Et c'est loin, où tu vas ?

— Non, c'est quelque part.

Une crainte vague devait reprendre Nanet, il ralentissait le pas. Pourquoi donc le monsieur cherchait-il à savoir ? Le petit homme, qui se sentait l'unique protecteur de sa grande sœur, cherchait à ruser. Mais Luc, comprenant, voulant lui montrer qu'il était un ami, joua, l'enleva d'une brusque embrassade, au moment où l'enfant, avec ses courtes jambes, manquait de culbuter dans une flaque.

— Houp là ! mon bonhomme, faut pas mettre de la confiture sur ton pain !

Conquis, ayant senti la bonne chaleur de ces grands bras fraternels, Nanet éclata de son rire insoucieux d'enfance, tutoyant du coup son nouvel ami.

— Oh ! tu es fort et gentil, toi !

Et il continua de trotter, sans s'inquiéter davantage. Mais où donc avait pu se terrer Josine ? La route se déroulait, Luc croyait la reconnaître, attendant, dans l'ombre immobile de chaque tronc d'arbre. On approchait de l'Abîme, les coups du marteau-pilon ébranlaient déjà le sol, tandis que les alentours s'éclairaient de la nuée embrasée des vapeurs, que traversaient de grands rayons électriques. Et Nanet, sans dépasser l'usine, tourna, prit le pont, traversa la Mionne. Luc se trouvait ainsi ramené au point même de sa première rencontre, le soir. Puis, soudain, l'enfant galopa, et il le perdit, il l'entendit qui disait, repris d'un rire joueur :

— Tiens, ma grande ! tiens, ma grande ! vois donc ça ! c'est ça qui est beau !

Au bout du pont, la rive s'abaissait, et un banc était là, dans l'ombre d'une palissade, en face de l'Abîme, fumant et soufflant à l'autre bord de la rivière. Luc s'était heurté à la palissade, lorsqu'il entendit les rires du gamin se changer en cris et en larmes. Et il s'orienta enfin, il comprit, en apercevant Josine étendue sur le banc, épuisée, évanouie. C'était là qu'elle était venue tomber de faim et de souffrance, laissant repartir son petit frère, n'ayant pas même bien saisi ce qu'il complotait, dans sa hardiesse d'enfant du pavé.

L'enfant la retrouvait toute froide, comme morte, et il se désespérait, avec de gros sanglots.

— Oh! ma grande, réveille-toi! Faut manger, mange donc, puisqu'il y en a maintenant, du pain!

Des larmes aussi étaient montées aux yeux de Luc. Tant de misère, une si affreuse destinée de privations et de douleurs, pour des êtres si faibles, si braves et si charmants! Il descendit vivement jusqu'à la Mionne, trempa son mouchoir, revint l'appliquer sur les tempes de Josine. La nuit, tragique, n'était heureusement pas froide. Il prit ensuite les mains de la jeune femme, les frotta, les ranima dans les siennes; et elle soupira enfin, elle parut se réveiller d'un rêve noir. Mais, dans l'accablement de sa longue inanition, rien ne l'étonna, il lui sembla tout naturel que son frère fût là, avec ce pain, et qu'il fût accompagné de ce grand et beau monsieur, qu'elle reconnaissait. Peut-être comprit-elle que c'était le monsieur qui avait apporté le pain. Ses pauvres doigts affaiblis ne pouvaient en briser la croûte. Il fallut qu'il l'aidât, il rompait lui-même le pain en petits morceaux, les lui passait un à un, lentement, pour qu'elle ne s'étouffât pas, dans sa hâte à calmer la faim atroce qui l'étranglait. Alors, tout son triste corps, si fluet, se mit à trembler, et elle pleura, elle pleura sans fin, mangeant toujours, trempant chaque bouchée de ses larmes, d'une voracité, d'une maladresse grelottante d'animal battu, qui ne sait même plus avaler, et qui se presse. Doucement, le cœur meurtri, éperdu, Luc lui arrêtait les mains, continuait à lui passer les petits morceaux qu'il rompait, un à un. Jamais plus il ne devait oublier cette communion de souffrance et de bonté, ce pain de vie donné à la plus misérable et à la plus délicieuse des créatures.

Nanet, cependant, se taillait sa part, mangeait en petit goulu, fier de son exploit. Les larmes de sa grande l'étonnaient, pourquoi donc pleurait-elle encore, puisqu'on faisait la noce? Puis, quand il eut mangé, étourdi d'un tel repas, il se blottit contre elle, il fut comme assommé par un brusque sommeil, l'heureux sommeil des tout petits riant aux anges. Et Josine, de son bras droit, le serrait contre elle, remise un peu, adossée au banc, tandis que Luc restait assis à son côté, ne pouvant se résoudre à la laisser seule dans la nuit, avec cet enfant ensommeillé. Il avait fini par comprendre que, si elle s'était montrée maladroite, cela venait aussi de sa main blessée, autour de laquelle elle avait renoué tant bien que mal le linge taché de sang. Et il causa.

— Vous vous êtes donc fait du mal?

— Oui, monsieur, une machine à piquer les bottines qui m'a cassé un doigt. Il a fallu le couper. Mais c'était de ma faute, à ce qu'a dit le contre-maître, et monsieur Gourier m'a fait donner cinquante francs.

Elle parlait d'une voix un peu basse, très douce, qu'une sorte de honte faisait trembler par moments.

— Alors, vous travailliez à la cordonnerie de monsieur Gourier, le maire.

— Oui, monsieur, j'y suis entrée à quinze ans, et j'en ai aujourd'hui dix-huit... Ma mère y a travaillé pendant plus de vingt ans, mais elle est morte. Je suis toute seule, je n'ai plus que mon petit frère Nanet, qui a six ans. Moi, je me nomme Josine.

Et elle continua à dire son histoire, et Luc n'eut plus qu'à poser encore quelques questions, pour tout savoir. C'était l'histoire banale et poignante de tant de pauvres filles : un père qui s'en va, qui disparaît avec une autre femme ; une mère qui reste avec quatre enfants sur les bras, qui n'arrive pas à les nourrir, bien qu'elle ait la chance d'en perdre deux ; et, alors, la mère meurt de la besogne trop rude, la fille devient la petite maman de son frère, dès l'âge de seize ans, se tue à son tour de travail, sans parvenir à toujours gagner du pain pour elle et pour lui. Puis, c'est le drame inévitable de l'ouvrière jolie, le séducteur qui passe, ce Ragu, beau mâle, bourreau des cœurs, au bras duquel elle a eu le tort de se promener chaque dimanche, après la danse. Il faisait de si belles promesses, elle se voyait épousée, ayant un joli chez-elle, élevant son frère avec les enfants qui lui viendraient. Sa seule faute est de s'être abandonnée, un soir de printemps, dans un bois, derrière la Guerdache. Même elle ne sait plus bien jusqu'à quel point elle était consentante. Il y a six mois de cela, elle a commis la seconde faute de vivre chez Ragu, qui ne lui a plus parlé de mariage. Puis, son accident lui est arrivé à la cordonnerie, elle n'a pu continuer son travail, juste au moment où la grève rendait Ragu si terrible, si méchant, qu'il s'est mis à la battre, en l'accusant de sa misère. Et ça s'est gâté de plus en plus, et maintenant voilà qu'il la jetait au trottoir, qu'il ne voulait même pas lui donner la clef, pour qu'elle rentrât se coucher, avec Nanet.

Une pensée obsédait Luc.

— Si vous aviez un enfant, cela l'attacherait peut-être, il se déciderait à vous épouser.

Elle se récria, eut un geste de crainte.

— Un enfant avec lui, ah ! grand Dieu, ce serait le dernier des malheurs !... Comme il le répète, pas de fil à la patte ! Il n'en veut pas, il a bien soin de s'arranger pour ça... Son idée est que, lorsqu'on se met ensemble, c'est simplement du plaisir pour les deux, et puis, lorsqu'on en a assez, bonjour, bonsoir, on se quitte.

Et le silence retomba, ils ne parlèrent plus. Cette certitude qu'elle n'était pas mère, qu'elle ne serait pas mère de cet homme, avait apporté à Luc, dans sa pitié douloureuse, une douceur singulière, une sorte de soulagement, qu'il ne s'expliquait pas. Des sentiments confus montaient en lui, tandis que, les yeux errants au loin, parmi les choses obscures, il retrouvait cette gorge de Brias, entrevue au crépuscule, noyée de ténèbres à cette heure. Aux deux

côtés, les Monts Bleuses dressaient leurs rampes de rochers, dans un épais-
sissement d'ombre. Derrière lui, par instants, à mi-côte, il entendait passer
le grondement d'un train, qui sifflait et se ralentissait, en entrant en gare.
A ses pieds, il distinguait la Mionne glauque, bouillonnant contre l'estacade
de bois, dont les madriers portaient le pont. Et c'était ensuite, à sa gauche,
le brusque élargissement de la gorge, les deux promontoires des Monts
Bleuses s'écartant dans l'immense plaine de la Roumagne, où la nuit de tempête roulait en une mer noire et sans fin, au delà de l'îlot vague de Beauclair,
éclairé, constellé de petites clartés, pareilles à des étincelles. Mais ses yeux
revenaient toujours, en face de lui, à l'Abîme, d'un aspect d'apparition
farouche, sous les fumées blanches, que les lampes électriques des cours
incendiaient. Par des baies grandes ouvertes, on apercevait, à de certains
moments, des gueules ardentes de fours, des jets aveuglants de métal en fusion,
de vastes embrasements rouges, toutes les flammes de l'enfer intérieur qui
était l'œuvre dévoratrice et tumultueuse du monstre. Le sol tremblait aux
alentours, la danse claire des martinets ne cessait pas, sur le sourd ronflement des machines et les coups profonds des grands marteaux, semblables
à une canonnade entendue au loin.

Et Luc, les yeux emplis de cette vision, le cœur meurtri par le destin de
cette Josine, si abandonnée, si misérable, sur ce banc, à son côté, se disait
qu'en cette malheureuse retentissait toute la débâcle du travail mal organisé,
déshonoré, maudit. C'était à cette suprême souffrance, à ce sacrifice humain
de la triste enfant, que toute sa soirée aboutissait, les désastres de la grève,
les cœurs et les cerveaux empoisonnés de haine, les duretés égoïstes du
négoce, l'alcool devenu l'oubli nécessaire, le vol légitimé par la faim, toute
la vieille société craquant sous l'amas de ses iniquités. Et il entendait encore
la voix de Lange prophétisant la catastrophe finale qui emporterait ce Beauclair pourri et pourrisseur. Et il revoyait surtout les pâles filles errantes du
trottoir, cette basse chair à plaisir des villes industrielles, ce gouffre dernier
de la prostitution où le chancre du salariat jette les jolies ouvrières des
fabriques. N'était-ce point là que Josine allait? Séduite, puis poussée à la
rue, puis ramassée par les ivrognes, la pente descendait vite à la boue. Il la
sentait une soumise, une amoureuse, une de ces tendresses adorables qui sont à
la fois le courage et la récompense des forts. Et la pensée de l'abandonner
sur ce banc, de ne pas la sauver du destin mauvais, le souleva d'une telle
révolte, qu'il n'aurait plus vécu, s'il ne lui avait pas tendu une main secourable et fraternelle.

— Voyons, vous ne pouvez pourtant pas coucher ici, avec cet enfant. Il
faut que cet homme vous reprenne. Nous verrons après... Où demeurez-vous?

— Près d'ici, dans le vieux Beauclair, rue des Trois-Lunes.

Elle lui expliqua les choses. Ragu habitait un petit logement de trois

pièces, dans la même maison qu'une sœur à lui, Adèle, que tout le monde
nommait la Toupe, sans qu'on sût bien pourquoi. Et elle soupçonnait que,
si réellement Ragu n'avait pas sa clef sur lui, il devait l'avoir remise à la
Toupe, qui était une terrible femme, dure aux pauvres filles. Puis, comme
il parlait d'aller tranquillement demander la clef à cette mégère, elle frissonna.

— Oh! non, pas à elle. Elle m'exècre... Si encore on était sûr de tomber
sur son mari, qui est un brave homme. Mais je sais qu'il travaille cette nuit
à l'Abîme... C'est un maître puddleur qui s'appelle Bonnaire.

— Bonnaire, répéta Luc, frappé d'un souvenir, mais je l'ai vu, au dernier printemps, lors de ma visite à l'Abîme. J'ai même causé longuement avec
lui, il m'a expliqué le travail. C'est un garçon intelligent, et qui, en effet, m'a
paru être un brave homme... C'est bien simple, je vais aller tout de suite
arranger votre affaire avec lui.

Josine eut un cri d'ardente gratitude. Elle tremblait toute, ses pauvres
mains se joignirent, dans un élan de son cœur.

— Oh! monsieur, que vous êtes bon, que je vous remercie!

Un rougeoiement sombre venait de l'Abîme, et Luc la vit cette fois, la
tête nue, le lainage en loques tombé sur les épaules. Elle ne pleurait plus,
ses yeux bleus luisaient de tendresse, sa bouche, petite, retrouvait son jeune
rire. Mais surtout, mince, très souple, très gracieuse, elle avait gardé une
expression d'enfance, joueuse encore, simple et gaie. Ses longs cheveux
blonds, d'un blond d'avoine mûre, presque dénoués sur sa nuque, en faisaient une fillette, restée candide dans son abandon. Et lui, pénétré d'un
charme infini, pris peu à peu tout entier, était dans un étonnement ému
devant la délicieuse femme qui se dégageait de cette sorte de pauvresse qu'il
avait rencontrée, mal vêtue, épeurée, en pleurs. Puis, elle le regardait avec
une telle adoration, elle se donnait à lui si ingénument, de toute son âme
de pauvre être enfin secouru, aimé! Si beau, si bon, il lui apparaissait
comme un dieu, après les brutalités de Ragu. Elle aurait baisé la trace de
ses pas, elle restait devant lui les mains jointes, sa main gauche serrant la
droite, la mutilée, au linge taché de sang. Et quelque chose de très doux et
de très fort se nouait entre eux, un lien d'infinie tendresse, d'amour infini.

— Nanet va vous conduire à l'usine, monsieur. Il en connaît tous les recoins.

— Non, non, je sais mon chemin... Ne le réveillez pas, il vous tient
chaud. Attendez-moi là tranquillement tous les deux.

Il la laissa sur le banc, avec l'enfant endormi, dans la nuit noire. Et,
comme il la quittait, une grande lueur illumina le promontoire des Monts
Bleuses, à droite, au-dessus du parc de la Crêcherie, où se trouvait l'habitation de Jordan. On aperçut le profil sombre du haut fourneau, au flanc de la
montagne. C'était une coulée, et toutes les roches voisines, toutes les toitures
de Beauclair elles-mêmes s'en trouvèrent éclairées, comme d'une rouge aurore.

La Toupe.

Bonnaire, le maître puddleur, un des meilleurs ouvriers de l'usine, avait joué un grand rôle dans la dernière grève. Lisant les journaux de Paris, esprit juste que les iniquités du salariat révoltaient, il y puisait toute une instruction révolutionnaire, dans laquelle il y avait bien des lacunes, mais qui avait fait de lui un partisan assez net de la doctrine collectiviste. D'ailleurs, comme il le disait fort sagement, avec son bel équilibre d'homme laborieux et sain, c'était là le rêve qu'on s'efforcerait d'atteindre un jour; et, en attendant, il s'agissait d'obtenir le plus de justice tout de suite réalisable, pour que les camarades souffrissent le moins possible.

La grève, depuis quelque temps, était devenue inévitable. Trois ans plus tôt, l'Abîme ayant périclité aux mains de Michel Qurignon, le fils de monsieur Jérôme, son gendre Boisgelin, un oisif, un beau monsieur de Paris, qui avait épousé sa fille Suzanne, s'était avisé de racheter l'usine, d'y mettre les débris de sa fortune, fort compromise, sur les conseils d'un cousin pauvre à lui, Delaveau, lequel avait pris l'engagement formel de faire rendre le trente pour cent au capital engagé. Et, depuis trois ans, Delaveau, ingénieur adroit, travailleur acharné, tenait sa promesse, par une organisation, par une direction énergiques, veillant aux moindres détails, exigeant de tous une discipline absolue. Une des causes des mauvaises affaires de Michel Qurignon était tout un désastre qui s'était produit sur le marché métallurgique de la contrée, depuis que la fabrication des rails et des grandes charpentes de fer avait cessé d'y être rémunératrice, à la suite de la découverte d'un procédé chimique qui, dans le Nord et dans l'Est, permettait d'utiliser à vil prix de vastes gisements de minerais, jusque-là trop défectueux. Les Aciéries de Beauclair ne pouvaient plus lutter de bon marché, c'était la ruine certaine, et le coup de génie de Delaveau fut alors de comprendre qu'il devait changer la fabrication, abandonner les rails et les charpentes, que le Nord et l'Est donnaient à vingt centimes le kilo, s'en tenir aux objets fins et soignés, aux obus et aux canons, par exemple, qu'on vend de deux à trois francs. La prospérité était revenue, l'argent mis par Boisgelin dans l'affaire lui rapportait des rentes considérables. Seulement, il avait fallu un outillage nouveau, des ouvriers plus soigneux, plus attentifs à leur besogne, et par conséquent mieux payés.

En principe, la grève n'avait pas eu d'autre cause que ce relèvement des salaires. Les ouvriers étaient payés aux cent kilogrammes, et Delaveau admettait lui-même la nécessité de nouveaux tarifs. Mais il voulait rester le maître absolu de la situation, ne pas surtout paraître obéir aux ordres de ses ouvriers. Intelligence spécialisée, très autoritaire, très entêté sur ses droits, tout en s'efforçant d'être loyal et juste, il traitait particulièrement le collectivisme de rêve destructeur, il déclarait que de telles utopies mèneraient droit à d'effroyables catastrophes. Et la querelle, entre lui et le petit monde de travailleurs sur lequel il régnait, s'était aggravée, le jour où Bonnaire avait réussi à mettre à peu près debout un syndicat de défense; car, si Delaveau admettait les caisses de secours et de retraites, même les coopérations de consommation, en reconnaissant qu'il n'était pas défendu à l'ouvrier d'améliorer son sort, il se prononçait violemment contre les syndicats, les groupements d'intérêts, armés pour l'action collective. Dès lors, ce fut la lutte, il montra la plus mauvaise grâce à terminer la revision des tarifs, il crut devoir s'armer lui aussi, décréter en quelque sorte à l'Abîme l'état de siège. Depuis qu'il sévissait, les ouvriers se plaignaient de ne plus avoir de liberté individuelle. On les surveillait étroitement, dans leurs actes, dans leurs pensées, en dehors même de l'usine. Ceux d'entre eux qui se faisaient humbles et flatteurs, espions peut-être, gagnaient les tendresses de l'administration, tandis que les fiers, les indépendants, étaient traités en hommes dangereux. Et, comme le chef, conservateur, défenseur instinctif de ce qui existait, voulait ouvertement ne plus avoir que des hommes à lui, tous les sous-ordres, les ingénieurs, les contremaîtres, les surveillants renchérissaient, se montraient d'une sévérité implacable sur l'obéissance et sur ce qu'ils appelaient le bon esprit.

Bonnaire, blessé dans son besoin de liberté et de justice, se trouva naturellement à la tête des mécontents. Ce fut lui qui se rendit chez Delaveau, avec quelques camarades, pour lui faire connaître leurs réclamations. Il lui parla très nettement, l'exaspéra, sans obtenir l'augmentation des salaires demandée. Delaveau ne croyait pas à la possibilité, chez lui, de la grève générale, car les ouvriers métallurgistes sont lents à se fâcher, il n'y avait pas eu de grève à l'Abîme, depuis des années, tandis qu'il en éclatait d'incessantes, parmi les ouvriers mineurs, dans les houillères de Brias. Et, lorsque cette grève générale se produisit, malgré ses prévisions, lorsqu'un matin deux cents hommes à peine sur mille se présentèrent, et qu'il dut fermer l'usine, il en conçut une telle colère contenue, que dès lors il s'entêta, intraitable. Il commença par jeter à la porte le syndicat et Bonnaire, le jour où des délégués se hasardèrent à le venir trouver. Il était le maître chez lui, la querelle était entre ses ouvriers et lui, et il entendait la régler avec ses ouvriers seuls. Bonnaire retourna donc le voir, accompagné uniquement de trois camarades. Mais ils n'en tirèrent que des raisonnements, des calculs, aboutissant à ce fait, qu'il compromettrait la prospérité de l'Abîme, s'il augmentait les salaires. On lui avait confié des fonds, on lui avait donné une usine à diriger, et son strict devoir était que l'usine restât prospère, que les fonds rendissent les intérêts promis. Certes, il voulait bien être humain, mais il se croyait un parfait honnête homme, en tenant ses engagements, en tirant de l'entreprise qu'il dirigeait le plus de richesse possible. Le reste n'était que rêve, espoir fou, avenir utopique et dangereux. Et c'était ainsi, en s'entêtant de part et d'autre, après plusieurs entrevues semblables, que la grève avait duré deux mois, désastreuse pour le salariat comme pour le capital, aggravant la misère des travailleurs, tandis que l'outillage chômait et s'endommageait. Puis, on avait fini par se faire quelques concessions mutuelles, on s'était entendu sur les nouveaux tarifs. Mais, une semaine encore, Delaveau avait refusé de reprendre certains ouvriers, ceux qu'il appelait les meneurs, et parmi lesquels se trouvait Bonnaire. Il gardait rancune à ce dernier, bien qu'il le reconnût comme un de ses ouvriers les plus adroits et les plus sobres. Enfin, quand il céda, quand il le reprit avec les autres, il déclara qu'on lui forçait la main, qu'on l'obligeait à faire un acte contre son cœur, uniquement pour avoir la paix.

Ce jour-là, Bonnaire se sentit condamné. D'abord, il ne voulut pas d'un oubli ainsi offert, il refusa de rentrer avec les camarades. Mais ceux-ci, dont il était très aimé, ayant déclaré qu'ils ne rentreraient pas non plus, s'il ne venait pas reprendre le travail en même temps qu'eux, il avait paru se résigner, très noblement, pour ne pas être la cause d'une nouvelle rupture. Les camarades avaient assez souffert, sa résolution était prise, il entendait être le seul sacrifié, sans que nul autre portât la peine de la demi-victoire remportée. Et c'était pourquoi il avait fini par rentrer le jeudi, en se promettant de s'en aller le dimanche, dans la conviction que sa présence à l'Abîme n'était plus possible. Il ne s'était confié à personne, il avait tout bonnement prévenu l'administration, le samedi matin, qu'il s'en irait le soir; et, s'il se trouvait encore à l'Abîme, cette nuit-là, c'était qu'il y avait un travail commencé à terminer. Il voulait disparaître discrètement, honnêtement.

　　　Luc, après s'être nommé au concierge, demanda s'il pouvait parler tout
de suite au maître puddleur Bonnaire; et le concierge se contenta de lui
indiquer d'un geste la halle des fours à puddler et les laminoirs, au fond de
la deuxième cour, à gauche. Ces cours, trempées par les dernières pluies,
étaient de véritables cloaques, avec leurs pavés défoncés, leur enchevêtrement de rails, parmi lesquels passait une voie de raccordement, de l'usine
à la station de Beauclair. Sous les clartés lunaires des quelques lampes électriques, au travers des ombres que jetaient les hangars, la tour à tremper
les canons, les fours à cémenter, indistincts, pareils aux constructions
coniques de quelque culte barbare, une petite locomotive évoluait doucement, lançait des coups de sifflet aigres, pour n'écraser personne. Mais, dès
le seuil, c'étaient surtout les martinets qui assourdissaient les visiteurs, les
deux martinets installés dans une sorte de cave, dont on voyait les grosses
têtes, des têtes de bête vorace, battre le fer d'un rythme furieux, le mordre,
l'étirer en barre, sous l'acharnement de leurs dents de métal. Les ouvriers
qui étaient là, les étireurs, vivaient calmes, silencieux, ne parlant que par
gestes, dans ce vacarme et dans ce tremblement continuels. Et Luc, après
avoir longé un bâtiment bas, où d'autres martinets faisaient rage, prit à
gauche, traversa la deuxième cour, dont le sol ravagé était encombré
de pièces de rebut, dormant dans la boue, attendant d'être remises à la
fonte. Des hommes chargeaient sur un wagon une grosse pièce de forge, un
arbre de torpilleur, terminé le jour même, que la petite locomotive allait
emporter. Et, comme elle arrivait en sifflant, il dut l'éviter, suivit une allée
entre des tas symétriques de gueuses de fonte, la matière première, et se
trouva enfin dans la halle des fours à puddler et des laminoirs.
　　　Cette halle, une des plus vastes, retentissait le jour du terrible grondement des laminoirs en marche. Mais, à cette heure de nuit, les laminoirs
dormaient, plus d'une moitié de l'immense hangar était plongée dans une
obscurité profonde. Et, sur les dix fours à puddler, quatre seulement flambaient, que desservaient deux marteaux cingleurs. Çà et là, une maigre
flamme de gaz vacillait au vent, de grandes ombres noyaient l'espace, on distinguait à peine, en haut, les grosses charpentes enfumées qui soutenaient la
toiture. Des bruits d'eau sortaient des ténèbres, la terre battue qui servait
de sol, crevassée, bossuée, se détrempait ici en boue fétide, n'était, à côté,
qu'une poussière de charbon, un amas de détritus. C'était partout la crasse
du travail sans soin, sans gaieté, le travail exécré et maudit, dans l'antre
empesté de fumées, souillé de saletés volantes, noir, délabré, immonde. Aux
clous de sortes de huttes, en planches grossières, étaient pendus les vêtements
de ville des ouvriers, mêlés à des cottes de toile, à des tabliers de peau. Et
toute cette misère sombre ne se dorait d'un flamboiement que lorsqu'un
maître puddleur ouvrait la porte de son four, d'où sortait alors un jet aveu-

glant qui perçait les ténèbres de la halle entière, comme d'un rayon d'astre.

Quand Luc se présenta, Bonnaire achevait de brasser une dernière fois le métal en fusion, les deux cents kilogrammes de fonte, que le four et le travail allaient transformer en acier. L'opération entière demandait quatre heures, et la dure besogne était ce brassage, après les premières heures d'attente. Tenant des deux mains un ringard de cinquante livres, le maître puddleur, dans la cuisante réverbération, brassait pendant vingt minutes la matière incandescente, sur la sole du four. A l'aide du crochet, il en raclait le fond, pétrissait l'énorme boule pareille à un soleil, que lui seul pouvait regarder, avec ses yeux durcis à la flamme, sachant où en était le travail, selon la couleur. Et, quand il le retirait, le ringard était rouge, fleuri d'étincelles.

D'un geste, Bonnaire donna l'ordre à son chauffeur d'activer le feu, tandis que l'autre ouvrier, le compagnon puddleur, prenait un ringard, pour « faire un crochet » à son tour, selon le terme en usage.

— Vous êtes bien monsieur Bonnaire? demanda Luc, qui s'était approché.

Surpris, l'ouvrier répondit affirmativement, d'un signe de tête. Vêtu d'une chemise et d'une simple cotte, il était superbe, le cou blanc, la face rose, dans l'effort vainqueur et dans l'ensoleillement de la besogne. Agé de trente-cinq ans à peine, c'était un colosse blond, aux cheveux coupés ras, à la face large, massive et placide. Et, de sa grande bouche ferme, de ses gros yeux tranquilles, émanaient de la droiture et de la bonté.

— Je ne sais si vous me reconnaissez, continua Luc. Je vous ai vu ici, l'été dernier, j'ai causé avec vous.

— Parfaitement, répondit enfin le maître puddleur. Vous êtes un ami de monsieur Jordan.

Mais, lorsque le jeune homme, un peu gêné, lui eut expliqué le motif de sa visite, ses rencontres, ce qu'il avait vu, la misérable Josine à la rue, la bonne action que lui seul pouvait faire sans doute, l'ouvrier retomba dans son silence, l'air embarrassé, lui aussi. Tous deux se taisaient, il y eut une attente, que prolongea la danse claire du marteau cingleur qui se trouvait là, pour les deux fours adossés. Puis, quand il put enfin se faire entendre, le maître puddleur dit simplement :

— C'est bon, je ferai ce que je pourrai... Dès que je vais avoir fini, dans trois quarts d'heure, j'irai avec vous.

Luc, bien qu'il fût près de onze heures déjà, résolut d'attendre, et il s'intéressa d'abord à une cisaille mécanique, qui, dans un coin d'ombre, coupait l'acier en barre, sorti des fours à puddler, avec une tranquille aisance, comme si elle eût coupé du beurre. A chaque coup de mâchoire, un petit morceau tombait, le tas s'amoncelait vite, qu'une brouette emportait aux cases de la chambre des charges, où l'on composait chaque charge de trente kilogrammes dans une caissette, pour la porter ensuite à la halle des fours à creusets. Et, afin d'occuper son temps, attiré par la grande lueur rose dont elle était éclairée, Luc passa dans cette halle, qui était voisine.

C'était une vaste et haute salle, aussi mal tenue, aussi délabrée et noire, dans laquelle s'ouvraient, au ras du sol bossué, encombré de déchets, six batteries de fours, divisés en trois compartiments chacun. Ces sortes de fosses ardentes, étroites et longues, dont les massifs de briques occupaient tout le sous-sol, étaient chauffées par un mélange d'air et de gaz enflammé, que le maître fondeur réglait lui-même, à l'aide d'une vanne. Et c'étaient ainsi, rayant la terre battue de la salle ténébreuse, six fentes ouvertes sur l'enfer intérieur, sur le volcan en continuelle activité, dont grondait le brasier souterrain. Des couvercles en forme de dalles allongées, des briques prises dans une armature de fer, étaient posés en travers des fours. Mais ces couvercles ne se touchaient pas, une intense lumière rose jaillissait de chaque intervalle, il y avait là comme autant de levers d'astres, de grands rayons naissant du sol, qui partaient en gerbe, jusqu'aux vitres poussiéreuses de la toiture. Et, lorsqu'un ouvrier, pour les besoins du travail, ôtait un des couvercles, on eût dit que l'astre émergeait en entier des obstacles, toute la salle s'allumait d'une clarté d'aurore.

Justement, Luc put suivre l'opération. Des ouvriers chargeaient un four, il les vit descendre les creusets de terre réfractaire, préalablement rougis, puis y verser, à l'aide d'un entonnoir, le mélange des caissettes, une caissette de trente kilogrammes par chaque creuset. Pendant trois ou quatre heures, la fusion allait se faire. Ensuite ce seraient les creusets enlevés et vidés, l'arrachage et le coulage, la besogne meurtrière. Et, comme il s'approchait d'un autre four, où les aides, armés de longues tiges, venaient de s'assurer que la fusion était complète, il reconnut Fauchard dans l'arracheur chargé de retirer les creusets. Blême, desséché, la face maigre et cuite, Fauchard avait gardé des jambes et des bras d'hercule. Déformé physiquement par la terrible besogne, toujours pareille, qu'il faisait depuis quatorze ans déjà, il avait plus souffert encore dans son intelligence de ce rôle de machine, aux gestes éternellement semblables, sans pensée, sans action individuelle, devenu lui-même un élément de lutte avec le feu. Ce n'était pas assez de ses tares physiques, les épaules remontées, les membres hypertrophiés, les yeux brûlés, pâlis à la flamme, il avait la conscience de sa déchéance intellectuelle; car, pris à seize ans par le monstre, après une instruction rudimentaire, brusquement arrêtée, il se souvenait d'avoir été intelligent, d'une intelligence qui vacillait et s'éteignait à cette heure, sous la meule implacable qu'il tournait en bête aveuglée, sous l'écrasement du métier empoisonneur et destructeur. Et il n'avait plus qu'un besoin, qu'une joie : boire, boire ses quatre litres, par journée ou par nuit de tra-

vail, boire pour que le four ne brûlât pas, comme une vieille écorce, sa peau
calcinée, boire pour ne pas tomber en cendre, et pour avoir une félicité dernière, et pour achever sa vie dans l'hébétement heureux d'une continuelle
ivresse.

Cette nuit-là, Fauchard avait bien craint de laisser le feu lui cuire encore
un peu de sang. Mais il avait eu, dès huit heures, la surprise heureuse de
voir Natalie, sa femme, lui apporter ses quatre litres, pris à crédit chez Caffiaux, et sur lesquels il ne comptait plus. Elle s'excusa de n'avoir pas un
bout de viande à lui donner, car Dacheux s'était montré impitoyable. Dolente, dans son continuel découragement, elle s'inquiétait de savoir comment
ils mangeraient le lendemain. Mais il était trop content d'avoir son vin, il la
renvoya en lui promettant de demander, comme les camarades, une avance
à l'administration. Et une croûte de pain lui avait suffi, il buvait, il était
d'aplomb. Quand le moment de l'arrachage fut venu, il vida encore d'un trait
un demi-litre, il trempa d'eau, dans le bassin commun, le grand tablier de
toile dont il était enveloppé. Puis, les pieds chaussés de gros sabots, les
mains couvertes de gants mouillés, armées de la longue pince de fer, il en-
jamba le four, posa le pied droit sur le couvercle qu'on venait d'écarter, le
ventre et la poitrine dans le coup d'effrayante chaleur qui montait du volcan
entr'ouvert. Il apparut un moment tout rouge, flambant lui-même en plein
brasier, ainsi qu'une torche. Ses sabots fumaient, son tablier et ses gants
fumaient, toute sa chair semblait fondre. Mais lui, sans hâte, de ses yeux
habitués à la flamme, cherchait le creuset au fond de la fosse embrasée, se
penchait un peu pour le saisir avec la longue pince ; et, d'un brusque redres-
sement des reins, en trois mouvements rythmiques et souples, l'une des
mains s'écartant, glissant le long de la tige, jusqu'à ce que l'autre vînt la
rejoindre, il arracha le creuset, sortit d'un geste aisé, à bout de bras, ce
poids de cinquante kilogrammes, pince et creuset compris, le déposa par
terre, tel qu'un morceau de soleil, d'une blancheur aveuglante, qui tout de
suite devint rose. Et il recommença, et il tira les creusets un à un, dans l'incendie accru de ces masses de feu, avec plus d'adresse encore que de force,
allant et venant parmi ces braises incandescentes sans jamais se brûler, sans
paraître même en sentir l'intolérable rayonnement.

On allait fondre de petits obus, de soixante kilogrammes. Les lingotières,
en forme de bouteilles, étaient rangées sur deux files. Alors, quand les aides
eurent écrémé les creusets de leurs scories, à l'aide d'une tige de fer, qui
ressortait fumante, avec des baves pourpres, le maître fondeur saisit vivement les creusets, de sa grande tenaille aux mâchoires rondes, en vida deux
dans chaque lingotière ; et le métal coulait d'un jet de lave blanche, à peine
rosée, dans un pétillement de fines étincelles bleues, d'une délicatesse de
fleurs. On aurait dit qu'il transvasait de claires liqueurs pailletées d'or, tout

cela se faisait sans bruit, avec des gestes précis et légers, d'une beauté simple, dans l'éclat et la chaleur du feu qui changeait la halle entière en un brasier dévorant.

Luc, qui manquait d'habitude, étouffa, ne put rester là davantage. A quatre ou cinq mètres des fours, son visage grillait, une sueur brûlante trempait son corps. Les obus l'avaient intéressé, il les regardait se refroidir, en se demandant où étaient les hommes qu'ils tueraient peut-être un jour. Et, comme il passait dans la halle voisine, il se trouva dans la halle des marteaux-pilons et de la presse à forger, endormie à cette heure, avec ses monstrueux outils, sa presse d'une force de deux mille tonnes, ses marteaux de forces moindres, échelonnés, qui avaient, au fond de la demi-obscurité, des profils noirs et trapus de dieux barbares. Là, précisément, il retrouva les obus, d'autres obus qu'on y avait, le jour même, forgés en matrice, sous le plus petit des marteaux-pilons, au sortir de la lingotière, après un recuit. Puis, ce qui l'intéressa, ce fut un tube d'un grand canon de marine, d'une longueur de six mètres, tiède encore d'avoir passé sous la presse, où les lingots d'acier d'un millier de kilogrammes s'allongeaient, se façonnaient, tels que des rouleaux de pâte molle ; et le tube attendait, enchaîné, prêt à être enlevé et chargé par les grues puissantes, pour être porté à l'atelier des tours, qui se trouvait plus loin, après la halle du four Martin et du moulage d'acier.

Alors, Luc alla jusqu'au bout, traversa aussi cette halle, la plus vaste de toutes, où les grosses pièces étaient fondues. Le four Martin permettait de verser l'acier en fusion par quantité considérable, dans les formes de fonte ; tandis que deux ponts électriques roulants, à huit mètres de hauteur, transportaient avec une sorte de douceur huilée, sur tous les points, des pièces géantes, pesant plusieurs tonnes. Et Luc entra dans l'atelier des tours, un immense hangar fermé, un peu mieux tenu que les autres, développant sur deux lignes d'admirables outils, d'une délicatesse et d'une puissance incomparables. Il y avait là des raboteuses pour les blindages de navires, qui façonnaient le métal comme le rabot d'un menuisier façonne le bois. Il y avait surtout des tours, d'un mécanisme compliqué et précis, jolis comme des bijoux, amusants comme des jouets. La nuit, quelques-uns seulement étaient en marche, éclairés chacun par une seule lampe électrique, ne faisant qu'un petit bruit, un ronflement doux, dans le grand silence. Et il retrouva les obus encore, un obus dont on avait coupé la chute de tête et la chute de fond, au sortir de la matrice, puis qu'on avait fixé à un tour, pour le calibrer extérieurement, d'abord. Il tournait avec une vitesse prodigieuse, et des copeaux d'acier volaient sous la fine lame immobile, pareils à des frisures d'argent. On n'aurait plus qu'à le forer intérieurement, à le tremper, à le finir ; et où étaient les hommes qu'il tuerait, quand on l'aurait chargé ? Luc, de tout cet héroïque travail humain, du feu dompté, asservi, pour la royauté de l'homme, vainqueur des forces naturelles, vit se dresser une vision de massacre, la folie rouge d'un champ de bataille. Il s'éloigna, il tomba plus loin sur un grand tour, où tournait un canon, pareil à celui dont il venait de voir le tube forgé; mais celui-ci était déjà calibré à l'extérieur, d'un éclat de monnaie neuve. Sous la conduite d'un jeune homme, presque un enfant, attentif, penché sur le mécanisme, ainsi qu'un horloger sur celui d'une montre, il tournait, il tournait sans fin, avec son ronflement doux, tandis' que le couteau, à l'intérieur, le forait, d'une précision telle, que l'écart n'était pas d'un dixième de millimètre. Et, quand ce canon aussi serait trempé, jeté dans un bain d'huile de pétrole, du haut de la tour, sur quel champ de désastre irait-il tuer des hommes, quelle moisson atroce de vies irait-il faire, lui qui était forgé de cet acier dont les hommes fraternels n'auraient dû fabriquer que des rails et des charrues?

Luc poussa une porte, s'échappa un instant au dehors. La nuit était d'une tiédeur humide, il respira largement, heureux du vent qui soufflait. Il leva les yeux, n'aperçut-pas une étoile, sous la course effarée des nuages. Mais les globes des lampes puissantes, de loin en loin, dans les cours, remplaçaient la lune submergée; et il revit les cheminées parmi les fumées blêmes, un ciel sali de charbon, que coupaient de partout, pareilles à une toile d'araignée géante, les volées de fils, pour le transport de la force électrique. Justement, les machines qui la produisaient, deux machines d'une grande beauté, fonctionnaient là, dans une construction neuve. Il y avait encore une briqueterie, pour la fabrication des briques et des creusets en terre réfractaire; une menuiserie, pour les modèles et les emballages; des magasins nombreux, pour les aciers et les fers de commerce. Et Luc, s'étant perdu, au travers de cette petite ville, heureux d'y avoir rencontré des refuges déserts, des coins de cour noirs et paisibles, où il se sentait revivre, se retrouva tout d'un coup, rentra dans l'enfer, en s'apercevant qu'il était revenu à la halle des fours à creusets.

On y exécutait une autre manœuvre, soixante-dix creusets y étaient arrachés à la fois, pour la fonte d'une grosse pièce de forge, qui devait peser dix-huit cents kilos. Dans la halle voisine, le moule, avec son entonnoir, attendait, debout au fond de la fosse. Et, vivement, le défilé s'organisa, tous les aides des équipes s'y mirent, deux hommes pour un creuset, le soulevant à l'aide de la double pince, l'emportant d'un pas allongé et souple. Un autre, puis un autre, puis un autre, les soixante-dix suivirent, en une procession éclatante. On eût dit un ballet de fête, des lanternes vénitiennes, d'un rouge orangé, que des danseuses vagues, aux légers pieds d'ombre, promenaient deux à deux; et la merveille était la rapidité extraordinaire, la sûreté parfaite des mouvements si bien réglés, qui les montraient jouant ainsi au milieu du feu, accourant, se frôlant, s'en allant, revenant, comme s'ils eussent jonglé avec des étoiles en fusion. En moins de trois minutes, les soixante-dix creusets furent versés dans le moule, d'où montait une gerbe d'or, un bouquet grandissant d'étincelles.

Lorsque Luc revint enfin à la halle des fours à puddler et des laminoirs, après sa promenade d'une grande demi-heure, il trouva Bonnaire en train d'achever sa besogne.

— Monsieur, je suis à vous à l'instant.

Déjà, sur la sole incendiée du four, dont la porte ouverte flamboyait, il avait à trois reprises isolé un quart du métal incandescent, cinquante kilos de matière, qu'il roulait et façonnait en une sorte de boule, à l'aide du ringard; et les trois, l'une après l'autre, s'en étant allées sous le marteau cingleur, il se mettait à la quatrième et dernière. Depuis vingt minutes, il était ainsi devant cette gueule vorace, la poitrine craquant dans la fournaise, les bras manœuvrant le lourd crochet, les yeux voyant clair à bien mener le travail, parmi l'éblouissante flamme. Il regardait fixement, au milieu du brasier, la boule d'acier en feu qu'il roulait, d'un mouvement continu, il apparaissait grandi, tel qu'un fabricateur d'astres, créant des mondes, dans l'ardente réverbération qui dorait son grand corps rose, sur le fond noir des ténèbres. Et ce fut fini, il retira le ringard enflammé, il livra au compagnon les derniers cinquante kilos de la charge.

Le chauffeur était là, avec le petit chariot de fer, attendant. Armé de la pince, le compagnon saisit la boule, l'espèce de grosse éponge embrasée, poussée au flanc de quelque caverne volcanique; et il la sortit d'un effort, la jeta dans le chariot, que le chauffeur poussa vivement jusqu'au marteau cingleur. Déjà, un ouvrier forgeron l'avait reprise avec ses tenailles, pour la porter et la retourner sous le marteau, qui, tout d'un coup, entra en danse. Ce fut un étourdissement, un éblouissement. Le sol trembla, des volées de cloches passèrent, tandis que le forgeron, ganté et ceinturé de peau, disparaissait dans un ouragan d'étincelles. Par moments, les craches étaient si grosses, qu'elles éclataient dans tous les sens comme des boîtes à mitraille. Impassible au milieu de cette fusillade, il retournait l'éponge, la présentait sur toutes les faces, pour en faire le massiau, le pain d'acier, qui serait ensuite livré aux laminoirs. Et le marteau lui obéissait, tapait ici ou tapait là, ralentissait ou accélérait les coups, sans qu'il parlât, sans qu'on pût même surprendre les ordres qu'il donnait d'un signe au pilonnier, assis en l'air, dans sa logette, la main au levier de mise en marche.

Luc, qui s'était approché, pendant que Bonnaire changeait de vêtements, reconnut le petit Fortuné, le beau-frère de Fauchard, dans le pilonnier, ainsi perché, immobilisé durant des heures, ne vivant plus que par le petit geste machinal de sa main, au milieu de l'assourdissant vacarme qu'il déchaînait. Le levier à droite pour que le marteau retombât, le levier à gauche pour qu'il se relevât, et c'était tout, et la pensée de l'enfant tenait là, dans ce court espace. Un instant, à la lueur vive des étincelles, on put le voir, si frêle et si mince, avec sa face blême, ses cheveux décolorés, ses yeux troubles de pauvre être dont le travail de brute, sans attrait, sans libre choix,, arrêtait la croissance physique et morale.

— Si monsieur veut bien que nous partions, je suis prêt, dit Bonnaire, comme le marteau cingleur se taisait enfin.

Luc vivement se retourna, et il se trouva en face du maître puddleur, vêtu d'une cotte et d'une veste de grosse laine, tenant sous le bras un petit paquet, ses vêtements de travail, de menus objets à lui, tout son déménagement, puisqu'il quittait l'usine pour n'y plus revenir.

— C'est cela, filons vite.

Mais Bonnaire s'attarda encore. Comme s'il avait pu oublier quelque chose, il donna un dernier coup d'œil dans la hutte en planches, qui servait de vestiaire. Puis, il regarda son four, le four qu'il avait fait sien depuis plus de dix ans, vivant de sa flamme, y conquérant par milliers de kilogrammes l'acier qu'il envoyait aux laminoirs. S'il partait de sa propre volonté, dans l'idée que tel était son devoir, pour les camarades et pour lui, l'arrachement n'en était que plus héroïque. Et il refoula l'émotion qui le serrait à la gorge, il passa le premier.

— Prenez garde, monsieur, cette pièce est encore chaude, elle mangerait votre soulier.

Ni l'un ni l'autre ne parlèrent plus. Ils traversèrent les deux cours vagues, aux clartés lunaires, ils passèrent devant les constructions basses où les martinets faisaient rage. Et, dès qu'ils furent sortis de l'Abîme, la nuit noire les reprit, ils sentirent derrière eux décroître les flammes et les grondements du monstre. Le vent soufflait toujours, un vent qui emportait au ciel le vol déchiré des nuages. De l'autre côté du pont, la berge de la Mionne était déserte, pas une âme.

Lorsque Luc eut retrouvé là, sur le banc où il l'avait laissée, Josine immobile, les yeux grands ouverts dans l'ombre, tenant contre son maigre flanc la tête de Nanet endormi, il voulut se retirer, car il estimait que sa mission était remplie, puisque Bonnaire maintenant se chargeait d'assurer un gîte à la triste créature. Mais ce dernier lui parut brusquement embarrassé, pris d'inquiétude à l'idée de la scène affreuse qui l'attendait au logis quand sa femme, la Toupe terrible, le verrait rentrer avec « cette gueuse ». D'autant plus qu'il ne lui avait pas encore annoncé sa résolution de quitter l'usine, et qu'il prévoyait une grosse querelle, quand elle le saurait sans travail, volontairement sur le pavé.

— Voulez-vous que je vous accompagne ? proposa Luc. J'expliquerai les choses.

— Ma foi, monsieur, répondit-il, soulagé, ce serait peut-être une bonne affaire.

Il n'y eut pas une parole échangée entre Bonnaire et Josine. Celle-ci semblait honteuse devant le maître puddleur; et, s'il la prenait en une sorte de pitié paternelle, dans son indulgence de brave homme, sachant d'ailleurs ce qu'elle souffrait avec Ragu, il n'était pas sans la blâmer d'avoir cédé à ce mauvais garçon. Doucement, en voyant revenir les deux hommes, elle avait réveillé Nanet; puis, sur un encouragement de Luc, elle et l'enfant s'étaient mis à les suivre, marchant dans leur ombre, en silence. Et tous quatre, filant à droite, le long du remblai du chemin de fer, ils étaient entrés dans le vieux Beauclair, dont les masures, au sortir de la gorge des Monts Bleuses, s'étalaient sur les terrains plats, en une espèce de mare nauséabonde, jusqu'au quartier neuf de la ville. C'était un enchevêtrement tortueux d'étroites rues, sans air, sans jour, toutes empuanties par un ruisseau central, que seules lavaient les pluies d'orage. On ne pouvait comprendre un pareil entassement de population misérable, en un espace si resserré, lorsque la Roumagne déroulait en face l'immensité de sa plaine, où les libres haleines du ciel soufflaient comme sur une mer. Il fallait l'âpreté des luttes de l'argent et de la propriété, pour mesurer si chichement à des hommes le droit au sol, un peu de la mère commune, les quelques mètres nécessaires à la vie de toutes les heures. Des spéculateurs s'en étaient mêlés, un siècle ou deux de misère avaient abouti à ce cloaque de logements à bon marché, d'où les expulsions étaient quand même fréquentes, si bas que fussent les loyers de certains taudis, dans lesquels on n'aurait pas fait coucher des bêtes. Au hasard des terrains, les petites maisons borgnes avaient ainsi poussé, des plâtras humides, des nids à vermine et à épidémies, et quelle tristesse, à cette heure de nuit, sous le ciel lugubre, que cette cité maudite du travail, obscure, étranglée, immonde, telle qu'une végétation affreuse de l'injustice sociale !

Bonnaire, qui marchait le premier, suivit une ruelle, tourna dans une autre, arriva enfin à la rue des Trois-Lunes. C'était une des plus étroites, sans trottoirs, pavée de cailloux pointus, ramassés dans le lit de la Mionne. La maison, dont il occupait le premier étage, noire, lézardée, s'était un jour tassée si brusquement, qu'il avait fallu en étayer la façade, à l'aide de quatre grosses poutres; et Ragu occupait justement avec Josine les trois chambres du second, dont le plancher dévalait, soutenu par ces poutres. En bas, l'escalier, d'une raideur d'échelle, partait du seuil même de la porte, sans vestibule.

— Alors, monsieur, dit enfin Bonnaire à Luc, vous allez me faire le plaisir de monter avec moi.

De nouveau, il était embarrassé. Josine comprit qu'il n'osait l'introduire chez lui, dans la crainte de quelque avanie, tout en souffrant de la laisser encore à la rue, avec l'enfant. Et elle arrangea les choses, de son air de douceur résignée.

— Nous n'avons pas besoin d'entrer, nous autres. Nous allons attendre dans l'escalier, sur une marche, en haut.

Tout de suite, Bonnaire accepta.

— C'est cela, patientez un moment, asseyez-vous, et si j'ai la clef, je vous la monterai, vous pourrez vous coucher.

Déjà, Josine et Nanet avaient disparu dans les ténèbres épaisses de l'escalier. On n'entendit même plus leur souffle, ils étaient terrés quelque part, là-haut. Et Bonnaire passa ensuite, guidant Luc, l'avertissant de la hauteur des marches, lui recommandant de se bien tenir à la corde grasse qui servait de rampe.

— Là, monsieur, nous y sommes. Ne bougez plus. Ah ! dame, les paliers ne sont pas larges, et si l'on tombait, on ferait une rude culbute.

Il ouvrit la porte, il le fit entrer le premier, par politesse dans une pièce assez grande, qu'une petite lampe à pétrole éclairait d'une lueur jaune. Malgré l'heure avancée, la Toupe travaillait encore près de cette lampe, raccommodant du linge ; tandis que son père, le vieux Lunot, noyé d'ombre, s'était assoupi, sa pipe éteinte aux gencives. Et, dans un lit, qui occupait un des coins, dormaient les deux enfants, Lucien et Antoinette, l'un de six ans, l'autre de quatre, très forts, très beaux pour leur âge. Le logement, en dehors de cette salle commune, où l'on faisait la cuisine, où l'on mangeait, ne se composait que de deux autres pièces, la chambre du père Lunot et celle du ménage.

Stupéfaite de voir rentrer son mari à cette heure, la Toupe, qui n'était pas prévenue, avait levé la tête.

— Comment, te voilà !

Il ne voulut pas engager la grosse querelle, en lui apprenant tout de suite qu'il quittait l'Abîme, préférant régler d'abord le cas de Josine et de Nanet ; et il répondit évasivement :

— Oui, j'ai fini, je rentre.

Puis, sans lui laisser le temps de poser une autre question, il lui présenta Luc.

— Tiens ! voici un monsieur, un ami de monsieur Jordan, qui est venu me demander quelque chose et qui va t'expliquer ça.

De plus en plus surprise, défiante, la Toupe s'était tournée vers le jeune homme, qui put remarquer alors sa grande ressemblance avec son frère Ragu. Petite et rageuse, elle avait la face accentuée, avec d'épais cheveux roux, le front bas, le nez mince, les mâchoires dures. Son teint éclatant de rousse, dont la fraîcheur la rendait encore agréable, l'air jeune, à vingt-huit ans, expliquait seul le goût très vif qui avait décidé Bonnaire à l'épouser, bien qu'il la sût de caractère exécrable. Et l'événement s'était accompli, elle désolait le ménage par ses continuelles colères, il devait plier devant elle, sur tous les petits détails de la vie quotidienne, pour avoir la paix. Coquette, dévorée de l'unique ambition d'être bien mise, d'avoir des bijoux, elle ne redevenait douce que lorsqu'elle étrennait une robe neuve.

Luc, mis en devoir de parler, sentit le besoin de la gagner d'abord par un compliment. Dès son entrée, la pièce lui avait paru très propre, grâce aux bons soins de la ménagère, dans le dénuement des pauvres meubles qui la garnissaient. Et il s'approcha du lit, il se récria.

— Oh ! les beaux enfants, ils dorment comme des anges.

La Toupe avait souri, mais elle le regardait fixement, elle attendait, ayant bien conscience que ce monsieur ne se serait pas dérangé, s'il n'avait pas eu quelque chose de considérable à obtenir d'elle. Lorsqu'il dut en venir au fait, lorsqu'il raconta comment il avait trouvé Josine sur un banc, mourant de faim, abandonnée dans la nuit, elle eut un geste de violence, ses dures mâchoires se serrèrent. Et, sans même répondre au monsieur, elle se retourna vers son mari, furieuse.

— Quoi ? qu'est-ce que c'est encore que cette histoire ? Est-ce que ça me regarde ?

Bonnaire, forcé d'intervenir, tâcha de l'apaiser, de son air de bonté conciliante.

— Tout de même, si Ragu t'a remis la clef, il faut la donner à cette malheureuse, puisqu'il est là-bas chez Caffiaux, où il est capable de passer la nuit. On ne peut pas laisser une femme et un enfant coucher dehors.

Alors, la Toupe éclata.

— Oui, j'ai la clef ! oui, Ragu me l'a remise, et justement pour que cette gueuse-là ne vienne pas se réinstaller chez lui, avec son vaurien de frère ! Mais je n'ai rien à savoir de toutes ces saletés, moi ! Je ne sais qu'une chose, c'est Ragu qui m'a donné sa clef, et c'est à Ragu que je la rendrai.

Puis, comme son mari tentait encore de l'apitoyer, elle lui imposa violemment silence, elle reprit avec un emportement croissant :

— A la fin, est-ce que tu vas m'obliger à faire la camarade avec les maîtresses de mon frère ? En voilà une qui peut bien aller crever plus loin, puisqu'elle a été assez dévergondée pour se laisser prendre !... C'est propre, n'est-ce pas ? ce petit frère qu'elle traîne partout, et qui couchait là-haut, dans un cabinet noir, à côté d'elle et de Ragu... Non, non ! chacun pour soi, et qu'elle reste au ruisseau, un peu plus tôt, un peu plus tard, c'est tout comme !

Le cœur meurtri, indigné, Luc l'écoutait. Il retrouvait chez elle cette dureté des honnêtes femmes du peuple, si impitoyable aux filles qui tombent,

Cédant à un vertige de monstrueuse horreur, il se tua net, d'un coup de revolver.

dans la rude lutte qu'elles mènent pour l'existence. Et il y avait en outre, chez celle-ci, une jalousie sourde, la haine de cette jolie fille de charme et d'amour, que les hommes aimaient, à qui ils donneraient des chaînes d'or, des jupes de soie, si jamais elle savait les enjôler. Elle ne décolérait pas, depuis le jour où elle avait su que son frère venait d'acheter à Josine une petite bague d'argent.

— Il faut être bonne, madame, se contenta de dire Luc, d'une voix tremblante de pitié.

Mais la Toupe n'eut pas le temps de répondre, il y eut dans l'escalier un vacarme de gros pas qui trébuchaient, et la porte s'ouvrit sous des mains tâtonnantes. C'était Ragu, que Bourron n'avait pas quitté, l'un suivant l'autre, en bons ivrognes qui ne peuvent plus se séparer, quand ils ont bu ensemble. Cependant, Ragu, assez raisonnable, s'était arraché de chez Caffiaux, en disant qu'il fallait tout de même retourner au travail le lendemain. Et il entrait chez sa sœur, avec le camarade, pour prendre sa clef.

— Ta clef ! cria la Toupe, aigrement, tiens, la voilà !... Et, tu sais, je ne m'en charge plus, on vient justement de me dire des sottises, pour que je la donne à cette vaurienne... Quand tu auras des filles à ficher dehors, tu t'en occuperas toi-même.

Ragu, que le vin attendrissait sans doute, se mit à rire.

— Elle est bête, Josine... Si elle s'était montrée gentille, au lieu de pleurnicher, elle serait venue boire un verre avec nous... Les femmes, ça n'a jamais su prendre les hommes.

Et il ne put continuer, dire son idée entière, car Bourron, qui s'était laissé tomber sur une chaise, riant sans cause, maigre et chevalin, de son air d'éternelle belle humeur, disait à Bonnaire :

— Alors, dis donc, c'est vrai, tu quittes l'usine ?

La Toupe se retourna, avec un sursaut, comme si un coup de feu éclatait derrière elle.

— Comment, il quitte l'usine !

Il y eut un silence. Puis, Bonnaire, courageusement, prit sa décision.

— Oui, je quitte l'usine, je ne peux pas faire autrement.

— Tu quittes l'usine, tu quittes l'usine ! clama-t-elle, rageuse, éperdue, en venant se planter devant lui. Ça ne suffit donc pas que tu te sois mis sur les bras cette sale grève, qui, pendant deux mois, nous a forcés à manger toutes nos économies ? Il faut encore, maintenant, que ce soit toi qui payes les pots cassés... Alors, nous allons mourir de faim, et moi, j'irai toute nue !

Sans se fâcher, il répondit doucement :

— C'est possible, tu n'auras peut-être pas de robe neuve au jour de l'an, et peut-être que nous devrons nous serrer le ventre... Mais je te répète que je fais ce que je dois faire.

Elle ne lâcha pas, elle se rapprocha, lui cria dans la face :

— Ah ! ouiche ! si tu crois qu'on t'en sera reconnaissant ! Déjà les camarades ne se gênent pas pour dire que, sans la grève, ils n'auraient pas crevé la faim pendant deux mois. Et sais-tu ce qu'ils diront, quand ils sauront que tu quittes l'usine? ils diront que c'est bien fait, et que tu n'es qu'un imbécile... Jamais je ne te laisserai faire une pareille bêtise. Entends-tu ! tu retourneras au travail demain.

Bonnaire la regardait fixement, de son regard clair et droit. S'il cédait d'habitude sur les points de police domestique, s'il la laissait régner despotiquement dans le ménage, il devenait de fer, quand une question de conscience était en jeu. Aussi, sans élever le ton, d'une voix de maître qu'elle connaissait bien, se contenta-t-il de lui dire :

— Tu vas me faire le plaisir de te taire... C'est des histoires à nous, les hommes, auxquelles les femmes comme toi ne comprennent rien, et dont il vaut mieux qu'elles ne s'occupent pas... Tu es très gentille, mais tu feras bien de te remettre à raccommoder ton linge, si tu ne veux pas que nous nous fâchions.

Et il la poussa vers la chaise, près de la lampe, la força à s'y rasseoir. Domptée, tremblante d'une colère qu'elle savait désormais impuissante, elle reprit l'aiguille, elle affecta de se désintéresser des questions dont on l'écartait si nettement. Réveillé par le bruit des voix, le père Lunot, sans s'étonner de voir tout ce monde, rallumait sa pipe, écoutait d'un air de vieux philosophe désabusé. Et, dans leur petit lit, les enfants eux-mêmes, Lucien et Antoinette, tirés de leur sommeil, ouvraient de grands yeux, semblaient tâcher de comprendre les choses graves que disaient les grandes personnes.

Bonnaire, maintenant, s'adressait à Luc, toujours debout, comme pour le prendre à témoin.

— Voyons, monsieur, chacun a son honneur, n'est-ce pas?... La grève était inévitable, et si elle était à refaire, je la referais ; je veux dire que, de tout mon pouvoir, je pousserais les camarades à obtenir justice. On ne peut pourtant pas se laisser manger, le travail doit être payé son prix, à moins qu'on ne se résigne à être de simples esclaves. Nous avions si bien raison, que monsieur Delaveau a dû céder sur tous les points, en acceptant notre nouveau tarif... Maintenant, je m'aperçois que cet homme est furieux, et qu'il faut, comme dit ma femme, que quelqu'un paye les pots cassés. Si je ne m'en allais pas de bon gré aujourd'hui, il trouverait un prétexte pour me jeter dehors demain. Alors, quoi? vais-je m'entêter à rester; pour être un continuel sujet de querelle? Non, non ! ça retomberait sur les camarades en ennuis de toutes sortes, ce serait très mal de ma part... J'ai fait semblant de rentrer, parce que les camarades parlaient de continuer la grève, si je ne rentrais pas. Mais, à présent que les revoilà au travail, bien tranquilles, j'aime mieux disparaître, puisqu'il le faut. Ça arrange tout, pas un ne bougera, et moi j'aurai fait ce que je dois faire... C'est mon honneur, monsieur, chacun a le sien.

Il disait ces choses avec une grandeur simple, d'un air si aisé et si brave, que Luc fut profondément ému. De cet ouvrier qu'il avait vu noir et muet, œuvrant si durement devant son four, de cet homme qu'il venait de voir doux et bon, d'une tolérance conciliante dans son ménage, se levait un héros du travail, un de ces lutteurs obscurs qui ont donné tout leur être à la justice, et qui sont fraternels, jusqu'à s'immoler en silence pour les autres.

Violemment, sans cesser de tirer l'aiguille, la Toupe répéta :

— Et nous crèverons de faim !

— Et nous crèverons de faim, c'est bien possible, dit Bonnaire. Mais je dormirai tranquille.

Ragu se mit à ricaner.

— Oh ! crever de faim, c'est inutile, ça n'a jamais servi à rien. Ce n'est pas que je défende les patrons, une fameuse clique ! Seulement, puisqu'on a besoin d'eux, faut toujours finir par s'entendre et faire à peu près ce qu'ils veulent.

Il continua, plaisanta, sortit toute son âme. C'était l'ouvrier moyen, ni bon ni mauvais, le produit gâté du salariat, tel que le faisait l'actuelle organisation du travail. Il criait bien contre le régime capitaliste, il se fâchait contre l'écrasement du travail imposé, il était même capable d'une courte révolte. Mais le long atavisme l'avait courbé, il avait au fond une âme d'esclave, en respect devant la tradition établie, en envie devant le patron, maître souverain, possesseur et jouisseur de toutes choses, ne nourrissant que la sourde ambition de le remplacer un beau matin, pour posséder et jouir à son tour. L'idéal, en somme, était de ne rien faire, d'être le patron pour ne rien faire.

— Ah ! ce cochon de Delaveau, je voudrais bien être huit jours à sa place, tandis qu'il serait à la mienne. Ça m'amuserait d'aller le regarder faire la boule, l'après-midi, en fumant de gros cigares. Et vous savez, tout arrive, nous pouvons devenir tous des patrons, dans le prochain chambardement.

Cette idée amusa prodigieusement Bourron, qui bâillait d'admiration devant Ragu, quand ils avaient bu ensemble.

— C'est bien vrai, ah ! bon sang ! quelle noce, lorsque nous serons les maîtres !

Mais Bonnaire haussait les épaules, plein de mépris pour cette basse conception de la victoire future des travailleurs sur les exploiteurs. Lui, avait lu, avait réfléchi, croyait savoir. Et il parla de nouveau, excité par tout ce qu'on venait de dire, voulant avoir raison. Luc reconnut l'idée collecti-

Pagination incorrecte — date incorrecte

NF Z 43-120-12

viste, telle qu'elle était formulée par les intransigeants du parti. D'abord, il fallait que la nation reprît possession du sol et des instruments du travail, pour les socialiser, les rendre à tous. Ensuite, le travail serait réorganisé, rendu général et obligatoire, de façon à ce que la rémunération fût proportionnelle aux heures de besogne fournies par chacun. Où il s'embrouillait, c'était sur la façon pratique d'arriver, par des lois, à cette socialisation, c'était surtout sur le libre fonctionnement du système, lorsqu'il serait mis en pratique, toute une machine compliquée de direction et de contrôle, qui nécessiterait une police d'État vexatoire et dure. Et Luc, qui n'allait point encore jusque-là, dans son besoin humanitaire, lui ayant fait des objections, Bonnaire lui répondit, avec la tranquille foi du croyant :

— Tout nous appartient, nous reprendrons tout, pour que chacun ait sa juste part de travail et de repos, de peine et de joie. Il n'y a pas d'autre solution raisonnable, l'injustice et la souffrance sont devenues trop grandes.

Ragu et Bourron eux-mêmes en tombèrent d'accord. Est-ce que le salariat n'avait pas tout corrompu, tout empoisonné ? C'était lui qui soufflait la colère et la haine, en déchaînant la lutte des classes, la longue guerre d'extermination que se livraient le capital et le travail. C'était par lui que l'homme était devenu un loup pour l'homme, dans ce conflit des égoïsmes, dans cette monstrueuse tyrannie d'un état social basé sur l'iniquité. La misère n'avait pas d'autre cause, le salariat était le ferment mauvais qui engendrait la faim, avec toutes ses conséquences désastreuses, le vol, le meurtre, la prostitution, l'homme et la femme déchus, rebelles, jetés hors de l'amour, lancés comme des forces perverties et destructives, au travers de la société marâtre. Et il n'y avait qu'une guérison possible, l'abolition du salariat, qu'on remplacerait par l'état nouveau, l'autre chose, la chose rêvée, dont demain gardait encore le secret. Là, commençait la dispute des systèmes, chacun croyait détenir le bonheur du siècle futur, l'âpre mêlée politique n'était faite que du choc des partis socialistes, qui s'efforçaient d'imposer chacun sa réorganisation du travail, sa répartition équitable de la richesse. Mais le salariat, dans sa forme actuelle, n'en était pas moins condamné par tous ; et rien ne le sauverait, il avait fait son temps, il disparaîtrait, comme avait disparu autrefois l'esclavage, lorsqu'une des périodes humaines s'était accomplie, par suite de la continuelle marche en avant. Il n'était plus qu'un organisme mort, qui menaçait d'empoisonner le corps tout entier, et que la vie des peuples allait éliminer, sous peine d'une fin tragique.

— Ainsi, continua Bonnaire, ces Qurignon qui ont fondé l'Abîme, n'étaient point de méchantes gens. Le dernier, Michel, dont la fin a été si triste, s'était efforcé d'améliorer le sort de l'ouvrier. C'est à lui qu'on doit

création d'une caisse de retraites, dont il a donné les cent premier
le francs, en s'engageant à doubler ensuite chaque année les sommes
e les participants verseraient. Il a fondé également une bibliothèque, une
le de lecture, une infirmerie où il y a des consultations gratuites deux fois
r semaine, un ouvroir et une école pour les enfants. Et monsieur Dela-
u, bien qu'il soit moins tendre, a dû naturellement respecter tout ça.
là donc des années que cela fonctionne, mais que voulez-vous? c'est en
de compte, comme on dit, un vrai cautère sur une jambe de bois. C'est
la charité, ce n'est pas de la justice. Ça peut fonctionner des années et
années encore, sans que la faim cesse, sans que la misère finisse jamais.
n, non! il n'y a pas de soulagement possible, il faut définitivement couper
mal dans sa racine.

A ce moment, le père Lunot, qu'on croyait rendormi, dit, du fond de
mbre :

— Les Qurignon, je les ai connus.

Luc se retourna, l'aperçut sur sa chaise, tirant à vide des bouffées de sa
oe éteinte. Il avait cinquante ans, il était resté près de trente ans à l'Abîme,
racheur. Petit, gros, la face bouffie et blafarde, on aurait dit que le feu
vait enflé, au lieu de le dessécher. Peut-être était-ce l'eau dont il s'inon-
it, fumant en vapeur, qui lui avait donné des rhumatismes. Pris de bonne
ure par les jambes, il ne marchait plus qu'avec peine. Et, n'étant même
s dans les conditions voulues pour obtenir la pension dérisoire de trois
nts francs par an que les nouveaux ouvriers toucheraient plus tard, ils
rait mort de faim sur le pavé, comme une vieille bête de somme abattue,
la Toupe, sa fille, n'avait bien voulu le recueillir, sur le conseil de
nnaire, ce qu'elle lui faisait payer d'ailleurs en reproches continuels et
privations de toutes sortes.

— Ah! oui, répéta-t-il lentement, je les ai connus, les Qurignon!... Il y
u monsieur Michel, mort aujourd'hui, qui avait cinq ans de plus que
oi. Et il y a encore monsieur Jérôme, sous lequel je suis entré à l'usine,
lix-huit ans, lorsqu'il en avait déjà quarante-cinq, ce qui ne l'empêche
s de vivre toujours... Mais, avant monsieur Jérôme, il y a eu monsieur
nise, le fondateur, celui qui est venu s'installer à l'Abîme, avec ses deux
artinets, voilà près de quatre-vingts ans. Celui-là, je ne l'ai pas connu,
oi. C'est mon père, Jean Ragu, et c'est mon grand-père, Pierre Ragu, qui
t travaillé avec lui; et on peut même dire que Pierre Ragu était son
marade, puisqu'ils étaient ouvriers étireurs tous les deux, sans un sou en
che, lorsqu'ils se sont mis à la besogne ensemble, dans la gorge des
nts Bleuses, alors déserte, sur ce bord de la Mionne, où se trouvait une
ute d'eau... Les Qurignon ont fait une grosse fortune, et me voici, moi,
cques Ragu, toujours sans un sou, avec mes mauvaises jambes, et voilà

mon fils, Auguste Ragu, qui ne sera pas plus riche que moi, après trente
années de travail, sans parler de ma fille ni de ses enfants, tous menacés de
crever de faim comme les Ragu en crèvent depuis cent ans bientôt!

Il disait ces choses sans colère, de son air résigné de vieille bête fourbue.
Un instant, il regarda sa pipe, surpris de n'en plus tirer de fumée. Puis,
voyant que Luc l'écoutait avec un intérêt pitoyable, il conclut en haussant
les épaules :

— Bah! monsieur, c'est notre sort à nous autres, pauvres bougres. Il y
aura toujours des patrons et des ouvriers... Mon grand-père et mon père ont
été comme me voilà, et mon fils sera comme je suis. A quoi bon se révolter?
chacun tire son lot en naissant... Tout de même, ce qu'on pourrait désirer,
ce serait, quand on est vieux, d'avoir de quoi s'acheter du tabac à sa suffi-
sance.

— Du tabac! cria la Toupe, tu en as encore fumé pour deux sous aujour-
d'hui. Est-ce que tu crois que je vais t'entretenir de tabac, maintenant que
nous n'allons même plus pouvoir manger de pain?

Elle le rationnait, c'était le seul désespoir du père Lunot, qui essaya en
vain de rallumer sa pipe, où il ne restait décidément que de la cendre. Et
Luc, le cœur envahi d'une pitié croissante, continuait à le regarder, tassé sur
sa chaise. Le salariat aboutissait à cette lamentable épave, l'ouvrier fini,
mangé à cinquante ans, l'arracheur, toute sa vie arracheur, que sa fonction,
devenue machinale, avait déjeté, hébété, réduit à l'imbécillité et à la paralysie.
Rien ne survivait dans ce pauvre être, que le sentiment fataliste de son
esclavage.

Mais Bonnaire protesta superbement.

— Non, non ! cela ne sera pas toujours ainsi, il n'y aura pas toujours
des patrons et des ouvriers, un jour viendra où il n'y aura plus que des
hommes libres et joyeux... Nos fils peut-être verront ce jour-là, et ça vaut
vraiment la peine que, nous, les pères, nous ayons encore de la souffrance,
si nous devons leur gagner le bonheur de demain.

— Fichtre! s'écria Ragu en rigolant, dépêchez-vous, je voudrais bien
en être. C'est ça qui m'irait, de ne plus rien foutre, et d'avoir du poulet à
tous mes repas!

— Et moi aussi! et moi aussi! appuya Bourron, extasié. Je retiens ma
place.

D'un geste désabusé, le père Lunot les fit taire, pour dire encore :

— Laissez donc, c'est quand on est jeune qu'on espère ça. On a la tête
pleine de folies, on s'imagine qu'on va changer le monde. Et puis, le monde
continue, on est balayé avec les autres... Moi, je n'en veux à personne. Des
fois, lorsque je peux me traîner dehors, il m'arrive de rencontrer monsieur
Jérôme, dans sa petite voiture, que pousse un domestique. Je le salue, parce

que ça se doit, à un homme qui vous a fait travailler et qui est si riche. Je crois qu'il ne me reconnaît pas, car il se contente de me regarder, de ses yeux qu'on dirait pleins d'eau claire... Les Qurignon ont gagné le gros lot, ça vaut bien qu'on les respecte, il n'y a plus de bon Dieu possible, si l'on tape sur ceux qui ont l'argent.

Alors, Ragu raconta que, le soir même, à la sortie de l'usine, Bourron et lui avaient vu passer monsieur Jérôme, dans sa petite voiture. On le saluait, c'était en effet naturel. Comment agir autrement, sans être impoli? Mais, tout de même, un Ragu à pied, dans la boue, le ventre vide, saluant un Qurignon, cossu, le ventre enveloppé d'une couverture, qu'un domestique promenait comme un bébé trop gras, c'était enrageant, ça donnait des idées de flanquer ses outils à l'eau et de forcer les riches à partager, pour ne plus rien faire à son tour.

— Ne plus rien faire, non, non! ce serait la mort, reprit Bonnaire. Tout le monde doit travailler, et ce sera le bonheur conquis, l'injuste misère vaincue enfin.... Ces Qurignon, il ne faut pas les envier. Quand on nous les donne en exemple, en nous disant: « Vous voyez bien qu'un ouvrier peut arriver à une grosse fortune, avec de l'intelligence, du travail et de l'économie », ça m'irrite un peu, parce que je sens que tout cet argent n'a pu être gagné qu'en exploitant les camarades, en rognant sur leur pain et sur leur liberté; et ça se paye un jour, cette vilaine chose-là. Jamais le bonheur de tous ne s'accommodera avec la prospérité exagérée d'un seul... Alors, il faut donc attendre, si l'on veut voir ce que l'avenir nous réserve à chacun. Mais mon idée, à moi, je vous l'ai dite : c'est que ces deux gamins, qui sont couchés et qui nous écoutent, soient un jour plus heureux que je ne l'aurai été; et c'est encore que leurs enfants soient à leur tour plus heureux qu'ils n'auront pu l'être eux-mêmes... Pour ça, il n'y a qu'à vouloir la justice, à nous entendre comme des frères et à la conquérir, même au prix de beaucoup de misère encore.

En effet, Lucien et Antoinette ne s'étaient pas rendormis, l'air intéressé par tout ce monde qui causait si tard, leurs têtes roses de beaux enfants immobiles sur le traversin, ouvrant de grands yeux songeurs, comme s'ils avaient compris.

— Plus heureux que nous un jour, dit sèchement la Toupe, oui! si demain ils ne crèvent pas de faim, puisque tu n'auras plus de pain à leur donner.

Le mot tomba ainsi qu'un coup de hache. Bonnaire chancela, frappé dans son rêve par le froid brusque de la misère qu'il avait voulue, en quittant l'usine. Et Luc sentit alors passer le frisson de cette misère dans la vaste pièce nue, où fumait tristement la petite lampe à pétrole. N'était-ce pas la lutte impossible, le grand-père, le père et la mère, ainsi que les deux

enfants, condamnés à une mort prochaine, si le salarié s'entêtait à sa protestation impuissante contre le capital? Un lourd silence régna, une grande
ombre noire glaça la pièce, assombrit un instant les visages.

Mais on frappa, il y eut des rires, et ce fut Babette qui entra, la femme à
Bourron, avec sa figure poupine qui s'égayait toujours. Ronde et fraîche,
blanche de peau, coiffée de lourds cheveux, couleur de blé, elle était un éternel
printemps. Et, ne l'ayant pas trouvé chez Caffiaux, elle venait chercher son
mari, sachant qu'il avait de la peine à rentrer, quand elle ne le ramenait pas
elle-même. D'ailleurs, elle était sans gronderie, l'air amusé au contraire,
comme si elle eût trouvé très bien que son homme eût pris un peu de
plaisir.

— Ah! te voilà, père la Joie! s'écria-t-elle gaiement, en l'apercevant. Je
me doutais bien que tu n'avais pas quitté Ragu et que je te trouverais ici...
Tu sais, mon gros, il est tard. J'ai couché Marthe et Sébastien, et c'est toi
maintenant qu'il faut que je couche.

Jamais non plus Bourron ne se fâchait, tant elle mettait de bonne grâce
à l'enlever aux camarades.

— Ah! elle est forte, celle-là! Vous entendez, c'est ma femme qui me
couche... Allons, je veux bien, puisque ça doit toujours finir comme ça.

Il s'était levé, et Babette, voyant alors, à la figure assombrie de tout le
monde, qu'elle tombait dans une grosse tristesse, dans une querelle peut-
être, tâcha d'arranger les choses. Elle, dans son ménage, chantait du matin
au soir, aimant son homme, le consolant, lui contant de triomphantes
histoires d'avenir, lorsqu'il était découragé. La misère, la souffrance
exécrable où elle vivait depuis l'enfance, n'avait pas même pu entamer sa
continuelle belle humeur. Elle était parfaitement convaincue que les choses
s'arrangeraient très bien, elle partait sans cesse pour le paradis.

— Qu'est-ce que vous avez donc tous? Est-ce que les enfants sont
malades?

Puis, comme la Toupe éclatait de nouveau, lui contait que Bonnaire
quittait l'usine, qu'ils seraient tous morts de faim avant une semaine, que
du reste Beauclair entier allait y passer, car on était trop malheureux, on ne
pouvait plus vivre, Babette protesta, annonça des jours prospères, ensoleillés,
de son air de confiante allégresse.

— Mais non, mais non! ne vous faites donc pas de mauvais sang, ma
chère! Vous verrez que tout s'organisera. On travaillera, on sera très
heureux.

Et elle emmena son mari, en le divertissant, en lui disant des choses si
drôles et si tendres, qu'il la suivait docilement, plaisantant lui aussi, dans
son ivresse domptée, devenue inoffensive.

Luc se décidait, lorsque la Toupe, en train de ranger son ouvrage sur la

e, y trouva la clef qu'elle avait jetée à son frère, et que celui-ci n'avait
encore prise.

— Eh bien! la prends-tu à la fin? Montes-tu te coucher?... On t'a dit
la vaurienne t'attendait quelque part. Tu peux bien la ramasser encore,
t'amuse.

Ragu, ricanant, balança un instant la clef, au bout de son pouce. Toute
irée, il avait crié dans la face de Bourron qu'il n'entendait pas nourrir
fainéante, qui avait eu la bêtise de se laisser manger un doigt par une
hine, sans se le faire payer ce qu'il valait. Il l'avait eue, cette fille, comme
n avait eu tant d'autres, toutes celles qui veulent bien qu'on les ait.
ait simplement du plaisir pour les deux, et quand on en avait assez,
jour, bonsoir, chacun s'en retournait tranquillement chez soi. Mais,
tis qu'il était là, il se dégrisait, il ne retrouvait pas son obstination
hante. Puis, sa sœur l'exaspérait à toujours lui dicter sa conduite.

— Bien sûr que je la reprendrai, si ça me plaît de la reprendre...
ès tout, elle en vaut d'autres. On la tuerait, qu'elle ne vous dirait pas
mauvaise parole.

Et, se tournant vers Bonnaire silencieux :

— Elle est bête, Josine, d'avoir toujours peur... Où donc s'est-elle
rrée !

— Elle attend dans l'escalier, avec Nanet, dit le maître puddleur.

Alors, Ragu ouvrit la porte toute grande, pour appeler violemment:

— Josine! Josine!

Personne ne répondit, aucun souffle ne vint des ténèbres épaisses de
calier. Et, dans la faible lueur que la lampe à pétrole projetait sur le
er, on ne vit que Nanet, debout, qui semblait guetter et attendre.

— Ah! te voilà, toi, bougre de mioche! cria Ragu. Qu'est-ce que tu
es là?

L'enfant ne se déconcerta pas, n'eut pas même un mouvement de recul.
redressant dans sa petite taille, haut comme une botte, il répondit bra-
ment :

— Moi, j'écoutais, pour savoir.

— Et ta sœur, où est-elle? pourquoi ne répond-elle pas, quand on
pelle?

— Ma grande, elle était en haut avec moi, assise sur une marche. Mais,
squ'elle t'a entendu entrer ici, elle a eu peur que tu ne montes la battre,
lle a préféré redescendre, pour filer à l'aise, si tu étais méchant.

Cela fit rire Ragu. La crânerie de l'enfant l'amusait.

— Toi, tu n'as donc pas peur?

— Moi, si tu me touches, je vais crier si fort, que ma grande sera avertie
u'elle filera.

Complètement radouci, l'homme alla se pencher, pour appeler de nouveau.

— Josine! Josine!... Voyons, monte, ne fais pas la bête. Tu sais bien que je ne vais pas te tuer.

Le même silence de mort régna, rien ne bougea, rien ne monta des ténèbres. Et Luc, dont la présence n'était plus nécessaire, prit congé, en saluant la Toupe, qui, les lèvres pincées, inclina sèchement la tête. Les enfants avaient fini par se rendormir. Le père Lunot, sa pipe éteinte à la bouche, venait, en s'appuyant aux murs, de gagner l'étroite chambre où il couchait. Et Bonnaire, tombé à son tour sur une chaise, muet au milieu de la pièce désolée, les yeux perdus au loin, dans l'avenir menaçant, attendait d'aller se mettre au lit, à côté de sa terrible femme.

— Bon courage, dit Luc en lui serrant vigoureusement la main.

Sur le palier, Ragu continuait d'appeler, d'une voix qui se faisait suppliante.

— Josine! allons, Josine!... Quand je te dis que je ne suis plus fâché!

Et, comme les ténèbres restaient mortes, il se tourna vers Nanet, qui ne s'en mêlait pas, laissant sa grande libre d'agir à sa guise.

— Elle s'est peut-être sauvée.

— Oh! non, où veux-tu qu'elle aille?... Elle a dû se rasseoir sur une marche.

Luc descendait, s'aidant de la corde grasse, tâtant du pied les marches raides et hautes, avec la crainte de culbuter, tellement l'obscurité était profonde. Il lui semblait s'enfoncer dans le noir d'un gouffre, par une mince échelle, entre deux murs humides. Et, à mesure qu'il descendait, il croyait entendre de gros sanglots étouffés, venant d'en bas, du fond douloureux de l'ombre.

En haut, la voix de Ragu reprit, résolue:

— Josine! Josine!... Si tu ne montes pas, c'est donc que tu veux que j'aille te chercher!

Alors, Luc s'arrêta, sentant la venue d'un petit souffle. C'était comme une douceur tiède qui s'avançait, un léger frisson vivant, à peine deviné, d'une tremblante approche. Et il s'effaça contre le mur, car il comprenait bien qu'une créature allait passer, invisible, reconnaissable seulement au discret frôlement de son corps.

— C'est moi, Josine, dit-il très bas, pour qu'elle ne s'effrayât point.

Le petit souffle montait toujours, et il n'y eut pas de réponse. Mais, en un effleurement à peine sensible, la créature de détresse et de mystère passa. Et une petite main fiévreuse saisit la sienne, une bouche brûlante se colla sur sa main, la baisa ardemment, en un élan de gratitude infinie, en un don de tout l'être. Elle le remerciait, elle se donnait. ignorée, voilée, d'une

ace délicieuse. Pas une parole ne fut échangée, il n'y eut que ce baiser
dans l'ombre, trempé de larmes chaudes.

Déjà, le petit souffle était passé, l'âme légère montait toujours. Et Luc
bouleversé, possédé jusqu'au fond de sa chair, par cet effleurement de
e; car le baiser de cette bouche qu'il n'avait pas vue, lui était allé au
r. Un charme doux et fort lui avait coulé dans les veines, il voulut se
e simplement heureux d'avoir enfin réussi à ce que Josine eût retrouvé
oit, pour dormir cette nuit-là. Mais pourquoi pleurait-elle, assise sur
ernière marche, au seuil de la rue? pourquoi avait-elle tant tardé à
ndre aux appels de l'homme, en haut, qui lui rendait un gîte? Était-ce
qu'elle avait de mortels regrets, qu'elle sanglotait de quelque rêve
ssible, et qu'elle cédait, en finissant par monter, à la nécessité de
endre la vie qu'elle était condamnée à vivre?

En haut, la voix de Ragu se fit une dernière fois entendre.

— Ah! te voilà, ce n'est pas malheureux... Allons, grosse bête, viens te
cher. On ne se mangera pas encore ce soir.

Et Luc s'enfuit, si désespéré, qu'il chercha les raisons de l'amertume
euse où il tombait. Pendant qu'il retrouvait avec peine son chemin, dans
édale obscur des immondes ruelles du vieux Beauclair, il discutait,
endrissait. Pauvre fille! elle était la victime du milieu, elle n'aurait
ais cédé à ce Ragu, sans l'écrasement, sans la perversion de la misère;
e quel labour profond il faudrait retourner l'humanité, pour que le tra-
redevînt un honneur et une joie, pour que l'amour sain et fort pût
ourir, dans la grande moisson de vérité et de justice! En attendant, le
ux était évidemment que la triste fille restât avec ce Ragu, s'il voulait
ne pas trop la maltraiter. Au ciel, le vent de tempête avait cessé, des
les apparaissaient, entre les lourds nuages immobiles. Mais quelle nuit
e, et dans quelle mélancolie immense les ténèbres noyaient le cœur!

Puis, tout d'un coup, Luc déboucha sur la berge de la Mionne, près du
de bois. En face de lui, l'Abîme, toujours en travail, grondait sourde-
t, avec la danse claire des martinets, que coupaient les coups plus pro-
ls des marteaux cingleurs. Des feux par moments trouaient l'ombre, de
des fumées livides faisaient à l'usine un horizon d'orage, en passant
ravers des rayons électriques. Et cette vie nocturne du monstre, où les
s ne s'éteignaient jamais, lui fit revoir le travail meurtrier, imposé ainsi
en un bagne, payé surtout de défiance et de mépris. La belle figure de
naire passa, il l'aperçut tel qu'il l'avait laissé, dans la pièce assombrie,
assé comme un vaincu devant l'avenir incertain. Ensuite, sans transition,
ut un autre souvenir de la soirée, le profil perdu de Lange, le potier,
nt sa malédiction avec la véhémence d'un prophète, annonçant la des-
ction de Beauclair, sous l'amas de ses crimes. Mais, à cette heure, Beau-

clair, terrorisé, s'était endormi, n'était plus, à l'entrée de la plaine, qu'une
masse confuse, ténébreuse, où ne luisait pas une lumière. Et il n'y avait
toujours que l'Abîme, avec sa vie d'enfer sans répit, où roulaient de continuels bruits de foudre, où les flammes incessantes dévoraient des vies
d'hommes.

Minuit sonna dans l'ombre, à une horloge lointaine. Et Luc alors repris
le pont, redescendit la route de Brias, pour rentrer à la Crêcherie, où son
lit l'attendait. Comme il allait y arriver, une grande lueur éclaira brusquement le pays entier, les deux promontoires des Monts Bleuses, les toits
ensommeillés de la ville, jusqu'aux champs perdus de la Roumagne. C'était
encore, à mi-côte, une coulée du haut fourneau, dont le profil noir apparut
ainsi que dans un incendie. Et Luc, levant les yeux, eut de nouveau la sensation d'une rouge aurore, le lever d'astre promis à son rêve d'une humanité
nouvelle.

Le lendemain, dimanche, Luc venait de se lever, lorsqu'il reçut une lettre amicale de madame Boisgelin, qui l'invitait à déjeuner, à la Guerdache. L'ayant su à Beauclair, et n'ignorant pas que les Jordan ne devaient rentrer que le lundi, elle lui disait combien elle serait heureuse de le voir, de causer un peu de leur bonne intimité de Paris, quand ils menaient ensemble, dans le quartier pauvre du faubourg Saint-Antoine, de grosses affaires de charité, dont ils ne parlaient à personne. Et Luc, qui avait pour elle une sorte de vénération affectueuse, accepta tout de suite, en répondant que, dès onze heures, il serait à la Guerdache.

Un temps superbe avait succédé à la semaine de fortes pluies qui venaient de noyer Beauclair. Un soleil radieux s'était levé dans un ciel d'un bleu pur, comme lavé par les averses, un de ces clairs soleils de septembre, si chaud encore, que les routes étaient déjà sèches. Aussi Luc fut-il heureux de faire à pied les deux kilomètres qui séparaient la Guerdache de la ville. Lorsque, vers dix heures un quart, il traversa celle-ci, la ville neuve qui s'étendait de la place de la Mairie aux premiers champs de la Roumagne, il fut surpris de la gaieté blonde de ce quartier pimpant, il évoqua l'affreux deuil du quartier pauvre qu'il avait vu la veille. C'était dans la ville neuve que se trouvaient la Sous-Préfecture, le Tribunal, une belle Prison, dont les plâtres étaient frais encore. Quant à l'église Saint-Vincent, à cheval entre la vieille cité et la cité nouvelle, une église élégante du seizième siècle, elle venait d'être réparée, en partie, le clocher ayant menacé de s'effondrer sur les fidèles. Et le soleil dorait les maisons cossues des bourgeois, la place de la Mairie elle-même, au bas de la populeuse rue de Brias, en était égayée, avec son vieux et vaste bâtiment qui servait à la fois d'Hôtel de Ville et d'École.

Mais Luc gagna bientôt les champs, par la rue de Formeries, dont la chaussée toute droite, au delà de la place, faisait suite à la rue de Brias. C'était sur la route de Formeries, presque aux portes de Beauclair, que se trouvait la Guerdache. Il n'avait pas à se presser, il flânait en homme envahi de songeries; et, comme il se retournait, il aperçut au nord, de l'autre côté de la ville, dont les maisons descendaient en pente légère, l'immense rampe des Monts Bleuses, que trouait la gorge escarpée, d'où coulait le torrent de la Mionne. Là, dans cette sorte d'estuaire, ouvert sur la plaine, on apercevait très nettement les bâtiments entassés et les cheminées hautes de l'Abîme, ainsi que le haut fourneau de la Crêcherie, toute une cité industrielle, qu'on voyait d'ailleurs de l'horizon entier de la Roumagne, à des lieues. Longuement, Luc regarda. Puis, lorsqu'il reprit sa marche à pas lents, vers la Guerdache, dont il distinguait déjà au loin les arbres magnifiques, il se souvint, il déroula cette histoire si typique des Qurignon, que Jordan lui avait contée.

Le fondateur de l'Abîme, Blaise Qurignon, l'ouvrier étireur, vint s'installer là, au bord du torrent, avec ses deux martinets, en 1823. Il n'eut jamais qu'une vingtaine d'ouvriers, n'amassa qu'une fortune modeste, se contenta de se faire bâtir, près de l'usine, l'étroite maison, le pavillon de briques, où habitait encore Delaveau, le directeur actuel. Et ce fut Jérôme Qurignon, deuxième du nom, né l'année même où son père fondait leur empire, qui, lui, devint un roi de l'industrie. En lui s'étaient amassées les forces créatrices, par la longue ascendance ouvrière, tous les efforts en germe, toute la poussée séculaire du peuple. Des centaines et des centaines d'années d'énergie latente, toute une longue suite d'aïeux têtus et tendant au bonheur. luttant rageusement dans l'ombre, mourant à la peine, agissaient enfin, aboutissaient à ce triomphateur, capable de dix-huit heures de travail par jour, d'une intelligence, d'une raison, d'une volonté qui emportaient les obstacles. En moins de vingt ans, il fit sortir de terre une ville, il occupa jusqu'à douze cents ouvriers, il gagna des millions; puis étouffant dans l'humble maison bâtie par son père, il acheta la Guerdache huit cent mille francs, une grande habitation somptueuse, où il y avait de quoi loger dix ménages, avec un beau parc, des terres, une ferme. Dans sa certitude, la Guerdache allait être la maison patriarcale où régnerait luxueusement sa descendance, les nombreux couples d'amour et de joie qui devaient naître de sa richesse, comme d'une terre bénie. Il leur préparait l'avenir de domination qu'il rêvait par le travail dompté, utilisé pour la jouissance d'une élite, car cette force amassée, aujourd'hui débordante, qu'il sentait en lui, n'était-elle pas définitive, infinie, n'allait-elle pas se retrouver, même accrue, chez ses enfants, sans de longtemps diminuer et se tarir? Mais, dans sa solidité de chêne, un premier malheur le frappa jeune encore, en plein pouvoir, à cinquante-deux

Puis elle courut à Lucien qui, d'un coup de péréclu, venait de ramener le bateau.

ans. Une paralysie brusque lui enleva l'usage des deux jambes, et il dut
céder la direction de l'Abîme à Michel, son fils aîné.

Michel Qurignon, le troisième du nom, venait d'avoir trente ans. Il avait
un frère cadet, Philippe, qui s'était marié à Paris, contre la volonté de son
père, épousant une femme d'une extraordinaire beauté, mais d'inquiétantes
allures; et, entre les deux garçons, il y avait une fille, Laure, âgée de vingt-
cinq ans déjà, qui désolait ses parents par l'extrême dévotion où elle était
tombée. Lui, Michel, avait épousé très jeune une femme d'une douceur
tendre, un peu maladive, dont il avait deux enfants, Gustave et Suzanne, l'un
de cinq ans et l'autre de trois, lorsqu'il dut prendre brusquement la direction de l'Abîme. Il fut entendu qu'il gérerait l'usine au nom et au profit de
la famille entière, chaque membre devant toucher sa part des bénéfices,
d'après le partage arrêté d'un commun accord. Bien qu'il n'eût plus, à l'état
héroïque, les admirables qualités de son père, ni la résistance au travail, ni
la vive intelligence, ni la méthode, il fut d'abord un excellent chef, il réussit
pendant dix années à ne pas laisser déchoir la maison, il en élargit même un
instant les affaires, en renouvelant l'ancien outillage. Mais des chagrins, des
deuils l'atteignirent, qui semblaient annoncer les prochains désastres. Sa
mère était morte, son père paralysé, ne sortant plus que dans une petite voiture, s'était comme enfermé en un mutisme absolu, depuis qu'il éprouvait
de la peine à prononcer certains mots. Ensuite, il dut laisser sa sœur Laure
entrer au couvent, la tête perdue d'exaltation mystique, sans que rien pût la
retenir à la Guerdache, parmi les joies du monde; tandis que, de Paris, lui
arrivaient des nouvelles lamentables du ménage de son frère Philippe, dont
la femme glissait aux aventures scandaleuses, l'entraînant lui-même à une
existence effrénée de jeu, de sottises et de folies. Enfin, il perdit sa femme,
si frêle, si douce, et ce fut pour lui la grande perte, la cause d'une sorte de
déséquilibre, qui le jeta au désordre. Il avait déjà cédé à son goût des jolies
filles, mais discrètement, tant il avait craint d'attrister la chère créature,
toujours souffrante. Quand elle fut partie, rien ne le gêna plus, il prit librement son plaisir où il le trouvait, dans des amours de hasard, où il gâchait
le meilleur de son temps et de sa force. Alors, s'écoula une nouvelle
période de dix ans, pendant laquelle l'Abîme déclina, n'ayant plus à sa tête le
chef vainqueur des époques de conquête, dirigé maintenant par un maître
déjà las et repu, qui mangeait tout le butin. Une fièvre de luxe l'avait pris,
ce n'étaient que fêtes, que plaisirs, qu'argent dépensé pour la joie de vivre.
Et le pis fut qu'à ces causes de ruine, une gestion mauvaise, des efforts qui
se relâchaient chaque jour davantage, se joignit une catastrophe industrielle,
dont toute l'industrie métallurgique de la contrée manqua périr. Il devint
impossible de continuer à y fabriquer les aciers à bon marché, les rails, les
grosses charpentes, devant la concurrence victorieuse des aciéries du Nord

et de l'Est, qui désormais, grâce à la découverte d'un procédé chimique, pouvaient employer très économiquement des minerais défectueux, jusque-là inutilisés. Et, en deux ans, Michel sentit l'Abîme crouler sous lui ; et, le jour où, pour des échéances accumulées, il lui fallut cent mille francs qu'il devait emprunter, un drame intime, abominable, acheva de le rendre fou. Il était alors, à près de cinquante-quatre ans, le cœur envahi, la chair prise par une jolie fille, amenée de Paris, cachée à Beauclair, avec laquelle il faisait par instants le rêve éperdu de fuir, d'aller au pays du soleil vivre d'amour, loin de tous les tracas. Son fils Gustave, dont les vingt-sept ans se traînaient oisifs, après d'exécrables études, le plaisantait, au courant de ses amours, vivant avec lui sur un pied de libre camaraderie. D'ailleurs, il plaisantait aussi l'Abîme, refusait de mettre les pieds dans toute cette ferraille, salis-sante et puante, montait à cheval, chassait, menait l'existence vide d'un aimable garçon fin de race, comme s'il avait compté déjà des siècles d'ancêtres illustres. Si bien qu'un beau soir, après avoir pris, dans un secré-taire, les cent mille francs que son père était parvenu à réunir pour ses échéances du lendemain, il disparut avec la « maîtresse à papa », il enleva la jolie fille, qui s'était jetée à son cou. Et, le lendemain, Michel, frappé au cœur et à la tête, dans cet effondrement de sa passion et de sa fortune, cédant à un vertige de monstrueuse horreur, se tua net, d'un coup de revolver.

Il y avait déjà trois ans de cela. Et les ruines hâtives des Qurignon s'étaient encore accumulées, comme pour un exemple du plus sévère des destins. Peu après le départ de Gustave, on avait appris qu'il était mort, à Nice, dans un accident de voiture, des chevaux emportés qui l'avaient jeté à un précipice. A Paris, le frère cadet de Michel, Philippe, venait aussi de disparaître, tué en duel, après toute une histoire malpropre, où l'avait entraîné sa terrible femme, qu'on disait maintenant en Russie, avec un chanteur ; et le seul enfant qu'ils avaient eu, André Qurignon, le dernier du nom, avait dû être enfermé dans une maison de santé, atteint d'une affection rachitique, que compliquaient des idées délirantes. En dehors de ce malade et de la tante Laure, qui était toujours au couvent, comme morte elle aussi, il ne restait donc plus que Suzanne, la fille de Michel. Suzanne, à vingt ans, cinq ans avant la mort de son père, avait épousé Boisgelin, qui s'était épris d'elle, à la suite d'une rencontre chez un voisin de campagne. D'ailleurs, bien que l'Abîme périclitât déjà, Michel, fastueux, avait pris des arrange-ments de façon à donner à sa fille un million de dot. De son côté, Boisgelin, très riche, tenait de son grand-père et de son père une fortune de plus de six millions, gagnée dans des affaires louches, tout un mauvais renom d'usure et de vol dont, personnellement, le lavait son oisiveté absolue, depuis qu'il était au monde. Il était fort honoré, envié et salué, ayant à Paris,

au parc Monceau, un hôtel superbe, menant une vie de dépenses folles.
Après avoir mis sa distinction à être toujours le dernier de sa classe, au
lycée Condorcet, qu'il étonnait par son élégance, il n'avait jamais fait œuvre
de ses dix doigts, il croyait être l'aristocrate nouveau, qui fondait sa noblesse
en mangeant avec magnificence la fortune que ses ancêtres avaient acquise,
sans s'abaisser lui-même à gagner un sou. Le malheur fut que les six millions finirent par ne plus suffire au grand train de sa maison, et qu'il se
laissa entraîner dans des spéculations financières, auxquelles, d'ailleurs, il
ne comprenait rien. De nouvelles mines d'or affolaient alors la Bourse, on
lui avait promis que, s'il y risquait sa fortune, il la triplerait en deux ans.
Et, tout d'un coup, ce fut la débâcle, le désastre, il put croire un instant
qu'il était absolument ruiné, au point de ne pas sauver des décombres un
morceau de pain pour le lendemain. Il pleurait comme un enfant, il regardait ses mains d'oisif, en se demandant ce qu'il en ferait maintenant, puisqu'elles ne savaient ni ne pouvaient travailler. Alors, Suzanne, sa femme, se
montra vraiment admirable, d'une tendresse, d'une raison, d'un courage,
qui le remirent debout. Le million de sa dot se trouvait d'ailleurs intact. Elle
voulut qu'il liquidât la situation, qu'il vendît l'hôtel du parc Monceau, où la
vie devenait trop chère; et un autre million fut ainsi retrouvé. Mais comment
vivre, à Paris surtout, avec deux millions, lorsque six n'avaient pas suffi, et
que toutes les tentations allaient renaître, du luxe étalé dont la grande ville
brûlait? Et le hasard d'une rencontre décida de l'avenir.

Boisgelin avait un cousin pauvre, Delaveau, le fils d'une sœur de son
père, que son mari, inventeur malchanceux, avait mise sur la paille. Delaveau, petit ingénieur, sorti d'une École d'Arts et Métiers, occupait une modeste situation dans une houillère de Brias, au moment du suicide de Michel
Quirignon. Dévoré du besoin de réussir, poussé par sa femme, et très au
courant de la situation de l'Abîme, qu'il se disait certain de relever, grâce à
une organisation toute nouvelle, il était venu à Paris, en quête de comman-
ditaires, lorsqu'un soir, dans une rue, il se trouva face à face avec son cousin
Boisgelin. Ce fut le coup de foudre, comment n'avait-il pas songé à lui, à ce
capitaliste qui, justement, était le mari d'une Quirignon? Puis, lorsqu'il
connut la situation du ménage, ces deux seuls millions qui leur restaient,
dont ils cherchaient le placement avantageux, il élargit encore son plan, il
eut avec son cousin plusieurs entrevues, pendant lesquelles il se montra si
convaincu, si plein d'intelligence et de force, qu'il finit par le convaincre.
C'était tout un plan de génie : profiter de la catastrophe, acheter l'Abîme un
million, lorsqu'il en valait deux, y organiser la fabrication des aciers fins, ce
qui donnerait rapidement des bénéfices considérables. Ensuite, pourquoi les
Boisgelin n'achetaient-ils pas la Guerdache? Dans la liquidation forcée qui
allait être faite de la fortune des Quirignon, ils l'auraient aisément à cinq

cent mille francs, alors qu'elle en avait coûté huit cent mille. Sur ses deux millions, Boisgelin aurait encore cinq cent mille francs, qu'il mettrait dans l'exploitation de l'usine; et lui, Delaveau, s'engageait formellement à décupler le capital, à lui servir des rentes de prince. Le ménage quitterait Paris, vivrait largement à la Guerdache, d'une vie heureuse, en attendant que la fortune colossale qu'ils referaient sûrement un jour, leur permît de venir reprendre leur existence parisienne, dans tout le faste qu'ils avaient pu rêver.

Ce fut Suzanne qui acheva de décider son mari, très inquiet à l'idée de cette vie provinciale, redoutant d'y périr d'ennui. Elle, au contraire, était enchantée de retourner à la Guerdache, où elle avait vécu toute sa jeunesse. Et les choses se passèrent comme Delaveau l'avait prévu, la liquidation eut lieu, les quinze cent mille francs que les Boisgelin versèrent pour l'achat de l'Abîme et de la Guerdache liquidèrent à peine la situation embarrassée des Qurignon, de sorte qu'ils devinrent les maîtres absolus, sans avoir désormais de comptes à rendre aux deux seuls héritiers survivants; la tante Laure, la religieuse, et André, le pauvre être rachitique, à demi fou, enfermé dans une maison de santé. Delaveau, du reste, remplit ses engagements, réorganisa l'usine, renouvela l'outillage, obtint un tel succès dans la fabrication des aciers fins, qu'au bout de la première année les gains s'annoncèrent déjà superbes. En trois ans, l'Abîme avait repris sa place parmi les aciéries les plus prospères de la contrée, et les rentes que les douze cents ouvriers gagnaient à Boisgelin, lui permirent de s'installer à la Guerdache dans un grand luxe, six chevaux à l'écurie, cinq voitures sous la remise, des chasses, des fêtes, des dîners, auxquels les autorités de la ville se disputaient les invitations. Aussi, Boisgelin, qui avait traîné lourdement son oisiveté, en mal de Paris, pendant les premiers mois, semblait maintenant s'être acclimaté à la province, ayant retrouvé un petit coin d'empire où sa vanité triomphait, étant de nouveau parvenu à remplir de vide sa vie bourdonnante d'insecte inutile. Et il y avait surtout une cause secrète, toute une fatuité victorieuse, dans la tranquille condescendance qu'il mettait à régner sur Beauclair.

Delaveau s'était installé à l'Abîme, où il occupait l'ancien logis de Blaise Qurignon, avec sa femme Fernande, et leur fillette Nise, à peine âgée de quelques mois. Lui avait alors trente-sept ans, et sa femme vingt-sept. Il l'avait connue chez sa mère, une maîtresse de piano, qui habitait le même palier que lui, au fond d'une maison noire de la rue Saint-Jacques. Elle était d'une beauté éclatante, si belle et si souveraine, que, pendant plus d'une année, lorsqu'il la rencontrait le long des marches, il se serrait contre le mur, tremblant, en garçon honteux de sa laideur et de sa pauvreté. Puis, des saluts s'échangèrent, une intimité commença, la mère lui confia qu'elle

avait habité douze ans la Russie et que cette fille, d'une magnificence de
reine, était le seul cadeau qu'elle en avait rapporté, après avoir été séduite
par un prince, dans le château où elle était institutrice. Certes, le prince,
qui l'adorait, l'aurait comblée d'une royale fortune; mais il était mort, tué
par accident d'un coup de feu, au soir d'une chasse; et la triste femme,
revenue sans un sou à Paris, avec sa petite Fernande, n'avait pu qu'y
reprendre ses leçons, l'élevant grâce à un travail acharné, rêvant quand
même pour elle quelque prodigieux destin. Fernande, bercée d'adulations,
convaincue que sa beauté la destinait à un trône, s'était heurtée à la misère
noire, aux bottines qu'on ne savait comment remplacer, aux robes et aux
chapeaux qu'il fallait sans cesse refaire soi-même. Une colère de chaque
heure l'avait envahie, un tel besoin de victoire, que, depuis l'âge de dix ans,
elle n'avait pas vécu un seul jour sans apprendre la haine, l'envie, la cruauté,
amassant en elle d'extraordinaires forces de perversion et de destruction.
Ce qui l'acheva, ce fut d'avoir cru que sa beauté vaincrait quand même, par
sa propre toute-puissance, au point qu'elle eut la sottise de se donner à un
homme, à un maître de la fortune et du pouvoir, qui, le lendemain, la lâcha.
Cette aventure, ensevelie au fond le plus amer de son être, devait lui enseigner le mensonge, l'hypocrisie et la ruse, qu'elle n'avait point encore. Elle
se jura bien de ne pas recommencer, elle gardait trop d'ambition pour
tomber à la galanterie. C'était la faillite de la beauté, il ne suffisait pas
d'être belle, il fallait trouver l'occasion de l'être, rencontrer l'homme qu'on
ensorcelait, dont on faisait sa chose obéissante. Et, sa mère étant morte,
d'avoir couru le cachet un quart de siècle, dans la boue de Paris, pour lui
gagner à peine du pain, elle sentit naître l'occasion, elle se trouva en présence de Delaveau, pas beau, pas riche, qui offrait de l'épouser. Elle ne l'aimait pas, mais elle le sentait très amoureux d'elle, sa décision fut prise
d'entrer à son bras dans le monde classé des honnêtes femmes, où il serait
pour elle le soutien, le moyen. Il dut lui acheter un trousseau, il l'accepta
nue, avec la foi exaltée d'un dévot qui ne désirait d'elle que la déesse. Et,
dès ce moment, la destinée s'accomplit, telle que Fernande l'avait voulue.
Deux mois ne s'étaient pas écoulés, depuis le jour où son mari l'avait introduite à la Guerdache, qu'elle y séduisit Boisgelin, auquel elle céda brusquement, un soir, après avoir étudié avec soin le cas. Il s'était passionné pour
elle, il l'aurait payée de sa fortune, au risque de rompre tous les liens. Elle,
enfin, dans ce bel homme de cercle et de cheval, trouvait l'idéal cherché,
l'amant de vanité, de folie et de largesse, capable des pires abandons pour se
garder une maîtresse si belle, devenue indispensable à son luxe. Puis, elle
contentait là toutes sortes de rancunes amassées, sa haine sourde de son
mari, dont la vie de travail et le tranquille aveuglement l'humiliaient, sa
jalousie grandissante contre la paisible Suzanne, qu'elle s'était mise à exé-

crer dès le premier jour, d'une exécration qui avait achevé de la décider à lui prendre Boisgelin, avec l'espoir de la faire souffrir. Et, maintenant, la Guerdache était en continuelle fête, Fernande y régnait en belle invitée, ayant réalisé son rêve de vie fastueuse, aidant Boisgelin à manger l'argent que Delaveau faisait suer aux douze cents ouvriers de l'Abîme, espérant pouvoir même retourner à Paris, un beau matin, pour y triompher avec les millions promis.

C'étaient toutes ces histoires que Luc roulait dans sa songerie, tandis que, d'un pas ralenti de promenade, il se rendait à l'invitation de Suzanne. S'il ne les connaissait pas toutes, il soupçonnait celles dont un avenir prochain allait lui permettre de pénétrer les moindres détails. Et, comme il levait la tête, il vit qu'il n'était plus qu'à une centaine de mètres du parc admirable, dont les grands arbres verdoyaient à l'infini. Il s'arrêta, une figure se dressait, dominait toutes les autres, celle de monsieur Jérôme, du deuxième Qurignon, fondateur de la fortune, qu'il avait rencontré la veille dans sa petite voiture, poussé par un domestique, à la porte même de l'Abîme. Il le revoyait, les jambes mortes, foudroyé, muet, avec ses yeux clairs, qui regardaient depuis vingt-cinq ans les désastres dont sa race était accablée. C'était son fils Michel affamé de joie et de luxe, laissant péricliter l'usine, se tuant dans un effroyable drame intime. C'était son petit-fils Gustave, volant une maîtresse à son père, allant se rompre le crâne au fond d'un gouffre, comme sous la poursuite vengeresse des Furies. C'était sa fille Laure au couvent, retranchée du monde; c'était son autre fils Philippe épousant une catin, glissant avec elle dans la boue, tué en duel, à la suite d'affreuses histoires; c'était son autre petit-fils André, le dernier du nom, infirme, enfermé avec des fous. Et c'était à présent le désastre qui continuait, un ferment pourrisseur qui achevait d'anéantir la famille, cette Fernande tombée là comme pour consommer la ruine, avec ses petites dents blanches de terrible rongeuse. Dans son silence, il avait assisté, il assistait à ces choses; et les remarquait-il, les jugeait-il? On le disait d'intelligence affaiblie, mais pourtant de quels yeux il regardait, limpides, sans fond! Et, s'il pensait, quelle pensée devait emplir ses longues heures immobiles! Tous ses espoirs avaient croulé, cette force victorieuse amassée dans sa longue ascendance ouvrière, cette énergie qu'il croyait devoir léguer à une longue descendance, pour une fortune sans cesse accrue, elle flambait comme un tas de paille, au feu de la jouissance. En trois générations, la réserve de puissance créatrice qui avait demandé tant de siècles de misère et d'efforts, venait d'être dévorée goulûment. Tout de suite, l'exaspération nerveuse, l'affinement destructeur s'étaient produits, dans la curée chaude de la sensation. La race, gorgée trop vite, éperdue de possession, culbutait en pleine folie de la richesse. Et ce domaine royal, cette Guerdache qu'il avait achetée, avec le rêve de la peupler un jour de ses nombreux descendants, de couples heureux élargissant la gloire bénie de son nom, quelle tristesse il devait ressentir à en voir vides la moitié des appartements, quelle colère il éprouvait sans doute à la voir aujourd'hui livrée à cette étrangère, qui apportait le dernier poison, dans les plis de sa robe! Il n'y vivait plus que solitaire, il n'y gardait des rapports tendres qu'avec sa petite-fille Suzanne, la seule à laquelle il consentît encore à ouvrir la vaste chambre qu'il occupait au rez-de-chaussée. Jadis, dès l'âge de dix ans, Suzanne l'avait soigné là, en fillette aimante, que touchait l'infortune du triste grand-père. Puis, lorsqu'elle était revenue, mariée, après l'achat de l'Abîme et de la Guerdache, elle avait exigé que le grand-père restât, bien que plus rien de la fortune ne lui appartînt, à la suite du partage qu'il avait fait de tous ses biens, sous le coup de foudre de la paralysie. Elle n'était point sans scrupule, il lui semblait qu'en suivant les conseils de Delaveau, elle et son mari avaient spolié les deux membres restants de la famille, la tante Laure et André, l'infirme. A la vérité, leur existence était assurée, et c'était au grand-père Jérôme qu'elle rendait tout en affection, veillant sur lui comme un bon ange. Mais lui, s'il laissait naître un sourire au fond de ses yeux clairs, lorsqu'il les fixait sur elle, n'avait plus dans sa face froide, aux grands traits creusés, que deux trous d'eau de source, insondables, dès qu'il regardait passer au galop devant lui la vie effrénée de la Guerdache. Et voyait-il et pensait-il, et de quelle désespérance alors était faite sa pensée?

Luc se trouva devant la grille monumentale qui s'ouvrait sur la route de Formeries, à l'endroit où s'en détachait le chemin du village voisin des Combettes; et il n'eut qu'à pousser la petite porte, pour suivre la royale allée d'ormes. Au fond, on apercevait le château, une vaste habitation du dix-septième siècle, d'un grand air dans sa simplicité, avec ses douze fenêtres de façade, ses deux étages, son rez-de-chaussée surélevé, auquel on accédait par un double perron, orné de beaux vases. Le parc, très vaste, tout en pelouses et en bois de haute futaie, était traversé par la Mionne, qui alimentait une grande pièce d'eau, où nageaient des cygnes.

Déjà, Luc se dirigeait vers le perron, lorsqu'un léger rire de bon accueil lui fit tourner la tête. Et, sous un chêne, près d'une table de pierre que des sièges rustiques entouraient, il aperçut Suzanne, qui s'était assise là, tandis que son fils Paul jouait à ses pieds.

— Mais oui, mon bon ami, je suis descendue attendre ici mes invités, en campagnarde qui ne craint pas le grand air. Comme vous êtes gentil d'avoir accepté mon invitation, si brusque!

Et elle lui souriait, la main tendue. Elle n'était point jolie, elle était charmante, très blonde, petite, avec une fine tête ronde, les cheveux frisés, les yeux d'un bleu doux. Son mari l'avait toujours trouvée d'une insigni

fiance lamentable, sans paraître s'être jamais douté de la bonté délicieuse
et de la solide raison qui se cachaient sous son air de grande simplicité.

Luc avait pris sa main, qu'il garda un instant entre les deux siennes.

— C'est vous qui êtes adorable, d'avoir songé à moi. Je suis si heureux,
si heureux de vous revoir !

Elle était son aînée de trois ans, elle l'avait connu dans la misérable maison qu'il habitait, rue de Bercy, près de l'usine où il avait débuté, à titre de
petit ingénieur. Très discrète, faisant elle-même ses aumônes, elle venait là
chez un maçon, resté veuf, avec six enfants, dont deux fillettes en bas âge ; et,
le jeune homme s'étant trouvé dans le taudis, les deux fillettes sur ses genoux,
un soir qu'elle y avait apporté du linge et du pain, la connaissance s'était
faite, il avait eu l'occasion d'aller lui rendre visite, à l'hôtel du parc Monceau, pour leurs charités communes. Une grande sympathie les avait peu à
peu rapprochés, il était devenu son aide, son messager ignoré de tous, dans
des affaires qu'eux seuls connaissaient. Et c'était ainsi qu'il avait fini par
fréquenter l'hôtel, invité aux soirées pendant deux hivers, et qu'il y avait
même connu les Jordan.

— Si vous saviez comme on vous regrette, comme on vous a pleurée ! se contenta-t-il d'ajouter, pour toute allusion à leur complicité ancienne
de braves cœurs.

Elle eut un geste ému, elle murmura :

— Quand je songe à vous, je suis navrée que vous ne soyez pas ici, où il
y aurait tant à faire !

Mais il venait d'apercevoir Paul, qui accourait, des fleurettes à la
main, et il se récria, en le trouvant si grandi. Très blond, mince et souriant,
l'air doux, l'enfant ressemblait beaucoup à sa mère.

— Eh ! dit celle-ci avec gaieté, il va avoir sept ans bientôt, c'est un petit
homme.

Tous deux s'étaient assis, causant fraternellement, dans la tiédeur de la
radieuse journée de septembre, si perdus au fond de leurs bons souvenirs,
qu'ils ne virent même pas Boisgelin descendre le perron et s'avancer vers
eux. Portant beau, très correct dans son veston de campagne, et le monocle
à l'œil, Boisgelin était un grand bellâtre, aux yeux gris, au nez fort, les
moustaches cirées, ramenant en boucles ses cheveux bruns sur son front
étroit, que découvrait déjà un commencement de calvitie.

— Bonjour, mon cher Froment, cria-t-il de sa voix dont il exagérait le
grasseyement, par bon ton. Mille mercis d'avoir bien voulu être des nôtres.

Et, sans s'arrêter davantage, après une forte poignée de main à l'an-
glaise, il se tourna vers sa femme.

— Ma chère, l'ordre a bien été donné d'envoyer la victoria aux Delaveau ?

Suzanne n'eut pas à répondre, la victoria débouchait de l'allée des grands ormes, ramenant le ménage, qui descendit devant la table de pierre. Delaveau, petit et râblé, avait la tête d'un bouledogue, massive, courte, les mâchoires en avant ; et, le nez camus, les yeux gros, à fleur de tête, les joues colorées, cachées à demi par un épais collier de barbe noire, il gardait dans l'allure quelque chose de militaire, d'autoritaire et de rigide. Près de lui, en délicieux contraste, Fernande était une brune aux yeux bleus, grande, de taille souple, de gorge et d'épaules admirables. Jamais cheveux plus somptueux ni plus noirs n'avaient encadré un visage plus pur ni plus blanc, aux grands yeux d'azur, d'une brûlante tendresse, à la bouche étroite et fraîche, garnie de dents petites, qu'on sentait d'un éclat inaltérable et d'une force à casser des cailloux. Elle était surtout fière de la finesse de ses pieds, car elle y trouvait la preuve incontestable de sa princière origine.

Tout de suite, elle s'excusa auprès de Suzanne, en faisant descendre de la victoria une femme de chambre qui avait, sur les genoux, sa fillette Nise, une enfant de trois ans, aussi blonde qu'elle était brune, frisée, ébouriffée, avec des yeux couleur du ciel, une bouche rose qui riait toujours, creusant des fossettes aux deux joues et au menton.

— Vous m'excuserez, ma chère, j'ai profité de votre autorisation, en amenant Nise.

— Mais vous avez très bien fait, répondit Suzanne. Je vous ai dit qu'il y aurait une petite table.

Les deux femmes paraissaient amies. A peine s'il y eut, chez Suzanne, un léger battement de paupières, lorsqu'elle vit Boisgelin s'empresser autour de Fernande, qui, d'ailleurs, devait le bouder, car elle l'accueillit de l'air glacial qu'elle prenait, lorsqu'il tentait d'échapper à un de ses caprices. L'air inquiet, il revint près de Luc et de Delaveau, qui se connaissaient, du printemps dernier, et qui se serraient la main. Mais la présence inattendue du jeune homme à Beauclair semblait jeter le directeur de l'Abîme dans une sorte d'émoi.

— Comment! vous êtes ici depuis hier? et, naturellement, vous n'avez pas trouvé Jordan, puisqu'une brusque dépêche l'a forcé à partir pour Cannes... Oui, oui, je sais cela, mais je ne savais pas qu'il vous eût appelé... Le voilà avec des ennuis, à cause de son haut fourneau.

Luc fut surpris de le voir si ému, au point qu'il le sentait près de lui demander pourquoi Jordan l'avait fait venir à la Crêcherie. Il ne comprit pas la cause de cette soudaine inquiétude, il répondit au hasard :

— Oh! des ennuis, croyez-vous? Tout marche très bien.

Alors, Delaveau, prudemment, pour parler d'autre chose, apprit à Boisgelin, qu'il tutoyait, une bonne nouvelle : l'achat par la Chine d'un stock d'obus défectueux, qu'on allait remettre à la fonte. Et il y eut une diversion, lorsque Luc, qui adorait les enfants, s'égaya, en voyant Paul donner ses fleurettes à Nise, sa grande amie. Quelle jolie fillette, pareille à un petit soleil, tant elle était blonde ! Et comment avait-elle pu naître ainsi, d'un papa et d'une maman si bruns? Fernande, qui avait salué Luc, en le fouillant de son regard aigu, pour savoir s'il serait un ami ou un ennemi, aimait qu'on lui posât cette question, à laquelle, d'un air glorieux, elle répondait par une allusion très claire au grand-père de l'enfant, le fameux prince russe.

— Oh! un homme superbe, blond et rose. Je suis sûre que Nise sera tout son portrait.

Mais Boisgelin dut trouver qu'il n'était pas correct d'attendre ainsi ses invités sous un chêne, ce que pouvaient seuls se permettre de bons bourgeois, retirés à la campagne. Et, comme il les faisait tous rentrer, les emmenant au salon, une rencontre se produisit, monsieur Jérôme parut dans sa petite voiture, que poussait un domestique. Le vieillard avait exigé de garder sa vie complètement à part, ses heures de repas, de promenade, de lever et de coucher; et il mangeait seul, il ne voulait pas qu'on s'occupât de lui, la règle s'était même établie, dans la maison, de ne jamais lui adresser la parole. Tous se contentèrent donc de le saluer en silence, tandis que Suzanne fut la seule à le suivre tendrement des yeux, avec un sourire. Monsieur Jérôme, qui partait pour une de ses longues promenades, passant parfois dehors l'après-midi entier, les avait tous regardés fixement, en témoin oublié, hors du monde, qui ne rendait plus les saluts. Et Luc fut repris de son malaise, de son doute angoissant, sous la clarté froide de ce regard.

Le salon était une vaste pièce, fort riche, tendue de brocatelle rouge, garnie d'un meuble Louis XIV, somptueux. Et l'on y entrait à peine, que des invités arrivèrent, le sous-préfet Châtelard, suivi du maire Gourier, de sa femme Léonore et de leur fils Achille. A quarante ans, bel homme encore, chauve, le nez busqué, la bouche discrète, les yeux larges et vifs derrière le binocle, Châtelard était une épave de Paris, qui, après y avoir laissé ses cheveux et son estomac, s'était fait donner ses Invalides à la sous-préfecture de Beauclair, par un ami intime, bombardé ministre. Sans ambition, le foie atteint et sentant la nécessité du repos, il avait eu l'heureux destin d'y rencontrer la belle madame Gourier, qui semblait l'y avoir fixé pour toujours, dans une liaison sans nuage, vue d'un bon œil par ses administrés, acceptée même par le mari, disait-on, qui avait d'autres goûts. Léonore, belle encore à trente-huit ans, blonde, avec de grands traits réguliers, était d'une profonde dévotion, l'air froid et prude, sous lequel, à ce que murmuraient certains initiés, flambait un continuel brasier de désirs profanes. Et Gourier lui-même, un gros homme commun, rougeaud, à la nuque renflée, au visage en lune, ne semblait jamais s'en être douté, car il parlait de sa femme avec un sourire d'indulgence; il lui préférait les petites ouvrières de sa cordon-

nerie, une fabrique considérable de chaussures, qu'il tenait de son père, et
où il avait en personne gagné une fortune. Le ménage faisait chambre à part
depuis quinze ans, le seul lien qu'ils eussent gardé était leur fils Achille, un
garçon de dix-huit ans déjà, qui avait les traits réguliers, les beaux yeux de
sa mère, mais très brun, et qui montrait toute une intelligence, toute une
indépendance, dont ses parents restaient confondus et fâchés. Si la belle
Léonore n'avait jamais mis les pieds dans la cordonnerie de son mari, leur
entente n'en était pas moins parfaite devant le monde; et, surtout, depuis
que Châtelard était entré dans la maison, il y régnait un bonheur constant,
qu'on citait en exemple. Le sous-préfet et le maire étant ainsi devenus inséparables, l'administration s'en trouvait facilitée, toute la ville bénéficiait de
l'heureuse liaison.

Puis, ce furent d'autres invités, le président du tribunal, Gaume,
accompagné de sa fille Lucile, et que suivait le fiancé de celle-ci, le capitaine
en retraite Jollivet. Gaume, à la tête longue, au front haut, au menton
charnu, âgé de quarante-cinq ans à peine, semblait vouloir se faire oublier
dans ce trou perdu de Beauclair, sous l'écrasement d'un affreux drame
intime qui avait bouleversé sa vie. Un soir, sa femme, abandonnée par un
amant, s'était tuée devant lui, en confessant sa faute. L'air froid et sévère,
il en était resté secrètement inconsolable, ravagé, souffrant maintenant
par sa fille, qu'il adorait, et qui, en grandissant, prenait de plus en plus
la ressemblance de sa mère. Petite, mignonne, amoureuse et fine, avec
ses yeux de perdition dans sa face claire de châtaine dorée, Lucile lui rappelait la faute, l'emplissait d'une telle crainte de voir la faute recommencer,
qu'il l'avait, dès vingt ans, fiancée au capitaine Jollivet, malgré la solitude
amère où il tomberait, après l'arrachement de la séparation. Ce capitaine
Jollivet, fatigué pour ses trente-cinq ans, était quand même un bel homme,
le front têtu, les moustaches victorieuses, que des fièvres, rapportées de
Madagascar, avaient forcé à donner sa démission. Justement, il venait d'hériter d'une rente de douze mille francs, il avait décidé de se fixer à Beauclair, son pays, en y épousant Lucile, dont les airs de tourterelle pâmée
l'avaient rendu fou. Gaume, sans fortune, qui vivait chichement de son siège
au tribunal, ne pouvait refuser un tel parti. Son désespoir caché semblait
en grandir, jamais il n'avait affecté un souci plus sévère de la loi, motivant
avec force ses jugements, appuyant sur le Code la dureté de la répression.
Certains disaient que, derrière cette attitude de juge implacable, il y avait
un vaincu, un pessimiste désolé, qui doutait de tout, surtout de la justice
sociale. Et quelle souffrance, celle du juge qui condamne, en se demandant
s'il en a le droit, les tristes misérables, victimes du crime de tous!

Ensuite, arrivèrent les Mazelle, avec leur fillette Louise, âgée de trois
ans, une convive encore de la petite table. C'était un ménage parfaitement

heureux, deux grosses gens de même âge, qui venaient à peine de dépasser la quarantaine, d'une ressemblance peu à peu fondue l'une dans l'autre, avec la même face rose et souriante, le même air paterne et doux. Ils avaient dépensé cent mille francs pour s'installer bourgeoisement, près de la Sous-Préfecture, dans une belle maison cossue, entourée d'un assez vaste jardin; et ils vivaient d'une quinzaine de mille francs de rentes, de bonnes rentes sur l'État, dont la solidité avait seule pu les rassurer. Leur bonheur, la joie béate de leur vie vécue désormais à ne rien faire, était passée en proverbe. « Ah! être comme monsieur Mazelle, qui ne fait rien! En voilà un veinard! » Mais il répondait qu'il avait trimé dix ans, que sa fortune était bien à lui. La vérité était que, petit courtier en charbons, ayant épousé une femme qui lui apportait cinquante mille francs de dot, il avait eu le flair, ou peut-être simplement la chance, de prévoir les grèves dont la fréquence, depuis dix années bientôt, déterminait des hausses considérables sur les houilles françaises. Son coup de génie avait donc été de s'assurer, à l'étranger, d'énormes réserves de charbons, au plus bas prix possible, puis de les revendre, avec de gros bénéfices, aux industriels de France que le manque brusque de combustible forçait à fermer leurs usines. Seulement, il s'était montré un véritable sage, en se retirant des affaires, vers la quarantaine, lorsqu'il avait eu les six cent mille francs, qui, selon ses calculs, devaient faire de sa femme et de lui un couple d'absolue félicité. Il n'avait même pas cédé à la tentation d'aller jusqu'au million, il craignait trop quelque mauvaise humeur de la fortune. Et jamais égoïsme heureux n'avait triomphé ainsi, jamais optimisme n'avait eu plus raison de dire que tout marchait pour le mieux en ce monde, de très braves gens, certes, qui s'adoraient, qui adoraient leur fillette, venue sur le tard, qui offraient à eux deux, dans la pleine satisfaction de leurs appétits, loin de toute ambition et de fièvre, l'image parfaite du bonheur, du bonheur fermé, sans fenêtre sur le malheur des autres. Le seul aiguillon de ce bonheur était que madame Mazelle, très grasse, très fleurie, se croyait atteinte d'une maladie grave, innomée, indéfinissable, ce qui la faisait plaindre et dorloter davantage par son mari, souriant toujours, disant avec une sorte de vanité attendrie « la maladie de ma femme », comme il aurait dit « les cheveux, l'or unique des cheveux de ma femme ». Il n'en résultait ni crainte ni tristesse, et il en était de même de leur étonnement devant leur fillette Louise, qui poussait si différente d'eux, brune, maigre et vive, avec une amusante petite tête de chèvre, aux yeux obliques, au nez mince. C'était un étonnement ravi, comme si l'enfant fût tombée du ciel en cadeau, pour mettre un peu de pétulance dans leur maison ensoleillée, que les digestions trop calmes endormaient. La belle société de Bauclair se moquait volontiers des Mazelle, des pots, des poules à l'engrais, mais elle ne les en respectait pas moins, les saluait, les

invitait, en rentiers que leur solide fortune faisait régner sur les travailleurs, sur les maigres fonctionnaires, sur les capitalistes millionnaires eux-
mêmes, toujours en proie aux catastrophes.

Et l'on n'attendait plus que l'abbé Marle, le curé de Saint-Vincent, la
paroisse riche de Beauclair, lorsqu'il arriva enfin, au moment où l'on se
décidait à passer dans la salle à manger. Il s'excusa, ses devoirs l'avaient
retenu. Il était grand, fort, la face carrée, avec un nez en bec d'aigle, une
bouche large et d'un ferme dessin. Jeune encore, âgé de trente-six ans, il
aurait volontiers bataillé pour la foi, sans un léger défaut de langue, qui
lui rendait la prédication difficile. Et cela expliquait qu'il se résignât à
s'enterrer à Beauclair, tandis que ses cheveux bruns coupés ras, ses yeux
noirs et têtus disaient seuls le militant qu'il avait rêvé d'être. Mais il n'était
point sans intelligence, il se rendait parfaitement compte de la crise que le
catholicisme traversait, n'avouant pas ses craintes parfois, lorsqu'il voyait son
église désertée par le peuple, s'attachant à la lettre étroite des dogmes, dans
la certitude que tout le vieil édifice serait emporté, le jour où la science et
le libre examen feraient brèche. Il acceptait d'ailleurs les invitations à la
Guerdache sans illusions sur les vertus de la bourgeoisie, et il y déjeunait ou
y dînait en quelque sorte par devoir, afin de cacher sous le manteau de la
religion les plaies qu'il savait là.

Luc fut ravi de la gaieté claire, du grand luxe aimable de la salle à manger, une vaste pièce occupant tout un angle du rez-de-chaussée, et dont les
hautes fenêtres donnaient sur les pelouses et sur les arbres du parc. On
aurait dit que ces verdures entraient, que la pièce, de style Louis XVI, avec
ses boiseries gris perle, ses tentures d'un vert d'eau très doux, devenait
la salle des festins rêvée, dans une idéale féerie champêtre. Et la richesse de
la table, la blancheur des linges, l'éclat de l'argenterie et des cristaux, les
fleurs dont le couvert était jonché, achevaient la fête des yeux, dans ce merveilleux cadre de lumière et de parfums. La sensation fut si vive, que, brusquement, toute sa soirée de la veille s'évoqua en lui, le peuple affamé et
noir dont le troupeau piétinait dans la boue de la rue de Brias, les puddleurs
et les arracheurs qui se cuisaient la chair aux flammes infernales des fours,
le pauvre logis des Bonnaire surtout, avec la triste Josine assise sur une
marche de l'escalier, sauvée de la faim pour un soir, grâce au pain volé par
son petit frère. Que de misère injuste, et de quel travail maudit, de quelle
exécrable souffrance était fait le luxe des oisifs et des heureux !

A la table, de quinze couverts, Luc se trouva placé entre Fernande et
Delaveau. Contre l'usage, Boisgelin, qui avait madame Mazelle à sa droite,
venait de prendre Fernande à sa gauche. Il aurait dû donner cette place à
madame Gourier ; mais, dans les maisons amies, il était entendu qu'on pla-
çait toujours Léonore près de son ami, le sous-préfet Châtelard. Celui-ci

occupait naturellement la place d'honneur, à la droite de Suzanne, qui avait à sa gauche le président Gaume. On avait mis l'abbé Marle près de Léonore sa pénitente la plus assidue, la plus aimée. Gourier était près de madame Mazelle, et Mazelle près du président. Enfin, le capitaine Jollivet et Lucile les fiancés, étaient à l'un des bouts, en face du jeune Achille Gourier, silencieux à l'autre bout, entre Delaveau et l'abbé. Et Suzanne, prévoyante, pour la mieux surveiller, avait voulu qu'on dressât derrière elle la petite table que les sept ans de Paul présidaient, entre les trois ans de Nise et les trois ans de Louise, inquiétantes toutes les deux avec leurs menottes qu'elles promenaient dans les assiettes et dans les verres. Une femme de chambre, d'ailleurs, ne les quittait pas, et le service de la grande table était fait par les deux valets de chambre, aidés du cocher.

Dès les œufs farcis, que le sauterne accompagnait, une conversation générale s'engagea, on parla du pain qu'on fabriquait à Beauclair.

— Je n'ai pu m'y habituer, dit Boisgelin. Leur pain de luxe est immangeable, je fais venir le mien de Paris.

Il avait dit cela simplement, et tous regardèrent avec un vague respect les petits pains qu'ils mangeaient. Mais les événements fâcheux de la veille hantaient surtout les esprits, Fernande s'écria :

— A propos, vous savez qu'hier soir on a mis au pillage une boulangerie de la rue de Brias.

Luc ne put s'empêcher de rire.

— Oh! madame, au pillage!... J'y étais. Un malheureux enfant qui a volé un pain!

— Nous y étions aussi, déclara le capitaine Jollivet, froissé de la pitié pleine d'excuse, qu'il y avait dans le ton du jeune homme. Il est très regrettable qu'on n'ait pas arrêté cet enfant, au moins pour l'exemple.

— Sans doute, sans doute, reprit Boisgelin. Il paraît qu'on vole beaucoup, depuis cette maudite grève... On m'a parlé d'une femme qui avait forcé le comptoir d'un boucher. Tous les fournisseurs se plaignent que des rôdeurs s'emplissent les poches à leurs étalages... Et voilà donc notre belle Prison neuve qui reçoit des locataires, n'est-ce pas, monsieur le président.

Gaume allait répondre, lorsque le capitaine repartit avec violence.

— Oui, le vol impuni engendre le pillage, l'assassinat. L'esprit de la population ouvrière devient épouvantable. Hier soir, vous tous qui étiez là comme moi, n'avez-vous pas senti cet esprit de révolte, une menace qui passait, une terreur dont tremblait la ville?... Du reste, ce Lange, cet anarchiste, ne vous a pas mâché ce qu'il comptait faire. Il vous a crié qu'il ferait sauter Beauclair et qu'il en raserait les décombres... Puisqu'on le tient, celui-là, j'espère qu'on va le saler proprement.

La verdeur de Jollivet gêna tout le monde. Ce souffle de terreur dont

L'usine.

parlait, que les autres avaient senti passer comme lui, la veille au soir, à quoi bon le rappeler, le réveiller au travers de cette table si aimable, chargée de si belles et si bonnes choses? Un froid circula, la menace du lendemain gronda dans le grand silence, aux oreilles de ces bourgeois inquiets, tandis que les valets, maintenant, offraient des truites de rivière.

Delaveau, qui sentait le silence devenir gênant, finit par dire :

— Lange, un esprit détestable... Le capitaine a raison, gardez-le, puisque vous le tenez.

Mais le président Gaume hochait la tête; et, de son air sévère, la face froide, sans qu'on sût ce qu'il y avait derrière cette rigidité professionnelle :

— Je dois vous apprendre que, ce matin, suivant mon conseil, après un simple interrogatoire, le juge d'instruction s'est décidé à relâcher cet homme.

Des voix se récrièrent, cachant une peur réelle, sous une exagération plaisante.

— Oh! monsieur le président, vous voulez donc nous faire égorger?

Gaume ne répondit que par un geste lent de la main, qui pouvait signifier beaucoup de choses. La sagesse était certainement de ne pas donner, par un procès tumultueux, une importance considérable à des paroles jetées au vent, qui germeraient d'autant plus qu'elles seraient répandues davantage.

Jollivet s'était calmé, mordillant ses moustaches, ne voulant pas contrecarrer ouvertement son futur beau-père. Mais le sous-préfet Châtelard, qui jusque-là s'était contenté de sourire, de son air affable d'homme revenu de tout, s'écria :

— Ah! comme je vous comprends, monsieur le président! Vous avez fait là ce que j'appelle de l'excellente politique... Eh! non, l'esprit des masses n'est pas à Beauclair plus mauvais qu'ailleurs. C'est partout le même esprit, il faut tâcher de s'y accommoder, et le mieux est encore de prolonger l'état de choses actuel aussi longtemps qu'on pourra, car il paraît certain que, le jour où il changera, il sera pire.

Luc crut sentir une pointe blagueuse d'ironie, chez cet ancien noceur du pavé parisien, que la sourde épouvante de ces bourgeois de province devait amuser. Toute la politique pratique de Châtelard était d'ailleurs là, dans la plus belle indifférence, quel que fût le ministre qui se trouvât au pouvoir. C'était la vieille machine gouvernementale qui continuait à marcher d'elle-même, par la force acquise, avec des grincements et des heurts, et qui se détraquerait, qui tomberait en poudre, dès que naîtrait la société nouvelle. Au bout du fossé, la culbute, comme il le disait en riant dans l'intimité. Ça marchait, parce que c'était monté; mais, au premier cahot sérieux, tout ficherait le camp. Même les vains efforts tentés pour consolider la vieille

patraque, les réformes timides qu'on tentait, les lois inutiles qu'on votait
sans oser seulement appliquer les anciennes, les crises furieuses d'ambitions
et de personnes, les rages et les affolements des partis, ne faisaient
qu'aggraver, que hâter l'agonie suprême. Tous les matins, un tel régime
s'étonnait de n'être pas par terre, en se disant que ce serait sûrement pour le
lendemain. Et lui, qui n'était point un imbécile, s'arrangeait de façon à durer
autant que durerait le régime. Républicain sage, comme il fallait l'être, il
représentait le gouvernement tout juste assez pour garder sa place, ne
faisant que le nécessaire, voulant surtout vivre en paix avec ses administrés.
Et que tout croulât, il tâcherait de ne pas être sous les décombres !

— Vous voyez bien, conclut-il, que cette malheureuse grève, dont nous
étions si inquiets, s'est terminée le mieux du monde.

Gourier, le maire, n'avait pas la philosophie ironique du sous-préfet, et,
bien qu'ils fussent toujours d'accord, ce qui leur facilitait la bonne administration de la ville, il protesta.

— Permettez, permettez, mon cher ami, trop de concessions nous mène-
rait loin... Je connais les ouvriers, je les aime, je suis un vieux républicain
un vieux démocrate de l'avant-veille. Mais, si j'accorde aux travailleurs
droit d'améliorer leur sort, jamais je n'accepterai les théories subversives,
ces idées des collectivistes qui seraient la fin de toute société civilisée.

Et, dans sa grosse voix tremblante, sonnait la peur qu'il avait eue, la
férocité du bourgeois menacé, ce besoin de répression inné, qui s'était
traduit un moment par son désir de faire marcher la troupe, pour que les
grévistes fussent forcés de reprendre le travail, à coups de fusil.

— Enfin, moi, j'ai tout fait pour les travailleurs, dans ma fabrique :
caisse de secours, caisse de retraites, habitations à bon marché, toutes les
douceurs imaginables. Alors, quoi ? que veulent-ils de plus ?... C'est la fin du
monde, n'est-ce pas, monsieur Delaveau ?

Le directeur de l'Abîme, jusque-là, avait mangé d'un bel appétit, écoutant, ne se mêlant pas à la conversation.

— Oh ! la fin du monde, dit-il avec sa carrure tranquille, j'espère bien
que nous ne laisserons pas le monde finir, sans lutter un peu pour qu'il continue... Je suis de l'avis de monsieur le sous-préfet, la grève s'est très heureusement terminée. Et j'ai même une bonne nouvelle : Bonnaire le collectiviste, vous savez, le meneur que j'avais été obligé de reprendre ? eh bien ! il
s'est fait justice lui-même, il a quitté l'usine hier soir. Un ouvrier excellent,
mais que voulez-vous ? une tête brûlée, un rêveur dangereux... Ah ! le rêve,
c'est lui qui nous mène aux abîmes !

Il continua, tâcha de se montrer très loyal, très juste. Chacun avait le
droit de défendre ses intérêts. Les ouvriers, en se mettant en grève, croyaient
défendre les leurs. Lui, directeur de l'usine, défendait le capital, le maté-

riel, la propriété, qu'on lui avait confiés. Et il consentait même à y mettre
quelque indulgence, car il se sentait le plus fort. Son devoir unique était
de conserver ce qui existait, le fonctionnement du salariat, tel que la sagesse
de l'expérience l'avait peu à peu organisé. Toute la vérité pratique était là,
il n'existait en dehors que des rêveries coupables, ce collectivisme par
exemple, dont l'application aurait déterminé la plus effroyable des catastrophes. Il parla aussi des syndicats, qu'il combattait avec acharnement,
ayant deviné en eux une machine de guerre puissante. Mais tout de même il
triomphait, simplement en travailleur actif, en bon administrateur, heureux
que la grève n'eût pas fait plus de ravages et qu'elle ne fût pas devenue un
désastre, en l'empêchant, cette année-là, de tenir les engagements qu'il
avait pris vis-à-vis de son cousin.

Justement, les deux valets passaient des perdreaux rôtis, tandis que le
cocher, chargé des vins, offrait du saint-émilion.

— Alors, dit Boisgelin plaisamment, tu me jures bien que nous n'allons
pas être réduits au régime des pommes de terre, et que nous pouvons manger
sans remords une aile de ces perdreaux?

Un gros rire accueillit cette boutade, qu'on trouva des plus spiri-
tuelles.

— Je te le jure, dit gaiement Delaveau, en riant avec les autres. Dors et
mange tranquille, la révolution qui emportera tes rentes n'est pas encore
pour demain.

Silencieux, Luc sentit son cœur battre. C'était bien cela, le salariat, le
capital qui exploitait le travail des autres. Il avançait cinq francs, en faisait
produire sept par l'ouvrier, et mangeait les deux francs. Encore ce Delaveau
travaillait-il, risquait-il son cerveau et ses muscles; mais ce Boisgelin, qui
n'avait jamais œuvré, de quel droit vivait-il, mangeait-il, dans un tel luxe?
Et Luc était frappé aussi de l'attitude de Fernande, sa voisine, très intéressée
par cette conversation peu faite pour une femme, l'air excité et ravi de la
déroute des ouvriers, de la victoire de cet argent que ses dents de jeune
louve croquaient à bouche pleine. Ses lèvres rouges se retroussaient un peu,
découvraient les dents aiguës, dans un rire de fine cruauté, comme si elle eût
enfin satisfait ses rancunes et ses appétits, en face de la douce femme qu'elle
trompait, entre son amant bellâtre qu'elle dominait et son mari aveuglé qui
lui gagnait les millions futurs. Elle semblait grise déjà des fleurs, des vins,
des viandes, et grise surtout de la joie perverse d'utiliser sa radieuse beauté,
en apportant là le désordre et la destruction.

— Est-ce qu'il n'est pas question d'une fête de charité à la Sous-Préfecture? demanda doucement Suzanne à Châtelard. Si nous causions d'autre
chose que de politique, voulez-vous?

Tout de suite, le sous-préfet, galant, fut de son avis.

— Mais certainement, nous sommes impardonnables... Je donnerai toutes les fêtes que vous voudrez, chère madame.

Dès lors, la conversation se fragmenta, chacun revint à sa passion. L'abbé Marle s'était contenté d'approuver de légers signes de tête certaines déclarations de Delaveau, très prudent dans ce milieu, où le désolaient l'inconduite du maître de la maison, le scepticisme du sous-préfet et la formelle hostilité du maire, qui affichait des idées anticléricales. Ah! quelle rancœur, cette société qu'il devait soutenir et qui finissait dans une telle débâcle! Sa seule consolation était la dévote sympathie de la belle Léonore, sa voisine, occupée de lui seul, lui disant à demi-voix des mots gentils, tandis que les autres discutaient. Sans doute celle-là aussi vivait dans la faute, mais elle s'en confessait; et, déjà, il l'entendait, au tribunal de la pénitence, s'accuser d'avoir pris trop de plaisir, à déjeuner, assise à côté de son ami Châtelard, dont le genou, sous la table, était amoureusement serré contre le sien. De même, le bon Mazelle, oublié entre le président Gaume et le capitaine Jollivet, n'avait encore ouvert la bouche que pour avaler de fortes bouchées, qu'il mâchait lentement, dans la crainte des maux d'estomac. Les choses de la politique ne l'intéressaient plus, depuis que, grâce à ses rentes, il était à l'abri des orages. Mais il devait prêter l'oreille aux théories du capitaine, heureux de se soulager avec cet auditeur bénévole. L'armée était l'école de la nation, la France ne pouvait être, d'après sa tradition immuable, qu'une nation guerrière, qui retrouverait seulement son équilibre, le jour où elle aurait reconquis l'Europe et où elle régnerait par le sabre. C'était stupide d'accuser le service militaire de désorganiser le travail. D'ailleurs, le travail de qui, le travail de quoi? est-ce que ça existait? Leur socialisme, une immense blague! Il y aurait toujours des soldats, puis, par-dessous, des gens pour faire la corvée. Le sabre, au moins ça se voyait, mais qui est-ce qui avait jamais vu l'idée, la fameuse idée, la prétendue reine du monde? Et il riait de son propre esprit et le bon Mazelle, qui avait le respect profond de l'armée, riait avec lui, par complaisance; tandis que Lucile, sa fiancée, coulait ses fins regards d'amoureuse énigmatique, l'examinant en dessous, avec un petit sourire singulier comme amusée à l'idée du mari qu'il ferait. A l'autre bout de la table, le jeune Achille Gourier se renfermait dans le même silence de témoin et de juge, les yeux luisants de tout le mépris que lui causaient sa famille et les amis avec qui elle le forçait à déjeuner.

Mais, de nouveau, une voix s'éleva, fut entendue de toute la table, au moment où l'on servait un pâté de foies de canards, une véritable merveille. C'était la voix de madame Mazelle, muette jusque-là, enfoncée dans son assiette, soignant sa maladie, qui réclamait une forte nourriture. Et comme Boisgelin, tout à Fernande, la négligeait, elle s'était rabattue sur Gourier, elle lui expliquait son ménage, son entente si parfaite avec son mari, ses idées sur l'instruction qu'elle ferait donner à sa fille Louise.

— Je ne veux pas qu'on lui casse la tête, ah ! non ! Pourquoi donc se ferait-elle du mauvais sang ? Elle est fille unique, elle héritera de toutes nos rentes.

Brusquement, Luc céda au besoin de protester, sans réfléchir, par simple malice.

— Vous ne savez donc pas, madame, qu'on va supprimer l'héritage ? Oh ! très prochainement, lorsqu'on organisera la société nouvelle.

Autour de la table, on crut qu'il plaisantait, et la stupeur de madame Mazelle était si comique à voir, que tous l'aidèrent. L'héritage supprimé, une pareille infamie ! L'argent gagné par le père, on l'arracherait aux enfants, on les condamnerait à gagner leur pain à leur tour ! Mais certainement, c'était la conséquence logique du collectivisme. Et, comme Mazelle effaré venait au secours de sa femme, en disant qu'il n'était pas inquiet, que toute sa fortune était en rentes sur l'État, que jamais on n'oserait toucher au grand-livre :

— C'est ce qui vous trompe, monsieur, reprit tranquillement Luc, on brûlera le grand-livre, on abolira la rente. La mesure est déjà résolue.

Les Mazelle faillirent étouffer. La rente abolie ! cela leur paraissait aussi impossible que l'effondrement du ciel sur leur tête. Et ils étaient si éperdus, si terrifiés par cette menace du renversement des lois naturelles, que Châtelard eut la bonhomie moqueuse de les rassurer, en se tournant à demi vers la petite table, où, malgré le sage exemple de Paul, les deux fillettes, Nise et Louise, ne s'étaient pas trop bien conduites.

— Mais non, mais non, ce n'est pas encore pour demain, votre fillette a le temps de grandir et d'avoir des enfants à son tour... Ah ! seulement, on fera bien de la débarbouiller, car je crois qu'elle a mis sa figure dans la crème.

On continuait à rire et à plaisanter. Tous, pourtant, avaient senti passer le grand souffle de demain, le vent de l'avenir, qui de nouveau soufflait au travers de la table, dont il balayait le luxe inique et les jouissances empoisonneuses. Et tous venaient au secours de la rente, du capital, de la société bourgeoise et capitaliste, basée sur le salariat.

— La République se suicidera, le jour où elle touchera à la propriété, dit Gourier, le maire.

— Il y a des lois, et tout croulerait, le jour où elles ne seraient plus appliquées, dit le président Gaume.

— En tout cas, fichtre ! l'armée est là qui veille et qui ne permettra pas le triomphe des coquins, dit le capitaine Jollivet.

— Laissez faire Dieu, il n'est que bonté et que justice, dit l'abbé Marle.

Boisgelin et Delaveau se contentèrent d'approuver, car c'était à leur secours que venaient toutes les forces sociales. Et Luc le comprit, c'était le gouvernement, l'administration, la magistrature, l'armée, le clergé, qui soutenaient encore la société agonisante, le monstrueux échafaudage d'iniquité, le travail meurtrier du plus grand nombre nourrissant la fainéantise corruptrice de quelques-uns. Sa terrible vision de la veille continuait. Après avoir vu l'envers, il voyait la face de cette société en décomposition, dont l'édifice s'effondrait de toutes parts. Et même là, dans ce luxe, dans ce décor triomphant, il l'entendait craquer, il les sentait tous inquiets, s'étourdissant, courant à l'abîme, comme tous les affolés que les révolutions emportent. On servait le dessert, la table était couverte de crèmes, de pâtisseries, de fruits magnifiques. Pour achever de ragaillardir les Mazelle, lorsqu'on versa le champagne, on fit l'éloge de la paresse, de la divine paresse qui n'est point de cette terre. La vaste salle à manger, si gaie, était toute pleine de la douceur des grands arbres, et Luc réfléchissait, car il venait brusquement de comprendre la pensée dont il se sentait gros, l'affranchissement de l'avenir, en face de ces gens qui étaient l'autorité injuste et tyrannique du passé.

Après le café, qui fut servi dans le salon, Boisgelin proposa une promenade dans le parc, jusqu'à la Ferme. Pendant tout le déjeuner, il s'était prodigué auprès de Fernande, qui continuait à lui tenir rigueur; car elle lui avait refusé son pied sous la table, elle ne lui répondait même pas, gardant ses clairs sourires pour le sous-préfet, en face d'elle. Et, depuis huit jours, c'était ainsi. Elle le sevrait de toute douceur, quand il se permettait de ne pas obéir immédiatement à un de ses caprices. Or, le fond de leur présente querelle était qu'elle avait exigé qu'il donnât une chasse à courre, pour la seule joie du costume nouveau qu'elle y porterait. Il s'était permis de ne pas vouloir, tant la dépense devait être grosse; d'autant plus que Suzanne, avertie, l'avait supplié d'être un peu raisonnable; et la lutte avait fini par s'établir ainsi entre les deux femmes, il s'agissait de savoir qui l'emporterait, de la maîtresse ou de l'épouse. Durant le déjeuner, Suzanne, de son doux et triste regard, n'avait rien perdu de la froideur jouée de Fernande, ni des empressements inquiets de son mari. Aussi, lorsque ce dernier proposa une promenade, comprit-elle qu'il cherchait uniquement une occasion de s'isoler avec la boudeuse, pour se défendre et la reconquérir. Blessée, incapable de combattre, elle se retira dans sa dignité souffrante, en disant qu'elle resterait, afin de tenir compagnie aux Mazelle, qui, par hygiène, ne se remuaient jamais au sortir de table. Le président Gaume, sa fille Lucile et le capitaine Jollivet déclarèrent également qu'ils ne bougeraient pas; ce qui fit que l'abbé Marle proposa une partie d'échecs au président. Le jeune Achille Gourier avait déjà pris congé, heureux de retrouver sa libre rêverie par la campagne vaste, sous le prétexte d'un examen qu'il préparait. Et il n'y eut donc que Boisgelin, le sous-préfet, le ménage Delaveau, le ménage Gourier et Luc, qui se rendirent à la Ferme, d'un pas ralenti, au travers des hautes futaies du parc.

En allant, ce fut très correct, les cinq hommes marchèrent en un groupe, pendant que Fernande et Léonore venaient derrière, l'air enfoncé dans une conversation intime. Boisgelin se répandit en doléances sur les malheurs de l'agriculture : la terre faisait banqueroute, tous les cultivateurs couraient à une ruine prochaine. Châtelard et Gourier tombèrent d'accord que le problème terrible, sans solution jusqu'ici, se posait là; car, pour que l'ouvrier industriel pût produire, il fallait que le pain fût à bas prix, et si le blé était à bas prix, le paysan ruiné n'achetait plus les produits de l'industrie. Delaveau croyait qu'on trouverait la solution dans un protectionnisme intelligent. Et Luc, que la question passionnait, les poussa, obtint surtout des renseignements de Boisgelin, qui finit par confesser que sa désespérance venait de ses difficultés continuelles avec son fermier, Feuillat, dont les exigences croissaient d'année en année. Il allait sans doute être forcé de se séparer de lui, à l'occasion du renouvellement de leur bail, le fermier ayant demandé une diminution de dix pour cent dans le prix de fermage, et le pis était que, pris de la crainte que son bail ne fût pas renouvelé, il avait cessé de soigner les terres, ne les fumant plus, disant qu'il n'avait pas besoin de travailler à la fortune de son successeur. C'était la propriété stérilisée, peu à peu frappée de mort.

— Et il en est ainsi partout, continua Boisgelin. On ne s'entend pas, les travailleurs veulent prendre la place des propriétaires, et c'est la culture qui souffre de la querelle... Tenez! aux Combettes, dans ce village dont les terres ne sont séparées des miennes que par la route de Formeries, vous ne vous imaginez pas le peu d'entente, les efforts que chaque paysan fait pour nuire à son voisin, en se paralysant lui-même... Ah! la féodalité avait du bon, tous ces gaillards marcheraient, obéiraient, s'ils n'avaient rien à eux et s'ils étaient convaincus de n'avoir jamais rien !

Cette conclusion imprévue fit sourire Luc. Mais il restait frappé de l'aveu inconscient que du manque d'entente venait seule la prétendue faillite de la terre. Et, maintenant, au sortir du parc, son regard s'étendait sur la plaine immense, cette Roumagne si célèbre autrefois par sa fécondité, qu'on accusait aujourd'hui de se refroidir et de ne plus nourrir son peuple. A gauche, il voyait se dérouler le vaste domaine de la Ferme, tandis qu'il apercevait, à droite, les pauvres toits des Combettes, autour desquels se groupaient des champs extrêmement divisés, des lopins émiettés encore par les héritages, pareils à une étoffe faite de pièces et de morceaux. Et que décider pour que la bonne entente revînt, pour que, de ces efforts contradictoires et douloureux, naquît le grand élan de solidarité, au nom du bonheur de tous !

Justement, comme on approchait de la Ferme, une habitation large et assez bien tenue, on y entendit des jurons, des coups de poing sur les tables, tout le bruit violent d'une querelle. Puis, on vit en sortir deux paysans, l'un gros et lourd, l'autre maigre et rageur, qui, après s'être menacés une dernière fois, s'éloignèrent, se dirigèrent à travers champs vers les Combettes, chacun par un chemin différent.

— Qu'y a-t-il donc, Feuillat? demanda Boisgelin au fermier, debout sur le seuil.

— Oh! ce n'est rien, monsieur... C'en est encore deux des Combettes, qui ont une discussion à propos d'une borne et qui m'avaient prié de leur servir d'arbitre. Voilà des ans et des ans que, de père en fils, les Lenfant et les Yvonnot sont toujours à se chamailler, si bien que ça les rend fous, rien que de se voir... J'ai eu beau leur parler raison, vous les avez entendus, ils se mangent. Et sont-ils bêtes, mon Dieu! eux qui seraient si forts, s'ils voulaient seulement réfléchir et s'entendre et s'entendre un tout petit peu!

Puis, fâché sans doute d'avoir laissé échapper cette réflexion, qui n'était pas bonne à dire devant le maître, il voila son regard, il reprit d'une voix sourde, la face close, sans pensée :

— Si ces dames et ces messieurs veulent bien entrer se reposer un moment.

Mais Luc avait vu ses yeux luire, il fut surpris de le retrouver si terreux, si sec, dans sa haute taille maigre, comme déjà brûlé par les grands soleils, à quarante ans à peine. Pourtant, il était d'une intelligence fort vive, ainsi qu'il s'en aperçut ensuite, en l'écoutant causer avec Boisgelin. Ce dernier lui ayant demandé, d'un air riant, s'il avait réfléchi au sujet du bail, le fermier hocha la tête, répondit des paroles brèves, en diplomate désireux de vaincre. Évidemment, il réservait ce qu'il pensait : la terre à ceux qui la cultivaient, la terre à tous, pour qu'on se remît à l'aimer et à la féconder. Aimer la terre! et il haussait les épaules. Son père, son grand-père l'avaient aimée furieusement. A quoi cela leur avait-il servi? Lui, attendait de pouvoir l'aimer de nouveau, quand il la féconderait pour lui, pour les siens, et non pour un propriétaire, dont l'unique pensée serait d'augmenter le fermage, le jour où la récolte doublerait. Et il y avait autre chose encore au fond de ses demi-paroles, dans son regard clair sur l'avenir : l'entente sage entre les paysans, les champs si divisés mis en commun, la grande culture intensive, par les machines. C'étaient des idées rares qu'il s'était faites peu à peu, que les bourgeois n'avaient pas besoin de savoir, mais qui parfois sortaient quand même de lui.

On avait fini par entrer s'asseoir un instant dans la Ferme, et Luc retrouvait les murs froids et nus, l'odeur de travail et de pauvreté, qui, la veille l'avaient tant frappé chez les Bonnaire, rue des Trois-Lunes. Sèche et terreuse, pareille à son homme, la Feuillat était là, muette, résignée, avec le seul enfant qu'elle avait eu, un grand garçon de douze ans, Léon, qui aidait déjà son père. C'était partout, chez le paysan ainsi que chez l'ouvrier, le travail maudit, frappé de déshonneur, devenu une tare, ne nourrissant même pas l'esclave qu'on rivait à son métier manuel comme à une chaîne. Dans le village voisin, aux Combettes, la souffrance était certainement plus grande encore : des maisons sordides, une existence de bêtes domestiques nourries de soupe, les Lenfant avec leur fils Arsène et leur fille Olympe, les Yvonnot qui en avaient deux pareillement, Eugénie et Nicolas, tous au baquet immonde de la misère, aggravant leurs maux par leur rage à s'entre-dévorer. Et Luc écoutait, regardait, évoquait cet enfer social, en se disant que la solution du problème était pourtant là, car le jour où toute une société nouvelle serait reconstruite, il faudra bien en revenir à la terre, l'éternelle nourrice, la mère commune, qui, seule, pouvait assurer aux hommes le pain quotidien.

En quittant la Ferme, Boisgelin dit à Feuillat :

— Enfin, vous réfléchirez, mon brave. La terre a gagné, il est juste que j'en profite.

— Oh ! c'est tout réfléchi, monsieur, répondit le fermier. J'aime autant crever de faim sur la route que chez vous.

Au retour, lorsque ces dames et ces messieurs rentrèrent à la Guerdache, par un autre chemin du parc, plus solitaire et plus ombreux, de nouveaux groupes se formèrent. Le sous-préfet et Léonore s'attardèrent, se trouvèrent bientôt à la queue, très loin, se contentant d'ailleurs de causer placidement, en vieux ménage ; tandis que Boisgelin et Fernande, qui s'étaient écartés peu à peu, disparurent, comme s'ils s'étaient trompés de route, égarés par des sentiers perdus, tant leur conversation était vive. Du même pas tranquille, les deux maris, Gourier et Delaveau, avaient continué de suivre l'allée, en s'entretenant d'un article sur la fin de la grève, dans le *Journal de Beauclair*, une feuille qui tirait à cinq cents exemplaires et que publiait un nommé Lebleu, petit libraire clérical, auquel l'abbé Marle et le capitaine Jollivet donnaient des articles. Le maire déplorait qu'on eût mis le bon Dieu dans l'affaire, bien qu'il approuvât, avec le directeur de l'Abîme, ce chant de triomphe, où était célébrée, en style lyrique, la victoire du capital sur le salariat. Et Luc, qui marchait près d'eux, ennuyé, las de les entendre, manœuvra de façon à se laisser distancer, puis se jeta sous bois, certain de toujours retrouver la Guerdache.

Quelle adorable solitude, dans ces taillis épais, où le tiède soleil de septembre pleuvait en une poussière d'or ! Quelque temps, il marcha au hasard, heureux d'être enfin seul, de respirer largement, en pleine nature, comme soulagé du poids qui l'écrasait, depuis que tous ces gens pesaient sur son cerveau et sur son cœur. Il songeait pourtant à les rejoindre, lorsqu'il déboucha brusquement, près de la route de Formeries, dans de vastes prés, au milieu desquels un petit bras de la Mionne alimentait une grande mare.

Et la scène sur laquelle il tomba, l'amusa beaucoup, lui fut à la fois un charme et un espoir.

C'était Paul Boisgelin, qui venait d'obtenir la permission d'amener jusque-là ses deux invitées, Nise Delaveau et Louise Mazelle, dont les trois ans avaient de trop petits pieds pour aller bien loin. Les bonnes, allongées sous un saule, bavardaient, ne s'occupaient même plus des enfants. Mais la grosse aventure était que le futur héritier de la Guerdache et les deux bourgeoises encore en bavette avaient trouvé la mare occupée par une invasion populaire, trois galopins conquérants qui devaient avoir escaladé un mur ou s'être glissés sous une haie. Luc, très surpris, reconnut Nanet, le chef, l'âme de l'expédition, suivi de Lucien et d'Antoinette Bonnaire, qu'il avait sûrement débauchés, entraînés si loin de la rue des Trois-Lunes, profitant du libre dimanche. Et tout s'expliquait, Lucien ayant inventé un petit bateau qui marchait seul, et Nanet s'étant offert, en se faisant fort de le mener à une mare, qu'il connaissait, une belle mare où l'on ne rencontrait jamais personne. Le petit bateau, maintenant, marchait seul sur l'eau claire, sans une ride. C'était un prodige.

Simplement, Lucien avait eu le coup de génie d'utiliser le mécanisme enfantin d'une petite voiture roulante, un jouet de dix-neuf sous, en adaptant les roues, garnies de palettes, à un bateau creusé dans un bout de sapin. Et ça faisait bien dix mètres, sans être remonté. Le pis était qu'il fallait alors rattraper le bateau avec une perche, ce qui, chaque fois, manquait de le submerger.

Mais, pétrifiés d'admiration, Paul et ses deux invitées restaient debout au bord de la mare. Louise surtout, les yeux luisants dans son mince visage de chèvre capricieuse, fut bientôt emportée par un désir sans bornes. Elle tendit ses menottes, elle cria :

— Je veux, je veux...

Puis, elle courut à Lucien, qui, d'un coup de perche, venait de ramener le bateau, pour le remonter. La bonne nature, dans le plaisir du jeu, les rapprocha. Ils se tutoyèrent.

— C'est moi qui l'ai fait, tu sais.

— Oh ! fais voir, donne !

Il ne voulut pas, il défendit son bien contre les menottes spoliatrices.

— Ah ! non, pas celui-là, j'ai eu trop de peine... Tu vas le casser, lâche-le.

Pourtant, il finit par faiblir, la trouvant très gentille, l'air si gai et sentant bon.

— Je t'en ferai un autre, si tu veux.

Et, comme il avait remis le bateau sur l'eau, et que les roues de nouveau marchaient, elle accepta, elle battit des mains, en s'asseyant près de lui, sur l'herbe, conquise à son tour, très camarade, ne le quittant plus.

Paul, l'aîné de tous, dont les sept ans faisaient déjà un petit homme, eut cependant l'idée confuse qu'il devait chercher à savoir. Il avait avisé Antoinette, dont l'air aimable, la saine et jolie figure l'enhardissaient.

— Quel âge as-tu, toi?

— Moi, j'ai quatre ans, mais papa dit que j'ai l'air d'en avoir six.

— Qui est donc ton papa?

— Papa, c'est papa, tiens! Es-tu bête de demander ça!

Elle riait si joliment, qu'il trouva la réponse décisive et ne l'interrogea pas davantage. Lui aussi s'était assis près d'elle, et ils furent tout de suite les meilleurs amis du monde. Sans doute ne s'apercevait-il pas qu'elle avait une simple petite robe de laine, pas belle, tellement elle était plaisante, avec sa bonne santé et son air de ne douter de rien.

— Et toi, ton papa? c'est à lui, tous ces arbres? Ah bien! ce que tu as de la place, pour jouer!... Nous autres, nous avons passé par le trou de la haie, là-bas.

— C'est défendu... On me défend aussi de venir ici, parce qu'on a peur que je ne tombe dans l'eau. Et c'est si amusant!... Il ne faudra rien dire, on nous punirait tous.

Mais, brusquement, il y eut un drame. Nanet, si blond et si ébouriffé, s'était émerveillé devant Nise, qui était encore plus ébouriffée et plus blonde que lui. Ils ressemblaient à deux joujoux, ils allèrent tout de suite l'un à l'autre, comme si leur rencontre était une chose nécessaire, et qu'ils se fussent attendus. Déjà, ils se tenaient par les mains, ils se riaient dans la figure, jouant à se pousser. Et Nanet, qui faisait l'homme brave, cria:

— Son bateau, il n'y a pas besoin de bâton pour l'avoir... Moi, j'irai bien le chercher dans l'eau.

Enthousiasmée, Nise, qui était, elle aussi, pour les jeux extraordinaires, appuya sa proposition.

— C'est ça, faut nous mettre dans l'eau, faut tous retirer nos souliers.

Et voilà qu'en se penchant elle faillit glisser dans la mare. Toute sa vantardise de fillette l'abandonna, elle poussa un cri terrible, lorsqu'elle sentit l'eau mouiller ses bottines. Lui, bravement, s'était précipité, l'avait saisie de ses petits bras déjà forts; et il la portait comme une conquête et un trophée, il la déposa sur l'herbe, où elle se remit à rire, jouant avec lui, tous deux s'empoignant, se roulant, ainsi que deux chevreaux en gaieté. Mais le cri aigu que lui avait arraché la peur, venait de tirer les bonnes de leur oubli bavard, sous le saule. Elles s'étaient levées, elles avaient aperçu avec stupeur la bande envahissante, ces galopins tombés elles ne savaient d'où, qui se permettaient de débaucher les enfants de bourgeois confiés à leur garde. Elles accoururent d'un air courroucé, si terrible, que Lucien se hâta de reprendre son bateau, détalant à toutes jambes, dans la crainte qu'on ne le lui confisquât, suivi d'Antoinette et de Nanet lui-même, que la panique emportait. Ils galopèrent jusqu'à la haie, se jetèrent à plat ventre, se coulèrent, disparurent, pendant que les deux bonnes remmenaient à la Guerdache les trois enfants, en convenant avec eux de ne rien dire, pour que personne ne fût grondé.

Luc riait tout seul, dans l'amusement que lui avait causé cette scène, surprise ainsi sous le paternel soleil, au milieu de la bonne nature amie. Ah ! les braves petits êtres, comme ils étaient vite d'accord, comme ils résolvaient aisément toutes les difficultés, ignorants encore des luttes fratricides, et quel rêve de triomphal avenir ils apportaient ! En cinq minutes, il fut de retour à la Guerdache, où il retomba dans l'exécrable présent, empoisonné d'égoïsme, devenu le champ de bataille exaspéré de toutes les passions mauvaises. Il était quatre heures, et les convives prenaient congé.

Mais ce qui le frappa, ce fut d'apercevoir, un peu à gauche du perron, monsieur Jérôme dans sa petite voiture. Il venait de rentrer de sa longue promenade, il avait fait un signe au domestique, pour qu'on le laissât un instant à cette place, comme s'il avait voulu assister au départ des invités, dans le tiède soleil, aux rayons déjà obliques. Sur le perron, Suzanne, parmi ces messieurs et ces dames, prêts à partir, attendait son mari qui s'était attardé en compagnie de Fernande. Depuis plusieurs minutes, tous les autres promeneurs étaient là, lorsqu'elle les vit enfin revenir d'un pas tranquille, causant, avec l'air de penser que cette longue solitude à deux était la plus naturelle du monde. Elle ne provoqua d'ailleurs aucune explication, mais Luc s'aperçut bien que ses mains tremblaient légèrement, tandis qu'une amertume douloureuse passait dans ses sourires de bonne hôtesse, forcée d'être aimable. Et ce fut, chez elle, une blessure vive, dont elle ne put s'empêcher de tressaillir, lorsque Boisgelin, s'adressant au capitaine Jollivet, lui dit qu'il irait le voir, pour le consulter et organiser avec lui la chasse à courre, dont il n'avait eu jusque-là que le vague projet. Ainsi, c'était chose faite ; l'épouse était battue, la maîtresse l'emportait, en imposant son caprice de dépense et de folie, pendant cette promenade, impudente comme un rendez-vous donné publiquement. Une révolte intérieure souleva Suzanne, pourquoi ne prenait-elle pas son enfant et ne s'en allait-elle pas ? Puis, d'un effort visible, elle se calma, très digne, très grande, gardant l'honneur de son nom et de sa maison, dans son abnégation d'honnête femme, dans ce silence de tendresse héroïque où elle avait résolu de vivre, protégée contre la boue environnante. Et Luc, qui devinait tout, ne sentit plus sa torture que dans le frémissement de sa pauvre main fiévreuse, lorsqu'il la lui serra, pour prendre congé.

Monsieur Jérôme avait suivi la scène, de ce regard d'eau de source, où l'on se demandait avec angoisse s'il y avait encore une pensée, une intelligence qui comprenait et qui jugeait. Puis, il assista au départ de tous les convives, comme à un défilé de toutes les puissances humaines, de toutes les autorités sociales, les maîtres que le peuple avait en exemple. Châtelard, en calèche, partit avec Gourier et Léonore, laquelle offrit une place à l'abbé Marle, de sorte qu'elle et l'abbé s'assirent côte à côte sur la banquette de devant, tandis que le sous-préfet et le maire, amicalement, leur firent face. Le capitaine Jollivet, qui conduisait lui-même un tilbury de louage, emmena le président Gaume et Lucile, sa fiancée, dont le père, inquiet, surveillait les grâces de tourterelle pâmée. Enfin, les Mazelle, qu'un immense landau avait amenés, y remontèrent, ainsi que dans un lit moelleux, où, couchés à demi, ils achèveraient de bercer leur digestion. Et monsieur Jérôme, que tous se contentèrent de saluer, selon la règle de la maison, les suivit de ses regards, comme un enfant suit les ombres qui passent, sans qu'un sentiment quelconque parût sur son froid visage.

Il ne restait que les Delaveau, et le directeur de l'Abîme voulut absolument prendre Luc avec lui, dans la victoria de Boisgelin, pour lui éviter le retour à pied. Rien ne serait plus simple que de le laisser à sa porte, puisqu'on passerait devant la Crêcherie. Comme il n'y avait qu'un strapontin, Fernande mettrait Nise sur ses genoux, et la bonne monterait à côté du cocher. Et Delaveau insistait avec beaucoup d'obligeance.

— Voyons, monsieur Froment, ce sera un véritable plaisir pour moi.

Luc dut finir par accepter. Boisgelin, maladroit, reparla de la chasse à courre, s'inquiéta de savoir si le jeune homme serait encore à Beauclair, pour y assister. Il répondit qu'il n'en savait rien, mais qu'il ne fallait point compter sur lui. Souriante, Suzanne l'écoutait. Puis, les yeux humides de leur fraternelle sympathie, elle lui serra la main de nouveau.

— Au revoir, mon ami.

Et, lorsque la victoria partit enfin, Luc rencontra une dernière fois les yeux de monsieur Jérôme, qui lui semblaient aller de Fernande à Suzanne, dans une lente observation de la destruction suprême dont sa race était menacée. N'était-ce pas une illusion d'ailleurs, n'y avait-il pas eu simplement, au fond de ses yeux, l'unique émotion qui parfois y luisait en un vague sourire, quand il regardait sa chère petite-fille, la seule qu'il aimât et qu'il voulût bien reconnaître encore?

Dans la victoria, pendant qu'elle roulait vers Beauclair, Luc ne tarda pas à comprendre pourquoi Delaveau avait tant désiré le ramener avec lui. Ce dernier se remit à le questionner sur son brusque voyage, sur ce qu'il était venu faire, sur la direction nouvelle que Jordan allait donner à son haut fourneau, maintenant que Laroche, l'ancien ingénieur était mort. Un des projets secrets de Delaveau avait toujours été d'acheter le haut fourneau, ainsi que le vaste terrain qui le séparait de son usine, de façon à doubler la valeur de l'Abîme, en y englobant la Crêcherie. Mais c'était là un bien gros

morceau, il n'avait espéré d'abord qu'une extension lente et progressive, n
comptant pas de longtemps avoir l'argent nécessaire. Pourtant, la mo
subite de Laroche venait d'enfiévrer son désir, il s'était dit qu'il pourra
peut-être s'arranger avec Jordan, qu'il savait enfoncé dans ses études et dés
reux de se débarrasser d'une gestion qui le tracassait. Et voilà pourquoi
venue soudaine de Luc, appelé par Jordan, l'avait si vivement ému, dans
crainte que le jeune homme ne contrecarrât son projet, dont il ne s'éta
d'ailleurs ouvert encore qu'avec prudence. Dès les premières questions, fait
d'un air de bonhomie, Luc se méfia, sans tout comprendre; et il répond
d'une façon évasive :

— Je ne sais rien, voilà plus de six mois que je n'ai vu Jordan... So
haut fourneau, mais il va simplement, je pense, en confier la direction
quelque jeune ingénieur de mérite.

Pendant qu'il parlait, il s'aperçut que Fernande ne le quittait pas d
yeux. Nise s'était endormie sur ses genoux, et elle se taisait, très intéressé
comme si elle eût deviné que sa fortune se décidait là, les regards fixés su
ce jeune homme, dans lequel elle avait déjà flairé un ennemi. N'avait-il p
pris parti pour Suzanne, ne les avait-elle pas vus d'accord, les mains uni
fraternellement? Et, maintenant, elle sentait la guerre déclarée, toute
beauté s'aiguisait en un mince et cruel sourire, dans la volonté de la vi
toire.

— Oh! ce que j'en dis, reprit Delaveau, battant en retraite, c'est par
qu'on m'avait conté que Jordan songeait à se renfermer dans ses déco
vertes... Il en a fait qui sont admirables.

— Admirables! répéta Luc, avec une conviction enthousiaste.

La voiture s'arrêta devant la Crêcherie, et il en descendit, remercia,
trouva seul. Il était frémissant, comme soulevé par un grand frisson q
venait des deux journées que le bienfaisant destin lui avait fait vivre, depuis so
arrivée à Beauclair. Il avait vu les deux faces de cet exécrable monde, dont
charpente craquait de pourriture : la misère inique des uns, la richesse empo
sonneuse des autres. Le travail, mal payé, méprisé, distribué injustemen
n'était plus qu'une torture et une honte, lorsqu'il aurait dû être la nobless
la santé, le bonheur même de l'homme. Son cœur éclatait, son cervea
s'ouvrait, sous l'idée à naître, dont il se sentait gros depuis des mois.
c'était un cri de justice qui jaillissait de son être entier, et il n'y ava
d'autre mission, aujourd'hui, que d'aller au secours des misérables et
refaire un peu de justice sur la terre.

La Crècherie.

Le lendemain, le lundi, les Jordan devaient revenir à Beauclair, par un train du soir. Et Luc passa la matinée à se promener dans le parc de la Crêcherie, un parc d'une quarantaine d'hectares au plus, mais dont la situation exceptionnelle, les sources ruisselantes, les verdures admirables, faisaient un coin de paradis, célèbre dans toute la contrée.

La maison d'habitation, un bâtiment de briques assez étroit, sans style, que le grand-père de Jordan avait construit du temps de Louis XVIII, sur l'emplacement de l'ancien château, brûlé pendant la Révolution, se trouvait adossée contre la rampe des Monts Bleuses, une muraille escarpée et géante, qui faisait promontoire, au débouché de la gorge de Brias sur l'immense plaine de la Roumagne. Et le parc, abrité ainsi des vents du nord, exposé au plein midi, semblait être une serre naturelle, où régnait un éternel printemps. Toute une végétation vigoureuse couvrait cette muraille de rochers, grâce aux ruisseaux qui en tombaient de partout, en cascades cristallines; tandis que des sentiers de chèvre montaient, des escaliers taillés dans le roc, parmi des plantes grimpantes et des arbustes toujours verts. Puis, les ruisseaux se réunissaient, arrosaient d'une rivière lente le parc entier, de vastes pelouses, des bouquets de grands arbres, les plus beaux et les plus forts. D'ailleurs, Jordan, qui voulait laisser cette féconde nature à elle-même, n'avait qu'un jardinier et deux aides, uniquement chargés des nettoyages, en dehors du potager et des quelques corbeilles de fleurs cultivées, devant la terrasse de la maison.

Le grand-père, Aurélien Jordan de Beauvisage, était né en 1790, à la veille de la Terreur. Les Beauvisage, une des plus antiques et des plus illustres familles du pays, déchus déjà, ne possédaient plus, de leurs immenses

terres d'autrefois, que deux fermes, jointes aujourd'hui au territoire des
Combettes, sans compter près de mille hectares de roches nues, de landes
stériles, toute une large bande du haut plateau des Monts Bleuses. Aurélien
n'avait pas trois ans que ses parents durent émigrer, abandonnant, par une
terrible nuit d'hiver, leur château en flammes. Et, jusqu'en 1810, il habita
l'Autriche, où, coup sur coup, sa mère, puis son père étaient morts, le laissant dans une détresse affreuse, élevé rudement à l'école du travail manuel,
ne mangeant son pain que lorsqu'il l'avait gagné, comme ouvrier mécanicien, attaché à une mine de fer. Il venait donc d'avoir vingt-six ans, lorsque,
sous Louis XVIII, rentrant à Beauclair, il trouva le domaine ancestral bien
diminué de nouveau, ayant perdu les deux fermes, réduit simplement au
petit parc actuel, en dehors des mille hectares de cailloux dont personne ne
voulait. Le malheur l'avait singulièrement démocratisé, il sentit qu'il ne
pouvait plus être un Beauvisage, signa désormais Jordan tout court, épousa
la fille d'un très riche fermier de Saint-Cron, dont la dot lui permit de faire
construire, sur les cendres du château, la bourgeoise maison de briques
que son petit-fils habitait encore. Mais, surtout, devenu un travailleur, les
mains restées noires, il se souvint de la mine de fer d'Autriche, du haut
fourneau qu'il y avait desservi; et, dès 1818, il chercha, il découvrit une
mine semblable parmi les roches désolées de son domaine, dont il soupçonnait l'existence, grâce à certains récits légendaires de ses parents; puis, au-
dessus de la Crêcherie, à mi-côte, il installa le haut fourneau, le premier
qu'on eût bâti dans la contrée. Dès lors, il ne fut plus qu'un industriel, sans
jamais réaliser de très brillantes affaires, toujours en lutte, manquant de
l'argent indispensable, et n'ayant à la reconnaissance du pays que le titre d'y
avoir amené, par la présence de son haut fourneau, les ouvriers du fer fondateurs des riches usines actuelles, entre autres Blaise Qurignon, l'étireur
qui avait fondé l'Abîme, en 1823.

Aurélien Jordan n'eut un fils, Séverin, qu'à l'âge de trente-cinq ans passés,
et ce fut seulement à sa mort, en 1852, lorsque ce fils le remplaça, que le
haut fourneau de la Crêcherie prit une importance considérable. Séverin
avait épousé une demoiselle Michon, la fille d'un médecin de Magnolles, chez
laquelle se révéla une femme d'une bonté exquise, d'une intelligence supérieure. Elle devint l'activité, la sagesse, la richesse de la maison. Son mari,
guidé par elle, aimé, soutenu, perça de nouvelles galeries de mine, décupla
l'extraction du minerai, reconstruisit presque le haut fourneau, pour le doter
de tous les perfectionnements connus. Aussi, dans la grosse fortune qu'ils
gagnèrent, n'eurent-ils bientôt plus que la tristesse d'être sans enfants. Ils
étaient mariés depuis dix années, et Séverin avait quarante ans déjà, lorsqu'un
fils, Martial, leur naquit enfin; et, dix années plus tard, ils eurent encore une
fille, Sœurette. Cette fécondité tardive combla leur bonheur, la mère sur-

tout fut une mère admirable, qui enfanta une seconde fois son fils, en le disputant victorieusement à la mort, en le faisant l'intelligence de son intelligence et la bonté de sa bonté. Le docteur Michon, le grand-père, un rêveur humanitaire d'une charité divine, un fouriériste et un saint-simonien de la première heure, s'était retiré à la Crêcherie, où sa fille lui avait fait bâtir un pavillon, celui que Luc justement occupait. Il y était mort, parmi ses livres, dans la gaieté du soleil et des fleurs. Et, jusqu'à la mort de la mère adorable, survenue six ans après celle du grand-père et du père, la Crêcherie vécut dans l'allégresse d'une prospérité et d'une félicité constantes.

Martial Jordan avait trente ans, et Sœurette vingt, lorsqu'ils restèrent seuls; et il y avait cinq années de cela. Lui, malgré sa petite santé, les continuelles maladies dont sa mère l'avait guéri à force d'amour, était passé par l'École polytechnique. Mais, dès sa rentrée à la Crêcherie, abandonnant toutes les situations officielles, maître de sa destinée grâce à sa fortune considérable, il s'était pris de passion pour les recherches que les applications de l'électricité ouvraient à l'étude des savants. Il fit construire, au flanc même de la maison de briques, un très vaste laboratoire, installa sous un hangar voisin une puissante force motrice, puis se spécialisa peu à peu, finit par se donner presque entièrement au rêve de réaliser la fonte des métaux dans des fours électriques, non plus théoriquement, mais pratiquement, pour l'exploitation industrielle. A partir de ce moment, il s'enferma, vécut en moine, tout à ses expériences, à sa grande œuvre, qui devint son existence même, sa raison d'être et d'agir. La petite sœur avait remplacé près de lui la mère disparue. Sœurette fut bientôt la gardienne fidèle, le bon ange sans cesse en éveil, le soignant, l'entourant de la tiède affection dont il avait besoin, comme de l'air même qu'il respirait. Elle prit en outre la direction de leur ménage à deux, de bons camarades, lui évita les soucis matériels, lui servit même de secrétaire, d'aide préparateur, sans bruit, toute de paix et de douceur, avec un tranquille sourire. Heureusement, le haut fourneau continuait à marcher seul, le vieil ingénieur Laroche était là depuis plus de trente ans, légué par le fondateur, Aurélien Jordan, de sorte que le Jordan actuel, enfoncé dans ses expériences de laboratoire, pouvait se désintéresser complètement des réalités présentes. Il laissait le brave homme mener le haut fourneau selon la routine acquise, ayant cessé lui-même de se préoccuper des améliorations, des perfectionnements possibles, considérant ces choses comme des progrès relatifs et transitoires, sans importance, depuis qu'il cherchait la transformation radicale, cette fonte du fer par l'électricité, qui révolutionnerait l'industrie métallurgique. C'était même Sœurette qui devait intervenir parfois, prendre certaines décisions avec Laroche, lorsqu'elle savait son frère le cerveau hanté d'une recherche et qu'elle ne voulait pas le troubler d'une préoccupation passagère. Et, tout d'un coup, la mort de Laroche venait de jeter dans ce train des choses, si bien réglé, un tel désarroi, que Jordan, s'estimant assez riche et sans ambition aucune, se serait débarrassé volontiers du haut fourneau, en entamant tout de suite des négociations avec Delaveau, dont il connaissait le désir, si' Sœurette, plus sage, n'avait obtenu de lui qu'il consulterait d'abord Luc, en qui elle avait une grande confiance. De là, l'appel pressant reçu par le jeune homme, et qui l'avait fait tomber si brusquement à Beauclair.

Luc connaissait les Jordan, le frère et la sœur, depuis qu'il les avait rencontrés chez les Boisgelin, à Paris, où ils s'étaient fixés tout un hiver, afin de mener à bien certaines études. Rapidement, une grande sympathie s'était nouée, faite chez lui d'une admiration vive pour le frère, dont le génie scientifique le passionnait, et d'une profonde affection, mêlée de respect, pour la sœur, qui lui apparaissait comme une divine figure de la bonté. Il travaillait alors lui-même avec le célèbre chimiste Bourdin, chargé d'étudier des minerais de fer trop sulfurés et trop phosphatés, qu'il s'agissait de rendre utilisables; et Sœurette se souvenait des détails qu'il avait donnés à son frère, la conversation d'un soir qui était restée vivante en elle, dans le souci de bonne ménagère qu'elle apportait à la conduite de leurs affaires. Il y avait plus de dix ans que la mine, découverte sur le plateau des Monts Bleuses par Aurélien Jordan, le grand-père, était abandonnée, car on avait fini par tomber sur des filons exécrables, où le soufre et le phosphore dominaient à un tel point, que le minerai ne rendait plus à la fonte de quoi payer les frais d'extraction. L'exploitation des galeries avait donc cessé, le haut fourneau de la Crêcherie était maintenant alimenté par les mines de Granval, près de Brias, dont un petit chemin de fer amenait le minerai, assez bon, jusqu'à la plate-forme de chargement, ainsi d'ailleurs que le charbon des houillères voisines. Mais c'étaient là de gros frais, Sœurette songeait souvent à ces méthodes chimiques qui permettraient peut-être de reprendre l'exploitation de la mine, d'après ce que Luc avait dit; et, dans son désir de le consulter, avant que son frère prît une décision, entrait le besoin de savoir au moins ce qu'on céderait à Delaveau, si un acte de vente intervenait entre la Crêcherie et l'Abîme.

Les Jordan devaient arriver par le train de six heures, après douze grandes heures de voyage, et Luc se rendit à la gare pour les y attendre, en profitant de la voiture qui allait les y chercher. Jordan, petit, chétif, avec sa face longue et douce, un peu vague, que des cheveux et une barbe d'un brun décoloré encadraient, descendit de wagon, enveloppé dans une grande fourrure, bien que la belle journée de septembre fût chaude. De ses yeux noirs, très vifs, très pénétrants, où toute la vie de son être semblait s'être réfugiée, il aperçut le premier le jeune homme.

— Ah! mon bon ami, que vous êtes gentil de nous avoir attendus!... On n'a pas idée d'une pareille catastrophe, ce pauvre cousin, tout seul là-bas, qu'il nous a fallu aller enterrer, et moi qui ai l'exécration des voyages!... Enfin, c'est fini, nous voilà.

— En bonne santé tout de même et sans trop de fatigue? demanda Luc.

— Non, pas trop. J'ai pu dormir, heureusement.

Mais Sœurette, après s'être assurée qu'on n'oubliait aucune des couvertures, emportées par précaution, arrivait à son tour. Elle n'était point jolie, petite elle aussi, pâle et sans teint, d'une insignifiance de femme qui se résignait à son rôle de bonne ménagère et de garde-malade. Pourtant, ses sourires tendres éclairaient d'un charme infini son visage effacé, où elle n'avait également de beaux que des yeux de passion, au fond desquels brûlait tout le besoin d'amour refoulé en elle, et qu'elle-même ignorait. Elle n'avait encore aimé que son frère, elle l'aimait en fille cloîtrée qui faisait à son dieu le sacrifice du monde. Et, tout de suite, avant de s'adresser à Luc, elle lui cria :

— Martial, fais attention, tu devrais mettre ton foulard.

Puis, se tournant vers le jeune homme, elle se montra charmante, elle lui témoigna toute sa vive sympathie.

— Que d'excuses nous avons à vous faire, monsieur Froment, et qu'avez-vous pensé de nous, en ne nous trouvant pas, à votre arrivée!... Au moins, vous êtes-vous bien installé chez nous, vous a-t-on bien soigné?

— Admirablement, j'ai vécu en prince.

— Oh! vous plaisantez!... En partant, j'avais eu grand soin de donner tous les ordres nécessaires, pour que rien ne vous manquât. N'importe, je n'y étais point, je ne pouvais surveiller, et vous ne sauriez croire le mauvais sang que je me suis fait, à l'idée de vous avoir abandonné ainsi, dans notre pauvre maison vide.

On était monté en voiture, et la conversation continua. Luc acheva de les rassurer, en leur jurant qu'il avait passé deux jours des plus intéressants, qu'il leur conterait. Quand ils arrivèrent à la Crêcherie, bien que la nuit fût tombée, Jordan regarda autour de lui, si heureux de rentrer dans son existence accoutumée, qu'il en poussait des cris de joie. Il lui semblait qu'il revenait là, après une absence de plusieurs semaines. Comment pouvait-on trouver du plaisir à courir les routes, lorsque tout le bonheur humain tenait dans le coin étroit où l'on pensait, où l'on travaillait, débarrassé du souci de vivre par le pli de l'habitude? Et, en attendant que Sœurette fît servir le dîner, il se hâta de se laver à l'eau tiède, il voulut absolument emmener Luc dans son laboratoire, brûlant lui-même de s'y retrouver, disant avec son léger rire qu'il ne dînerait pas de bon cœur, s'il ne respirait pas un peu d'abord l'air de la pièce où il passait son existence.

— Mon bon ami, c'est encore mon odeur préférée... Ma foi, oui! de

toutes les odeurs, celle que j'aime encore le mieux est l'odeur de la pièce
où je travaille... Elle m'enchante et me féconde.

Le laboratoire était une vaste salle, très haute, construite en fer et en
briques, et dont les larges baies donnaient sur les verdures du parc. Une
immense table tenait le milieu, chargée d'appareils, tandis que tout un outillage compliqué garnissait les murs, avec des modèles, des ébauches de projets, des réductions de fours électriques, dans les coins. Volant d'un bout à
l'autre de la salle, un réseau de câbles et de fils apportait la force du hangar
voisin où se trouvait la machine, la distribuait aux appareils, aux outils,
aux fours, pour les expériences. Et, au milieu de cette sévérité scientifique
un peu rude, devant une des baies, une sorte de retraite moelleuse et tiède
était aménagée, un coin de tendre intimité, des bibliothèques basses, des
fauteuils profonds, le divan où le frère sommeillait à des heures réglées, la
petite table où s'asseyait la sœur, veillant sur lui, collaborant en secrétaire
fidèle.

Jordan avait tourné un bouton, et la salle entière s'égayait d'un flot de
lumière électrique.

— M'y voici donc, je ne suis décidément à l'aise que chez moi... Et, vous
savez, l'accident qui m'a forcé de partir pour trois jours, s'est justement produit au moment où une expérience me passionnait. Je vais reprendre ça...
Mon Dieu! que je me sens bien!

Il continuait de rire, plus rose, plus animé que d'habitude. Et, s'allongeant à demi sur le divan, dans une pose de songerie qui lui était familière,
il força Luc à s'y asseoir également.

— Dites donc, mon bon ami, nous avons, n'est-ce pas, le temps de causer des choses qui m'ont donné un tel désir de vous voir, que je me suis
permis de vous faire venir. Il est nécessaire, d'ailleurs, que Sœurette soit là,
car elle est d'excellent conseil; et, si vous le voulez bien, nous attendrons
d'avoir dîné, ce sera pour le dessert... Ah! que je suis heureux de vous
tenir là, en face de moi, pour vous dire en attendant où en sont mes
recherches. Ça ne va guère vite, mais je travaille, et vous le savez, c'est la
grande affaire, il suffit qu'on travaille deux heures par jour, pour que le
monde soit conquis.

Et le silencieux parla, raconta ses travaux, qu'il ne confiait à personne,
excepté aux arbres de son parc, ainsi qu'il le disait plaisamment. Le four
électrique pour la fonte des métaux étant déjà trouvé, il n'en avait d'abord
cherché que l'application pratique à la fonte du minerai de fer. En Suisse
où la force motrice des torrents permet des installations peu coûteuses, il
avait visité des fours qui fondaient de l'aluminium dans d'excellentes conditions. Pourquoi ne fondrait-on pas ainsi le fer? il ne s'agissait, si l'on voulait résoudre le problème, que d'appliquer les mêmes principes à un cas

déterminé. Les hauts fourneaux actuels ne produisent guère que seize cents
degrés de chaleur, tandis qu'on en obtenait deux mille avec les fours électriques, ce qui donnerait une fonte immédiate et complète, d'une parfaite
régularité. Et il avait sans peine imaginé le four tel qu'il le concevait, un
simple cube de briques, de deux mètres sur toutes ses faces, dont, à l'intérieur, le foyer et le creuset étaient en magnésie, la plus réfractaire des matières connues. Il avait également calculé et déterminé le volume des électrodes, deux gros cylindres de charbon, et sa première trouvaille réelle était
d'avoir compris qu'il pourrait leur emprunter directement le carbone nécessaire pour désoxygéner le minerai, de sorte que l'opération de la fonte serait
singulièrement simplifiée, presque sans scories encombrantes. Mais, si le
four était construit, du moins à l'état d'ébauche, comment le mettre en
marche, le faire fonctionner d'une façon pratique et constante, au gré des
besoins industriels?

— Tenez! dit-il en montrant du geste un modèle, dans un coin du laboratoire, le voilà, mon four électrique. Sans doute, il faudrait le perfectionner,
il est défectueux sur plusieurs points, des difficultés que je n'ai pu encore
résoudre. Pourtant, tel qu'il est là, il m'a donné des gueuses d'excellente
fonte, et j'estime qu'une batterie de dix fours pareils, travaillant pendant dix
heures, feraient la besogne de trois hauts fourneaux pareils au mien, qui ne
s'éteindraient ni jour ni nuit. Et quelle besogne aisée, sans inquiétude d'aucune sorte, que des enfants dirigeraient en tournant de simples boutons!...
Mais je dois confesser que mes gueuses de fonte m'ont coûté aussi cher que
si elles étaient des lingots d'argent. Aussi le problème se pose-t-il d'une
façon bien nette, mon four n'est encore qu'un joujou de laboratoire, il n'exis-
tera pour l'industrie que le jour où je pourrai l'alimenter d'électricité abondamment, à des prix de revient assez bas, qui rendent rémunératrice la fonte
du minerai de fer.

Et il expliqua donc que, depuis six mois, il laissait dormir son four,
tout entier à l'étude du transport de la force électrique. Ne serait-ce pas
déjà une économie que de brûler le charbon à la sortie même de la mine,
puis d'envoyer la force électrique par des câbles aux usines éloignées qui en
auraient besoin? C'était encore là un problème dont beaucoup de savants
cherchaient la solution depuis plusieurs années, et le malheur était qu'ils se
heurtaient tous à une déperdition de force considérable.

— Des expériences viennent encore d'être faites, dit Luc d'un air incrédule. Je crois bien qu'il n'y a pas d'économie possible.

Jordan sourit avec son doux entêtement, la foi invincible qu'il apportait
dans ses recherches, pendant les mois et les mois que lui coûtait parfois la
moindre vérité à établir.

— Il ne faut jamais croire, avant d'avoir fait la certitude... J'ai déjà de bons résultats, on emmagasinera un jour la force électrique, on la canalisera, on la dirigera sans perte aucune. Et s'il me faut vingt ans, eh bien! j'y mettrai vingt ans. C'est très simple, on se remet à la besogne chaque matin, on recommence, tant qu'on n'a pas trouvé... Qu'est-ce que je ferais donc, si je ne recommençais pas?

Il avait dit cela, d'un air de si naïve grandeur, que Luc fut saisi d'émotion, comme devant l'acte d'un héros. Et il le regardait si mince, si chétif, avec sa pauvre santé toujours compromise, toussant, agonisant sous ses foulards et ses châles, au milieu de cette immense salle que des appareils géants encombraient, traversée de fils qui portaient la foudre, emplie chaque jour davantage du labeur colossal de ce petit être qui s'y promenait, s'y efforçait, s'y acharnait, tel qu'un insecte perdu dans la poussière du sol. Où trouvait-il donc, non seulement l'énergie intellectuelle, mais encore la vigueur physique d'entreprendre et de mener ainsi à bien des travaux considérables, qui semblaient demander plusieurs existences d'hommes forts et bien portants? Et il trottait menu, et il respirait à peine, et il soulevait un monde de ses petites mains frêles d'enfant malade.

Cependant, Sœurette parut, et gaiement :

— Quoi donc? vous ne venez pas dîner... Mon bon Martial, je fermerai le laboratoire à clef, si tu n'es pas raisonnable.

La salle à manger, ainsi que le salon, deux pièces assez étroites, tièdes et douces comme des nids, sur lesquels veillait un cœur de femme, ouvraient en pleine verdure, déroulant un horizon de prairies et de terres labourées, jusqu'aux lointains perdus de la Roumagne. Mais, à cette heure de nuit, les rideaux étaient tirés, bien que la soirée fût douce; et, tout de suite, Luc remarqua de nouveau les soins minutieux que la sœur prodiguait au frère. Il suivait un régime compliqué, avait ses plats, son pain, même son eau, qu'on lui faisait tiédir légèrement. Il mangeait comme un oiseau, se levait et se couchait de bonne heure comme les poules, qui sont de sages personnes. Puis, dans la journée, c'étaient de courtes promenades, des repos, des siestes, entre les séances de travail. A ceux qui s'étonnaient du prodigieux labeur qu'il fournissait et qui le croyaient un abatteur terrible de besogne, un bourreau de lui-même, œuvrant du matin au soir, il répondait qu'il travaillait à peine trois heures par jour, deux heures le matin, une heure l'après-midi; et encore, le matin, divisait-il sa séance en deux par une petite récréation, incapable de fixer son attention sur un sujet pendant plus d'une heure, sans des vertiges, comme si sa tête se vidait. Il n'avait jamais pu donner davantage, il ne valait que par sa volonté, sa ténacité, sa passion de l'œuvre qu'il portait, qu'il engendrait de toute sa bravoure intelligente, dussent les couches durer des années, quand il l'avait conçue.

Alors, Luc trouva la réponse à cette question qu'il s'était posée souvent, de savoir où Jordan, si chétif, trouvait la force de travaux énormes. Il ne la trouvait que dans la méthode, par l'emploi sage et raisonné de ses moyens, si petits qu'ils fussent. Même il utilisait ses faiblesses, s'en faisait une arme contre les dérangements du dehors. Mais surtout il voulait toujours la même chose, donnait à l'œuvre chacune des minutes dont il disposait, et cela sans découragement possible, sans lassitude, avec la foi lente, continue, acharnée, qui soulève les montagnes. Sait-on l'amas de besogne qu'on entasse, lorsqu'on travaille deux heures seulement par jour, d'un travail utile, décisif, que jamais une paresse ni une fantaisie n'interrompt? C'est le grain de blé qui emplit le sac, c'est la goutte d'eau qui fait déborder le fleuve. Pierre à pierre, l'édifice monte, le monument grandit par-dessus les montagnes. Et c'était ainsi que ce petit homme malingre, enveloppé de couvertures et qui buvait tiède sous peine de s'enrhumer, construisait la plus vaste des œuvres, par un prodige de méthode et d'adaptation personnelle, en ne lui consacrant que les rares heures de santé intellectuelle, conquises par lui sur sa défaillance physique.

Le dîner fut très amical, très souriant. Dans toute la maison, le service était fait par des femmes, Sœurette trouvant le service des hommes trop tumultueux, trop brutal pour son frère. Le cocher et le palefrenier prenaient simplement des aides, à certains jours fixes de gros travaux. Et les servantes, choisies avec soin, d'air agréable, aux mains douces et adroites, ajoutaient à la paix heureuse de la tiède demeure, très fermée, où n'étaient reçus que quelques intimes. Il y avait, ce soir-là, pour le retour des maîtres, un potage gras, un barbillon de la Mionne au beurre, un poulet rôti, une salade de légumes, des mets très simples.

— Vraiment, vous ne vous êtes pas trop ennuyé, depuis samedi? demanda Sœurette à Luc, lorsqu'ils furent tous les trois à table, dans la petite salle à manger discrète.

— Mais non, je vous assure, répondit le jeune homme. D'ailleurs, vous ne sauriez croire combien j'ai été occupé.

Et il leur conta d'abord sa soirée du samedi, la sourde révolte où il avait trouvé Beauclair, le pain volé par Nanet, l'arrestation de Lange, sa visite chez Bonnaire, victime de la grève. Mais, par un singulier scrupule, dont il s'étonna plus tard, il glissa sur sa rencontre avec Josine, il ne la nomma même pas.

— Les pauvres gens! dit la jeune fille apitoyée. Cette affreuse grève les a réduits au pain et à l'eau; et bienheureux encore ceux qui avaient du pain... Que faire? comment aller à leur secours? L'aumône n'est qu'un infime soulagement, et vous ne sauriez croire combien je me suis désolée, pendant ces deux mois, de nous sentir d'une impuissance si radicale, nous les riches et les heureux.

Elle était une humanitaire, une élève du grand-père Michon, le vieux docteur fouriériste et saint-simonien, qui, toute petite, la prenait sur ses genoux, pour lui conter de belles histoires qu'il inventait, des phalanstères fondés dans des villes heureuses, des villes où les hommes réalisaient tous leurs rêves de bonheur, sous un éternel printemps.

— Que faire? que faire? répéta-t-elle douloureusement, avec ses beaux yeux de tendresse et de pitié fixés sur Luc. Il faut pourtant faire quelque chose.

Alors, Luc, gagné par son émotion, laissa échapper ce cri du cœur :

— Ah! oui, il est temps, il faut agir.

Mais Jordan hochait la tête. Lui, dans son existence cloîtrée de savant, ne s'occupait jamais de politique. Il la méprisait fort, d'une façon injuste d'ailleurs, car il est pourtant nécessaire que les hommes veillent à la façon dont ils sont gouvernés. Seulement, du haut de l'absolu où il vivait, il considérait comme négligeables les événements, les accidents d'un jour, simples cahots du chemin. Selon lui, c'était uniquement la science qui menait l'humanité à la vérité, à la justice, au bonheur final, à cette cité parfaite de l'avenir, vers laquelle les peuples se dirigent d'un train si lent et si plein d'angoisse. A quoi bon, dès lors, s'embarrasser du reste? ne suffisait-il pas que la science marchât? et elle marchait quand même, chacune de ses conquêtes était définitive. Au bout, quelles que fussent les catastrophes de la route, il y avait la victoire de la vie, l'humanité ayant enfin rempli sa destinée. Et, très doux, très pitoyable comme sa sœur, il se bouchait les oreilles à la bataille contemporaine, il s'enfermait dans son laboratoire, où il fabriquait, disait-il, du bonheur pour demain.

— Agir, déclara-t-il à son tour, la pensée est un acte, et le plus fécond qui puisse influer sur le monde. Savons-nous les semences qui sont en train de germer?... Si tous ces misérables me déchirent l'âme, je ne m'inquiète pas, car la moisson doit forcément pousser à son heure.

Luc, ne voulant point insister, dans l'esprit fiévreux et trouble où il se trouvait lui-même, conta ensuite sa journée du dimanche, son invitation à la Guerdache, le déjeuner auquel il y avait assisté, les personnes qu'il y avait rencontrées, et ce qui s'y était fait, et ce qui s'y était dit. Il sentit parfaitement que le frère et la sœur devenaient froids, se désintéressaient de tout ce monde.

— Depuis qu'ils sont à Beauclair, nous ne voyons que rarement les Boisgelin, expliqua Jordan avec sa tranquille franchise. Ils s'étaient montrés fort aimables à Paris; mais nous vivons ici dans une telle retraite, que les relations, peu à peu, ont presque cessé. Puis, il faut bien le dire, nos idées et nos habitudes sont trop différentes. Quant à Delaveau, c'est un garçon intelligent et actif, qui est tout à son affaire, comme je suis à la mienne. Et j'ajoute que j'ai la terreur de la belle société de Beauclair, à ce point que je lui ferme étroitement ma porte, ravi de l'indigner et de rester à l'écart, en fou dangereux.

Sœurette se mit à rire.

— Martial exagère. Je reçois l'abbé Marle, qui est un brave homme, ainsi que le docteur Novarre et l'instituteur Hermeline, dont la conversation m'intéresse. Et, s'il est vrai que nous en sommes à des rapports de simple courtoisie avec les hôtes de la Guerdache, je n'en garde pas moins une sincère amitié à madame Boisgelin, si bonne, si charmante.

Jordan se plaisait à la taquiner parfois.

— Dis alors que c'est moi qui fais fuir le monde, et que, si je n'étais pas là, tu ouvrirais la porte à deux battants.

— Mais sans doute ! cria-t-elle avec gaieté. La maison est ce que tu la désires. Veux-tu que je donne un grand bal, où j'inviterai le sous-préfet Châtelard, le maire Gourier, le président Gaume, le capitaine Jollivet, et les Mazelle, et les Boisgelin, et les Delaveau ?... Tu ouvriras le bal avec madame Mazelle.

Ils plaisantèrent encore, très heureux, ce soir-là, de leur retour au nid fraternel et de la présence de Luc. Puis, au dessert, la grosse question sérieuse fut enfin abordée. Les deux servantes, si muettes, si légères, s'en étaient allées, avec leurs souliers feutrés qui ne faisaient aucun bruit. Et la paisible salle à manger avait l'infinie douceur des intimités tendres, où les cœurs et les cerveaux s'ouvrent librement.

— Voici donc, mon ami, dit Jordan, ce que je désire de votre bonne amitié... Vous étudierez la question, vous me direz simplement ce que vous feriez à ma place.

Il reprit toute l'affaire, il expliqua dans quelles dispositions d'esprit il se trouvait. Depuis longtemps, il se serait débarrassé du haut fourneau, si l'exploitation n'en avait pas, pour ainsi dire, marché d'elle seule, d'un train immuable que la routine réglait. Les gains restaient suffisants, mais ils n'entraient pas en compte à ses yeux, car il s'estimait assez riche ; et, d'autre part, pour les doubler et les tripler, il aurait fallu renouveler une partie du matériel, améliorer le rendement, se donner tout entier, en un mot. C'était ce qu'il ne pouvait ni ne voulait faire, d'autant plus que ces hauts fourneaux antiques, d'une méthode selon lui enfantine et barbare, ne l'intéressaient pas, ne pouvaient lui être d'aucune utilité pour les expériences des fontes électriques qui le passionnaient. Et il avait laissé aller le sien, s'en occupant le moins possible, attendant l'occasion de ne plus s'en occuper du tout.

— Vous comprenez, n'est-ce pas ? mon ami... Alors, brusquement, voilà mon vieux Laroche qui meurt, et toute l'exploitation, tous les soucis me retombent sur les épaules. Vous ne vous imaginez pas ce qu'il y aurait à faire, une vie d'homme y suffirait à peine, si l'on voulait s'y mettre sérieusement. Or, pour rien au monde, je n'abandonnerais mes études, mes recherches. Et le mieux est donc que je vende, j'y suis à peu près résolu ; mais je tiens à connaître d'abord votre opinion.

Luc comprenait, trouvait ces choses raisonnables.

— Sans doute, répondit-il, vous ne pouvez changer vos travaux, votre existence entière. Vous et le monde y perdriez trop. Pourtant, réfléchissez encore, il est peut-être d'autres solutions... Et puis, pour vendre, il vous faut un acheteur.

— Oh ! reprit Jordan, j'ai l'acheteur... Ce n'est pas d'hier que Delaveau rêve de joindre le haut fourneau de la Crêcherie à ses aciéries de l'Abîme. Il m'a tâté déjà, je n'aurais qu'un signe à faire.

Au nom de Delaveau, Luc eut un brusque mouvement, car il s'expliquait enfin pourquoi celui-ci s'était montré si inquiet, si pressant dans ses questions. Et, comme son hôte, ayant surpris son geste, lui demandait s'il avait quelque chose à dire contre le directeur de l'Abîme :

— Non, non, je le crois, ainsi que vous, un homme intelligent et actif.

— C'est cela même, continua Jordan, l'affaire serait entre des mains expertes... Il faudrait, je le crains, prendre des arrangements, accepter des payements à de très longues échéances, car l'argent lui manque, Boisgelin n'a plus de capitaux disponibles. Mais peu m'importe, je puis attendre, des garanties sur l'Abîme me suffiraient.

Et, s'arrêtant, regardant Luc bien en face, il conclut :

— Voyons, me conseillez-vous d'en finir, de traiter avec Delaveau ?

Le jeune homme ne répondit pas tout de suite. Un malaise, une invincible répugnance montaient de tout son être. Qu'était-ce donc ? pourquoi s'indignait-il, se révoltait-il, comme si, en conseillant de livrer le haut fourneau à cet homme, il eût commis une action mauvaise, dont il garderait le remords ? Cependant, il ne trouvait aucune bonne raison qui l'autorisât à conseiller le contraire. Et il finit par répéter :

— Certainement, tout ce que vous me dites est fort sage, je ne puis que vous approuver... Seulement, réfléchissez, réfléchissez encore.

Jusque-là, Sœurette avait écouté très attentivement, sans intervenir. Elle semblait partager le sourd malaise de Luc, elle jetait par instants un regard sur lui, dans l'attente inquiète de ce qu'il allait répondre.

— Il n'y a pas que le haut fourneau, dit-elle enfin, il y a aussi la mine, tous ces immenses terrains rocailleux, qui l'accompagnent et ne peuvent, il me semble, s'en détacher.

Son frère eut un geste d'impatience, dans le désir où il était de se débarrasser vite et d'un seul coup.

— Delaveau prendra les terrains aussi, s'il les désire. Que veux-tu que nous en fassions? Des roches pelées, calcinées, où les ronces elles-mêmes refusent de pousser. Cela est sans valeur, puisque, maintenant, la mine n'est plus exploitable.

— Est-ce bien sûr, qu'elle n'est plus exploitable? insista-t-elle. Je me souviens, monsieur Froment, que vous nous avez conté, un soir, comment on était arrivé à exploiter, dans l'Est, des minerais tout à fait défectueux, grâce à un procédé chimique... Pourquoi n'a-t-on pas encore essayé de ce procédé, là-haut, chez nous?

De nouveau, Jordan leva désespérément ses deux bras au ciel.

— Pourquoi? pourquoi? ma chérie... Parce que Laroche était incapable d'avoir une initiative; parce que moi-même, je n'ai pas eu le temps de m'en occuper; parce que les choses marchaient d'une certaine façon et ne pouvaient pas marcher d'une autre... Vois-tu, si je vends, c'est justement pour ne plus en entendre parler, puisqu'il est radicalement impossible que je dirige l'affaire, et que cela me rend malade.

Il s'était mis debout, et elle se tut, en le voyant s'agiter, dans la crainte de lui donner la fièvre.

— A certaines heures, continua-t-il, j'ai envie d'appeler Delaveau, pour qu'il prenne tout, même s'il ne me paye rien... Et c'est comme ces fours électriques dont je cherche la solution si passionnément, je n'ai jamais voulu les mettre moi-même en œuvre, battre monnaie avec, car le jour où je les aurai trouvés, je les donnerai à tous, pour la fortune et le bonheur de tous... Allons, c'est chose entendue, du moment que notre ami estime mon projet raisonnable, nous étudierons demain la cession ensemble, et j'en finirai.

Puis, comme Luc ne répondait plus, dans sa répugnance, désireux de ne pas s'engager davantage, il s'excita encore, il lui proposa de monter un instant, voulant savoir par lui-même comment le haut fourneau s'était comporté, pendant ses trois jours d'absence.

— Je ne suis pas sans inquiétude. Depuis une semaine que Laroche est mort, je ne l'ai pas remplacé, j'ai laissé mon maître fondeur, Morfain, diriger le travail. C'est un homme admirable, il est né là-haut, il a grandi dans le feu. Mais, tout de même, la responsabilité est lourde, pour un simple ouvrier comme lui.

Saisie de crainte, Sœurette voulut intervenir, suppliante.

— Oh! Martial, toi qui rentres de voyage, qui es fatigué, tu ne vas pas sortir ainsi, à dix heures du soir?

Alors, il redevint très doux, il l'embrassa.

— Laisse donc, petite sœur, ne te tourmente pas. Tu sais bien que je n'en fais jamais plus que je ne peux. Je t'assure que je dormirai mieux, quand je me serai contenté... La nuit n'est pas froide, et je vais prendre ma fourrure.

Elle-même lui noua un gros foulard autour du cou, et elle l'accompagna jusqu'au bas du perron, pour s'assurer que la soirée était en effet délicieuse, un bon sommeil des arbres, des eaux et des champs, sous un ciel de velours sombre, criblé d'étoiles.

— Monsieur Froment, vous savez que je vous le confie. Ne le laissez pas trop s'attarder.

Les deux hommes prirent tout de suite, derrière la maison, l'étroit escalier, taillé dans la pierre, qui montait au palier rocheux, sur lequel le haut fourneau était construit, à mi-côte de la rampe géante des Monts Bleuses. C'était, parmi des pins et des plantes grimpantes, un véritable labyrinthe, d'un charme infini. En levant la tête, à chaque coude du sentier, on apercevait la masse noire du haut fourneau, se détachant de plus en plus nette dans la nuit bleue, avec les étranges profils des organes mécaniques, groupés autour du foyer central.

Jordan montait le premier, à légers pas menus; et, comme il débouchait enfin sur le palier, il s'arrêta devant un amas de roches, où luisait l'étoile d'une petite lumière.

— Attendez, dit-il, je vais m'assurer que Morfain n'est pas chez lui.

— Où donc, chez lui? demanda Luc, étonné.

— Mais là, dans ces anciennes grottes, qu'il a transformées en une sorte de logement, et où il s'entête avec son garçon et sa fille, malgré les offres que je lui ai faites d'une petite maison plus habitable.

Dans la gorge de Brias, toute une population pauvre occupait des trous pareils. Morfain, lui, restait là par goût, y étant né quarante années auparavant, se trouvant à côté de son travail, presque au flanc de ce haut fourneau qui était sa vie, sa geôle et son empire. D'ailleurs, dans son installation préhistorique, en homme des cavernes civilisé, il avait fini par introduire quelque confort, une muraille solide qui bouchait les deux grottes, une porte pleine et des fenêtres à petites vitres qui fermaient les ouvertures. Et, à l'intérieur, il y avait trois pièces, la chambre du père et du garçon; la chambre de la fille, la salle commune, à la fois salle à manger, cuisine, atelier, toutes les trois très propres avec leurs murs et leur voûte de pierre, garnies de meubles solides, taillés à coups de hache.

Comme Jordan l'avait dit, les Morfain étaient de père en fils maîtres fondeurs à la Crêcherie. Le grand-père avait aidé à la fondation, le petit-fils surveillait encore les coulées, après plus de quatre-vingts ans de règne ininterrompu; et cela lui donnait une fierté, ainsi qu'un titre irrécusable de noblesse. Il y avait quatre ans déjà que sa femme était morte, laissant un garçon de seize ans et une fille de quatorze. Le garçon s'était mis tout de

Josine ! il devina Josine.

8

suite au travail du haut fourneau, la fille avait pris soin des deux hommes, faisant la soupe, balayant, en bonne ménagère. Et cela durait, elle avait dix-huit ans, son frère en avait vingt, le père regardait tranquillement sa race continuer, attendant de transmettre le haut fourneau à son fils, comme son père le lui avait transmis.

— Ah! vous êtes là, Morfain, dit Jordan, lorsqu'il eut poussé la porte, que fermait un simple loquet. Je rentre, j'ai voulu avoir des nouvelles.

Dans ce creux de roche, éclairé d'une petite lampe fumeuse, le père et le fils, attablés, mangeaient une soupe, avant la veillée; tandis què la fille les servait, debout derrière eux. Et leurs grandes ombres semblaient emplir la pièce, toute grave des longs silences qu'ils gardaient d'habitude.

D'une voix grosse et lente, Morfain répondit :

— Nous avons eu une vilaine histoire, monsieur Jordan. Mais j'espère bien qu'on va être tranquille.

Il s'était mis debout, ainsi que son fils; et il se tenait entre le garçon et la fille, tous les trois géants, si forts, si hauts de taille, que leurs fronts touchaient presque la voûte basse, la pierre brute et enfumée qui servait de plafond. On aurait dit trois revenants des époques disparues, toute une famille des rudes ouvriers dont l'effort séculaire avait, au travers des âges, dompté la nature.

Luc, surpris, regardait Morfain, ce colosse, un des Vulcains d'autrefois, vainqueurs du feu. La tête énorme, la face large, ravinée et roussie par la flamme. Un front bossué, un nez en bec d'aigle et des yeux de braise, entre des joues que des laves semblaient avoir dévastées. Une bouche enflée, tordue, d'un rouge fauve de brûlure. Et des mains qui avaient la couleur et la force de deux pinces de vieil acier. Puis, Luc regardait le fils, Petit-Da, comme on le nommait, d'un surnom qui lui était resté, parce que, tout enfant, il prononçait mal certains mots, et qu'il avait failli, un jour, laisser ses petits doigts dans une gueuse de fonte à peine refroidie. Un autre colosse, presque aussi gigantesque que son père, dont il avait la face carrée, le nez souverain, entre des yeux flamboyants, mais moins durci, moins touché par le feu, sachant lire, ce qui adoucissait et éclairait ses traits d'une pensée nouvelle. Puis, Luc regardait la fille, Ma-Bleue, que le père, avec tendresse, avait toujours nommée ainsi, tellement ses grands yeux bleus de déesse blonde étaient bleus, d'un bleu clair, infini, si vaste, qu'on ne voyait plus, dans son visage, que ce bleu de ciel sans bornes. Une déesse de haute taille, d'une beauté magnifique et simple, la plus belle, la plus muette, la plus sauvage du pays, dont la sauvagerie pourtant rêvait, lisant des livres, voyant venir au loin des choses que son père n'avait point vues, et dont l'attente inavouée la rendait frissonnante. C'était pour Luc un émerveillement que ces trois héros, cette famille où il sentait le long labeur écrasant de l'humanité en marche, l'orgueil de l'effort douloureux et sans cesse repris, l'antique noblesse du travail meurtrier.

Mais Jordan était repris d'inquiétude.

— Une vilaine histoire, Morfain, comment cela !

— Oui, monsieur Jordan, une des tuyères s'était engorgée. Pendant deux jours, j'ai bien cru que nous allions avoir un malheur, et je n'en ai pas dormi, tant j'avais du chagrin qu'une telle chose pût m'arriver, à moi, pendant votre absence... Ça vaudra mieux d'aller voir, si vous avez le temps. On va justement couler tout à l'heure.

Les deux hommes, debout, finirent leur soupe, à grandes cuillerées, pendant que la fille essuyait déjà la table. Ils parlaient rarement entre eux, ils se comprenaient d'un geste, d'un regard. Pourtant, le père dit à Ma-Bleue, de sa voix rude, amollie d'affection :

— Tu peux éteindre et ne pas nous attendre, nous coucherons encore là-bas.

Et Luc, qui se retourna, tandis que Morfain et Petit-Da accompagnaient Jordan, aperçut Ma-Bleue debout au seuil du barbare logis, grande et superbe, telle qu'une amoureuse des temps anciens, avec ses larges yeux d'azur, noyés de rêve, au loin, dans la nuit claire.

Bientôt, la masse noire du haut fourneau se dressa. Il était de très antique modèle, il n'avait guère que quinze mètres de hauteur, lourd et trapu. Mais, peu à peu, on l'avait entouré de perfectionnements successifs, d'organes nouveaux qui finissaient par faire, autour de lui, comme un petit village. Récemment reconstruite, la halle de coulée, au sol de sable fin, était d'une légèreté élégante, avec ses fermes de fer, recouvertes de tuiles. Puis, c'était, à gauche, sous un hangar vitré, la soufflerie, la machine à vapeur qui soufflait l'air ; tandis que se trouvaient, à droite, les deux groupes de hauts cylindres, ceux où les gaz de la combustion venaient s'épurer des poussières, et ceux où ils servaient à chauffer l'air froid soufflé par la machine, afin qu'il arrivât brûlant dans le haut fourneau, pour activer la fonte. Il y avait encore des récipients d'eau, tout un tuyautage qui entretenait un courant continuel autour des flancs de briques, qui les rafraîchissait et diminuait l'usure de l'effroyable incendie intérieur. Et le monstre disparaissait ainsi sous la complication des aides qu'on lui donnait, un entassement de bâtisses, un hérissement de réservoirs de tôle, un enchevêtrement de gros boyaux métalliques, dont l'extraordinaire ensemble, la nuit surtout, prenait des silhouettes monstrueuses, d'une fantaisie barbare. En haut, on distinguait, dans le flanc même du roc, la passerelle qui amenait les wagons de minerais et de combustibles, au niveau du gueulard. La cuve, en dessous, dressait son cône noir, et c'était ensuite, dès le ventre jusqu'au bas des étalages, une puissante armature de métal soutenant le corps de briques, servant de

support aux conduites d'eau et aux quatre tuyères. Puis, tout en bas, il n'y
avait plus que le creuset, où le trou de coulée était bouché d'un tampon de
terre réfractaire. Mais quel animal géant, à la forme inquiétante, effarante,
et dont la digestion dévorait des cailloux et rendait du métal en fusion !

Pas un bruit, d'ailleurs, pas une clarté. Cette digestion formidable était
muette et noire. On n'entendait qu'un petit ruissellement, les continuelles
gouttes d'eau tombant des flancs de briques. Seule, à quelque distance, la
machine soufflante ronflait sans arrêt. Et, pour tout éclairage, trois ou
quatre fanaux brûlaient, dans la nuit épaissie par les ombres des constructions énormes. Aussi ne distinguait-on que de pâles formes, les quatre
ouvriers fondeurs de l'équipe nocturne, errant dans l'attente de la coulée.
En haut, sur la plate-forme du gueulard, on n'apercevait même pas les chargeurs, qui, silencieusement, obéissaient aux signaux venus d'en bas, en
versant dans le four les quantités voulues de minerai et de charbon. Et pas
un cri, pas un flamboiement, une obscure et calme besogne, quelque chose
de démesuré et de sauvage, qui s'accomplissait secrètement, les séculaires
et laborieuses couches de l'humanité en mal de l'avenir.

Cependant, ému des mauvaises nouvelles, Jordan, que Luc avait rejoint,
reprenait son rêve, en lui montrant d'un geste l'amas des constructions.

— Regardez, mon ami, n'ai-je pas raison de vouloir raser tout ça et de
remplacer un tel monstre, encombrant et douloureux, par ma batterie de
fours électriques, si propres, si simples, si doux à conduire ?... Depuis le
jour où les premiers hommes creusèrent un trou dans la terre, pour y fondre
le minerai en le mêlant à des branches d'arbre qu'ils allumaient, la fonte
des métaux n'a guère changé. C'est toujours la même méthode enfantine et
primitive, nos hauts fourneaux ne sont que les trous préhistoriques, dressés
en des colonnes creuses, agrandis selon les besoins, dans lesquels on continue
de jeter pêle-mêle le métal à fondre et le combustible, qu'on brûle ensemble.
On dirait le grand corps de quelque animal infernal, à qui sans cesse on
verse cette nourriture de houille et d'oxyde de fer, qui la digère dans un
ouragan de feu, puis qui rend par le bas le métal en fusion, tandis que les
gaz, les poussières, les scories de toutes sortes s'en vont d'autre part... Et
remarquez que l'opération entière est là, dans cette descente lente des
matières digérées, dans cette digestion totale, car toutes les améliorations
réalisées n'ont eu pour dessein jusqu'ici que de la faciliter. Ainsi, autrefois,
on ne soufflait pas d'air, la fusion était plus lente et plus défectueuse.
Ensuite, on a soufflé de l'air froid ; ensuite, on s'est aperçu que les résultats
étaient meilleurs, lorsque l'air était chaud. L'idée est venue enfin d'emprunter
au haut fourneau lui-même, pour chauffer l'air qu'on lui insufflait, les gaz
qui jusqu'alors avaient brûlé au gueulard, en un panache de flammes. Et
c'est de la sorte que le haut fourneau primitif s'est compliqué de tant

d'organes extérieurs, la machine soufflante, les réservoirs où les gaz s'épurent, les cylindres où ils viennent chauffer l'air au passage, sans parler de toutes ces canalisations aériennes qui l'entourent comme dans les mailles d'un filet... Mais on a eu beau les perfectionner, il est resté enfantin malgré ses dimensions géantes, on n'a fait que le rendre d'un fonctionnement plus délicat, soumis à de continuelles crises. Ah ! les maladies du monstre, vous ne vous les imaginez pas ! Il n'y a pas de petit enfant malingre qui donne à sa famille, autant que ce colosse, de mortelles inquiétudes sur ses digestions de chaque jour. Six chargeurs en haut, huit fondeurs en bas, et des chefs, et un ingénieur, sont sans cesse là, jour et nuit, en deux équipes, à s'occuper des aliments qu'on lui fournit, des matières qu'il rend, pris de crainte à ses moindres dérangements de corps, quand la coulée n'est pas satisfaisante. Voici bientôt cinq ans que celui-ci est allumé, sans que le feu intérieur ait, une seule minute, arrêté son œuvre ; et il peut brûler cinq années encore, avant qu'on l'éteigne, pour des réparations. Si l'on tremble, si l'on veille sur son bon fonctionnement avec tant de soins, c'est que l'éternelle menace est qu'il s'éteigne de lui-même, dans quelque catastrophe d'entrailles, dont on n'aurait pas prévu la gravité. Et s'éteindre, pour lui, c'est la mort... Ah ! mes petits fours électriques, que des gamins pourront conduire, ils ne troubleront plus les nuits de personne, et ils seront si bien portants, si actifs, si dociles !

Luc ne put s'empêcher de rire, égayé par la passion tendre que Jordan mettait dans ses recherches de savant. Mais Morfain, suivi de Petit-Da, les avait rejoints, et il indiquait, sous la pâle lueur d'un fanal, un des quatre conduits de fonte qui, à trois mètres de hauteur, se coudaient et pénétraient dans les flancs du colosse.

— Tenez, monsieur Jordan, c'est cette tuyère-là qui s'était engorgée, et le malheur a voulu que je fusse rentré me coucher, de sorte que je me suis aperçu de la chose le lendemain seulement... Comme l'air cessait d'arriver, un refroidissement s'est produit, tout un bloc a dû se prendre, et il y a eu un accrochage de matières, qui a fait une voûte. Rien ne descendait plus, je n'ai été averti qu'au moment de la coulée, en voyant les laitiers sortir en une bouillie épaisse, déjà noire... Et vous comprenez ma peur, car je me souvenais de notre malheur d'il y a dix ans, lorsqu'il a fallu démolir tout un coin du fourneau, après une histoire pareille.

Jamais il n'avait tant parlé. Sa voix tremblait, au souvenir de l'accident ancien, car il n'est point de plus terrible maladie que ces coups de froid, qui laissent le charbon s'éteindre, qui solidifient le minerai en une roche compacte. Le cas est mortel, lorsqu'on ne parvient pas à rallumer le brasier. De proche en proche, toute la masse se refroidit, finit par faire corps avec le fourneau lui-même ; et il n'y a plus qu'à démolir celui-ci, à l'abattre comme un vieux donjon comblé de pierres, désormais inutile.

— Et qu'avez-vous fait ? demanda Jordan.

Mais Morfain ne répondit pas tout de suite. Il avait fini par aimer le monstre, dont les coulées de lave ardente lui avaient brûlé la face, depuis plus de trente années. C'était un géant, un maître, le dieu du feu qu'il adorait, courbé sous la rude tyrannie du culte qu'il avait dû lui rendre dès son âge d'homme, pour manger son pain de chaque jour. Et, sachant à peine lire, n'ayant pas même été touché par l'esprit nouveau qui soufflait, il était sans révolte, il acceptait le dur servage, il tirait une vanité de ses bras robustes, de son combat de chaque heure avec la flamme, de sa fidélité à ce colosse accroupi, dont il soignait les digestions, sans jamais s'être mis en grève. Et il avait fait ainsi sa passion de son dieu barbare et terrible, sa foi en lui s'était trempée d'une sourde tendresse, il restait tout frémissant du mal dangereux d'où il venait de le tirer, dans un effort d'extraordinaire dévouement.

— Ce que j'ai fait ? dit-il enfin. J'ai commencé par tripler les charges de charbon ; puis, j'ai tâché de dégager la tuyère, à l'aide de toute une manœuvre de la soufflerie, que monsieur Laroche employait parfois. Mais le cas était déjà trop grave, il m'a fallu démonter la tuyère et attaquer l'engorgement à coups de ringard. Ah ! ça n'a pas été commode, nous y avons laissé un peu de nos bras. Tout de même, l'air a fini par passer, et j'ai été plus content, lorsque, dans les laitiers de ce matin, j'ai trouvé des débris de minerai, car j'ai compris que l'accrochage avait dû se défaire, entraînant la chute de la voûte. Maintenant, tout s'est rallumé, le bon travail va reprendre son cours. D'ailleurs, nous allons savoir, la coulée nous dira où nous en sommes.

Et, bien qu'épuisé par un si long discours, il ajouta, d'un ton plus bas :

— Je crois, monsieur Jordan, que je serais monté là-haut, pour me jeter dans le gueulard, si je n'avais pas eu ce soir de meilleures nouvelles à vous donner... Je ne suis qu'un ouvrier, un maître fondeur, en qui vous avez eu confiance, jusqu'à lui confier le poste d'un monsieur, d'un ingénieur ; et me voyez-vous laisser éteindre le fourneau et vous dire qu'il est mort, à votre retour !... Non, je serais mort avec lui ! Les deux nuits dernières, je ne me suis pas couché, j'ai veillé là comme je me souviens de l'avoir fait auprès de ma pauvre femme, lorsque je l'ai perdue. Et, je puis bien le dire maintenant, la soupe que vous m'avez trouvé en train de manger est la première que j'avale depuis quarante-huit heures, parce que j'avais l'estomac bouché, comme le fourneau... Ce ne sont pas des excuses, je désire simplement que vous sachiez à quel point je suis heureux de n'avoir pas trahi votre confiance.

Il pleurait presque, ce grand gaillard durci par le feu, aux membres de vieil acier ; et Jordan lui serra les deux mains, affectueusement.

— Mon brave Morfain, je sais que vous êtes un vaillant, et que, si un désastre était arrivé, vous auriez lutté jusqu'au bout.

Petit-Da, debout dans l'ombre, avait écouté sans intervenir d'un mot ni d'un geste. Et il ne remua que lorsque son père lui eut donné un ordre, pour la coulée. Dans les vingt-quatre heures, il y avait cinq coulées, distantes les unes des autres de cinq heures environ. Le train, qui pouvait être de quatre-vingts tonnes par jour, se trouvait à ce moment-là réduit et n'était que de cinquante tonnes, ce qui donnait encore des coulées de dix tonnes. Silen-cieusement, à la faible clarté des fanaux, les préparatifs venaient d'être faits, des rigoles et des panneaux de moules étaient creusés dans le sable fin, sous la grande halle. Il n'y avait plus qu'à faire évacuer les laitiers, et l'on voyait seulement les ombres lentes des ouvriers fondeurs passer parfois, s'activer sans hâte à des besognes obscures, indistinctes et vagues, tandis que, dans le silence lourd du dieu accroupi, dont le ventre incendié n'avait pas même un murmure, on n'entendait toujours que le petit ruissellement des gouttes d'eau qui lui tombaient des flancs.

— Monsieur Jordan, demanda Morfain, désirez-vous voir couler les laitiers?

Jordan et Luc le suivirent à quelques pas, sur un monticule, fait de débris amassés. Le trou de coulée se trouvait dans le flanc droit du haut fourneau; et, débouché déjà, il laissait échapper les laitiers en un flot de scories étin-celant, comme si l'on eût écumé là la pleine chaudière du métal en fusion. C'était une bouillie épaisse, qui roulait lentement, qui allait tomber dans des wagonnets de tôle, pareille à une lave couleur de soleil, et tout de suite obscurcie.

— La couleur est bonne, n'est-ce pas? monsieur Jordan, reprit Morfain, réjoui. Oh! nous sommes hors d'affaire, c'est certain... Vous allez voir, vous allez voir!

Et il les ramena devant le haut fourneau, sous la halle de coulée, parmi les ténèbres vagues, que les fanaux éclairaient si peu. Petit-Da venait d'enfoncer un ringard, d'un seul coup de ses bras de jeune colosse, dans le tampon de terre réfractaire qui bouchait le trou de coulée; et, maintenant, les quatre hommes de l'équipe de nuit, à l'aide d'un mouton, tapaient en cadence sur le ringard pour l'enfoncer. On distinguait à peine leurs profils noirs, on entendait les chocs sourds du mouton. Puis, brusquement, ce fut l'apparition d'une étoile aveuglante, comme une percée étroite sur l'incendie intérieur. Mais rien ne venait encore, qu'un mince filet d'astre liquide. Il fallut que Petit-Da prît un autre ringard, le plongeât, le retournât d'un effort herculéen, pour agrandir le trou. Alors, ce fut la débâcle, le flot sortit d'un jet tumultueux, roula dans la rigole de sable fin son ruisseau de métal en fusion, alla s'étaler et remplir les moules, élargissant des mares embrasées, dont l'éclat et la chaleur brûlaient les yeux. Et de ce sillon, de ces champs de feu, se levait une moisson incessante d'étincelles, des étincelles bleues d'une légèreté délicate, des fusées d'or d'une délicieuse finesse, toute une floraison de bluets parmi des épis d'or. Lorsqu'un obstacle de sable humide se rencontrait, il y avait un tel redoublement de fusées et d'étincelles, qu'elles montaient très hautes, en un bouquet de splendeur. Soudainement, comme au lever d'un soleil miraculeux, une aurore intense avait grandi, éclairant le haut fourneau d'un coup de lumière crue, ensoleillant les dessous de la halle, les fermes de fer et les solives, dont les moindres arêtes apparurent. Tout jaillit de l'ombre avec une extraordinaire puissance évocatrice, les constructions voisines, les divers organes du monstre, les ouvriers de l'équipe de nuit, si fantomatiques jusque-là, brusquement réels, dessinés d'un trait énergique, inoubliable, tels que d'obscurs héros du travail entrés d'un coup dans une gloire. Et le flamboiement ne s'arrêtait pas là, la grande lueur d'aurore gagnait les environs, tirait des ténèbres la rampe des Monts Bleuses, allait se réfléter jusque sur les toits endormis de Beauclair, et se perdre au loin, dans l'immense plaine de la Roumagne.

— Elle est superbe, cette coulée, dit Jordan, qui étudiait la qualité de la fonte, à la couleur et à la limpidité du jet.

Morfain triomphait modestement.

— Oui, oui, monsieur Jordan, c'est du bon travail, comme on pouvait l'espérer. Je suis content tout de même que vous soyez venu voir ça. Vous n'aurez plus d'inquiétude.

Cependant, Luc s'intéressait aussi à l'opération. La chaleur était si forte, qu'il en sentait la cuisson à travers ses vêtements. Peu à peu, tous les moules s'étaient remplis, le sable fin de la halle se trouvait changé en une mer incandescente. Et, quand les dix tonnes de métal eurent coulé, il y eut encore, sortant du trou, une tempête dernière, une énorme poussée de flammes et d'étincelles : c'était la machine soufflante qui achevait de vider le creuset et dont le vent passait librement, en une rafale d'enfer. Mais, déjà, les gueuses se refroidissaient, l'aveuglante lumière blanche passait au rose, au rouge, puis au brun. Les étincelles avaient cessé, le champ des bluets d'azur et des épis d'or était moissonné. Et, rapidement, l'ombre retomba, les ténèbres noyèrent la halle, le haut fourneau, les constructions voisines, tandis que les fanaux semblaient rallumer leurs étoiles pâles. Et l'on ne distingua plus qu'un groupe d'ouvriers vagues s'agitant, Petit-Da aidé de deux camarades rebouchant le trou de coulée avec un nouveau tampon de terre réfractaire, dans le grand silence de la machine soufflante, qu'on venait d'arrêter, pour permettre ce travail.

— Dites donc, mon brave Morfain, reprit Jordan, rentrez vous coucher, n'est-ce pas?

— Oh! non, je reste ici, cette nuit encore.

— Comment! vous allez veiller, et ce sera votre troisième nuit blanche?

— Non, il y a là, au poste de veillée, un lit de camp où l'on dort très bien. Mon fils et moi, nous nous relayerons, nous ferons à tour de rôle des factions de deux heures.

— Mais c'est inutile, puisque nous voilà rassurés... Voyons, Morfain, soyez raisonnable, rentrez vous coucher dans votre lit.

— Non, non, monsieur Jordan, laissez-moi faire à ma tête... Il n'y a plus de danger, mais j'aime mieux me rendre compte par moi-même, jusqu'à demain. C'est mon plaisir.

Et Jordan et Luc durent le laisser là, après lui avoir serré la main. Et Luc restait ému, emportait l'impression d'une haute figure, tout le passé du travail douloureux et docile, toute la noblesse du long travail écrasant de l'humanité, pour arriver au repos, au bonheur. Cela partait des antiques Vulcains qui avaient dompté le feu, aux temps héroïques que Jordan rappelait, lorsque les premiers fondeurs réduisaient le minerai dans un trou creusé en terre, où ils brûlaient du bois. Ce jour-là, le jour où l'homme conquit le fer et le façonna, il devint le maître du monde, l'ère civilisée s'ouvrit. Et Morfain, vivant dans son creux de roches, tout à la peine et à l'orgueil de son effort, apparaissait à Luc comme le descendant immédiat de ces ouvriers primitifs, dont le lointain atavisme se retrouvait en lui, silencieux, résigné, donnant ses muscles sans une plainte, ainsi qu'à l'aube des sociétés humaines. Que de sueur répandue, que de bras lassés et brisés, depuis des mille ans! et rien ne changeait, le feu conquis avait encore ses victimes, ses esclaves qui l'entretenaient, qui se brûlaient le sang à le dompter toujours, pendant que les privilégiés de ce monde vivaient de paresse, en de fraîches demeures. Morfain, tel qu'un héros légendaire, n'avait pas même l'air de se douter de l'iniquité monstrueuse, ignorant les révoltes, l'orage qui grondait, impassible à son poste meurtrier, où ses pères étaient morts, où il mourrait lui-même, consumé, holocauste social d'une obscure grandeur. Et Luc, ensuite, évoquait une autre figure, celle de Bonnaire, l'autre héros du travail, en lutte avec les oppresseurs, les exploiteurs, pour que la justice régnât, se dévouant à la cause des camarades, jusqu'au sacrifice de son pain. Toute cette chair souffrante n'avait-elle pas assez gémi sous les fardeaux, et l'heure n'était-elle pas venue de la délivrance de l'esclave, même admirable dans son effort, enfin libre citoyen d'une société fraternelle, où la paix naîtrait de la juste répartition du travail et de la richesse?

Mais, comme Jordan, en redescendant l'escalier taillé dans le roc, s'était arrêté à la hutte d'un gardien de nuit, pour donner un ordre, Luc eut une singulière vision, qui acheva de l'émouvoir. Derrière des buissons, parmi des roches écroulées, il aperçut distinctement un couple, deux ombres qui passèrent, les bras à la taille, les bouches fondues en un baiser. Et il reconnut la fille, grande, blonde, superbe, Ma-Bleue avec ses yeux bleus qui lui tenaient tout le visage. Et le garçon était sûrement Achille Gourier, le fils du maire, ce beau et fier garçon, dont il avait remarqué l'attitude à la Guerdache, si méprisante pour cette bourgeoisie en décomposition dont il était un des fils révoltés. Toujours en chasse, toujours en pêche, il vivait ses vacances par les sentiers escarpés des Monts Bleuses, le long des torrents, au fond des sapinières. Sans doute, il s'était pris de passion pour cette fille sauvage, si belle, autour de laquelle tant d'amoureux rôdaient en vain; et elle-même devait s'être laissé vaincre par la venue de ce Prince Charmant, qui lui apportait l'au-delà, le rêve délicieux de demain, dans la rudesse de son désert. Demain, demain! n'était-ce pas demain qui se levait dans les grands yeux bleus de Ma-Bleue, lorsqu'elle songeait sur le seuil de son trou de rochers, les regards perdus au loin? Le père et le frère veillaient là-haut, et elle s'échappait parmi les pentes escarpées, et demain était pour elle ce grand garçon tendre, ce fils de bourgeois qui lui parlait gentiment, comme à une dame, en lui jurant de l'aimer toujours. Luc, saisi, eut d'abord un serrement de cœur, à l'idée de la douleur du père, s'il apprenait l'aventure. Puis, son cœur se noya de tendresse, un souffle caressant d'espoir lui vint de ce libre amour si doux : n'était-ce pas le demain plus heureux que préparaient ces enfants sortis de toutes les classes, et jouant entre eux, et se baisant, et enfantant la juste Cité future?

En bas, dans le parc, lorsque Luc prit congé de Jordan, ils causèrent encore.

— Vous n'avez pas eu froid, au moins? Votre sœur ne me pardonnerait jamais.

— Non, non, je me sens très bien... Et je rentre me coucher content, car ma résolution est formelle, je vais me débarrasser d'une exploitation qui ne m'intéresse pas et qui est pour moi une telle source d'ennuis.

Un instant, Luc garda le silence, brusquement repris de malaise, comme si une telle décision l'eût consterné. Et, en quittant son ami, dans une dernière poignée de main :

— Attendez donc, laissez-moi la journée pour réfléchir, et demain soir nous recauserons, vous vous déciderez.

Luc ne se coucha pas tout de suite. Il occupait, dans le pavillon autrefois bâti pour le grand-père maternel de Jordan, le docteur Michon, la vaste chambre où celui-ci avait vécu les dernières années de sa vie, au milieu de ses livres; et, depuis trois jours, il en aimait l'odeur de travail, la bonhomie et la paix profonde. Mais, ce soir-là, dans la fièvre de doute où il se trouvait, il étouffa; en y rentrant, il ouvrit toute grande une des fenêtres, s'y accouda,

pour se calmer un peu, avant de se mettre au lit. Cette fenêtre donnait sur
la route qui menait de la Crêcherie à Beauclair ; en face, des champs incultes, semés de roches, s'étendaient ; et, au delà, on distinguait l'amas confus des toits de la ville endormie.

Pendant quelques minutes, Luc respira largement les souffles d'air qui
montaient des champs sans bornes de la Roumagne. La nuit restait humide
et tiède, une clarté bleue tombait du ciel étoilé, légèrement voilé de brume.
Et il écouta d'une oreille distraite d'abord les bruits lointains, dont frisson-
naient les ténèbres ; puis, il reconnut les coups sourds et rythmés des marteaux de l'Abîme, la forge du Cyclope où, nuit et jour, retentissait l'acier.
Il leva les yeux, chercha le haut fourneau de la Crêcherie, muet et noir, noyé
dans la barre d'encre que le promontoire des Monts Bleuses faisait sur le
ciel. Ses regards s'abaissèrent, se reportèrent sur les toitures entassées de la
ville, dont le lourd sommeil semblait comme bercé par l'ébranlement ca-
dencé des marteaux, pareil au loin à la respiration oppressée et courte d'un
travailleur géant, quelque Prométhée douloureux, enchaîné à l'éternel travail. Et son malaise en fut accru, sa fièvre ne se calmait pas, les gens et les
choses de ces trois derniers jours se levaient en foule dans sa mémoire, défilaient en une bousculade tragique dont il aurait voulu fixer le sens, le tour-
mentaient du problème peu à peu aggravé en lui, et qui, maintenant, le laisserait sans sommeil, tant qu'il n'en aurait pas trouvé la solution.

Mais il crut entendre, au-dessous de la fenêtre, de l'autre côté de la route,
parmi les broussailles et les roches, un autre bruit, si léger, si doux, qu'il
ne put le définir. Était-ce donc le battement d'ailes d'un oiseau, le frôlement
d'un insecte dans les feuilles ? Il regarda, il ne vit rien que la houle de
l'ombre, à l'infini. Sans doute il s'était trompé. Puis, le bruit recommença,
plus voisin. Intéressé, saisi d'une émotion dont il s'étonnait lui-même, il
s'efforça de percer les ténèbres, il finit par apercevoir une forme vague, délicate et fine, qui semblait flotter à la pointe des herbes. Et il ne s'en expliquait pas la nature, il croyait à une illusion, lorsque, d'un léger saut de
chèvre sauvage, une femme traversa la route et lui lança un petit bouquet,
si adroitement qu'il le reçut au visage, ainsi qu'une caresse. C'était un petit
bouquet d'œillets de montagne, cueillis parmi les roches, et d'une odeur
si puissante, qu'il en fut tout parfumé.

Josine ! il devina Josine, il la reconnut, à ce nouveau remerciement de
son cœur, à ce geste adorable d'infinie gratitude ! Et cela était exquis, dans
cette obscurité, à cette heure tardive, sans qu'il s'expliquât comment elle
était là, si elle avait guetté sa rentrée, de quelle façon elle avait pu s'échapper et venir, Ragu peut-être étant d'une équipe de nuit. Déjà, sans une
parole, n'ayant voulu que se donner avec ces fleurs un peu âpres, si gentiment lancées, elle fuyait, elle se perdait dans les ténèbres de la lande in-

culte ; et il remarqua seulement alors une autre ombre, toute petite, Nanet sûrement, qui galopait près d'elle. Ils disparurent, il n'entendit plus de nouveau que les marteaux de l'Abîme, au loin, tapant en cadence. Son tourment n'était point fini, mais tout son cœur venait d'être réchauffé d'une force invincible. Il respira délicieusement le petit bouquet. Ah ! bonté qui est le lien fraternel, tendresse qui seule fait du bonheur, amour qui sauvera et qui refera le monde !

Luc se coucha, éteignit la lumière, espérant que la fatigue de corps et d'esprit qui le brisait, allait l'endormir d'un bon sommeil, où sa fièvre se calmerait enfin. Mais, dans le grand silence, dans l'obscurité de la vaste chambre, il ne put fermer les paupières, ses yeux s'élargirent sur les ténèbres, une terrible insomnie le tint brûlant, en proie à l'idée obstinée, dévoratrice.

Et ce fut Josine qui s'évoqua, toujours renaissante, revenant dans l'air léger, avec son visage d'enfance, d'un charme si douloureux. Il la revit en larmes, affamée, terrorisée, attendant à la porte de l'Abîme; il la revit dans le cabaret, jetée à la porte par Ragu, d'un tel geste de violence, que le sang coulait de sa main mutilée; il la revit sur le banc, près de la Mionne, abandonnée sous la nuit tragique, n'ayant plus que la chute définitive au ruisseau, satisfaisant sa faim en pauvre bête errante. Et, à cette heure, après ces trois jours d'enquête inattendue, presque inconsciente que le destin venait de l'amener à faire, tout ce qu'il avait vu du travail injustement distribué, méprisé comme une honte sociale, aboutissant à l'atroce misère du grand nombre, se résumait pour lui dans le cas affreux de cette triste fille, dont son cœur était bouleversé.

Alors, les visions se levèrent en foule, se pressèrent, le torturèrent par leur hantise. C'était la terreur soufflant au travers des rues noires de Beauclair, où piétinait le flot des misérables déshérités, rêvant sourdement de vengeance. C'était, chez les Bonnaire, la révolution raisonnée, organisée, fatale, tandis que le chômage serrait les ventres, affamait la famille, dans le pauvre logement froid et nu, où manquait le nécessaire. C'était, à la Guerdache, l'insolence du luxe pourrisseur, la jouissance empoisonneuse qui achevait de détruire la classe des privilégiés, cette poignée de bourgeois repus de paresse, gorgés jusqu'à l'étouffement des richesses iniques qu'ils volaient au labeur et aux larmes de l'immense majorité des travailleurs. C'était même, à la Crêcherie, à ce haut fourneau d'une noblesse sauvage, où pas un ouvrier ne se plaignait, le long effort humain comme frappé d'anathème, immobilisé en son éternelle douleur, sans l'espoir de l'affranchissement total de la race, délivrée enfin de l'esclavage, entrée toute dans la Cité de justice et de paix. Et il avait vu, il avait entendu Beauclair craquant de partout, car la lutte fratricide n'était pas qu'entre les classes, le ferment destructeur avait gagné les familles, un vent de folie et de haine passait, enrageait les cœurs. De montrueux drames salissaient les foyers, culbutaient à l'égout les pères, les mères et les enfants. On mentait, on volait, on tuait. Au bout de la misère et de la faim, il y avait forcément le crime, la femme qui se vendait, l'homme qui tombait à l'alcool, la bête exaspérée qui se ruait pour satisfaire son vice. Et trop de signes effroyables annonçaient l'inévitable catastrophe prochaine, la vieille charpente allait s'écraser dans la boue et dans le sang.

Alors, épouvanté de ces visions de honte et de châtiment, pleurant de toute la tendresse humaine qui se lamentait en lui, Luc vit revenir, du fond des épaisses ténèbres, le pâle fantôme de Josine, avec son rire si doux, qui lui tendait les bras, en un touchant appel. Il n'y eut dès lors plus qu'elle, c'était sur elle que l'édifice vermoulu, mangé d'une lèpre, allait crouler. Elle devenait comme la victime unique, la petite ouvrière chétive, à la main blessée, qui mourrait de faim, que la prostitution roulerait au cloaque, incarnant la misère du salariat en une pitoyable figure, dont le charme le possédait. Maintenant, il souffrait de ce qu'elle devait souffrir, et son besoin était de la sauver, dans son rêve fou de sauver Beauclair. Si quelque puissance surhumaine lui avait donné tout pouvoir, il aurait changé la ville pourrie d'égoïsme en une heureuse Cité de solidarité, pour qu'elle y fût heureuse. Et il sentit bien alors que ce rêve, en lui, venait de loin, qu'il l'avait toujours fait, depuis qu'il vivait, à Paris, dans un quartier pauvre, parmi les héros obscurs et les dolentes victimes du travail. C'était comme l'inquiétude intérieure d'un avenir qu'il n'osait préciser, d'une mission dont il se sentait gros. Puis, brusquement, dans la confusion où il se débattait encore, l'heure sonnait, grave et décisive. Josine mourait de faim, Josine sanglotait, et cela ne pouvait se tolérer davantage. Il fallait agir enfin, aller tout de suite au secours de tant de misère et de tant de souffrance, pour que l'iniquité cessât.

Cependant, Luc, brisé de fatigue, finit par s'assoupir. Mais, tout d'un coup, il crut que des voix l'appelaient, il se réveilla en sursaut. N'étaient-ce pas des plaintes lointaines? n'avait-il pas entendu des misérables en danger de mort crier à l'aide? Dressé sur son séant, il prêtait l'oreille, n'entendait plus que le frisson de l'ombre. Tout son cœur en restait meurtri, serré d'une angoisse affreuse par la certitude qu'à cette minute même des millions de pauvres êtres agonisaient sous l'écrasement de l'iniquité sociale. Puis, lorsque, frémissant, il fut retombé sur l'oreiller, repris de somnolence, les appels retentirent de nouveau, le forcèrent à relever la tête, à écouter encore. Dans le demi-sommeil, les sensations s'aggravaient, devenaient d'une acuité extraordinaire. Et, dès lors, il ne put glisser au sommeil, sans entendre les appels grandir, le solliciter éperdument pour quelque besogne pressante, dont il sentait bien l'impérieux besoin, mais dont il n'aurait su dire la nature. Où courir, pour être au plus tôt sur le terrain de la lutte? Que faire, pour agir et préparer la victoire? Il ne savait pas, il souffrait cruellement du vague cauchemar où il se débattait. C'était, dans la pleine obscurité, comme une aurore trop lente, comme des sollicitations incessantes à une besogne qui s'obscurcissait, chaque fois qu'il était sur le point de la définir. Et voilà que, dominant les appels, il n'y eut plus que l'appel d'une voix très douce, la voix de Josine, qui se lamentait et le suppliait. Elle seule était là, il sentit la tiède caresse du baiser qu'elle lui avait mis sur la main, il respira le petit bouquet d'œillets qu'elle lui avait jeté, et dont le parfum sauvage lui semblait emplir toute la chambre.

Dès ce moment, Luc ne lutta plus, secoua l'insomnie fiévreuse, pour retrouver quelque paix. Il ralluma sa bougie, se leva, se promena un instant par la chambre. Il ne voulait penser à rien, espérant dégager son cerveau de l'idée fixe. Et il tâcha de s'intéresser aux choses, regarda les quelques gravures anciennes pendues aux murs, les vieux meubles qui disaient les habitudes d'étude et de bonhomie du docteur Michon, toute cette chambre vénérable où l'on sentait beaucoup de bonté, beaucoup de raison et de sagesse. Puis la bibliothèque finit par l'intéresser uniquement. C'était une armoire vitrée assez grande, où l'ancien fouriériste, l'ancien saint-simonien avait réuni une collection très complète de tous les ouvrages humanitaires qui avaient passionné sa jeunesse. Tous les philosophes sociaux, tous les précurseurs, tous les apôtres du nouvel Évangile, se trouvaient là : Fourier, Saint-Simon, Auguste Comte, Prudhon, Cabet, Pierre Leroux, d'autres encore, la collection complète, jusqu'aux plus obscurs disciples. Et Luc, la bougie à la main s'intéressait, lisait les noms et les titres au dos des volumes, les comptait s'étonnait de leur nombre, de tant de bonnes semences jetées au vent, de tant de bonnes paroles qui dormaient là, en attendant la moisson.

Il avait beaucoup lu déjà, il connaissait les pages maîtresses de la plupart de ces ouvrages. Le système philosophique, économique, social, de chacun de ces auteurs lui était familier. Mais il se sentait envahi d'un vent nouveau à les trouver tous réunis là, en un groupe compact. Jamais il n'avait eu une idée si nette de leur force, de leur valeur, de l'évolution humaine considé-

Abandonnée là sans doute par des bohémiens.

rable qu'ils apportaient. Ils étaient toute une phalange, toute une avant-garde du siècle futur, qui peu à peu serait suivie par l'immense armée des peuples. Surtout, ce qui le frappait, en les voyant ainsi côte à côte, paisiblement mêlés, d'une force souveraine en leur union, c'était leur fraternité profonde. S'il n'ignorait pas les idées contradictoires qui les avaient séparés autrefois, les combats acharnés qu'ils s'étaient même livrés les uns aux autres, ils lui semblaient tous frères aujourd'hui, réconciliés dans le commun Évangile, dans les vérités uniques et définitives qu'ils avaient tous apportées. Et la grande aurore qui se levait de leurs œuvres était la religion de l'humanité dont ils avaient tous eu la foi, leur tendresse pour les déshérités de ce monde, leur haine de l'injustice sociale, leur croyance au travail sauveur.

Luc, qui avait ouvert la bibliothèque, voulut choisir un de ces livres. Puisqu'il ne pouvait dormir, il lirait quelques pages, il attendrait le sommeil. Un instant, il hésita, puis se décida pour un tout petit volume, dans lequel un disciple de Fourier avait résumé la doctrine entière du maître. Le titre : *Solidarité*, venait de l'émouvoir; et n'était-ce pas ce qu'il lui fallait, les quelques pages de force et d'espoir dont il avait le besoin? Il se recoucha, se mit à lire, passionné bientôt comme par un drame poignant, où le sort de la race se débattait. La doctrine, ainsi ramassée sur elle-même, ainsi réduite au suc des vérités qu'elle formulait, prenait une force extraordinaire. Il savait déjà toutes ces choses, il les avait lues dans les œuvres mêmes du maître, mais jamais elles ne l'avaient remué à ce point, conquis si profondément. Dans quelles dispositions d'esprit était-il donc, à quelle heure décisive de sa destinée se trouvait-il, pour que son cœur et son cerveau fussent possédés, acquis d'un coup à la certitude? Le petit livre s'animait, tout prenait un sens nouveau et immédiat, comme si des faits vivants surgissaient, se réalisaient devant lui.

Et toute la doctrine de Fourier se déroulait. Le coup de génie était d'utiliser les passions de l'homme comme les forces mêmes de la vie. La longue et désastreuse erreur du catholicisme venait d'avoir voulu les mater, de s'être efforcé de détruire l'homme dans l'homme, pour le jeter en esclave à son Dieu de tyrannie et de néant. Les passions, dans la libre société future, devaient produire autant de bien, qu'elles avaient produit de mal, dans la société enchaînée, terrorisée, des siècles morts. Elles étaient l'immortel désir, l'énergie unique qui soulève les mondes, le foyer intérieur de volonté et de puissance qui donne à chaque être le pouvoir d'agir. Privé d'une passion, l'homme serait mutilé, comme s'il était privé d'un sens. Les instincts, refoulés, écrasés jusqu'ici, ainsi que des bêtes mauvaises, ne seraient plus, libérés enfin, que les besoins de l'universelle attraction tendant à l'unité, travaillant parmi les obstacles à se fondre dans l'harmonie finale, expression définitive de l'universel bonheur. Et il n'y avait pas d'égoïstes, il n'y avait pas de paresseux, il y avait seulement des affamés d'unité et d'harmonie qui marcheraient en frères, le jour où ils verraient la route assez large pour qu'on y passât tous à l'aise et heureux, il y avait seulement des victimes du lourd servage pesant sur les ouvriers manuels, que rebutaient des besognes injustes, démesurées, mal appropriées, tout prêts à œuvrer dans la joie, lorsqu'ils n'auraient plus que leur part logique et choisie du grand labeur commun.

Puis, c'était l'autre coup de génie, le travail remis en honneur, devenu la fonction publique, l'orgueil, la santé, la gaieté, la loi même de la vie. Il suffirait de réorganiser le travail, pour réorganiser la société tout entière, dont il devait être l'obligation civique, la règle vitale. Mais il ne s'agissait plus d'un travail brutalement imposé à des vaincus, à des mercenaires avilis, qu'on écrase et qu'on traite en bêtes de somme affamées, il s'agissait d'un travail librement accepté par tous, réparti selon les goûts et les natures, exercé pendant le très petit nombre d'heures indispensable, sans cesse varié au choix des ouvriers volontaires. Une ville, une commune, n'était plus qu'une immense ruche, dans laquelle il n'y avait pas un oisif, où chaque citoyen donnait sa part d'effort à l'œuvre d'ensemble, dont la cité avait besoin pour vivre. La tendance à l'unité, à l'harmonie finale, rapprochait les habitants, les faisait se grouper, se classer d'eux-mêmes dans des séries. Et tout le mécanisme était là, le travail divisé à l'infini, l'ouvrier choisissant la tâche qu'il ferait le plus gaiement, cessant d'ailleurs d'être cloué au même métier, passant à son gré d'un groupe, d'un labeur à un autre. On ne révolutionnerait pas le monde d'un coup, on commencerait petitement, en expérimentant le système sur une commune de quelques milliers d'âmes, pour en faire un vivant exemple; et le rêve prenait corps, on créait la phalange, base unitaire de la grande armée humaine, on bâtissait le phalanstère, la maison commune. Au début, pour sortir de l'état de lutte actuel, rien n'était plus simple, on se contentait de faire appel à toutes les bonnes volontés, à tous ceux qui souffraient de tant de douloureuse injustice. On les associait, on créait une vaste association du capital, du travail et du talent. On disait à ceux qui avaient aujourd'hui l'argent, à ceux qui avaient les bras, à ceux qui avaient le cerveau, de s'entendre, de s'unir pour mettre leur fortune en commun. Ils produiraient avec une énergie, avec une abondance centuplées, ils s'enrichiraient des bénéfices qu'ils se partageraient le plus équitablement possible. jusqu'au jour où le capital, le travail, le talent ne feraient plus qu'un, seraient le patrimoine commun d'une libre société de frères, où tout serait enfin à tous, dans l'harmonie réalisée.

Et, à chaque page du petit livre, éclatait la splendeur tendre de ce mot de Solidarité, qui en était le titre. Les phrases luisaient comme des phares.

La raison de l'homme était infaillible, la vérité était absolue, une vérité que la science a démontrée devenait irrévocable, éternelle. Le travail devait être une fête. Le bonheur de chacun ne serait un jour que par le bonheur des autres, il n'y aurait plus ni envie, ni haine, lorsqu'il y aurait place sur cette terre pour le bonheur de tous. Dans la machine sociale, les rouages intermédiaires étaient à détruire, comme inutiles, mangeant de la force; et le commerce se trouvait ainsi condamné, le consommateur n'avait affaire qu'au producteur. D'un coup de faulx, tous les parasites seraient rasés, les innombrables végétations qui vivent de la corruption sociale, de l'état de guerre permanent où agonisent les hommes. Plus d'armée, plus de tribunaux, plus de prisons. Et, par-dessus tout, dans cette grande aurore enfin levée, la justice flambait comme un soleil, chassant la misère, donnant à chaque être qui naît le droit à la vie, au pain de chaque jour, réalisant pour chacun la somme de bonheur réel qui lui est dû.

Luc ne lisait plus, il réfléchissait. Tout le grand et héroïque dix-neuvième siècle se déroulait, dans sa continuelle bataille, dans son effort si douloureux et si brave vers la vérité et vers la justice. D'un bout à l'autre, l'irrésistible mouvement démocratique, la montée du peuple l'emplissait. La Révolution n'avait amené que la bourgeoisie au pouvoir, il fallait un siècle encore pour que l'évolution s'achevât, pour que tout le peuple eût sa part. Les semences germaient dans le vieux sol monarchique, sans cesse éventré; et, dès les journées de 48, la question du salariat se posait nettement, les revendications des travailleurs se précisaient de plus en plus, ébranlaient le nouveau régime bourgeois, qui possédait, et que la possession égoïste, tyrannique, pourrissait à son tour. Et, maintenant, au seuil du siècle prochain, dès que la poussée croissante du peuple aurait emporté la vieille charpente sociale, la réorganisation du travail serait le fondement même de la société future, qui ne pourrait être que par une juste distribution de la richesse. Toute la nouvelle étape, nécessaire et prochaine, était là. Lorsque l'ancien monde était passé de l'esclavage au salariat, la violente crise qui avait fait crouler les empires, n'était rien à côté de la terrible crise actuelle, qui depuis cent ans secouait et ravageait les peuples, cette crise du salariat évoluant, se transformant, devenant autre chose. Et c'était de cette autre chose que devait naître la Cité heureuse et fraternelle de demain.

Doucement, Luc posa le petit livre, souffla la lumière. Il avait lu, il était calmé, il sentait renaître le sommeil paisible et réparateur. Ce n'était pas que des réponses nettes se fussent formulées aux questions pressantes, aux appels d'angoisse, venus des ténèbres, qui l'avaient bouleversé. Mais ces cris d'appel ne retentissaient plus, comme si les déshérités qui les poussaient, certains d'avoir été entendus désormais, eussent pris patience. La semence était jetée, la moisson lèverait. Le petit livre avait vécu, aux mains

d'un apôtre et d'un héros, la mission serait maintenant remplie, à l'heure
marquée par l'évolution. Et Luc lui-même n'avait plus de fièvre, ne s'interrogeait plus anxieusement, bien que la solution du problème qui le passionnait restât comme suspendue. Il se sentait fécondé par l'idée, avec l'absolue
conviction qu'il enfanterait. Le lendemain peut-être, si le sommeil de la nuit
était bon. Et il finit par céder à son grand besoin de repos, il s'endormit
délicieusement d'un sommeil profond, visité par le génie, par la foi et par
la volonté.

Le lendemain, dès sept heures, lorsque Luc se réveilla, sa première
pensée, en voyant le soleil se lever dans un grand ciel clair, fut de s'échapper,
sans prévenir les Jordan, et de gravir l'escalier rocheux du haut fourneau.
Il voulait revoir Morfain, causer avec lui, se faire donner certains renseignements. Il obéissait à une sorte d'inspiration précise, au sujet de l'ancienne
mine abandonnée, et se disant que le maître fondeur, un enfant de la montagne, devait en connaître chaque pierre. En effet, Morfain, qu'il trouva
debout, après la nuit passée au flanc du haut fourneau, décidément rétabli,
se passionna, dès qu'il lui eut parlé de la mine. Il avait toujours eu son idée,
que personne n'écoutait, bien qu'il la répétât souvent. Pour lui, le vieux
Laroche, l'ingénieur, avait eu le tort de désespérer trop tôt et de lâcher la
mine, dès que l'exploitation avait cessé d'en être rémunératrice. Sans doute,
le filon était devenu exécrable, sulfuré et phosphaté à un tel point, qu'on
n'en tirait plus rien de bon à la fonte. Mais Morfain restait convaincu qu'on
traversait simplement là une veine mauvaise, de sorte qu'il suffirait de
pousser plus avant les galeries, ou mieux d'en ouvrir de nouvelles à un
flanc de la gorge qu'il indiquait si l'on voulait retrouver l'excellent minerai
d'autrefois. Et il appuyait sa certitude sur des faits d'observation, sur sa
connaissance de toutes les roches du voisinage, dont il gravissait, fouillait
les pentes, depuis quarante ans. Évidemment, il n'avait pas la science, il
n'était qu'un pauvre ouvrier, n'osant se permettre d'entrer en lutte avec
messieurs les ingénieurs. Tout de même, il s'étonnait qu'on n'eût pas confiance en son flair et qu'on eût haussé les épaules, sans consentir seulement
à s'assurer de la nature des terrains par quelques sondages.

La tranquille conviction où était cet homme, frappa Luc vivement, d'autant plus qu'il jugeait avec sévérité l'inertie du vieux Laroche, l'abandon où
il avait laissé la mine, depuis la découverte du procédé chimique qui aurait
permis d'en utiliser avec profit le minerai défectueux. Cela disait dans quel
ensommeillement de routine était tombée l'exploitation du haut fourneau.
Dès aujourd'hui, la mine était à reprendre, même s'il fallait se contenter
d'en traiter le minerai chimiquement. Et que serait-ce, si la certitude de
Morfain se réalisait, si l'on retombait sur de nouveaux filons riches et purs !
Aussi accepta-t-il la proposition du maître fondeur, d'aller tout de suite faire

une promenade du côté des galeries abandonnées, pour qu'il pût lui expliquer son idée sur les terrains mêmes. Par cette claire et fraîche matinée de septembre, ce fut une course délicieuse, au travers des rochers, dans de sauvages solitudes, qui embaumaient la lavande. Pendant trois heures, aux flancs des gorges, les deux hommes grimpèrent, visitèrent des grottes, suivirent des rampes couvertes de pins, où la pierre perçait, telle que le squelette de quelque grand corps enfoui. Et, peu à peu, la conviction de Morfain passait dans l'esprit de Luc, lui apportait du moins une espérance, tout un trésor que la paresse des hommes avait délaissé là, et que la terre, la mère inépuisable, était prête à donner encore.

Il était plus de midi, Luc accepta de déjeuner d'œufs et de laitage, là-haut, dans les Monts Bleuses. Et, quand il redescendit, à près de deux heures, enchanté, la poitrine pleine des grands souffles libres de la montagne, il fut accueilli par les exclamations des Jordan, qui commençaient à s'inquiéter, ignorant ce qu'il avait pu devenir. Il s'excusa de ne les avoir pas prévenus, il conta qu'il s'était égaré sur les plateaux et qu'il avait déjeuné chez des paysans. S'il se permettait ce petit mensonge, c'était que les Jordan, encore à table, n'étaient pas seuls. Comme tous les deuxièmes mardis du mois, ils avaient trois convives, l'abbé Marle, le docteur Novarre et l'instituteur Hermeline. Sœurette aimait à les réunir, et elle les appelait en riant son grand Conseil, parce que les trois l'aidaient dans ses œuvres de charité. La Crêcherie, si fermée, où Jordan vivait en savant solitaire, ainsi que dans un cloître, s'ouvrait cependant pour ces trois-là, traités en intimes; et l'on n'aurait pu dire qu'ils devaient cette faveur à leur bonne entente, car ils se disputaient toujours; mais leurs continuelles discussions amusaient Sœurette, les lui rendaient plus chers, dans l'idée qu'ils étaient une distraction pour Jordan, qui les écoutait en souriant.

— Alors, vous avez déjeuné? dit-elle à Luc, ça ne va pas vous empêcher de prendre une tasse de café avec nous, n'est-ce pas?

— Va pour la tasse de café, répondit-il gaiement. Vous êtes trop aimable, je ne mérite que les plus sanglants reproches.

Et l'on passa au salon. Les fenêtres en étaient ouvertes, le parc déroulait ses pelouses, tout le charme des grands arbres entrait en une odeur exquise. Sur un guéridon, dans un cornet de porcelaine, s'épanouissait un admirable bouquet de roses, des roses que le docteur Novarre cultivait avec amour, et dont il apportait ainsi une gerbe à Sœurette, chaque fois qu'il déjeunait à la Crêcherie.

Pendant qu'on servait le café, la discussion reprit entre le prêtre et l'instituteur, qui n'avaient cessé, depuis les hors-d'œuvre, de batailler sur les questions d'instruction et d'éducation.

— Si vous n'obtenez rien de vos élèves, déclara l'abbé Marle, c'est que vous avez chassé Dieu de votre école. Dieu est le maître des intelligences, on ne sait rien que par lui.

Très grand, très robuste, le nez fort, dans sa large face pleine, aux traits réguliers, il parlait avec l'obstination autoritaire de son étroite doctrine, mettant le salut du monde dans le catholicisme, pratiqué selon la lettre, en la stricte observance des dogmes. Et, devant lui, Hermeline, l'instituteur, mince, de figure anguleuse, au front osseux, au menton aigu, s'entêtait de même, avec des rages froides, tout aussi formaliste et autoritaire, dans sa religion mécanique du progrès, réalisé à coups de lois, et militairement.

— Laissez-moi donc tranquille avec votre Dieu qui n'a jamais conduit les hommes qu'à l'erreur et à la ruine!... Si je n'obtiens rien de mes élèves, c'est d'abord qu'on me les enlève trop tôt pour les mettre à l'usine. Et c'est ensuite, c'est surtout que la discipline se relâche de plus en plus, que le maître est désormais sans autorité aucune. Ma parole! s'il m'était permis de leur allonger quelques bons coups de trique, je crois que ça leur ouvrirait un peu le crâne.

Et, comme Sœurette, émue, se récriait, il s'expliqua. Pour lui, il n'y avait qu'un sauvetage possible, dans la corruption générale : plier les enfants à la discipline de la liberté, entrer en eux le régime républicain, par la force s'il le fallait, pour qu'il n'en sortît plus. Son rêve était de faire de chaque élève un serviteur de l'État, esclave de l'État, sacrifiant à l'État sa personnalité totale. Il ne voyait rien au delà de la même leçon, apprise par tous de la même manière, dans le même but de servir la communauté. Et telle était sa dure et triste religion d'une démocratie libérée du passé à coups de punitions, de nouveau condamnée au travail forcé, décrétant le bonheur sous la férule obéie des maîtres.

— En dehors du catholicisme, il n'y a que ténèbres, répéta obstinément l'abbé Marle.

— Mais il s'effondre! cria Hermeline. C'est bien pour cela qu'il nous faut refaire une autre charpente sociale.

Sans doute, le prêtre avait conscience de la suprême bataille livrée par le catholicisme à l'esprit de la science, dont la victoire s'élargissait chaque jour. Mais il ne voulait pas le reconnaître, il n'avouait même pas que, peu à peu, son église se vidait.

— Le catholicisme! reprit-il, la charpente en est encore si solide, si éternelle, si divine, que c'est elle que vous copiez, quand vous parlez de reconstruire je ne sais quel État athée, où vous remplaceriez Dieu par une mécanique qui instruirait et qui gouvernerait les hommes!

— Une mécanique, pourquoi pas? cria Hermeline, exaspéré de la part de vérité qu'il y avait dans l'attaque du prêtre. Rome n'a jamais été qu'un pressoir, qui a bu le sang du monde.

Quand la discussion, entre eux, en arrivait à ces violences, le docteur Novarre intervenait, de son air souriant et conciliateur.

— Voyons, voyons, ne vous échauffez pas. Vous voilà sur le point de vous entendre, puisque vous en êtes à vous accuser de copier vos religions l'une sur l'autre.

Lui, petit, fluet, avec un nez fin et des yeux vifs, était un esprit tolérant, très doux, un peu ironique, qui, s'étant donné à la science, refusait de se passionner pour les questions politiques et sociales. Il disait, comme Jordan, dont il était le grand ami, qu'il épousait les vérités, le jour seulement où elles étaient scientifiquement démontrées. D'ailleurs, très modeste, timide même, sans ambition aucune, il se contentait de soigner ses malades le mieux possible, il n'avait d'autre passion que la culture de ses rosiers, entre les quatre murs du petit jardin, où il vivait à l'écart, dans une paix heureuse.

Jusque-là, Luc s'était contenté d'écouter. Puis, sa lecture de la nuit lui revint, il parla.

— La faute, dans nos écoles, est de partir de cette idée que l'homme est mauvais, qu'il apporte en naissant la révolte et la paresse, et qu'il faut tout un système de châtiments et de récompenses, si l'on veut tirer quelque chose de lui. Aussi a-t-on fait de l'instruction une torture, l'étude est devenue aussi rude à nos cerveaux que les travaux manuels à nos membres. Nos professeurs ont été changés en gardes-chiourme du bagne universitaire, dont la mission est de pétrir les intelligences des enfants selon les programmes, en les coulant toutes dans le même moule, sans tenir compte des individualités diverses. Ils ne sont plus que des tueurs d'initiatives, ils écrasent l'esprit critique, le libre examen, l'éveil personnel des talents, sous l'amas des idées toutes faites, des vérités officielles. Et le pis est que le caractère se trouve atteint aussi profondément que l'intelligence, et qu'un tel enseignement n'arrive guère à produire que des impuissants et des hypocrites.

Hermeline dut se croire personnellement visé. Il interrompit d'un ton aigre.

— Mais comment voulez-vous donc qu'on procède, monsieur? Venez me remplacer dans ma chaire, et vous verrez bien ce que vous obtiendrez des élèves, si vous ne les pliez pas sous une même discipline, en maître qui incarne pour eux l'autorité.

— Le maître, continua Luc de son air de rêve, n'a pas d'autre tâche que d'éveiller les énergies. C'est un professeur d'énergie individuelle, simplement chargé de dégager les aptitudes de l'enfant, en provoquant ses questions, en développant sa personnalité. Il y a chez l'homme un immense, un insatiable besoin d'apprendre, de savoir, qui devrait être le seul aiguillon de l'étude, sans qu'on eût besoin de punir et de récompenser. Et il suffirait évidemment qu'on se contentât de faciliter à chacun l'étude qui lui plaît et qu'on la lui rendît attrayante, en le laissant s'y engager de lui-même, puis y progresser par la force de sa propre compréhension, avec la joie des continuelles découvertes. Que des hommes fassent des hommes en les traitant en hommes, n'est-ce pas là tout le problème de l'instruction et de l'éducation à résoudre?

L'abbé Marle, qui achevait sa tasse de café, haussa ses fortes épaules; et, en prêtre que le dogme rend infaillible :

— Le péché est dans l'homme, et l'homme ne peut être sauvé que par la pénitence. La paresse, un des péchés capitaux, ne s'expie que par le travail, châtiment que Dieu imposa au premier homme, après la faute.

— Mais c'est une erreur, l'abbé, dit tranquillement le docteur Novarre, la paresse est une maladie, quand elle existe réellement, je veux dire quand le corps refuse tout travail, répugne à la moindre fatigue. Soyez certain, alors, que cette mollesse invincible annonce de graves désordres intérieurs. Autrement, où avez-vous vu qu'il existât des paresseux? Prenons les oisifs de race, d'habitude et de goût. Est-ce qu'une femme mondaine qui danse toute la nuit, ne se brûle pas les yeux davantage, ne fait pas une dépense de force musculaire bien plus grande, qu'une ouvrière clouée devant sa petite table, brodant jusqu'au jour? Est-ce que ces hommes de plaisir sans cesse en représentation, en fêtes épuisantes, n'acceptent pas des corvées aussi dures que les besognes des ouvriers travaillant à l'établi ou à l'étau? Et souvenez-vous avec quelle joie légère, au sortir d'une tâche qui nous rebute, nous nous lançons dans une récréation violente, où nos membres se brisent. C'est dire que le travail, la fatigue physique, nous est seulement à charge lorsque le travail ne nous plaît pas. Et, si l'on arrivait à n'imposer aux gens que le travail agréable, librement choisi, il n'y aurait certainement plus de paresseux.

A son tour, Hermeline haussa les épaules.

— Demandez à un enfant ce qu'il préfère, de sa grammaire ou de son arithmétique. Il vous répondra qu'il aime mieux ni l'une ni l'autre. L'expérience est faite, l'enfant est un jeune arbre qu'il faut redresser et corriger.

— Et on ne corrige, conclut le prêtre, d'accord cette fois avec l'instituteur, qu'en écrasant chez l'homme tout ce que le péché originel y a laissé de honteux et de diabolique.

Un silence se fit. Sœurette écoutait d'une oreille attentive, tandis que Jordan, les yeux au loin, par une des fenêtres, laissait sa songerie errer sous les grands arbres. Et Luc retrouvait là cette conception pessimiste du catholicisme, épousée par les sectaires du progrès, que décrétait l'État, à coups d'autorité. L'homme était damnable, perdu une première fois, puis

racheté et prêt à se perdre encore. Un Dieu de jalousie et de colère le traitait en enfant toujours fautif. On traquait ses passions, on luttait des siècles
pour les anéantir, on s'efforçait de tuer l'homme dans l'homme. Et c'était
de nouveau Fourier qui s'évoquait, avec les passions utilisées, ennoblies,
redevenues des énergies nécessaires et créatrices, avec l'homme enfin délivré
de l'écrasement mortel des religions de néant, qui ne sont que d'atroces
polices sociales, pour maintenir l'usurpation des puissants et des riches.

Alors, dans sa rêverie, Luc reprit lentement, comme s'il pensait tout
haut :

— Il suffirait de convaincre l'homme de cette vérité, que le plus de
bonheur possible de chacun est dans le plus de bonheur réalisé de tous.

Mais Hermeline et l'abbé Marle se mirent à rire.

— Bonne besogne! dit ironiquement l'instituteur, vous commencez,
pour réveiller les énergies, par détruire l'intérêt personnel. Expliquez-moi
donc, lorsqu'il ne travaillera plus pour lui, quel levier déterminera l'homme
à l'action? L'intérêt personnel est le feu sous la chaudière, on le trouve à la
naissance de chaque œuvre. Et vous l'anéantissez, vous commencez par
châtrer l'homme de son égoïsme, vous qui le voulez avec tous ses instincts...
Sans doute, comptez-vous sur la conscience, sur l'idée de l'honneur et du
devoir?

— Je n'ai pas besoin d'y compter, répondit Luc de son même air tranquille. D'ailleurs, l'égoïsme, tel que nous l'avons entendu jusqu'ici, nous a
donné une société si effroyable, ravagée de tant de haines et de souffrances,
qu'il serait vraiment permis d'essayer d'un autre facteur. Mais je vous
répète que j'accepte l'égoïsme, si vous entendez par là le très légitime désir,
le besoin invincible que nous avons tous du bonheur. Loin de détruire l'intérêt personnel, je le renforce en le précisant, en en faisant ce qu'il doit
être, pour créer la Cité heureuse, où le bonheur de tous réalisera le bonheur de chacun ; et il nous suffira d'être convaincus que c'est travailler pour
nous que de travailler pour les autres. L'injustice sociale sème la haine
éternelle, récolte l'universelle souffrance. Et voilà pourquoi une entente est
nécessaire, une réorganisation du travail basée sur cette vérité certaine que
la somme la plus haute de nos félicités sera faite un jour de toutes les félicités, à tous les foyers de nos voisins.

Hermeline ricanait, et l'abbé Marle intervint encore.

— Aimez-vous les uns les autres, c'est la morale de notre divin maître
Jésus. Seulement, il a dit aussi que le bonheur n'était pas de ce monde, et
c'est une folie coupable que de vouloir réaliser sur cette terre le royaume de
Dieu, qui est au ciel.

— On l'y réalisera pourtant un jour, dit Luc. Tout l'effort de l'humanité en marche, tout le progrès, toute la science, vont à cette Cité future.

Mais l'instituteur, qui ne l'écoutait plus, se rua de nouveau sur le prêtre.

— Ah! non, l'abbé, ne recommencez pas, avec votre promesse d'un paradis, qui dupe les pauvres diables! D'ailleurs, votre Jésus est à nous, vous nous l'avez pris, vous l'avez accommodé pour les besoins de votre domination. Au fond, il n'était qu'un révolutionnaire et qu'un libre penseur.

La bataille recommença, il fallut que le docteur Novarre les départageât une fois de plus, en donnant raison tantôt à l'un, tantôt à l'autre. Comme toujours, d'ailleurs, les questions restèrent pendantes, car jamais une solution décisive n'intervenait. Le café était pris depuis longtemps, ce fut Jordan, songeur, qui dit le dernier mot.

— L'unique vérité est dans le travail, le monde sera un jour ce que le travail l'aura fait.

Et Sœurette, qui avait passionnément écouté Luc, sans intervenir, parla d'un asile dont elle avait l'idée, pour y garder les enfants en bas âge des ouvrières employées dans les usines. Il n'y eut plus, dès lors, entre le médecin, l'instituteur et le prêtre, qu'une conversation très douce, très amicale, sur les moyens pratiques de réaliser cet asile, de façon à y éviter les abus des établissements similaires. Dans le parc, l'ombre des grands arbres s'allongeait sur les pelouses, tandis que des ramiers s'abattaient parmi les herbes, au blond soleil de septembre.

Il était quatre heures déjà, lorsque les trois convives quittèrent la Crêcherie. Jordan et Luc les accompagnèrent jusqu'aux premières maisons de la ville, pour marcher un peu. Puis, comme tous deux revenaient, au travers des terrains pierreux que Jordan laissait improductifs, celui-ci voulut faire un détour, dans le désir d'allonger la promenade et de passer chez Lange, le potier. Il l'avait laissé s'installer en un coin sauvage et perdu de son domaine, au-dessous même du haut fourneau, sans lui réclamer ni loyer ni redevance d'aucune sorte. Lange, ainsi que Morfain, s'était fait une demeure d'un trou rocheux, creusé par d'anciens torrents à la base des Monts Bleuses, au flanc de la muraille géante que dressait le promontoire. Et il avait fini par construire trois fours, près du coteau où il prenait son argile; et il vivait là sans Dieu ni maître, dans la libre indépendance de son travail.

— Sans doute, c'est un cerveau extrême, ajouta Jordan, que Luc interrogeait. Ce que vous m'avez dit, son éclat violent de la rue de Brias, l'autre soir, ne m'étonne pas de sa part; et il a eu de la chance d'être relâché, car son affaire pouvait tourner fort mal, tant il se compromet. Mais vous ne vous imaginez pas combien il est intelligent et quel art il met dans ses simples pots de terre, bien qu'il soit sans instruction aucune. Il est né ici,

d'ouvriers pauvres, orphelin à dix ans, forcé de servir les maçons, enfin
apprenti potier, devenu son patron à lui-même, comme il le dit en riant,
depuis que je lui ai permis de s'installer chez moi... Je m'intéresse surtout
à ses essais sur les terres réfractaires, car vous savez que je cherche la terre
qui résisterait le mieux aux terribles températures des fours électriques.

Luc, ayant levé les yeux, aperçut, parmi les broussailles, l'installation de
Lange, tout un campement de barbare, entouré d'un petit mur en pierres
sèches. Et, comme, sur le seuil, une grande belle brune se tenait debout,
il demanda :

— Il est donc marié?

— Non, mais il vit avec cette fille, qui est à la fois son esclave et sa
femme... C'est une histoire. Il y a cinq ans, elle avait quinze ans à peine,
lorsqu'il la trouva malade, mourante dans un fossé, abandonnée là sans
doute par quelque bande de bohémiens. On n'a jamais su nettement d'où
elle venait, elle-même se tait, dès qu'on l'interroge. Lange l'amena chez lui
sur ses épaules, la soigna, la guérit, et vous ne sauriez croire quelle ardente gratitude elle lui en a gardée, jusqu'à être son chien, sa chose... Elle
n'avait pas de souliers aux pieds, lorsqu'il la ramassa. Aujourd'hui encore,
elle n'en met que les jours où elle descend à la ville. De sorte que tout le
pays, et Lange lui-même, la nomment la Nu-Pieds... Il n'emploie pas d'autre
ouvrier, la Nu-Pieds est son manœuvre, elle l'aide aussi à tirer la petite voiture, quand il va promener sa poterie de foire en foire. C'est sa façon
d'écouler ses produits, et tous deux sont bien connus de la région entière.

Debout au seuil du petit clos, que fermait une simple porte à claire-voie,
la Nu-Pieds regardait venir ces messieurs, et Luc put la voir, avec sa face
brune aux grands traits réguliers et basanés, ses cheveux d'un noir d'encre,
ses larges yeux de sauvagesse qui s'emplissaient d'une douceur ineffable,
lorsqu'ils se fixaient sur Lange. Il remarqua ses pieds nus, des pieds enfantins de bronze clair, dans le sol argileux, toujours détrempé; et elle était là
en tenue de travail, à peine vêtue de toile grise, montrant ses fines jambes
de lutteuse, ses bras nerveux, sa petite gorge dure. Puis, quand elle se fut
assurée que le monsieur qui accompagnait le propriétaire du domaine
devait être un ami, elle quitta son poste d'observation, elle retourna près
du four qu'elle surveillait, après avoir averti le maître.

— Ah! c'est vous, monsieur Jordan, s'écria Lange, en se présentant à
son tour. Figurez-vous, depuis l'aventure de l'autre soir, la Nu-Pieds s'imagine sans cesse qu'on vient m'arrêter. Et je crois bien que, si quelque
argousin se présentait, il ne sortirait pas entier de ses griffes... Vous venez
voir mes nouvelles briques réfractaires. Tenez! les voici, je vous en dirai la
composition.

Luc reconnaissait parfaitement le petit homme, fruste et noueux, qu'il

avait entrevu dans les ténèbres de la rue de Brias, annonçant l'inévitable
catastrophe finale, jetant l'anathème à la ville de Beauclair, corrompue,
condamnée pour ses crimes. Seulement, il s'étonnait, à le détailler, de son
front haut, noyé sous la broussaille noire des cheveux, de ses yeux vifs,
luisant d'une intelligence que des flammes brusques encoléraient. Et, surtout, sous l'enveloppe mal dégrossie, sous la violence apparente, il était
surpris de sentir un contemplatif, un rêveur très doux, un simple poète
rustique, qui, dans l'absolu de son idée de justice, venait à vouloir faire
sauter le vieux monde coupable.

Jordan, après avoir présenté Luc comme un ingénieur de ses amis, pria
Lange de lui montrer ce qu'il appelait son musée, en riant.

— Si ça peut intéresser monsieur... Ce ne sont que des amusements,
des machines que je cuis pour me distraire, tenez! toute cette terraille,
sous ce hangar... Voyez ça, pendant que je vais expliquer mes briques à
monsieur Jordan.

L'étonnement de Luc augmenta. Il y avait, sous le hangar, des bonshommes de faïence, des vases, des pots, des plats, de formes et de colorations singulières, qui, tout en dénotant une grande ignorance, étaient délicieux d'originale naïveté. Les hasards du feu s'y montraient superbes, des
émaux éclataient avec une richesse inouïe de tons. Mais, surtout, ce qui le
frappait, dans la poterie courante que Lange fabriquait pour sa clientèle
ordinaire des marchés et des foires, la vaisselle, les marmites, les cruches,
les terrines, c'était l'élégance des formes, le charme pur des colorations,
toute une floraison heureuse du génie populaire. Il semblait que le potier
eût tiré ce génie de sa race, que ces œuvres, où passait l'âme du peuple,
naissaient naturellement de ses gros doigts, comme s'il eût retrouvé d'instinct les moules primitifs, d'une beauté pratique admirable. Et le chef-
d'œuvre était chaque fois réalisé, l'objet fait pour son usage, et dès lors
d'une vérité simple, d'une grâce vivante.

Lorsque Lange revint, avec Jordan, qui lui avait commandé quelques
centaines de briques, pour expérimenter un nouveau four électrique, il reçut
d'un air souriant les félicitations de Luc, qui s'émerveillait de la gaieté de
ces faïences, si légères, si fleuries de pourpre et d'azur, au grand soleil.

— Oui, oui, ça met des coquelicots et des bluets dans les maisons... J'ai
toujours pensé qu'on devrait en décorer les toits et les façades. Ça ne coûterait pas bien cher, si les marchands ne volaient plus, et vous verriez comme
une ville serait aimable aux yeux; un vrai bouquet dans de la verdure...
Mais il n'y a rien à faire avec les sales bourgeois d'aujourd'hui.

Et il retomba tout de suite à sa passion sectaire, il se lança dans les idées
d'anarchie extrême, qu'il tenait de quelques brochures, venues et restées en
ses mains, par il ne savait lui-même quel hasard. Il fallait d'abord tout

détruire, s'emparer révolutionnairement de tout. Le salut ne serait que dans la destruction totale de l'autorité, car, s'il restait un seul pouvoir debout, le plus infime, il suffirait à la reconstruction de l'édifice entier d'iniquité et de tyrannie. Ensuite, la commune libre pourrait s'établir, en dehors de tout gouvernement, grâce à l'entente des groupes sans cesse variés, continuellement modifiés, selon les besoins et les désirs de chacun. Et Luc fut frappé de retrouver là les séries de Fourier; car le rêve final était le même, cet appel aux passions créatrices, cette expansion de l'individu libéré dans une société harmonique, où le bien de chaque citoyen nécessitait le bien de tous; seulement, les routes étaient différentes, l'anarchiste n'était qu'un fouriériste, qu'un collectiviste désabusé, exaspéré, ne croyant plus aux moyens politiques, résolu à conquérir par la force, par l'extermination, le bonheur social, puisque des siècles de lente évolution ne semblaient pas devoir le donner. La catastrophe, le volcan était dans la nature. Aussi, comme Luc nommait Bonnaire, Lange devint-il féroce d'ironie, traitant le maître fondeur avec plus d'amer dédain qu'un bourgeois. Ah! oui, la caserne à Bonnaire, ce collectivisme où l'on serait numéroté, discipliné, emprisonné, ainsi que dans un bagne. Et, le poing tendu vers Beauclair, dont il dominait les toitures voisines, il recommença sa lamentation, sa malédiction de prophète, jetée à la ville corrompue que le feu allait détruire, et qui serait rasée, pour que, de ses cendres, naquît enfin la Cité de vérité et de justice.

Étonné de cette violence, Jordan le regardait curieusement.

— Dites-donc, Lange, mon brave, vous n'êtes pourtant pas malheureux?

— Moi, monsieur Jordan, je suis très heureux, aussi heureux qu'on peut l'être... Je vis libre ici, c'est presque l'anarchie réalisée. Vous m'avez laissé prendre ce petit coin de terre, de la terre qui est à nous tous; et je suis mon maître, je ne paye donc de loyer à personne. Ensuite, je travaille à ma guise, je n'ai ni patron qui m'écrase, ni ouvrier que j'écrase, je vends moi-même mes marmites et mes cruches aux braves gens qui en ont besoin, sans être volé par les commerçants, ni leur permettre de voler les acheteurs. Et j'ai encore le temps de m'amuser, quand ça me plaît, à cuire ces bonshommes de faïence, ces pots, ces plaques décorées, dont les couleurs vives m'égayent les yeux... Ah! non, nous ne nous plaignons pas, nous sommes heureux de vivre, quand le soleil nous met en fête, n'est-ce pas, la Nu-Pieds?

Elle s'était approchée, dans la demi-nudité du travail, les mains toutes roses d'un pot qu'elle venait d'enlever du four. Et elle souriait divinement en regardant l'homme, le dieu dont elle s'était faite la servante, à qui elle se donnait corps et âme, en un continuel cadeau.

— Ça n'empêche, reprit Lange, qu'il y a trop de pauvres bougres qui souffrent, et qu'il faudra faire sauter Beauclair, un de ces quatre matins, pour qu'on se décide à le rebâtir proprement. Seule, la propagande par le fait,

la bombe peut réveiller le peuple... Et que diriez-vous de cela? J'ai ici tout
ce qu'il faut pour préparer deux ou trois douzaines de bombes, d'une
extraordinaire puissance. Alors, un beau jour, je pars avec ma voiture, que
je tire, et que pousse la Nu-Pieds. Elle est lourde encore, lorsqu'elle est
chargée de poterie, et qu'il faut la traîner par les mauvais chemins des villages, de marché en marché. Ça va bien qu'on se repose sous les arbres, aux
endroits où il y a des sources... Seulement, ce jour-là, nous ne quittons pas
Beauclair, nous nous promenons par toutes les rues; et il y a une bombe
cachée dans chaque marmite, nous en déposons une à la Sous-Préfecture, une
autre à la Mairie, une autre au Tribunal, une autre à la Prison, une autre à
l'Église, enfin partout où se trouve une autorité à détruire. Les mèches
brûlent, tout ça couve le temps nécessaire. Puis, tout d'un coup, Beauclair
saute, une effroyable éruption de volcan le brûle et l'emporte... Hein? qu'en
pensez-vous, de ma petite promenade, avec ma voiture, de ma petite distri
bution des marmites que je fabrique pour le bonheur du genre humain?

Il riait d'un rire d'extase, la face exaltée; et, comme la belle fille brun
riait avec lui :

— N'est-ce pas? la Nu-Pieds, je tirerai et tu pousseras, ce sera une plu
jolie promenade encore que le long de la Mionne, sous les saules, lorsqu
nous allons à la foire de Magnolles!

Jordan ne discuta pas, eut un simple geste, pour dire combien le savan
qui était en lui trouvait cette conception imbécile. Mais, lorsqu'ils eurent pri
congé, et qu'ils se retrouvèrent sur le chemin de la Crêcherie, Luc emport
le frisson de cet accès de grande poésie noire, de ce rêve de bonheur par l
destruction, qui hantait ainsi quelques cerveaux de poètes simplistes, parm
la foule des déshérités. Et les deux hommes rentrèrent en silence, perdu
chacun en sa songerie.

Dans le laboratoire où ils se rendirent directement, ils trouvèrent Sœu
rette, qui, paisiblement assise à une petite table, copiait un manuscrit d
son frère. Souvent elle passait un long tablier bleu, elle l'aidait même comm
préparateur, dans certaines de ses expériences délicates. Elle se contenta d
lever la tête, de lui sourire, ainsi qu'à son compagnon; puis, elle se remit
sa tâche.

— Ah! dit Jordan, en s'allongeant au fond d'un fauteuil, je n'ai décidé
ment de bonnes heures qu'ici, au milieu de mes appareils et de mes pap
rasses... Dès que j'y reviens, c'est l'espoir, c'est la paix qui me remonte
au cœur.

D'un regard affectueux, il avait fait le tour de la vaste pièce, comme pou
en reprendre possession, s'y retrouver, s'y baigner, dans la bonne ode
calmante et réconfortante du travail. Les vitres de la large baie étaie
ouvertes, le soleil couchant entrait en une caresse tiède, tandis qu'on voya

— Oh! Josine, Josine! murmura-t-il...

au loin, entre les arbres, briller les toitures et les fenêtres de Beauclair.

— Quelle misère inutile que toutes ces disputes ! reprit Jordan, pendant que Luc, demeuré debout, allait et venait doucement par la pièce. Après le déjeuner, j'écoutais l'abbé et l'instituteur, étonné qu'on pût perdre son temps à vouloir se convaincre, lorsqu'on est ainsi placé aux deux bouts des questions, et qu'on ne parle pas la même langue. Et remarquez qu'ils ne viennent pas une seule fois ici, sans recommencer identiquement les mêmes discussions, pour en rester toujours au même point... Puis, quelle mauvaise besogne, de s'enfermer de la sorte dans l'absolu, en dehors de l'expérience, et de se combattre à coups d'arguments contradictoires ! et combien je suis avec le docteur qui s'amuse à les réduire à néant tous les deux, rien qu'en les opposant l'un à l'autre ! C'est comme ce Lange, peut-on voir un brave garçon rêver de plus grosses bêtises, se perdre dans une erreur plus mani- feste et plus dangereuse, parce qu'il s'agite au hasard, avec le mépris de la certitude !... Non, décidément, la passion politique n'est point mon affaire, les choses que disent ces gens me paraissent vides de sens raisonnable, les plus grosses questions, auxquelles ils s'attardent, ne sont à mes yeux que des devinettes pour amuser la route, et je n'arrive pas à comprendre qu'on livre de telles batailles vaines autour de ces menus incidents, lorsque la décou- verte de la moindre des vérités scientifiques fait plus pour le progrès que cinquante années de luttes sociales.

Luc se mit à rire.

— Voilà que vous tombez vous-même dans l'absolu... L'homme doit lutter, la politique est simplement la nécessité où il est de défendre ses besoins, d'assurer son plus de bonheur possible.

— Vous avez raison, confessa Jordan, avec sa bonne foi naïve. Et peut- être, mon dédain de la politique vient-il de quelque sourd remords, l'igno- rance où je veux vivre des affaires publiques de mon pays... Mais, très sin- cèrement, je crois que je suis un bon citoyen tout de même, en m'enfermant dans mon laboratoire, car chacun sert la nation avec la faculté qu'il apporte. Et les vrais révolutionnaires, voyez-vous, les vrais hommes d'action, ceux qui font pour demain le plus de vérité, le plus de justice, ce sont à coup sûr les savants. Un gouvernement passe et tombe, un peuple grandit, resplendit, puis décroît, qu'importe ! les vérités de la science se transmettent, s'accroissent toujours, font toujours plus de lumière et plus de certitude. Le recul d'un siècle ne compte pas, la marche en avant reprend quand même, l'humanité va au savoir, malgré les obstacles. Objecter qu'on ne saura jamais tout est une sottise, il s'agit de savoir le plus possible, pour arriver au plus de bonheur possible. Et, dès lors, je le répète, combien sont négligeables les cahots politiques qui passionnent les nations ! Tandis qu'on met le salut du progrès dans le maintien ou la chute d'un ministère, c'est le savant qui est le véritable maître de demain, le jour où il éclaire la foule d'une étincelle nouvelle de vérité. Toute l'injustice cessera lorsque toute la vérité sera.

Il y eut un silence. Sœurette avait posé la plume, et elle écoutait maintenant. Après avoir rêvé quelques secondes, Jordan reprit, sans transition apparente :

— Le travail, ah! le travail, je lui dois d'avoir vécu. Vous voyez quel pauvre petit être chétif je suis, je me souviens que ma mère devait m'envelopper dans des couvertures, les jours de grand vent; et c'est pourtant elle qui m'a mis au travail, comme à un régime certain de bonne santé. Elle ne me condamnait pas à des études écrasantes, vrais bagnes où l'on torture les intelligences en formation. Elle me donnait l'habitude d'un labeur régulier, varié sans cesse, attrayant. Et c'est ainsi que j'ai appris à travailler, comme on apprend à respirer, à marcher. Le travail est devenu la fonction de mon être, le jeu naturel et nécessaire de mes membres et de mes organes, le but et le moyen de ma vie. J'ai vécu parce que j'ai travaillé, un équilibre s'est fait entre le monde et moi, je lui ai rendu en œuvres ce qu'il m'apportait en sensations, et je crois que toute la santé est là, des échanges bien réglés, une adaptation parfaite de l'organisme au milieu... Et, tout fluet que je suis, je vivrai très vieux, c'est certain, du moment que je suis une petite machine montée avec soin et qui fonctionne logiquement.

Luc s'était arrêté, dans sa marche lente. Comme Sœurette, il écoutait avec une attention passionnée.

— Mais ce n'est là que la santé des êtres, une bonne hygiène pour bien vivre, continua Jordan. Le travail est la vie elle-même, la vie est un continuel travail des forces chimiques et mécaniques. Depuis le premier atome qui s'est mis en branle pour s'unir aux atomes voisins, la grande besogne créatrice n'a point cessé, et cette création qui continue, qui continuera toujours, est comme la tâche même de l'éternité, l'œuvre universelle à laquelle nous venons tous apporter notre pierre. L'univers, n'est-il pas un immense atelier où l'on ne chôme jamais, où les infiniment petits font chaque jour un labeur géant, où la matière agit, fabrique, enfante sans relâche, depuis les simples ferments jusqu'aux créatures les plus parfaites? Les champs qui se couvrent de moissons travaillent, les forêts dans leur poussée lente travaillent, les fleuves ruisselant le long des vallées travaillent, les mers roulant leurs flots d'un continent à un autre travaillent, les mondes emportés par le rythme de la gravitation au travers de l'infini travaillent. Il n'est pas un être, pas une chose qui puisse s'immobiliser dans l'oisiveté, tout se trouve entraîné, mis à l'ouvrage, forcé de faire sa part de l'œuvre commune. Quiconque ne travaille pas, disparaît par là même, est rejeté comme inutile et gênant, doit céder la place au travailleur nécessaire, indispensable. Telle est l'unique loi de la vie, qui n'est en somme que la matière en travail, une force en perpétuelle activité, le dieu de toutes les religions, pour l'œuvre finale du bonheur dont nous portons en nous l'impérieux besoin.

Un instant encore, Jordan rêva, les yeux au loin.

— Et quel admirable régulateur que le travail, quel ordre il apporte, partout où il règne! Il est la paix, la joie, comme il est la santé. Je reste confondu, lorsque je le vois méprisé, avili, regardé ainsi qu'un châtiment et qu'une honte. S'il m'a sauvé d'une mort certaine, il m'a donné encore tout ce que j'ai de bon en moi, il m'a refait une intelligence et une noblesse. Et quel admirable organisateur il est, comme il règle les facultés de l'intelligence, le jeu des muscles, le rôle de chaque groupe dans une multitude de travailleurs! Il serait à lui seul une constitution politique, une police humaine, une raison d'être sociale. Nous ne naissons que pour la ruche, nous n'apportons chacun que notre effort d'un instant, nous ne pouvons expliquer la nécessité de notre vie que par le besoin où est la nature d'un ouvrier de plus pour faire son œuvre. Toute autre explication est orgueilleuse et fausse. Nos vies individuelles semblent sacrifiées à l'universelle vie des mondes futurs. Il n'est pas de bonheur possible, si nous ne le mettons dans ce bonheur solidaire de l'éternel labeur commun. Et c'est pourquoi je voudrais que fût enfin fondée la religion du travail, l'hosanna au travail sauveur, la vérité unique, la santé, la joie, la paix souveraine.

Il se tut, et Sœurette eut un cri d'enthousiasme tendre.

— Ah! frère, comme tu as raison, et que c'est vrai, et que c'est beau!

Mais Luc paraissait plus ému encore, resté debout, immobile, les yeux peu à peu emplis de lumière, ainsi qu'un apôtre, sous le brusque rayon qui l'illuminait. Tout d'un coup, il parla.

— Écoutez, Jordan, il ne faut pas vendre à Delaveau, il faut tout garder, et le haut fourneau, et la mine... C'est ma réponse, je vous la donne, car ma conviction est faite.

Surpris de ces paroles, si brusques et si inattendues, dont le lien avec ce qu'il venait de dire lui échappait, le maître de la Crêcherie eut un léger battement de paupières.

— Comment ça? mon cher Luc, pourquoi me dites-vous ça?... Expliquez-vous.

Le jeune homme, pourtant, garda un moment le silence, dans l'émotion qui le bouleversait. Cet hymne au travail, cette glorification du travail pacificateur et réorganisateur l'avait soulevé d'un choc soudain, comme si l'esprit l'emportait, déroulait enfin devant lui le vaste horizon, perdu jusque-là dans la brume. Tout se précisait, s'animait, devenait d'une absolue certitude. C'était la foi qui resplendissait, les paroles sortaient de sa bouche, avec une force de persuasion extraordinaire.

— Il ne faut pas vendre à Delaveau... Je suis allé visiter ce matin la mine abandonnée. Tel que le donnent les filons actuels, on peut encore tirer un bon profit du minerai, en le soumettant aux nouveaux procédés chimiques. Et Morfain m'a convaincu qu'on retombera sur des filons excellents, à l'autre flanc de la gorge... Il y a là des richesses incalculables. Le haut fourneau fournira de la fonte à très bas prix, et si on le complétait par toute une forge, des fours à puddler, des fours à creusets, des laminoirs et des marteaux-pilons, on pourrait reprendre en grand la fabrication des rails et des charpentes, de façon à lutter victorieusement de bon marché avec les aciéries les plus prospères du Nord et de l'Est.

La surprise de Jordan grandissait, tournait à l'effarement. Cette protestation lui échappa :

— Mais je ne veux pas devenir plus riche, j'ai trop d'argent déjà, et je ne vends que pour échapper à tous les soucis du gain.

D'un beau geste passionné, Luc l'interrompit.

— Laissez-moi donc finir, mon ami... Ce n'est pas vous que je veux rendre plus riche, ce sont les déshérités, les travailleurs dont nous parlions, les victimes du travail inique, avili, devenu un bagne atroce, que je veux sauver de ce bagne. Vous le disiez tout à l'heure superbement, le travail doit être à lui seul une raison d'être sociale; et, à cet instant, le salut m'est apparu, la juste et heureuse société de demain n'est que dans la réorganisation du travail, qui seule permettra une équitable répartition de la richesse. J'en viens d'avoir l'éblouissante certitude : l'unique solution à nos misères et à nos souffrances est là, on ne rebâtira sainement le vieil édifice qui craque et tombe en pourriture, que sur ce terrain du travail par tous et pour tous, accepté comme la loi universelle, la vie même qui régit les mondes... Eh bien ! c'est cela que je veux tenter ici, c'est du moins un exemple que je veux donner, une réorganisation du travail en petit, une usine fraternelle, l'ébauche de la société de demain, que j'opposerai à l'autre usine, celle du salariat, du bagne antique où l'ouvrier esclave est torturé et déshonoré.

Et il continua en paroles frémissantes, il ébaucha à grands traits son rêve, tout ce qui aurait germé en lui de la récente lecture de Fourier, une association entre le capital, le travail et le talent. Jordan apporterait l'argent nécessaire, Bonnaire et ses camarades donneraient les bras, lui serait le cerveau qui conçoit et dirige. Il s'était remis à marcher, il montrait d'un geste véhément les toitures voisines de Beauclair, c'était Beauclair qu'il sauverait, qu'il tirerait des hontes et des crimes où, depuis trois jours, il le voyait sombrer. A mesure qu'il déroulait son plan d'action rénovatrice, il s'étonnait, il s'émerveillait lui-même. Sa mission parlait, cette mission dont il était gros sans le savoir, qu'il cherchait d'un esprit inquiet, d'un cœur attendri de pitié. Enfin, il voyait clair, sa voie était trouvée. Et il répondait aux questions angoissantes, qu'il se posait encore contre son insomnie de la nuit dernière, sans pouvoir les résoudre. Et, surtout, il se rendait aux appels des misérables, venus jusqu'à lui du fond douloureux des ténèbres, il les entendait désormais distinctement, il allait à leur secours, il les sauverait par le travail régénéré, le travail qui ne séparerait plus les hommes en castes ennemies et dévorantes, qui les réunirait en une seule famille fraternelle, où l'effort de tous serait mis en commun pour le bonheur de tous.

— Mais, objecta Jordan, l'application de la formule de Fourier n'est pas la mort du salariat. Même avec les collectivistes, le salariat ne change guère que de nom. Il faudrait aller jusqu'au rêve absolu de l'anarchie pour le détruire.

Luc dut en convenir. Et il fit, à ce propos, son examen de conscience. Les théories du collectiviste Bonnaire, les rêves de l'anarchiste Lange, étaient encore dans ses oreilles. Les disputes de l'abbé Marle, de l'instituteur Hermeline et du docteur Novarre, recommençaient, s'éternisaient. C'était un continuel chaos d'opinions contraires, il entendait aussi défiler les objections qu'avaient échangées les précurseurs, et Saint-Simon, et Auguste Comte, et Proudhon. Pourquoi donc s'arrêterait-il à la formule de Fourier, parmi tant d'autres? Il en connaissait quelques applications heureuses, mais il n'ignorait pas la lenteur des essais, la difficulté des résultats décisifs. C'était peut-être qu'il répugnait personnellement aux violences révolutionnaires, ayant mis sa foi scientifique dans l'évolution ininterrompue, qui a devant elle l'éternité pour faire son œuvre. L'expropriation totale et brusque, qu'il croyait irréalisable, ne pourrait d'ailleurs s'effectuer sans de terribles catastrophes, dont le pire résultat serait de produire plus de misère et plus de douleur encore. Dès lors, le mieux n'était-il pas d'accepter l'occasion d'une expérience pratique qui s'offrait à lui, d'une tentative où son être entier se contentait, sa bonté native, sa foi en la bonté de l'homme, le foyer d'amour, d'universelle tendresse dont il brûlait? Il était comme emporté par quelque chose d'exalté et d'héroïque, toute une foi, toute une prescience qui lui rendait le succès certain. Et d'ailleurs, si l'application de la formule de Fourier n'amenait pas la fin immédiate du salariat, elle était un acheminement, elle conduisait à l'entière conquête, destruction du capital, disparition du commerce, inutilité de l'argent, source de tous les maux. La grande querelle des écoles socialistes ne porte que sur les moyens, toutes s'entendent sur le but à réaliser, toutes se réconcilieront un jour dans la Cité heureuse, enfin bâtie. Et c'étaient les premières fondations de cette ville qu'il voulait jeter, en commençant par associer tous les hommes de bon vouloir, toutes les diverses forces éparses, avec la certitude qu'il n'était pas de départ meilleur, au milieu de l'affreux massacre actuel.

Jordan restait sceptique.

— Fourier a eu des coups de génie, cela est certain. Seulement, voici plus de soixante années qu'il est mort ; et, s'il garde quelques disciples entêtés, je ne vois pas que sa religion soit en train de conquérir la terre.

— Le catholicisme a mis quatre siècles à en conquérir une partie, répliqua Luc vivement. Et puis, je n'épouse pas tout Fourier, il n'est pour moi qu'un sage, qui, un jour de lucidité géniale, a eu la vision de la vérité. Il n'est pas le seul, d'ailleurs, d'autres avaient préparé la formule et d'autres la compléteront... Voyons, ce que vous ne pouvez nier, c'est que l'évolution qui se précipite aujourd'hui est partie de loin, c'est que notre siècle entier a été un engendrement laborieux de la société nouvelle, celle qui va naître demain. Le peuple des travailleurs, depuis cent ans, naît chaque jour un peu plus à la vie sociale, et il sera demain le maître de sa destinée, par cette loi scientifique qui assure l'existence au plus fort, au plus sain, au plus digne d'être... C'est à cela que nous assistons, à la lutte dernière entre les quelques privilégiés, qui ont volé la richesse, et l'immense foule ouvrière, qui veut rentrer dans les biens dont on l'a dépouillée depuis des siècles. L'histoire ne nous conte pas autre chose, en nous apprenant comment quelques-uns se sont emparés du plus de bonheur possible, au détriment de tous, et comment tous les misérables volés n'ont cessé dès lors de lutter furieusement, dans le besoin vital de reconquérir ce qu'ils pourraient de bonheur... Il y a cinquante ans déjà que cette lutte devient sans merci, et c'est pourquoi vous voyez les privilégiés, pris de peur, abandonner peu à peu d'eux-mêmes certains de leurs privilèges. Les temps approchent, cela se sent à toutes les concessions que les possesseurs du sol et de la richesse font au peuple. Sur le terrain politique, on lui a déjà beaucoup donné, et l'on va être forcé de lui donner beaucoup sur le terrain économique. Ce ne sont que lois nouvelles favorisant les travailleurs, que mesures humanitaires, que triomphes des associations et des syndicats, annonçant l'ère prochaine. La bataille entre le travail et le capital en est à cette crise aiguë, qui peut, dès maintenant, faire prédire la défaite de ce dernier. Dans un temps donné, c'est la disparition certaine du salariat... Et voilà pourquoi je suis convaincu de vaincre, en aidant à l'autre chose, à cette autre chose qui remplacera le salariat, à cette réorganisation du travail qui nous donnera une société plus juste, une civilisation plus haute.

Il rayonnait de charité, de foi et d'espérance. Il continua, il reprit l'histoire, le vol des plus forts, dès les premiers jours du monde, les foules misérables réduites en esclavage, les possesseurs entassant les crimes pour ne rien rendre aux dépossédés, qui mouraient de faim et de violence. Et cet amoncellement de richesse, accru par le temps, il le montrait aux mains de quelques-uns aujourd'hui encore, les domaines des campagnes, les maisons des villes, les usines des cités ouvrières, les mines où dorment la houille et les métaux, les exploitations de transport, roulage, canaux, chemins de fer, les rentes enfin, l'or et l'argent, les milliards qui circulent dans les banques, tous les biens de la terre, tout ce qui constitue l'incalculable fortune des hommes. Et n'était-ce point une abomination que tant de richesses n'aboutissent qu'à l'affreuse indigence du plus grand nombre? cela ne criait-il pas justice, ne voyait-on pas l'inévitable nécessité de procéder à un nouveau partage? Une telle iniquité, d'une part, l'oisiveté regorgeant de biens, de l'autre, le douloureux travail agonisant de misère, avait fait de l'homme un loup pour l'homme. Au lieu de s'unir pour vaincre et domestiquer les forces de la nature, les hommes s'entre-dévoraient, le barbare pacte social les jetait à la haine, à l'erreur, à la folie, abandonnant l'enfant et le vieillard, écrasant la femme, bête de somme ou chair à plaisir. Les travailleurs eux-mêmes, corrompus par l'exemple, acceptaient leur servage, la tête basse sous l'universelle lâcheté. Et quel effroyable gaspillage de la fortune humaine, les sommes colossales qu'on dépensait pour la guerre, tout l'argent qu'on donnait aux fonctionnaires inutiles, aux juges, aux gendarmes! Et tout l'argent en outre qui restait sans nécessité aux mains des commerçants, intermédiaires parasites, dont le gain était prélevé sur le bien-être des consommateurs! Mais ce n'était là que le coulage quotidien d'une société illogique, mal bâtie, il y avait aussi le crime, la famine voulue, imposée par les propriétaires des instruments du travail, pour sauvegarder leurs profits. Ils réduisaient la production d'une usine, ils imposaient des jours de chômage, ils faisaient de la misère, dans un but de guerre économique, afin de maintenir les hauts prix. Et l'on s'étonnait, si la machine craquait, si elle s'effondrait sous un tel amas de souffrance, d'injustice et de honte!

— Non, non! cria Luc, c'est fini, cela ne peut durer, sans que l'humanité disparaisse, en une crise dernière de démence. Le pacte est à reprendre, chaque homme qui naît a droit à la vie, et la terre est la fortune commune de tous. Il faut que les instruments du travail soient rendus à tous, il faut que chacun accomplisse sa part personnelle dans la besogne de tous... Si l'histoire, avec ses haines, ses guerres, ses crimes, n'a été jusqu'ici que le résultat abominable du vol initial, de la tyrannie des quelques voleurs qui ont eu le besoin de pousser les hommes à s'entr'égorger, d'instituer des tribunaux et des prisons, pour défendre leurs rapines, il est grand temps de recommencer l'histoire et de mettre au début de l'ère nouvelle un grand acte d'équité, les richesses de la terre rendues à tous les hommes, le travail redevenu la loi pour la société humaine, comme il l'est pour l'univers, afin que la paix se fasse parmi nous et que la fraternité heureuse règne enfin... Et cela sera, et j'y travaillerai, et je réussirai!

Il était si passionné, si grandi, si vainqueur, dans son exaltation prophétique, que Jordan, émerveillé, se tourna vers Sœurette, pour lui dire :

— Regarde-le donc, est-il beau !

Mais Sœurette elle-même, frémissante, toute pâle d'admiration, ne l'avait pas quitté des yeux, comme envahie d'une sorte de ferveur religieuse.

— Oh ! il est beau, murmura-t-elle très bas, et il est bon !

— Seulement, mon brave ami, reprit Jordan qui souriait, vous êtes bel et bien un anarchiste, tout évolutionniste que vous vous croyez ; et vous avez bien raison de dire que c'est par la formule de Fourier qu'on commence et que c'est par l'homme libre dans la commune libre qu'on finit.

Luc lui-même s'était mis à rire.

— Commençons toujours, nous verrons bien où la logique nous mènera.

Songeur, Jordan ne semblait plus l'entendre. En lui, le savant cloîtré dans son laboratoire venait d'être remué profondément ; et, s'il doutait encore qu'on pût hâter la marche de l'humanité, il ne niait plus l'utilité de l'effort.

— Sans doute, continua-t-il avec lenteur, l'initiative individuelle est toute-puissante. Pour déterminer les faits, il faut toujours un homme qui veuille et qui agisse, un rebelle de génie et de pensée libre qui apporte la nouvelle vérité... Dans les catastrophes, quand le salut est de couper un câble, de fendre une poutre, il n'y a de nécessaire qu'un homme et qu'une hache. La volonté est tout, le sauveur est celui qui abat la hache... Rien ne résiste, les montagnes s'écroulent et les mers se retirent, devant une individualité qui agit.

C'était bien cela, Luc retrouvait dans ces paroles le foyer de volonté et de certitude intérieures dont il était embrasé. Il ne savait encore quel génie il apportait, mais c'était en lui comme une force amassée de loin, la révolte contre toute l'iniquité séculaire, l'ardent besoin de faire enfin justice. Il était d'intelligence libérée, il n'acceptait que les faits démontrés scientifiquement. Il était seul, il voulait agir seul, il mettait toute sa foi dans l'action. Il était l'homme qui ose, et cela suffirait, sa mission serait remplie.

Un silence régna, et Jordan finit par répondre, avec un geste amical d'abandon :

— Je vous l'ai dit, il est des heures de lassitude où je donnerais à Delaveau toute l'exploitation, et le haut fourneau, et la mine, et les terrains, pour en être débarrassé, de façon à me livrer en paix à mes études, à mes expériences... Prenez-les donc, je préfère les donner à vous, qui croyez pouvoir en faire un bon usage. Tout ce que je vous demande, c'est de me délivrer complètement, c'est de me laisser dans mon coin travailler, achever mon œuvre, sans jamais me parler de ces choses.

Luc le regardait de ses yeux étincelants, où luisaient toute sa gratitude toute sa tendresse. Puis, sans hésitation aucune, l'air certain de la réponse :

— Ce n'est pas tout, mon ami, il faut que votre grand cœur fasse davantage. Je ne puis rien entreprendre aujourd'hui sans argent; j'ai besoin de cinq cent mille francs, pour créer l'usine que je rêve, où je réorganiserai le travail, et qui sera comme le fondement de la Cité future... Et j'ai la conviction de vous apporter une bonne affaire, puisque votre capital entre dans l'association et qu'il vous assurera une large part des bénéfices :

Puis, comme Jordan voulait l'interrompre :

— Oui, je sais, vous ne désirez pas devenir plus riche. Mais, pourtant, il faut bien que vous viviez; et, si vous me donnez votre argent, je veux assurer votre existence matérielle, de façon que rien ne trouble jamais plus votre paix de grand travailleur.

Le silence recommença, grave, ému, dans la vaste salle, où tant de travail germait déjà, pour les moissons prochaines. La décision à prendre était si grosse d'avenir, qu'elle mettait comme un frisson religieux, dans l'attente auguste de ce qui allait être.

— Vous êtes une âme de renoncement et de bienfait, dit encore Luc. Ne me l'avez-vous pas appris hier? ces découvertes que vous poursuivez, ces fours électriques qui doivent réduire l'effort humain, enrichir les hommes d'une fortune nouvelle, vous ne les exploiterez même pas, vous les donnerez... Moi, ce n'est pas un don que je vous demande, c'est une aide fraternelle, l'aide qui va me permettre de diminuer l'injustice et de faire du bonheur.

Alors, très simplement, Jordan consentit.

— Mon ami, je veux bien. Vous aurez l'argent pour réaliser votre rêve... Et, comme il ne faut pas mentir, j'ajoute que ce rêve n'est toujours, à mes yeux, qu'une utopie généreuse, car vous ne m'avez pas pleinement convaincu. Excusez mon doute de savant... Mais n'importe! vous êtes un brave homme, tentez votre œuvre, je suis avec vous.

Luc eut un cri de triomphe, dans un élan de tout son être, qui sembla le soulever de terre.

— Merci, je vous dis que l'œuvre est faite, et nous en aurons la divine joie!

Sœurette n'avait pas bougé, n'était pas intervenue. Mais toute la bonté de son cœur était montée à sa face, de grosses larmes d'attendrissement gonflaient ses yeux. Elle se leva, sous une force irrésistible. Elle s'approcha de Luc, muette, éperdue, et elle le baisa au visage, tandis que ses larmes coulaient. Puis, dans son extraordinaire émotion, elle se jeta entre les bras de son frère, elle y sanglota longuement.

Un peu surpris de ce baiser au jeune homme, Jordan s'inquiéta.

— Quoi donc, petite sœur? Tu ne nous désapprouves pas, au moins? C'est vrai, nous aurions dû te consulter... Mais il en est temps encore. Es-tu avec nous?

— Oh! oui, oh! oui, balbutia-t-elle, souriante, radieuse dans les larmes. Vous êtes deux héros, et je vous servirai, disposez de moi.

Le soir du même jour, vers onze heures, Luc vint s'accouder à la fenêtre du pavillon, comme la veille, pour respirer un instant l'air frais et calme de la nuit. En face, au delà des champs incultes, semés de roches, Beauclair s'endormait, éteignant une à une ses lumières; pendant que, sur la gauche, l'Abîme retentissait des coups sourds de ses marteaux. Jamais l'haleine du géant douloureux ne lui avait semblé plus rude ni plus oppressée. Et, comme la veille encore, un bruit s'éleva de l'autre côté de la route, si léger, qu'il crut au frôlement d'ailes d'un oiseau de nuit. Mais son cœur se mit à battre, lorsque le bruit recommença, car il reconnaissait maintenant ce doux frisson de l'approche. Et il revit la forme vague, délicate et fine, qui semblait flotter à la pointe des herbes. Et, d'un saut de chèvre sauvage, une femme traversa la route, lui lança un petit bouquet, si adroitement, qu'il le reçut de nouveau sur les lèvres, ainsi qu'une caresse. Comme la veille, c'était un petit bouquet d'œillets de montagne, cueilli à l'instant parmi les roches, et d'une odeur si puissante, qu'il en fut tout parfumé.

— Oh! Josine, Josine! murmura-t-il, pénétré d'une tendresse infinie.

Elle était revenue, et elle se donnait encore, elle se donnerait toujours, du même geste de gratitude passionnée, avec ces fleurs naïves comme elle, et il en était rafraîchi, ragaillardi, dans la fatigue physique et morale d'une journée si pleine, si décisive. N'était-ce pas déjà la récompense du premier effort, de l'action résolue? Son petit bouquet de ce soir-là le fêtait d'avoir décidé qu'il agirait dès le lendemain. C'était en elle qu'il aimait le peuple souffrant, c'était elle qu'il voulait sauver du monstre. Il l'avait prise la plus misérable, la plus outragée, si près de l'avilissement, qu'elle était sur le point de tomber au ruisseau. Avec sa pauvre main que le travail avait mutilée, elle incarnait toute la race des victimes, des esclaves donnant leur chair pour l'effort et pour le plaisir. Lorsqu'il l'aurait rachetée, il rachèterait avec elle toute la race. Et, délicieusement, elle était aussi l'amour, l'amour nécessaire à l'harmonie, au bonheur de la Cité future.

D'une voix douce, il appela.

— Josine! Josine!... C'est vous, Josine!

Mais déjà, sans une parole, elle fuyait, se perdait dans l'obscurité de la lande inculte.

— Josine! Josine!... C'est vous, je le sais bien, Josine, et il faut que je vous parle.

Alors, tremblante, heureuse, elle revint de son pas léger, elle s'arrêta sur la route, en dessous de la fenêtre. Et, d'un souffle à peine :

— Oui, c'est moi, monsieur Luc.

Il ne se hâtait plus, il tâchait de la mieux voir, si mince, si vague, pareille à une vision qu'un flot de ténèbres va emporter.

— Voulez-vous me rendre un service?... Dites à Bonnaire qu'il vienne causer avec moi demain matin. J'ai une heureuse nouvelle pour lui, je lui ai trouvé du travail.

Elle s'égaya d'un rire ému, à peine distinct, tel qu'un gazouillis d'oiseau.

— Ah! vous êtes bon! vous êtes bon!

— Et, continua-t-il à voix plus basse, en s'attendrissant, j'aurai du travail pour tous les ouvriers qui voudront travailler. Oui, je vais tâcher qu'il y ait de la justice et du bonheur pour tout le monde.

Elle comprit, son rire se fit plus doux, plus trempé de passion reconnaissante.

— Merci, merci, monsieur Luc.

La vision s'effaçait, il revit l'ombre légère fuir de nouveau parmi les broussailles; et elle était accompagnée d'une autre ombre toute petite, Nanet, qu'il n'avait point encore aperçu, et qui galopait maintenant au côté de sa grande sœur.

— Josine! Josine!... Au revoir, Josine!

— Merci, merci, monsieur Luc!

Il ne la distinguait plus, elle avait disparu; mais il entendait toujours son remerciement de gratitude et de joie, ce gazouillis d'oiseau que le vent du soir apportait; et cela était d'un charme infini, tout son cœur pénétré, enchanté.

Luc resta longtemps à la fenêtre, dans un ravissement, dans un espoir sans bornes. Entre l'Abîme où haletait la sourde respiration du travail maudit, et la Guerdache dont le parc faisait une tache noire, au milieu de la plaine rase de la Roumagne, il regardait le vieux Beauclair, le faubourg ouvrier aux masures brûlantes, à demi pourries, dormant sous l'écrasement de sa misère et de sa souffrance. C'était là le cloaque qu'il voulait assainir, l'antique geôle du salariat qu'il s'agissait de raser, avec ses iniquités et ses cruautés exécrables, pour guérir l'humanité de l'empoisonnement séculaire. Et il rebâtissait à cette même place, il évoquait la ville future, la Cité de vérité, de justice et de bonheur, dont il voyait déjà les maisons blanches rire parmi les verdures, libres et fraternelles, sous un grand soleil d'allégresse.

Mais, tout d'un coup, l'horizon entier s'illumina, une flambée rose éclaira les toitures de Beauclair, le promontoire des Monts Bleuses, la campagne immense. C'était une coulée du haut fourneau de la Crêcherie, que Luc avait d'abord prise pour une aurore. Et ce n'était pas une aurore, c'était plutôt un coucher d'astre, le vieux Vulcain, torturé à son enclume, qui jetait sa dernière flamme. Le travail ne serait plus que la santé et la joie, demain allait naître.

LIVRE DEUXIÈME

I

Trois années se passèrent et Luc créa son usine nouvelle, qui donna naissance à toute une cité ouvrière. Les terrains s'étendaient sur plus d'un kilomètre carré, en bas de la rampe des Monts Bleuses, une vaste lande, légèrement en pente, qui allait du parc de la Crêcherie aux bâtiments entassés de l'Abîme. Et les débuts durent être modestes, on utilisa seulement une partie de cette lande, on réservait le reste aux agrandissements espérés de l'avenir.

L'usine se trouvait adossée au promontoire rocheux, en dessous même du haut fourneau, qui communiquait avec les ateliers par deux monte-charges. D'ailleurs, dans l'attente de la révolution que les fours électriques de Jordan devaient apporter, Luc ne s'était guère occupé du haut fourneau, l'améliorant dans les détails, le laissant fonctionner aux mains de Morfain, selon l'antique routine. Mais, dans l'installation de l'usine, il avait réalisé tous les progrès possibles, au point de vue des bâtiments et de l'outillage, pour accroître le rendement du travail, en diminuant l'effort des travailleurs. Et, de même, il avait voulu que les maisons de sa cité ouvrière, construites chacune au milieu d'un jardin, fussent des maisons de bien-être, où fleurit la vie de famille. Une cinquantaine déjà occupaient les terres voisines du parc de la Crêcherie, un petit bourg en marche vers Beauclair; car chaque maison qu'on bâtissait était comme un pas nouveau de la Cité future, à la conquête de la vieille ville coupable et condamnée. Puis, au centre des terrains, Luc avait fait élever la Maison-Commune, une vaste construction où se trouvaient les Écoles, une Bibliothèque, une Salle de réunion et de fêtes, des Jeux, des

Bains. C'était là simplement ce qu'il avait gardé du phalanstère de Fourier, laissant chacun bâtir à sa guise, sans forcer personne à l'alignement, n'éprouvant la nécessité de la communauté que pour certains services publics. Enfin, derrière, des Magasins-Généraux se créaient, de jour en jour élargis, une boulangerie, une boucherie, une épicerie, sans compter les vêtements, les ustensiles, les menus objets indispensables, toute une association coopérative de consommation qui répondait à l'association coopérative de production, régissant l'usine. Sans doute, ce n'était encore qu'un embryon, mais la vie affluait, l'œuvre pouvait être jugée. Et Luc, qui n'aurait pas marché si vite, s'il n'avait eu l'idée heureuse d'intéresser les ouvriers du bâtiment à sa création, était surtout ravi d'avoir su capter toutes les sources éparses parmi les roches supérieures, pour en baigner la ville naissante, des flots d'une eau fraîche et pure qui lavait l'usine et la Maison-Commune, arrosait les jardins aux verdures épaisses, ruisselait dans chaque habitation, dont elle était la santé et la joie.

Ce matin-là, Fauchard, l'arracheur, vint flâner à la Crêcherie, pour voir d'anciens camarades. Lui, toujours indécis et dolent, était resté à l'Abîme, tandis que Bonnaire emmenait à l'usine nouvelle son beau-frère Ragu, qui lui-même décidait Bourron à le suivre. Tous trois travaillaient donc là; et c'étaient eux que Fauchard désirait questionner, incapable de prendre un parti, dans l'hébétement où l'avaient jeté quinze années déjà d'arrachage, toujours le même geste, le même effort, au milieu du même incendie. Sa déformation, sa paresse d'esprit était devenue telle, que depuis de longs mois il se proposait de faire cette visite, sans trouver la force de volonté nécessaire. Et, dès son entrée à la Crêcherie, il s'étonna.

Au sortir de l'Abîme, noir, sale, poussiéreux, dont les lourdes halles délabrées s'éclairaient à peine par d'étroits vitrages, c'était un premier émerveillement que les halles légères de la Crêcherie, de fer et de briques, dans lesquelles de larges baies vitrées laissaient pénétrer à flots l'air et le soleil. Toutes étaient pavées en dalles de ciment, ce qui diminuait beaucoup les poussières, si nuisibles. L'eau coulait partout en abondance, permettait de continuels lavages. Et, comme il n'y avait presque plus de fumées, grâce aux cheminées nouvelles qui brûlaient tout, une grande propreté régnait, d'un entretien facile. L'antre infernal du Cyclope avait fait place à de vastes ateliers clairs, luisants et gais, où la besogne semblait perdre de sa rudesse. Sans doute, l'emploi de l'électricité était encore restreint, le bruit des machines restait assourdissant, l'effort humain ne se trouvait guère soulagé. C'était à peine si, dans les fours à puddler et dans les fours à creusets, des essais de moyens mécaniques, jusque-là défectueux, faisaient espérer que les bras de l'homme, un jour, seraient libérés des travaux trop durs. On n'en était qu'aux tâtonnements, en marche vers l'avenir. Mais quelle amélioration

Fauchard.

déjà, cette simple propreté, cet air et ce soleil qui baignaient les grandes salles légères, cette gaieté du travail moins lourd aux épaules ! et comme la comparaison s'imposait, saisissante, avec les trous de ténèbres et de souffrances, où agonisaient les équipes des vieilles usines du voisinage !

Fauchard croyait trouver Bonnaire, le maître puddleur, à son four, et il fut surpris de le voir, dans la même halle, diriger un grand laminoir, qui fabriquait des rails.

— Tiens ! tu as lâché le puddlage ?

— Non, mais nous faisons un peu de tout ici. C'est la règle de la maison : deux heures de ceci, deux heures de cela; et, ma foi ! c'est bien vrai que cela repose.

La vérité était que Luc ne décidait pas facilement les ouvriers qu'il embauchait à sortir de leur spécialité. Plus tard, la réforme s'accomplirait, les enfants passeraient par plusieurs apprentissages, car le travail attrayant ne pouvait être que dans la variété des diverses tâches et dans le peu d'heures consacrées à chacune d'elles.

— Ah ! soupira Fauchard, que ça m'amuserait donc de faire autre chose que d'arracher les creusets du fond de mon four ! Mais je ne sais pas, je ne peux pas.

Le bruit saccadé du laminoir était si violent, qu'il devait parler très fort. Il se tut, il profita d'un moment de répit pour serrer la main de Ragu et de Bourron, qui se trouvaient là, très occupés à recevoir les rails. Ce fut ensuite pour lui un spectacle. On ne fabriquait pas de rails à l'Abîme, il regardait ceux-ci avec des pensées confuses, qu'il n'aurait pas su exprimer. Ce dont il souffrait surtout, dans son écrasement, dans sa déchéance d'homme déjeté sous la meule, devenu un simple outil, c'était d'avoir gardé la conscience obscure qu'il aurait pu être une intelligence, une volonté. Une petite lumière brûlait encore en lui comme la petite lampe de veille qui jamais ne s'éteint. Et quelle lourde tristesse à regretter l'homme libre, et sain, et joyeux, qu'il serait devenu, sans ce cachot d'abêtissement où l'esclavage l'avait jeté ! Les rails qui s'allongeaient, qui s'allongeaient toujours, étaient comme une voie, comme un chemin sans fin, où sa pensée glissait, se perdait dans l'avenir, dont il n'avait plus l'espoir ni même la conception claire.

Sous la halle voisine de la grande fonderie, un four spécial fondait l'acier; et le métal en fusion était reçu dans une grande poche de fonte, garnie de terre réfractaire, qui le versait ensuite mécaniquement dans des moules en forme de lingots. Des ponts roulants électriques, des grues d'une puissance considérables, soulevaient, transportaient ces lourdes masses, les amenaient aux laminoirs, les conduisaient aux ateliers de rivetage et de boulonnage. Il y avait des trains de laminoirs géants, étirant les lingots selon le profil voulu, les cintrant aussi à la demande pour les grandes fermes d'acier sur-

tout, les pièces colossales des ponts, des charpentes d'édifices, des construc
tions de toutes sortes, toutes prêtes à être montées, rivetées ou boulonnées
Pour les poutres, pour les rails, pièces simples, de dimensions constantes
les trains de laminoirs spéciaux marchaient avec une régularité, une activit
formidable. Au sortir du réchaud, d'un éclat de soleil, le lingot d'acier
court et de la grosseur d'un tronc d'homme, était pris, dans la première
cage, entre les deux rouleaux qui tournaient en sens inverse; et il sortai
aminci de la gorge, rentrait dans la seconde cage, où il s'amincissait encore
et, de cage en cage, les gorges ébauchaient de plus en plus la pièce, finis
saient par donner au rail son profil exact et sa longueur réglementaire d
dix mètres. Cela n'allait pas sans un vacarme assourdissant, un terrible bru
de mâchoires, dans les allonges, entre les cages, quelque chose comme l
mastication d'un colosse, en train de mâcher tout cet acier. Et les rails suc
cédaient aux rails avec une rapidité extraordinaire, on pouvait à peine suivr
le lingot qui s'amincissait, qui s'allongeait, qui jaillissait en un nouveau rai
pour s'ajouter aux autres rails, comme si les voies ferrées, par le monde
s'étendaient sans fin, pénétraient au fond des contrées les plus désertes, e
faisant le tour de la terre.

— Pour qui est-ce donc, tout ça? demanda Fauchard, ahuri.
— C'est pour les Chinois, répondit Ragu, en plaisantant.

Mais Luc passait devant les laminoirs. Il vivait généralement sa matiné
dans l'usine, donnant un coup d'œil à chaque halle, causant en camarad
avec les ouvriers. Il avait dû garder en partie la hiérarchie ancienne, de
ouvriers maîtres, des surveillants, des ingénieurs, des bureaux de comptabi
lité et de direction commerciale. Mais il réalisait déjà des économie
sérieuses, grâce à son continuel souci de réduire le plus possible le nombr
des chefs et le personnel des bureaux. D'ailleurs, ses espérances immédiate
s'étaient réalisées : bien qu'on n'eût pas encore retrouvé les filons excellen
d'autrefois, le minerai actuel de la mine, traité chimiquement, donnait à ba
prix de la fonte de qualité passable; et, dès lors, la fabrication des cha
pentes et des rails, suffisamment rémunératrice, assurait la prospérité d
l'usine. On vivait, le chiffre d'affaires s'élargissait chaque année, c'était po
lui l'important, car son effort portait sur l'avenir de l'œuvre, dans la cert
tude où il était de vaincre si, à chaque partage des bénéfices, les ouvrie
voyaient s'accroître leur bien-être, plus de bonheur et moins de peine.
n'en passait pas moins son existence de chaque jour en continuelles alerte
au milieu de cette création si complexe qu'il devait surveiller, des avanc
considérables à faire, tout un petit peuple à conduire, des soucis à la fo
d'apôtre, d'ingénieur et de financier. Sans doute, le succès semblait certai
mais combien il le sentait précaire encore, à la merci des événements!

Dans le vacarme, Luc ne fit que s'arrêter une minute, en souriant à Bo

naire, à Ragu et à Bourron, sans même apercevoir Fauchard. Il se plaisait dans cette halle des laminoirs, la fabrication des charpentes et des rails l'égayait d'ordinaire, c'était la bonne forge de la paix, comme il le disait gaiement; et il l'opposait à la forge mauvaise de la guerre, la forge voisine, où, si chèrement, avec tant de soins, on fabriquait des canons et des obus. Des outils si perfectionnés, un métal travaillé d'une main si fine, pour ne produire que ces monstrueux engins de destruction, qui coûtent aux nations des milliards, et qui les ruinent à attendre la guerre, quand la guerre ne vient pas les exterminer! Ah! que les charpentes d'acier se multiplient donc, dressent donc des édifices utiles, des villes heureuses, des ponts pour franchir les fleuves et les vallées, et que des rails jaillissent toujours des laminoirs, allongent sans fin les voies ferrées, abolissent les frontières, rapprochent les peuples, conquièrent le monde entier à la civilisation fraternelle de demain!

Mais, comme Luc passait dans la halle de la grande fonderie, où l'on entendait le gros marteau-pilon entrer en danse, forgeant toute l'armature d'un pont gigantesque, les laminoirs s'arrêtèrent, il y eut un répit pour la mise en marche d'un nouveau profil. Et Fauchard s'approcha des anciens camarades, une conversation s'engagea.

— Alors, ça marche ici, vous êtes contents? demanda-t-il.

— Contents, sans doute, répondit Bonnaire. La journée n'est que de huit heures, et, grâce au changement de besogne, on s'éreinte moins, le travail est plus agréable.

Lui, grand et fort, avec sa large face de bonhomie et de santé, était un des solides soutiens de l'usine nouvelle. Il faisait partie du conseil de direction, il gardait aussi à Luc une gratitude de l'avoir embauché, lorsqu'il avait dû quitter l'Abîme, inquiet du lendemain. Pourtant, son collectivisme intransigeant souffrait du régime de simple association qui régissait la Crêcherie, et dans lequel le capital gardait sa large part. Le révolutionnaire en lui, l'ouvrier rêveur d'absolu, protestait. Mais il était sage, il travaillait et poussait les camarades à travailler en tout dévouement, ayant promis d'attendre les résultats de l'expérience.

— Alors, reprit Fauchard, vous gagnez beaucoup, le double de vos journées d'autrefois?

Ragu se mit à plaisanter, de son rire mauvais.

— Oh! le double, dis cent francs par jour, et je ne compte pas le champagne et les cigares!

Lui, sans entrain, avait simplement suivi Bonnaire, en venant s'embaucher à la Crêcherie. Et, s'il n'y était point mal, dans un grand bien-être relatif, trop d'ordre et de certitude devaient l'y blesser, car il devenait railleur, il commençait à tourner son bonheur en dérision.

— Cent francs! cria Fauchard suffoqué, tu gagnes cent francs, toi?

Bourron, qui restait l'ombre de Ragu, crut devoir renchérir.

— Cent francs pour commencer! et l'on vous paye les chevaux de bois le dimanche!

Mais Bonnaire haussa les épaules, d'un air de gravité dédaigneuse, tandis que les deux autres ricanaient.

— Tu vois bien qu'ils disent des bêtises et qu'ils se moquent de toi... Tout compte fait, après le partage des bénéfices, nos journées ne sont guère plus fortes que les vôtres. Seulement, à chaque règlement, elles augmentent, et il est très certain qu'elles deviendront superbes... Puis, nous avons toutes sortes d'avantages, notre avenir est assuré, notre vie est beaucoup moins chère, grâce à nos magasins coopératifs et aux petites maisons si gaies, qu'on nous loue presque pour rien... Certes, ce n'est pas encore la vraie justice, mais tout de même nous voilà en route.

Ragu continuait de ricaner; et le besoin lui vint de satisfaire une autre de ses haines; car, s'il plaisantait la Crêcherie, il parlait méchamment de l'Abîme, d'un air de rancune féroce.

— Et le Delaveau, quelle tête fait-il, cet animal-là? Ce qui m'amuse, c'est que ça doit l'embêter rudement, cette nouvelle usine qu'on a plantée près de la sienne, et qui a l'air de vouloir faire de bonnes affaires... Il rage, hein?

Fauchard eut un geste vague.

— Bien sûr qu'il doit rager, mais ça ne se voit pas trop... Et puis, tu sais, moi, je ne sais pas, j'ai assez d'embêtement, sans m'occuper de celui des autres... J'ai entendu raconter qu'il s'en fichait, de votre usine et de la concurrence. Il dit, comme ça, qu'il aura toujours des canons et des obus à fabriquer, parce que les hommes sont trop bêtes et qu'ils se massacreront toujours.

Luc, qui revenait de la halle de la grande fonderie, entendit ces paroles. Depuis trois ans, depuis le jour où il avait décidé Jordan à garder le haut fourneau et à créer des aciéries et des forges, il savait qu'il avait un ennemi en Delaveau. Le coup était rude pour ce dernier, qui espérait acheter la Crêcherie à bon compte, avec de longues facilités de payement, et qui la voyait passer aux mains d'un jeune audacieux, plein d'intelligence et d'activité, résolu à bouleverser le monde, d'une telle vigueur créatrice, qu'il débutait en faisant sortir du sol un embryon de ville. Cependant, après la colère de la première surprise, Delaveau s'était senti quand même rempli de confiance. Il se renfermerait dans la fabrication des canons et des obus, où les bénéfices étaient considérables et où il ne craignait aucune concurrence. L'annonce que l'usine voisine allait reprendre les rails et les charpentes l'avait d'abord égayé d'une joie ironique, dans l'ignorance où il était de l'exploitation nouvelle de la mine. Puis, lorsqu'il avait compris, devant les gros gains que permettait le minerai traité chimiquement, il s'était montré beau joueur, il avait déclaré à qui voulait l'entendre qu'il y avait place pour toutes les industries sous le soleil, et qu'il laissait bien volontiers les charpentes et les rails à son heureux voisin, si ce dernier lui laissait les obus et les canons. La paix n'était donc pas troublée en apparence, les rapports restaient froids et polis. Mais, au fond de Delaveau, veillait une sourde inquiétude, la peur de ce foyer de juste et libre travail, si proche, dont la flamme pouvait gagner ses halles et ses équipes. Et c'était encore un autre malaise, la sensation inavouée que peu à peu de vieux échafaudages craquaient sous lui, qu'il y avait des causes de pourriture dont il n'était pas le maître, et que, le jour où la force du capital viendrait à lui manquer, tout l'édifice s'écraserait par terre, sans qu'il pût le soutenir davantage de ses bras entêtés et vigoureux.

Dans cette guerre inévitable, de jour en jour plus rude, qui s'était engagée entre la Crêcherie et l'Abîme, et qui ne pouvait se terminer que par l'écrasement de l'une des deux usines, Luc ne s'attendrissait point sur les Delaveau. S'il avait pour l'homme de l'estime, quand il le voyait si âpre au travail, si brave à défendre ses idées, il méprisait la femme, Fernande, il en avait même une sorte de terreur, en devinant chez elle toute une terrible force de corruption et de destruction. L'aventure mauvaise qu'il avait surprise à la Guerdache, cette conquête impérieuse de Boisgelin, pauvre et bel homme dont la fortune était en train de fondre aux mains de la dévoratrice, l'emplissait d'une inquiétude croissante, dans la prévision des drames futurs. Et c'était vers la bonne et douce Suzanne que toute son anxieuse tendresse allait, car elle était la victime, la seule qu'il plaignait vraiment d'être dans cette maison aux charpentes pourries, dont les plafonds finiraient par s'effondrer un soir. Il avait dû cesser des relations qui étaient bien chères à son cœur, il ne fréquentait plus la Guerdache, il en connaissait les seules nouvelles que le hasard lui apportait. Tout semblait y marcher de mal en pis, les folles exigences de Fernande s'aggravaient, sans que Suzanne ne trouvât d'autre énergie que celle du silence, réduite à fermer les yeux par la crainte d'un scandale. Et Luc l'ayant rencontrée dans une rue de Beauclair, tenant son petit Paul par la main, elle l'avait regardé d'un long regard, où se lisaient sa peine et l'amitié qu'elle lui gardait, malgré la lutte désormais meurtrière qui séparait leurs deux existences.

Aussi, dès qu'il eut reconnu Fauchard, Luc se tint-il sur la défensive, ayant pour tactique d'éviter tout conflit inutile avec l'Abîme. Il acceptait bien les ouvriers qui lui arrivaient de l'usine voisine, mais il ne voulait pas avoir l'air de les attirer. Les camarades décidaient seuls de leur admission. Et comme Bonnaire lui avait déjà parlé de Fauchard plusieurs fois, il affecta de croire que celui-ci se faisait embaucher.

— Ah! c'est vous, mon ami, vous venez voir si vos anciens compagnons veulent vous faire une place.

L'ouvrier arracheur, hébété, repris de doute, incapable d'une résolution, se mit à bégayer des phrases sans suite. Toute nouveauté l'effrayait, dans sa routine et son aveuglement de bête de manège. On avait à ce point tué en lui l'initiative, qu'en dehors du geste accoutumé, il ne savait plus agir, envahi d'une terreur d'enfant. Cette usine nouvelle, ces grandes halles propres et claires l'émotionnaient, comme un domaine redoutable, où il ne pourrait vivre. Et il n'éprouvait plus que la hâte de rentrer dans son enfer noir et douloureux. Ragu l'avait plaisanté : à quoi bon changer de maison, quand rien n'était sûr? Puis, peut-être sentait-il confusément que, pour lui, il n'était plus temps.

— Non, non, monsieur, pas encore... Je voudrais bien, mais je ne sais pas... Je verrai plus tard, je consulterai ma femme...

Luc souriait.

— C'est cela, c'est cela, il faut que les femmes soient contentes... Au revoir, mon ami.

Et Fauchard, gauchement, s'en alla, étonné lui-même de la façon dont sa visite avait tourné, car il était certainement venu avec l'intention de demander du travail, si la maison lui plaisait et si l'on y gagnait davantage qu'à l'Abîme. Pourquoi donc se sauvait-il, troublé par ce qu'il avait vu de trop beau, et n'ayant que le besoin de se réfugier, de s'engourdir encore dans le lourd sommeil de sa misère?

Un instant, Luc s'entretint avec Bonnaire d'un perfectionnement qu'il désirait apporter aux laminoirs. Mais Ragu avait une réclamation à présenter.

— Monsieur Luc, un coup de vent a encore cassé trois vitres, à la fenêtre de notre chambre. Et, cette fois, je vous avertis que nous ne payerons pas... Ça vient de ce que notre maison est la première dans le courant d'air de la plaine. On y gèle.

Il se plaignait toujours, il avait toujours des prétextes pour être mécontent.

— D'ailleurs, monsieur Luc, c'est bien simple, vous pouvez passer chez nous, afin de vous rendre compte... Josine vous montrera ça.

Depuis qu'il s'était fait embaucher à la Crêcherie, Sœurette avait obtenu de lui qu'il épousât Josine; et le jeune ménage occupait donc une des petites maisons de la cité ouvrière, entre les deux maisons des Bonnaire et des Bourron. Jusque-là, comme il s'était beaucoup corrigé, grâce au milieu, la bonne entente ne semblait pas avoir été sérieusement troublée. Quelques querelles s'étaient seules produites, à cause de la présence de Nanet, qui vivait aussi là. D'ailleurs, lorsque Josine avait du chagrin, et qu'elle pleurait, elle fermait la fenêtre, pour qu'on ne l'entendît pas.

Une ombre avait passé sur le front de Luc, dans la joie qu'il avait toujours à visiter les ateliers, le matin.

— C'est cela, Ragu, répondit-il simplement, je passerai chez vous.

Et la conversation cessa, le train de laminoirs s'était remis à fonctionner, couvrant les voix de son bruit de mastication géante. De nouveau, les lingots éblouissants passaient et repassaient, s'allongeaient à chaque course, jaillissaient en rails. Et sans cesse les rails s'ajoutaient aux rails, il semblait que la terre allait bientôt en être sillonnée de toutes parts, pour charrier à l'infini la vie décuplée et victorieuse.

Un instant encore, Luc regarda la bonne besogne, souriant à Bonnaire, encourageant d'un air de camarade Bourron et Ragu, s'efforçant de faire lever de chaque équipe de travailleurs toute une moisson d'amour, dans sa certitude que rien de solide ne pousse, quand on ne s'aime pas. Puis, il quitta les ateliers, il se rendit à la Maison-Commune, comme il faisait chaque matin, pour visiter les Écoles. S'il se plaisait dans les halles du travail, à rêver la paix future, il goûtait une joie d'espérance plus vive encore, au milieu du petit monde des enfants, qui étaient l'avenir.

Naturellement, cette Maison-Commune n'était, jusque-là, qu'une vaste bâtisse, propre et gaie, où l'on n'avait guère visé qu'à la plus grande commodité pour le moins d'argent possible. Les Écoles y tenaient toute une aile, en pendant avec la Bibliothèque, les Jeux et les Bains, installés dans l'aile opposée; tandis que la Salle des réunions et des fêtes, ainsi que certains bureaux, occupaient le bâtiment central. Ces Écoles se divisaient en trois sections distinctes : une crèche, pour les tout petits, où les mères occupées pouvaient mettre leurs enfants, même au maillot; une école proprement dite, comprenant cinq divisions, donnant une instruction complète; une série d'ateliers d'apprentissage, que les élèves fréquentaient concurremment avec les cinq classes, acquérant des métiers manuels à mesure que leurs connaissances générales se développaient. Et les deux sexes n'étaient point séparés, garçons et filles grandissaient côte à côte, depuis leurs berceaux qui se touchaient, jusqu'aux ateliers d'apprentissage qu'ils quittaient pour se marier, en passant par les classes, où ils étaient mêlés comme ils le seraient dans l'existence, assis sur les mêmes bancs. Séparer dès l'enfance les deux sexes, les élever, les instruire différemment, dans l'ignorance l'un de l'autre, n'est-ce pas les rendre ennemis, pervertir et affoler par le mystère leur attrait naturel, faire que l'homme se rue et que la femme se réserve, dans un malentendu sans fin? Et la paix ne naîtra que lorsque l'intérêt commun apparaîtra aux deux camarades, se connaissant, ayant appris la vie aux mêmes sources, se mettant ensemble en route pour la vivre logiquement, sainement, comme elle doit être vécue.

Sœurette avait beaucoup aidé Luc pour l'installation des Écoles. Pendant que Jordan s'enfermait dans son laboratoire, après avoir donné l'argent qu'il avait promis, tout en refusant d'examiner les comptes, de discuter les mesures à prendre, sa sœur se passionnait pour cette ville nouvelle, qu'elle voyait germer et naître sous ses yeux. Toujours il y avait eu en elle une gardeuse d'enfants, une éducatrice, une infirmière; et sa charité, qui, jusquelà, était seulement allée à de rares pauvres gens, que lui désignaient l'abbé Marle, le docteur Novarre, ou l'instituteur Hermeline, s'était trouvée tout d'un coup comme élargie, devant la considérable famille de travailleurs à instruire, à guider, à aimer, dont Luc lui faisait le cadeau. Aussi, dès les premiers jours, avait-elle choisi sa tâche, ne refusant pas de s'intéresser à l'organisation des classes et des ateliers d'apprentissage, mais s'occupant surtout de la crèche, y passant ses matinées dans l'amour des tout petits. Et, lorsqu'on lui disait de se marier, elle répondait un peu gênée et confuse, avec son joli rire de fille sans beauté : « Est-ce que je n'ai pas les enfants des autres? » Elle avait fini par trouver une aide dans Josine, qui, elle aussi, bien qu'elle eût épousé Ragu, restait sans enfant. Chaque matin, elle l'employait à la crèche, auprès des berceaux, toutes deux devenues amies, malgré leurs cœurs si différents, rapprochées par les soins qu'elles donnaient à ces petits êtres délicieux.

Mais, ce matin-là, lorsque Luc entra dans la salle blanche et fraîche, il y rencontra Sœurette seule.

— Josine n'est pas venue, expliqua-t-elle. Elle m'a fait dire qu'elle était indisposée, oh! un simple petit malaise, paraît-il.

Il fut pris d'un soupçon vague, et de nouveau une ombre assombrit ses yeux. Simplement, il dit ce qu'il ferait.

— Je dois passer chez elle, je verrai si elle n'a besoin de rien.

Puis, ce fut un charme que la visite aux berceaux. Dans la vaste pièce blanche, ils étaient tout blancs, rangés le long des murs blancs. De petites faces roses y sommeillaient, y souriaient. Autour d'eux, allaient et venaient des femmes de bonne volonté, aux grands tabliers éblouissants, les yeux attendris, les mains maternelles, qui veillaient avec de douces paroles sur cette toute petite enfance, ces germes si frêles encore d'humanité, dans lesquels pourtant se levait l'avenir. Mais il y avait là des enfants déjà grandis, des commencements de petits hommes et de petites femmes, jusqu'à trois et quatre ans; et ceux-ci étaient lâchés en liberté, les plus fragiles dans des chaises roulantes, les autres au bon hasard de leurs courtes jambes, sans trop de chutes. La salle ouvrait sur une véranda fleurie, que prolongeait un jardin. Tout le cher troupeau s'ébattait au soleil, dans l'air tiède. Des jouets, des pantins pendaient à des ficelles, pour égayer les plus petits, tandis que les plus grands avaient des poupées, des chevaux, des chars qu'ils traînaient avec fracas, en héros chez lesquels s'éveillait le besoin de l'action. Et c'était un délicieux réconfort, ce petit monde qui poussait de la sorte, si gaiement, dans un tel bien-être, pour les besognes de demain.

— Pas de malades? demanda Luc, qui s'attardait avec ravissement dans cette blancheur d'aurore.

— Oh! non, tous sont gaillards ce matin, répondit Sœurette. Nous avons eu deux enfants atteints de rougeole avant-hier, et je ne les ai plus reçus, il a fallu les isoler.

Tous deux étaient sortis sous la véranda, qu'ils suivirent, pour continuer la visite par l'École voisine. Les portes-fenêtres des cinq classes s'y succédaient, donnant ainsi sur les verdures du jardin; et, comme le temps était chaud, elles se trouvaient grandes ouvertes, de sorte que, sans entrer dans les salles, ils purent, du seuil, jeter un coup d'œil dans chacune.

Les maîtres, depuis qu'elles étaient créées, y élaboraient un programme nouveau. De la première, où ils prenaient l'enfant ne sachant même pas lire, à la cinquième, où ils se séparaient de lui, après lui avoir donné les éléments des connaissances générales nécessaires à la vie, ils s'efforçaient surtout de le mettre en présence des choses et des faits, pour qu'il tînt son savoir des réalités de ce monde. Leur effort tendait aussi à éveiller en lui le besoin de l'ordre, à le doter d'une méthode, par l'usage quotidien de l'expérience. Sans méthode, il n'est pas de travail utile, c'est la méthode qui classe, qui permet d'acquérir toujours, sans rien perdre des acquisitions déjà faites. Et la science des livres se trouvait donc, sinon condamnée, du moins remise à son plan de moindre importance, car l'enfant n'apprend bien que ce qu'il voit, que ce qu'il touche, que ce qu'il comprend par lui-même. On ne le courbait plus en esclave sur des dogmes indiscutables, on ne lui imposait plus la personnalité tyrannique du professeur : c'était à son initiative qu'on demandait de découvrir la vérité, de la pénétrer, de la rendre sienne. Il n'existe pas d'autre façon de faire des hommes, toute l'énergie individuelle de chaque élève en était éveillée, accrue. De même, on avait supprimé les châtiments et les récompenses, on ne comptait plus sur les menaces ni sur les caresses pour forcer les paresseux au travail. Il n'y avait pas de paresseux, il n'y avait que des enfants malades, des enfants comprenant mal ce qu'on leur expliquait mal, des enfants dans les cerveaux de qui on s'obstinait à faire entrer, à coups de férule, des connaissances pour lesquelles ils n'avaient aucune aptitude. Et il suffisait, si l'on voulait n'obtenir que de bons élèves, d'utiliser l'immense désir de savoir qui brûle au fond de chaque être, la curiosité inextinguible de l'enfant pour ce qui l'entoure, à ce point qu'il ne cesse de fatiguer les gens de ses questions. L'instruction n'était plus une torture, elle devenait un plaisir toujours renouvelé, du moment qu'on la rendait attrayante, en se contentant d'exciter les intelligences, de les diriger simplement dans leurs découvertes. Chacun a le droit et le devoir de se faire lui-même. Et il faut que l'enfant se fasse lui-même, il faut le laisser se faire au milieu du vaste monde, si l'on veut qu'il soit plus tard un homme, une énergie agissante, une volonté qui décide et dirige.

Aussi les cinq classes se déroulaient-elles, des notions premières, à toutes les vérités scientifiques acquises, comme une émancipation logique et graduée des intelligences. Dans le jardin, un gymnase se trouvait installé, des jeux, des exercices de toutes sortes, afin que le corps fût fortifié, sain et solide, à mesure que le cerveau se développait lui-même, s'enrichissait de savoir. Il n'est de bon équilibre mental que dans un corps bien portant. Pour les premières classes surtout, les récréations étaient longues, on commençait par n'exiger des enfants que des tâches courtes, variées, proportionnées à leur endurance. La règle était de les enfermer le moins possible, on donnait souvent les leçons en plein air, on organisait des promenades, les instruisant au milieu des choses qu'ils avaient à connaître, dans les fabriques. devant les phénomènes de la nature, parmi les animaux, les plantes, les eaux, les montagnes. C'était à la réalité des êtres et des choses, à la vie elle-même qu'on demandait le meilleur de leur enseignement, dans cette conviction que toute science ne doit avoir d'autre but que de bien vivre la vie. Et, en dehors des notions générales, on s'efforçait encore de leur donner la notion d'humanité, de solidarité. Ils grandissaient ensemble, ils vivaient toujours ensemble. L'amour seul était le lien d'union, de justice, de bonheur. En lui se trouvait le pacte indispensable et suffisant, car il suffisait de s'aimer, pour que la paix régnât. Cet universel amour qui s'élargira de la famille à la nation, de la nation à l'humanité, sera l'unique loi de l'heureuse Cité future. On le développait chez les enfants en les intéressant les uns aux autres, les plus forts veillant sur les plus faibles, tous mettant en commun leurs études, leurs jeux, leurs passions naissantes. Et c'était la moisson attendue, des hommes fortifiés par les exercices du corps, instruits par l'expérience en pleine nature, rapprochés par l'intelligence et par le cœur, devenus des frères.

Il y eut des rires, des cris, et Luc s'inquiéta, car les choses n'allaient pas parfois sans quelque désordre. Au milieu d'une des classes, il venait d'apercevoir Nanet debout, la cause sans doute du tumulte.

— Est-ce que Nanet vous donne toujours du mal? demanda-t-il à Sœurette. C'est un diable, cet enfant.

Elle sourit, avec un geste d'indulgente excuse.

— Oui, il n'est pas toujours commode. Et nous en avons d'autres qui sont aussi bien turbulents. Ils se poussent, se battent, n'obéissent guère. Mais ce sont tout de même de bons petits diables. Nanet est un gamin exquis, très brave et très tendre... D'ailleurs, lorsqu'ils se tiennent trop tranquilles, nous sommes désolés, nous nous imaginons qu'ils sont malades.

Après les classes, de l'autre côté du jardin, venaient les ateliers d'apprentissage. Des cours y avaient lieu sur les principaux métiers manuels, les enfants s'y exerçaient à ces métiers, moins pour les y apprendre à fond, que pour en connaître l'ensemble et déterminer leur vocation. Ces cours, du reste, étaient menés parallèlement avec les études proprement dites. Dès les premières notions de lecture et d'écriture, on mettait un outil dans la main de l'enfant, en face, de l'autre côté du jardin; et si, le matin, il étudiait la grammaire, le calcul, l'histoire, mûrissant son intelligence, il travaillait de ses petits bras, l'après-midi, pour donner de la vigueur et de l'adresse à ses muscles. C'était comme des récréations utiles, un délassement du cerveau, une lutte joyeuse d'activité. On avait admis le principe que tout homme doit savoir un métier manuel, de sorte que chaque élève, en sortant des Écoles, n'avait plus qu'à choisir le métier de son goût, pour s'y perfectionner dans un atelier véritable. Et, de même, la beauté fleurissait, les enfants passaient par des cours de musique, de dessin, de peinture, de sculpture, où, dans les âmes éveillées, naissaient les joies de l'existence. Même pour ceux qui devaient s'en tenir aux premiers éléments, c'était le monde élargi, la terre entière prenant une voix, les plus humbles vies s'embellissant d'une splendeur. Dans le jardin, à la fin des belles journées, par les radieux couchers de soleil, on réunissait les enfants, on leur faisait chanter des strophes de paix et de gloire, on les exaltait dans des spectacles de vérité et d'immortelle beauté.

Luc achevait sa visite quotidienne, lorsqu'on accourut le prévenir que deux paysans des Combettes, Lenfant et Yvonnot, l'attendaient dans le petit bureau, qui donnait sur la grande salle des réunions.

— Ils viennent pour l'affaire du ruisseau ? demanda Sœurette.

— Oui, répondit-il. Ce sont eux qui m'ont demandé un rendez-vous. Mais, de mon côté, je désirais vivement les voir, car j'ai encore causé avec Feuillat, l'autre jour, et je suis convaincu qu'une entente est nécessaire entre la Crêcherie et les Combettes, si nous voulons vaincre.

Souriante, elle l'écoutait, n'ignorant aucun de ses projets de fondateur de ville; et, lorsqu'elle lui eut serré la main, elle retourna, de son pas discret et paisible, à ses berceaux tout blancs, d'où se lèverait le peuple futur, dont il avait besoin pour réaliser son rêve.

Feuillat, le fermier de la Guerdache, avait fini par renouveler son bail avec Boisgelin, dans des conditions désastreuses pour les deux parties. Il fallait bien vivre, comme il le disait; et le système du fermage était devenu si défectueux, qu'il ne pouvait plus donner de bons résultats. C'était la faillite même de la terre. Aussi Feuillat, sourdement, en homme têtu, hanté d'une idée qu'il ne contait à personne, continuait-il à provoquer l'œuvre d'expérience dont il aurait voulu voir l'essai, à côté de sa ferme : la réconciliation des paysans des Combettes, désunis par des haines anciennes; la mise en commun de leurs lopins de terre, divisés à l'infini ; la création d'un vaste domaine unique, d'où ils auraient tiré toute une richesse, en y appliquant les principes de la grande culture intensive. Et sa pensée de derrière la tête devait être, lorsque l'expérience aurait réussi, de décider Boisgelin à laisser entrer la ferme dans l'association nouvelle. S'il s'y refusait, les faits finiraient bien par l'y forcer. D'ailleurs, il y avait chez Feuillat, silencieux, se pliant sous les servitudes inévitables, un peu d'un apôtre rusé et patient, résolu à gagner le terrain pas à pas, sans se lasser. Son premier succès venait d'être de faire la paix entre Lenfant et Yvonnot, dont les familles se querellaient depuis des siècles. Le premier ayant été choisi comme maire par la commune, et le second comme adjoint, il leur avait fait entendre qu'ils seraient, à eux deux, les maîtres, le jour où ils marcheraient d'accord. Puis, il les avait lentement amenés à son idée d'une bonne entente générale, si la commune voulait sortir du désastre routinier où elle végétait et retrouver, dans la terre, une source d'inépuisable fortune. Justement, la Crêcherie se fondait alors, il la donnait en exemple, il en disait la prospérité croissante, il avait même fini par mettre en rapport Lenfant et Yvonnot avec Luc, en profitant d'une question d'eaux à régler, entre les Combettes et la Crêcherie. Et c'était ainsi que le maire et son adjoint se trouvaient à l'usine, ce matin-là.

Tout de suite, Luc leur accorda ce qu'ils venaient demander, avec une bonhomie qui rassura un peu leur continuelle défiance.

— C'est entendu, messieurs, la Crêcherie canalisera désormais toutes les eaux qu'elle a captées, parmi les roches, et elle versera celles qu'elle n'emploiera pas dans le ruisseau du Grand-Jean, qui traverse votre commune, avant de se joindre à la Mionne. Avec peu de frais, si vous établissez des réservoirs, vous aurez un puissant moyen d'arrosage, vous doublerez la qualité de vos terres.

Lenfant, gros et court, hocha sa tête large, d'un air de lente réflexion.

— Ça coûtera toujours trop d'argent.

Petit et mince, la mine noire, la bouche rageuse, Yvonnot s'écria :

— Et puis, monsieur, ce qui nous inquiète, c'est que cette eau-là, pour la partager, va être encore une raison de nous battre tous. Sans doute, vous êtes un bon voisin, de nous la donner, et nous vous en remercions bien. Seulement, comment faire, pour que chacun en ait sa juste part, sans croire que les autres le volent?

Luc souriait, heureux de la question, qui allait lui permettre d'aborder le sujet dont il était plein et pour lequel il avait tenu si vivement à les voir.

— Mais l'eau qui féconde doit être à tout le monde, comme le soleil qui luit et qui chauffe, comme la terre elle-même qui enfante et qui nourrit. Quant au meilleur moyen de partage, c'est de ne pas partager du tout, c'est de laisser en commun ce que la nature donne en commun à tous les hommes.

Les deux paysans comprirent. Un instant, ils restèrent silencieux, les yeux sur le parquet. Ce fut Lenfant, le plus réfléchi, qui prit la parole.

— Oui, oui, nous savons, le fermier de la Guerdache nous a causé de ça.... Sans doute, c'est une bonne idée que de s'entendre tous ensemble, comme vous avez fait ici, de mettre en commun l'argent et la terre, les bras et les outils, puis de partager ensuite les bénéfices... Il paraît certain qu'on gagnerait davantage et qu'on serait plus heureux... Mais, tout de même, il y aurait des risques à courir, et je crois bien qu'il faudra encore parler longtemps, avant de nous convaincre tous, aux Combettes.

— Ah! pour sûr, appuya Yvonnot, avec un geste brusque. Nous deux, vous comprenez, nous voici à peu près d'accord, et nous ne sommes pas trop opposés aux nouveautés... Ce sont les autres qu'il s'agira de conquérir, et on aura du mal, je vous en avertis.

C'était la défiance du paysan contre toutes les transformations sociales, touchant à la forme actuelle de la propriété, et que Luc connaissait bien. Il s'y attendait, il continua de sourire. Lâcher son lopin de terre, qu'on a tant aimé depuis des siècles, de père en fils, le noyer dans les lopins des autres, quel arrachement! Mais les déboires de plus en plus cruels, cette faillite du sol trop divisé, jetant les cultivateurs à la désespérance et au dégoût, devait aider à les convaincre que l'unique salut possible est dans l'union, dans l'entente de toute une commune pouvant créer un vaste domaine. Et Luc parla, expliqua comment le succès était désormais aux associations. Il fallait opérer sur des champs élargis, avec des machines puissantes pour les labourer, les semer, les moissonner, avec des engrais abondants, fabriqués chimiquement dans des usines voisines, avec des arrosages continus, décuplant les récoltes. Si l'effort du paysan isolé aboutissait à la famine, une prodigieuse richesse se déclarerait, dès que tous les paysans d'un village se seraient associés, afin d'avoir les champs immenses, les machines, les engrais, les eaux nécessaires. On arrivait à faire le sol, on y déterminait une extraordinaire fécondité, en l'épierrant, le fumant, l'arrosant. On finirait même par le chauffer, il n'y aurait plus de saison. Un hectare suffirait à nourrir deux ou trois familles. Déjà, lorsqu'on opérait sur un champ restreint, on y obtenait des miracles, toute une poussée ininterrompue de légumes et de fruits. La population de la France pourrait tripler, le sol la nourrirait amplement, s'il était cultivé avec logique, dans l'harmonie de toutes les forces créatrices. Et ce serait aussi le bonheur, trois fois moins de douloureux travail, le paysan enfin libéré des antiques servitudes, sauvé du prêteur dont l'usure le ronge, échappé à l'écrasement du grand propriétaire et de l'État.

— C'est trop beau, déclara Lenfant, de son air réfléchi.

Mais Yvonnot s'enflammait plus vite.

— Ah! bon sang! si c'était vrai, nous serions trop bêtes de ne pas essayer la chose!

— Voyez où nous en sommes nous-mêmes, à la Crêcherie, dit alors Luc qui gardait en réserve cet argument de l'exemple. Voici trois ans à peine que nous existons, et nos affaires vont bien, tous nos ouvriers qui se sont associés mangent de la viande, boivent du vin, n'ont plus ni dettes, ni crainte de l'avenir. Questionnez-les et surtout visitez notre œuvre, nos ateliers, nos habitations, notre Maison-Commune, tout ce que nous avons bâti et créé en si peu de temps... C'est là le fruit de l'union, vous accomplirez des prodiges dès que vous serez unis.

— Oui, oui, nous avons vu, nous savons, répondirent les deux paysans.

Et c'était vrai, ils avaient visité curieusement la Crêcherie, avant de faire demander Luc, supputant les richesses acquises déjà, s'étonnant de cette ville heureuse qui naissait avec tant de rapidité, se demandant quel gain il y aurait pour eux à s'associer ainsi. La force de l'expérience les pénétrait, les conquérait peu à peu.

— Eh bien! puisque vous savez, c'est très simple, reprit Luc gaiement. Nous avons besoin de pain, nos ouvriers ne peuvent pas vivre, si vous ne faites pas pousser le blé nécessaire. Vous autres, vous avez besoin d'outils, de bêches, de charrues, de machines faites avec l'acier que nous fabriquons. Alors, la solution du problème est très facile, il n'y a qu'à nous entendre, nous vous donnerons de l'acier, vous nous donnerez du blé, et nous serons tous d'accord, nous vivrons tous heureux. Puisque nous sommes voisins, que vos terres touchent notre usine, et que nous avons absolument besoin les uns des autres, le mieux n'est-il pas de vivre en frères, de nous associer tous pour le bien de chacun, de façon à ne plus faire qu'une même famille?

Cette bonhomie égaya Lenfant et Yvonnot. Jamais la réconciliation, l'entente nécessaire entre le paysan et l'ouvrier industriel, ne s'était posée nettement. Depuis que la Crêcherie fonctionnait, se développait, Luc rêvait d'englober dans son association toutes les autres usines secondaires, toutes les industries diverses qui vivaient d'elle, autour d'elle. Il suffisait qu'il eût là un foyer producteur d'une matière première, l'acier, pour qu'un pullulement de manufactures se produisît. Et c'étaient l'usine Chodorge qui fabriquait des clous, l'usine Hausser qui fabriquait des faulx, l'usine Mirande qui fabriquait des machines agricoles; et c'était même un ancien étireur

Elle était très gentille, Nise Delaveau.

Hordoir, dont les deux martinets, mus par un torrent, fonctionnaient encore dans une gorge des Monts Bleuses. Tous ceux-là seraient bien forcés un jour, s'ils voulaient vivre, de venir se joindre à leurs frères de la Crêcherie, en dehors desquels ils ne pourraient exister. Même les ouvriers du bâtiment, les ouvriers du vêtement, comme par exemple la grande cordonnerie du maire Gourier, seraient entraînés, s'entendraient ensemble, donneraient des maisons, des habits et des souliers, s'ils désiraient avoir en échange des outils et du pain. La Cité future ne se réaliserait que par cet accord univer-sel, la communion du travail.

— Enfin, monsieur Luc, dit Lenfant avec sagesse, ce sont là de trop grosses affaires pour qu'on les décide d'un coup. Mais nous vous promet-tons d'y réfléchir et de faire notre possible pour que la bonne entente règne aux Combettes, comme elle règne chez vous.

— C'est bien cela, monsieur Luc, appuya Yvonnot. Puisque nous avons tant fait que de nous réconcilier, Lenfant et moi, nous pouvons bien nous employer à ce que tous les autres se réconcilient de même, et Feuillat, qui est un malin, nous y aidera.

En partant, ils reparlèrent des eaux que Luc s'engageait à jeter dans le Grand-Jean. Tout fut réglé. Ils avaient l'idée qu'ils seraient beau-coup aidés, dans leur campagne d'association, par cette question de l'ar-rosage, qui allait forcer la commune à n'avoir qu'un intérêt et qu'une volonté.

Luc, qui l'accompagnait, leur fit traverser le jardin, où les attendaient leurs enfants, Arsène et Olympe, Eugénie et Nicolas, qu'ils avaient dû ame-ner, pour leur montrer cette Crêcherie dont toute la contrée parlait. Et, justement, les écoliers des cinq classes venaient d'entrer en récréation, ce qui animait le jardin d'une turbulence joyeuse. Les jupes des fillettes vo-laient au clair soleil, les garçons sautaient comme des chevreaux, c'étaient des rires, des chants, des cris, toute une floraison de délicieuse enfance, au milieu des gazons et des verdures.

Mais Luc aperçut Sœurette qui se fâchait et grondait, au milieu d'un groupe de têtes blondes et brunes. Il y avait là, au premier rang, Nanet, grandi, âgé de dix ans bientôt, avec sa face ronde, hardie et gaie, sous sa toi-son de petit mouton ébouriffé, couleur d'avoine mûre. Puis, derrière lui, se groupaient les trois Bonnaire, Lucien, Antoinette, Zoé, et les deux Bour-ron, Sébastien et Marthe, tous pris en faute sans doute, de la plus jeune, qui avait trois ans, aux plus vieux, qui allaient en avoir dix. Et il semblait bien que Nanet fût le chef de la bande coupable, car il répondait, il discutait en gamin pas commode, s'entêtant à ne jamais avoir tort.

— Quoi donc? demanda Luc.

— Eh! c'est encore Nanet, répondit Sœurette, qui est allé à l'Abîme, malgré la défense formelle. Je viens d'apprendre qu'hier soir il a entraîné ceux-là; et, cette fois, ils ont même passé par-dessus le mur.

En effet, au bout des vastes terrains de la Crêcherie, un mur mitoyen séparait ces terrains de ceux de l'Abîme. Même une ancienne porte s'y ouvrait, dans l'angle où était le jardin des Delaveau. Elle ne fermait qu'au verrou; mais, depuis que tous rapports avaient cessé, le verrou était toujours poussé solidement.

Nanet, d'ailleurs, protestait.

— D'abord, c'est pas vrai que nous avons tous passé par-dessus le mur. J'ai passé tout seul, et puis j'ai ouvert la porte aux autres.

A son tour, Luc, mécontent, se fâcha.

— Tu le sais bien, à plus de dix reprises, on vous a défendu d'aller à côté. Vous finirez par nous faire avoir de gros ennuis, et je vous répète, à toi, comme aux autres, que c'est très mal, tout à fait vilain.

Les yeux écarquillés, Nanet l'écoutait, ému de lui voir de la peine, en bon petit enfant qu'il était au fond, mais ne comprenant pas. S'il avait passé par-dessus le mur, pour faire entrer les autres, c'était que Nise Delaveau, cet après-midi-là, avait des camarades, Paul Boisgelin, Louise Mazelle, un tas de petits bourgeois très amusants, et qu'alors on avait voulu jouer tous ensemble. Elle était très gentille, Nise Delaveau.

— Pourquoi tout à fait vilain? répéta-t-il, l'air stupéfait. On n'a fait de mal à personne, on s'est bien amusé, les uns avec les autres.

Et il dit les enfants qui se trouvaient là, il raconta sans mentir ce qu'on avait fait, des joujoux permis, car on n'avait pas cassé les plantes, ni jeté dans les plates-bandes les cailloux des allées.

— Elle s'entend très bien avec nous, Nise, dit-il en terminant. Elle m'aime bien, et je l'aime bien, depuis que nous sommes camarades.

Luc ne voulut pas sourire. Mais, dans son cœur attendri, toute une vision se levait, ces enfants des deux classes fraternisant, par-dessus les clôtures, jouant et riant ensemble, au milieu des haines et des luttes qui séparaient les pères. La paix future de la Cité allait-elle donc fleurir en eux?

— Il est possible, dit-il, que Nise soit charmante et que vous vous entendiez très bien; seulement, il est convenu qu'elle doit rester chez elle, et vous autres, chez vous, pour que personne ne se plaigne.

Sœurette, gagnée elle aussi par le charme de cette enfance innocente, le regarda de ses yeux désarmés, si pleins de pardon, qu'il ajouta doucement.

— Allez, mes petits, vous ne recommencerez pas, parce que vous nous feriez de la peine.

Lorsque Lenfant et Yvonnot eurent pris définitivement congé, en emmenant Arsène et Olympe, Eugénie et Nicolas, qui s'étaient mêlés aux jeux et qui partaient à regret, Luc dut songer à rentrer chez lui, ayant terminé sa

visite quotidienne. Mais, auparavant, il se souvint qu'il avait promis de voir
Josine, il résolut de passer chez elle. Sa matinée était bonne, il rentrait heureux, le cœur battant d'espoir. D'abord, ce jour-là, la Maison-Commune,
avec ses tuiles vernissées et les quelques ornements de faïence qui la décoraient, lui avait paru d'une gaieté prospère, sous le limpide soleil. Les Ateliers sentaient bon le travail, les Magasins commençaient à regorger de
provisions. Puis, c'était en lui l'espoir de voir les paysans des Combettes
s'associer, élargir l'expérience, assurer le triomphe, en donnant du blé
contre des outils et des machines. C'était aussi comme une promesse qui
aurait suffi à tout égayer, les Écoles préparant l'avenir, le jardin en fête,
plein d'un vol d'enfants, en qui demain fleurissait. Et, maintenant, il traversait sa Cité naissante, les petites maisons blanches en train de pousser de
toutes parts, parmi les verdures. Le constructeur de ville qui était en lui
goûtait une joie à chaque bâtisse nouvelle, s'ajoutant aux premières, agran-
dissant le bourg né de la veille. N'était-ce pas sa mission? les choses et
êtres n'allaient-ils pas se lever, se grouper à sa voix? Il se sentait la force de
commander aux pierres, de les faire monter, s'aligner en logis humains, en
édifices publics, où il logerait la fraternité, la vérité, la justice. Sans doute,
il ne faisait que semer encore, il n'en était qu'aux fondations, qu'aux tâtonnements du début. Mais, certains jours d'allégresse, il avait la vision de la
ville future, et son cœur chantait dans sa poitrine.

La maison occupée par Ragu et Josine, une des premières construites,
se trouvait près du parc de la Crêcherie, entre celle des Bonnaire et celle
des Bourron. Luc traversait la chaussée, lorsqu'il aperçut de loin, à l'angle
du trottoir, un groupe de commères, en grande conversation; et il reconnut bientôt madame Bonnaire et madame Bourron, qui semblaient donner
des renseignements à madame Fauchard, venue comme son mari, ce matin-
là, pour savoir si l'usine nouvelle était le pays de Cocagne dont on parlait.
La voix aigre, le geste dur, madame Bonnaire, la Toupe, ainsi qu'on la
nommait, ne devait pas embellir le tableau, toujours rageuse et mécontente,
n'arrivant à se faire du bonheur nulle part, tant elle gâtait sa vie et celle
des autres. Elle avait d'abord paru heureuse que son mari trouvât du travail
à la Crêcherie; mais, après avoir rêvé une part immédiate de gros bénéfices,
elle s'enrageait maintenant d'avoir longtemps à attendre peut-être; et son
grand grief était qu'elle n'arrivait même pas à s'acheter une montre, dont
l'envie la torturait depuis des années. Babette Bourron, au contraire, sans
cesse ravie, ne tarissait pas sur les avantages de son installation, enchantée
surtout que son mari ne lui revînt plus ivre avec Ragu. Et, entre les deux,
madame Fauchard, plus maigre, plus malchanceuse et plus dolente que
jamais, restait perplexe, penchant à croire tout perdu avec la Toupe, tellement
elle était convaincue qu'il n'y avait plus de joie pour elle dans l'existence.

La vue de la Toupe et de la Fauchard, commérant ainsi, d'un air de détresse, fut désagréable à Luc. Sa belle humeur s'en trouva gâtée, car il n'ignorait pas tout le trouble que les femmes menaçaient de porter dans la future organisation de travail, de paix et de justice. Il les sentait toutes-puissantes, c'était par elles et pour elles qu'il aurait voulu fonder sa Cité, et son courage défaillait, quand il en rencontrait de mauvaises, hostiles ou simplement indifférentes, qui, au lieu d'être le secours attendu, pouvaient devenir l'obstacle, l'élément destructeur, capable de tout anéantir. Et il passa, saluant, tandis que les femmes se taisaient, la mine inquiète, comme prises en train de mal faire.

Lorsque Luc entra dans la petite maison des Ragu, il aperçut Josine, assise, qui cousait devant une fenêtre. Mais l'ouvrage était tombé sur ses genoux, elle restait perdue en une rêverie si profonde, qu'elle ne l'entendit même pas, les yeux au loin. Un instant, il la regarda, sans avancer davantage. Ce n'était plus la misérable fille battant le pavé, mourant de faim, mal vêtue, avec un pauvre visage de misère, embroussaillé de cheveux. Elle avait vingt et un ans, elle était adorable dans sa simple robe de toile bleue, de taille fine, mince et souple, sans maigreur. Et ses beaux cheveux cendrés, d'une légèreté de soie, étaient comme la floraison délicate de son délicieux visage, un peu allongé, aux yeux bleus rieurs, à la bouche petite, d'une fraîcheur de rose. Et elle se trouvait là dans son cadre, dans cette salle à manger, si propre, si gaie, meublée de sapin verni, la pièce qu'elle préférait de cette petite maison où elle était entrée très heureuse, et que, depuis trois années, elle se plaisait tant à soigner et à embellir!

A quoi Josine rêvait-elle ainsi, la face pâle, envahie de tristesse? Lorsque Bonnaire avait décidé Ragu à le suivre, à s'associer aux camarades de la Crêcherie, elle s'était crue sauvée de toute peine. Désormais, elle aurait à elle une maison gentille, le pain serait assuré, Ragu lui-même se corrigerait, dès qu'il n'aurait plus d'ennuis à l'usine. Et la bonne chance ne s'était pas démentie, celui-ci avait fini par l'épouser, sur le désir formel de Sœurette, sans qu'elle éprouvât de ce mariage la joie qu'elle en aurait eue au début de la liaison. Elle n'avait même accepté qu'après avoir consulté Luc qui restait son dieu, le sauveur, le maître; et, tout au fond de son cœur était cachée la joie divine, le trouble où l'avait jeté cette demande de permission, la minute d'angoisse où elle l'avait deviné, avant qu'il se résignât à consentir. N'était-ce pas la solution la meilleure, la seule possible? Elle ne pouvait épouser que Ragu, puisque celui-ci voulait bien. Luc avait dû paraître content pour elle, lui gardant la même affection après le mariage, l'accueillant avec un sourire, à chacune de leurs rencontres, comme pour lui demander si elle était heureuse. Et elle sentait tout son pauvre cœur qui se désespérait, qui se fondait, en un besoin inassouvi de tendresse.

Josine eut un léger frisson, dans sa douloureuse rêverie, comme prévenue par un souffle, et elle se retourna, et elle reconnut Luc, qui souriait, de son air affectueux et inquiet.

— Chère enfant, je viens parce que Ragu prétend que vous êtes très mal dans cette maison, qu'elle est exposée à tous les courants d'air de la plaine, et que le vent a encore cassé trois vitres, à la fenêtre de votre chambre.

Elle l'écoutait, l'air surpris et confus, ne sachant comment ne pas dire le contraire de son mari, sans mentir.

— Oui, monsieur Luc, il y a eu des carreaux cassés, mais je ne suis pas bien sûre que ce soit à cause du vent. Et sans doute, lorsque le vent souffle de la plaine, nous en avons notre bonne part.

Sa voix tremblait, elle ne put retenir deux grosses larmes. C'était Ragu, qui, le matin même, dans un emportement, avait cassé les vitres, en voulant tout jeter par la fenêtre.

— Comment! Josine, vous pleurez? Voyons, parlez, confessez-vous à moi. Vous savez bien que je suis votre ami.

Et il s'était assis près d'elle, très ému, partageant sa peine. Mais, déjà, elle avait essuyé ses larmes.

— Non, non, ce n'est rien. Je vous demande pardon, vous me trouvez dans un mauvais moment, en train de ne pas être raisonnable et de me faire du chagrin.

Elle eut beau se débattre, il la confessa. Ragu ne s'acclimatait pas, dans ce milieu d'ordre, de paix, d'effort lent et continu vers l'existence meilleure. Il semblait avoir la nostalgie de la misère, de la souffrance, de ce salariat où il avait vécu, grondant contre le patron, mais fait au pli de l'esclavage, s'en consolant au cabaret, dans l'ivresse, dans une révolte de paroles impuissantes. Il regrettait les ateliers noirs et sales, la guerre sourde avec les chefs, les bordées tapageuses avec les camarades, toutes ces abominables journées de haine qu'on achevait au logis en battant la femme et les enfants. Et, ayant commencé par des plaisanteries, il en arrivait aux accusations, il traitait la Crêcherie de grande caserne, de prison où l'on n'avait plus aucune liberté, pas même celle de boire un coup de trop, si l'envie vous en prenait. Jusqu'à présent, on n'y gagnait pas plus qu'à l'Abîme, et l'on y avait toutes sortes de soucis, l'inquiétude que ça ne marchât pas, qu'on n'eût rien à toucher, le jour du partage des bénéfices. Ainsi, depuis deux mois, les plus mauvais bruits couraient, on craignait, cette année-là, d'avoir à se serrer le ventre, à cause de l'achat de machines nouvelles. Sans compter que les Magasins coopératifs fonctionnaient souvent mal : on vous envoyait parfois des pommes de terre, quand vous aviez demandé du pétrole; ou bien on vous oubliait, vous deviez retourner trois fois au bureau de distribution, avant

d'être servi. Et il se moquait, et il se fâchait, il traitait la Crêcherie de sale
baraque, d'où il espérait bien filer, dès qu'il le pourrait.

Un silence pénible se fit. Luc était devenu sombre, car il y avait quelque
vérité, au fond de ces récriminations. C'étaient là les grincements inévitables
de la machine neuve encore. Et, surtout, les bruits qu'on faisait courir, les
difficultés de la présente année, l'affectaient d'autant plus, qu'il craignait
d'être en effet forcé de demander certains sacrifices aux ouvriers, pour ne
pas compromettre la prospérité de la maison.

— Et Bourron crie avec Ragu, n'est-ce pas? demanda-t-il. Mais vous
n'avez jamais entendu Bonnaire se plaindre?

D'un signe de tête, Josine répondait négativement, lorsque, par la
fenêtre ouverte, on entendit les voix des trois femmes restées sur le trottoir.
Ce devait être la Toupe qui s'oubliait, qui glapissait, dans son continuel
besoin de s'emporter et de mordre. Si Bonnaire se taisait, en homme réfléchi,
dont la raison consentait aux longues expériences, sa femme suffisait pour
ameuter toutes les commères du petit bourg naissant. Et Luc la revit désolant la Fauchard, annonçant la ruine prochaine de la Crêcherie.

— Alors, Josine, reprit-il lentement, vous n'êtes pas heureuse!

Elle voulut de nouveau protester.

— Oh! monsieur Luc, comment ne serais-je pas heureuse, lorsque vous
avez tant fait pour moi?

Mais ses forces la trahirent, deux grosses larmes reparurent dans ses
yeux, roulèrent sur ses joues.

— Vous le voyez bien, Josine, vous n'êtes pas heureuse.

— Je ne suis pas heureuse, c'est vrai, monsieur Luc. Seulement, vous
n'y pouvez rien, ce n'est pas votre faute. Vous avez été pour moi un bon
Dieu, et que faire? si rien ne réussit à changer le cœur de ce malheureux...
Il redevient méchant, il ne supporte plus Nanet, il a failli tout casser, ce
matin, et il m'a battue, parce que l'enfant, disait-il, lui répondait mal....
Laissez-moi, monsieur Luc, ce sont des choses qui me regardent, je vous
promets de me faire le moins de peine que je pourrai.

Sa voix était coupée de sanglots, tremblante, presque indistincte. Et lui,
impuissant, se sentait envahi d'une tristesse croissante. Toute sa matinée
heureuse finissait par en être obscurcie, il était comme glacé d'un souffle de
doute, de désespérance, lui si brave, dont l'espoir joyeux faisait la force.
Lorsque les choses obéissaient, lorsque le succès matériel semblait s'affirmer,
il ne pourrait donc changer les hommes, développer dans les cœurs le divin
amour, la fleur féconde de bonté, de solidarité? Si les hommes restaient
dans la haine et dans la violence, son œuvre ne s'accomplirait pas; et comment les éveiller à la tendresse, comment leur enseigner le bonheur? Cette
chère Josine, qu'il était allé chercher si bas, qu'il avait sauvée d'une si

atroce misère, elle était pour lui l'image même de son œuvre. Tant que
Josine ne serait pas heureuse, son œuvre ne serait point. Elle était la femme,
la femme misérable, l'esclave, la chair à travail et à plaisir, dont il avait
rêvé d'être le sauveur. C'était surtout par elle et pour elle, entre toutes les
femmes, que la Cité future se bâtirait. Et, si Josine était toujours malheureuse, c'était que rien encore de solide ne se trouvait fondé, c'était que tout
restait encore à faire. Dans son chagrin, il prévit des jours douloureux, il
eut la nette sensation de la terrible lutte qui allait s'engager entre le passé
et l'avenir, et où lui-même y laisserait de ses larmes et de son sang.

— Ne pleurez pas, Josine, soyez brave, et je vous jure que vous serez
heureuse, parce qu'il le faut, pour que tout le monde soit heureux.

Il avait dit cela si doucement, qu'elle trouva un sourire.

— Oh! je suis brave, monsieur Luc, je sais bien que vous ne m'aban-
donnerez pas et que vous finirez par avoir raison, puisque vous êtes la bonté
et le courage. J'attendrai, je vous le jure, dussé-je attendre toute ma vie.

C'était comme un engagement, un échange de promesses, dans l'espérance du bonheur à venir. Il s'était mis debout, il lui avait pris les deux
mains, qu'il serrait; et il la sentit qui serrait les deux siennes; et il n'y eut,
entre eux, que cette tendresse, cette union de quelques secondes. Quelle
simple existence de paix et de joie on aurait vécue, dans la petite salle à
manger, au meuble de sapin verni, si gaie et si propre!

— Au revoir, Josine.

— Au revoir, monsieur Luc.

Alors, Luc rentra chez lui. Et il suivait la terrasse, au bas de laquelle
passait la route des Combettes, lorsqu'une dernière rencontre l'arrêta un
instant. Il venait d'apercevoir, longeant les terrains de la Crêcherie, monsieur Jérôme, dans sa petite voiture, que poussait un domestique. Cette
apparition lui en rappelait d'autres, des apparitions répétées, çà et là, de ce
vieillard infirme dans cette voiture, surtout la première, celle où il l'avait
vu passant devant l'Abîme, regardant de ses yeux clairs les bâtiments
fumeux et retentissants de l'usine, où il avait fondé la fortune des Qurignon.
Et il passait maintenant devant la Crêcherie, il en regardait les bâtiments
neufs et si gais au soleil, des mêmes yeux clairs, qui semblaient vides.
Pourquoi donc s'était-il fait rouler jusque-là, faisant le tour, comme pour
un examen complet? Que pensait-il, que jugeait-il, quelle comparaison voulait-il établir? Peut-être n'était-ce que le hasard d'une promenade, le
caprice d'un pauvre vieil homme retombé en enfance. Et, tandis que le
domestique avait ralenti l'allure, monsieur Jérôme levait sa face large, aux
grands traits réguliers, encadrée de longs cheveux blancs, l'air grave et
impassible, examinant tout, ne laissant passer ni une façade, ni une cheminée,
sans lui donner un regard, comme s'il avait voulu se rendre compte de cette

ville nouvelle qui poussait ainsi, à côté de la maison que lui-même avait créée autrefois.

Mais un incident se produisit, Luc sentit croître son émotion. Un autre vieil homme, infirme également, et se traînant encore sur ses jambes enflées, venait sur la route, à la rencontre de la petite voiture. C'était le père Lunot, gros, les chairs molles et blêmes, que les Bonnaire avaient gardé avec eux, et qui, les jours de soleil, faisait devant l'usine de courtes promenades. D'abord, les yeux affaiblis, il ne dut pas reconnaître monsieur Jérôme. Puis, il eut un sursaut, il s'effaça, se colla contre le mur, comme si la route n'était pas assez large pour deux; et, levant son chapeau de paille, il se courba, il salua profondément. C'était à l'ancêtre des Qurignon, au patron fondateur, que le premier des Ragu, salarié et père de salariés, rendait hommage. Des années, et, derrière lui, des siècles de travail, de souffrance, de misère, se courbaient, dans ce salut tremblant. Au passage du maître, même foudroyé, l'ancien esclave, qui avait dans le sang la lâcheté des servitudes séculaires, se troublait et s'inclinait. Et monsieur Jérôme ne le vit même pas, passa de son air d'idole hébétée, en continuant d'examiner les ateliers nouveaux de la Crêcherie, peut-être sans les voir.

Luc avait frémi. Quel passé à détruire, quelle ivraie mauvaise, encombrante et empoisonneuse, il faudrait arracher du vieil homme ! Il regarda sa ville qui sortait à peine de terre, il comprit avec quelle peine, au milieu de quels obstacles, elle grandirait et prospérerait. L'amour seul, et la femme, et l'enfant, finiraient par vaincre.

II

Depuis quatre ans que la Crêcherie était fondée, une sourde haine montait de Beauclair contre Luc. D'abord, il n'y avait eu qu'un étonnement hostile, des plaisanteries faciles et méchantes; mais, depuis que des intérêts se trouvaient lésés, la colère était venue, le besoin de se défendre furieusement, de se défendre par toutes les armes contre l'ennemi public.

Ce fut surtout chez les petits commerçants, chez les détaillants, que l'inquiétude première se produisit. Les Magasins coopératifs de la Crêcherie, dont on s'était moqué, lors de leur ouverture, réussissaient, avaient peu à peu pour clients, non seulement les ouvriers de l'usine, mais encore tous les habitants qui faisaient acte d'adhésion. Et l'on pense si les anciens fournisseurs habituels s'émotionnaient de cette terrible concurrence, de ces tarifs nouveaux abaissant le prix des articles d'un bon tiers ! C'était la lutte impossible, la ruine à bref délai, si ce Luc de malheur venait à vaincre, avec son idée désastreuse de vouloir que la richesse fût plus justement répartie, et que, pour commencer, les petits de ce monde pussent vivre mieux et à meilleur compte. Les bouchers, les épiciers, les boulangers, les marchands de vin, allaient donc être forcés de fermer boutique, du moment qu'on se passait très bien de leur intermédiaire, en évitant de leur laisser aux doigts un argent inutile ? Et ils criaient à l'abomination, la société craquait et s'effondrait, le jour où ils n'aggravaient plus de leurs gains de parasites la misère des pauvres.

Mais les plus touchés encore furent les Laboque, ces quincailliers, anciens colporteurs de foires, qui avaient fini par tenir une sorte de vaste bazar, à l'angle de la rue de Brias et de la place de la Mairie. Les prix des fers marchands étaient de beaucoup tombés dans la région, depuis que la Crêcherie en fabriquait des quantités considérables; et le pis était que, grâce au mouvement d'association qui gagnait les petites usines du voisinage, le moment semblait venir où les consommateurs, sans passer par les Laboque, se procureraient directement, dans les Magasins coopératifs, les clous des Chodorge, les faulx et les serpes des Hausser, les machines et les outils agricoles des Mirande. Déjà, sans compter les fers, les Magasins de la Crêcherie fournissaient plusieurs de ces articles, et le chiffre des affaires du bazar baissait chaque jour. Aussi les Laboque ne décoléraient-ils pas, exaspérés de ce qu'ils nommaient l'avilissement des prix, se considérant comme volés, dès l'instant qu'on empêchait leur rouage inutile de manger de l'énergie et de la richesse, sans autre profit que pour eux. Ils étaient devenus naturellement un centre actif d'hostilité et d'opposition, le foyer où flambaient peu à peu toutes les haines allumées par les réformes de Luc, dont le nom n'était plus prononcé qu'avec exécration. Là se rencontraient le boucher Dacheux, bégayant de rage réactionnaire, et l'épicier-cabaretier Caffiaux, plus froid, empoisonné de rancune, mais sachant peser son intérêt. Même la belle madame Mitaine, la boulangère, venait parfois et se désolait des clients qu'elle perdait, tout en inclinant à la bonne entente.

— Vous ne le savez donc pas, criait Laboque, ce monsieur Luc, comme ils le nomment, n'a qu'une idée au fond, celle de détruire le commerce. Oui, il s'en vante, il dit tout haut cette monstruosité : le commerce est un vol, nous sommes tous des voleurs, nous devons disparaître. C'est pour nous bayer qu'il a fondé la Crêcherie.

Dacheux, le sang au visage, écoutait avec des yeux ronds.

— Et, alors, comment fera-t-on pour manger, s'habiller, et le reste ?

— Dame ! il dit que le consommateur s'adressera directement au producteur.

— Et l'argent ? demandait encore le boucher.

— L'argent ! mais il le supprime aussi, il n'y aura plus d'argent. Hein ? est-ce bête ? comme si l'on pouvait vivre sans argent !

Du coup, Dacheux étranglait de fureur.

— Plus de commerce ! plus d'argent ! il détruit tout, et il n'y a pas de prison pour un bandit pareil, qui ruinera Beauclair, si nous n'y mettons pas bon ordre !

Mais Caffiaux hochait gravement la tête.

— Il en dit bien d'autres... Il dit d'abord que tout le monde doit travailler, un vrai bagne où il y aura des gardes avec des bâtons, pour que chacun fasse sa besogne. Il dit qu'il ne doit exister ni riches ni pauvres, on ne sera pas plus riche en naissant qu'en mourant, on mangera ce qu'on gagnera, ni plus ni moins d'ailleurs que le voisin, sans avoir même le droit de faire des économies.

— Eh bien ! et l'héritage ? interrompait de nouveau Dacheux.

— Il n'y aura plus d'héritage.

— Comment ! plus d'héritage, je ne laisserai plus à ma fille mon argent à moi ? Tonnerre de Dieu ! c'est trop fort !

Et le boucher ébranlait la table d'un violent coup de poing.

— Il dit encore, continuait Caffiaux, qu'il n'y aura plus d'autorité d'aucune sorte, plus de gouvernement, plus de gendarmes, plus de juges, plus de prisons. Chacun vivra comme il voudra, mangera et dormira à sa guise... Il dit aussi que les machines finiront par faire tout le travail et que les ouvriers auront seulement le petit souci de les conduire. Ce sera le paradis, parce qu'on ne se battra plus, qu'il n'y aura plus d'armées et plus de guerres... Et il dit enfin que les hommes et les femmes, quand ils s'aimeront, se mettront ensemble pour le temps qu'il leur plaira, puis se lâcheront de bon accord, quittes à recommencer avec d'autres. Et, s'il vient des enfants, la communauté les prendra à son compte, les élèvera en tas, au petit bonheur, sans qu'ils aient besoin de mère ni de père.

Muette jusque-là, la belle madame Mitaine se récriait.

— Oh ! les pauvres petits !... Chaque maman, j'espère, aura bien le droit d'élever les siens. C'est bon pour les enfants qu'on a le mauvais cœur d'abandonner, d'être élevés pêle-mêle, par des mains étrangères, ainsi que dans les asiles d'orphelins... Tout ce que vous nous racontez, ça ne m'a l'air guère propre.

— Dites que c'est de la saleté pure ! clamait Dacheux, hors de lui. Ça ne se passe pas autrement sur le trottoir : on ramasse une fille, on la prend, on la quitte. Ah bien ! une vraie maison publique, que leur société future !

Et Laboque, qui ne perdait pas de vue ses intérêts menacés, finissait par conclure :

— Il est fou, ce monsieur Luc. Nous ne pouvons pas le laisser ainsi ruiner et déshonorer Beauclair. Il va falloir nous entendre pour agir.

Mais les colères s'accrurent encore, un déchaînement universel se produisit, lorsque Beauclair sut que l'infection de la Crêcherie gagnait le village voisin des Combettes. Ce fut une stupeur, une réprobation, voilà que monsieur Luc débauchait, empoisonnait les paysans ! Lenfant, le maire des Combettes, aidé de son adjoint, Yvonnot, après avoir rapproché, réconcilié les quatre cents habitants de la commune, venait de les décider à mettre leurs terres en commun, par un acte d'association copié sur celui qui régissait le capital, le travail et le talent, à l'usine nouvelle. Il n'y aurait plus qu'un vaste domaine, permettant l'usage des machines, des grandes fumures, des cultures intensives, décuplant les récoltes, donnant l'espoir d'un large partage des bénéfices. Et les deux associations allaient se consolider l'une par l'autre, les paysans fourniraient le pain aux ouvriers, qui leur fourniraient les outils, les objets manufacturés nécessaires à leur existence; de sorte qu'il y aurait rapprochement des deux classes ennemies, fusion peu à peu intime, tout un embryon de peuple fraternel. C'était la fin du vieux monde, si le socialisme gagnait à lui les paysans, les innombrables travailleurs des campagnes, considérés jusque-là comme les remparts de la propriété égoïste, se tuant de besogne ingrate sur leur motte de terre, plutôt que de l'aliéner. L'ébranlement en fut senti dans tout Beauclair, un frisson passa, qui annonçait la catastrophe prochaine.

Et, de nouveau, les Laboque se trouvèrent les premiers frappés. Ils perdaient la clientèle des Combettes, ils ne virent plus ni Lenfant, ni les autres, venir leur acheter des bêches, des charrues, des outils et des ustensiles. Dans une dernière visite que Lenfant leur fit, il marchanda, n'acheta rien, leur déclara tout net qu'il gagnerait trente pour cent à ne plus se fournir chez eux, puisqu'ils étaient forcés de prélever un tel gain sur les objets qu'ils se procuraient eux-mêmes dans les usines voisines. Désormais, tous ceux des Combettes s'adressèrent directement à la Crêcherie, en adhérant aux magasins coopératifs, dont l'importance continuait à croître. Et, dès lors, ce fut la terreur, chez tous les petits détaillants de Beauclair.

— Il faut agir, il faut agir, répétait Laboque avec une violence croissante, lorsque Dacheux et Caffiaux le venaient voir. Si nous attendons que ce fou empoisonne tout le pays de ses doctrines monstrueuses, nous arriverons trop tard.

— Quoi faire? demandait prudemment Caffiaux.

Dacheux étaient pour les tueries franches.

— On pourrait l'attendre au coin d'une rue, le soir, et lui allonger une de ces volées qui font réfléchir un homme.

Mais Laboque, petit et sournois, rêvait de moyens plus sûrs pour tuer son homme.

— Non, non, toute la ville se soulève contre lui, il faut saisir une occasion où nous aurons toute la ville avec nous.

Et l'occasion, en effet, se présenta. Le vieux Beauclair, depuis des siècles, était traversé par un ruisseau infect, une sorte d'égout à découvert, qu'on nommait le Clouque. On ne savait même d'où il venait, il semblait sortir de dessous d'antiques masures, au débouché des gorges de Brias; et l'idée commune était qu'il s'agissait là d'un de ces torrents de montagne, dont les sources restent inconnues. Les très vieilles gens se souvenaient de l'avoir vu couler à pleins bords, à certaines époques. Mais, depuis de longues années, il ne débitait plus qu'une eau rare, dont les industries voisines empoisonnaient la fraîcheur. Les ménagères des maisons riveraines avaient même fini par le prendre comme l'évier naturel où elles déversaient leurs eaux de vaisselle et leurs ordures, de sorte qu'il roulait tous les détritus du quartier pauvre, et qu'il exhalait, les jours d'été, une puanteur épouvantable. Un moment, des craintes sérieuses d'épidémie s'étant répandues, le conseil municipal, sur l'initiative du maire, avait discuté la question de savoir si l'on ne le couvrirait pas, pour qu'il passât sous terre. Mais la dépense apparut trop forte, on n'en parla plus, le Clouque continua tranquillement à empuantir et à contaminer le voisinage. Et voilà, tout d'un coup, que le Clouque tarit complètement, se dessécha, ne fut qu'une dure voie rocheuse, sans une goutte d'eau. Beauclair, comme par la baguette d'un magicien, était débarrassé de ce foyer d'infection, auquel on attribuait toutes les mauvaises fièvres du pays; et il ne restait que la curiosité de savoir par où le torrent avait bien pu s'en aller.

D'abord, il y eut simplement une rumeur vague. Ensuite, les faits se précisèrent, il fut certain que c'était monsieur Luc qui avait commencé à détourner le torrent, le jour où il avait capté les sources sur les pentes des Monts Bleuses, pour les besoins de la Crêcherie, toute cette belle eau claire et ruisselante qui en était la santé, la prospérité. Mais, surtout, il avait achevé de prendre tout entier le torrent, quand il s'était avisé de donner le trop-plein de ses réservoirs aux paysans des Combettes, faisant ainsi leur fortune, déterminant leur association heureuse, grâce à cette eau dont le bienfait les avait réunis, en coulant pour tous. Bientôt, les preuves abondèrent, cette eau disparue du Clouque, elle ruisselait dans le Grand-Jean, décuplée, utilisée par l'intelligence, devenue de la richesse, au lieu d'être de l'ordure et de la mort. Et les rancunes, les colères reprirent, grandirent contre ce Luc disposant avec ce sans-gêne de ce qui n'était pas à lui. Pourquoi donc avait-il volé le torrent! pourquoi le gardait-il, le donnait-il à ses créatures? On ne prenait pas de la sorte l'eau d'une ville, un ruisseau qui avait toujours coulé là, qu'on était habitué à voir, qu'on utilisait à toutes sortes de services. Le maigre filet d'eau sale, charriant d'immondes détritus, exhalant la peste, tuant le monde, était oublié. On ne parlait plus de l'enfouir, chacun disait quel grand bénéfice il en tirait, et pour l'arrosage, et pour le blanchissage, et pour les besoins quotidiens de l'existence. Un tel vol ne pouvait se tolérer, il fallait que la Crêcherie rendît le Clouque, l'égout infect, dont la ville était empoisonnée.

Laboque fut naturellement celui qui cria le plus fort. Il fit une visite officielle à Gourier, le maire, pour savoir quelle décision il entendait proposer au conseil municipal, dans des circonstances si graves. Lui, Laboque, se prétendait particulièrement lésé, parce que le Clouque passait derrière sa maison, au bout de son petit jardin, et qu'il affirmait en tirer des avantages considérables. Sans doute, s'il s'était mis à récolter des signatures de protestation, il aurait réuni celles de tous les habitants de son quartier. Mais son idée était que la ville devait prendre elle-même l'affaire en main, intenter

un procès à la Crêcherie, en restitution de torrent et en dommages-intérêts.
Gourier l'écouta, se contenta d'approuver par des signes de tête, malgré la
haine inquiète qu'il nourrissait personnellement contre Luc. Puis, il demanda
quelques jours de réflexion, voulant examiner le cas et consulter les gens
autour de lui. Il sentait bien que Laboque poussait la ville à marcher, pour
ne pas marcher en personne. Le sous-préfet Châtelard, avec lequel il s'enferma
pendant deux heures, dut alors le convaincre, dans sa terreur des complications, de la sagesse qu'il y avait à toujours laisser les autres faire les procès ;
car il ne rappela le quincaillier que pour lui expliquer longuement qu'un
procès fait par la ville traînerait, n'aboutirait à rien de sérieux, tandis qu'un
procès fait par un particulier serait autrement désastreux pour la Crêcherie,
surtout si, après la condamnation, d'autres particuliers le recommençaient,
indéfiniment.

Quelques jours plus tard, Laboque lança l'assignation, demandant vingt-
cinq mille francs de dommages-intérêts. Et, comme pour une fête, il y eut
une réunion chez lui, sous le prétexte innocent d'un goûter offert par sa fille
et son fils, Eulalie et Auguste, à leurs camarades Honorine Caffiaux, Évariste
Mitaine et Julienne Dacheux. Tout ce petit monde grandissait, Auguste avait
seize ans, et Eulalie, neuf, tandis que les quatorze ans d'Évariste le rendaient
sérieux déjà, et que les dix-neuf d'Honorine, bonne à marier, la faisaient
maternelle pour les huit ans de Julienne, la plus jeune de la bande. D'ailleurs, ils s'installèrent tout de suite dans l'étroit jardin, et jouèrent, et rirent
comme des fous, la conscience claire et gaie, ignorante des haines et des
colères de leurs parents.

— Enfin, nous le tenons ! cria Laboque. Monsieur Gourier m'a bien dit
que, si nous allions jusqu'au bout, nous ruinerions l'usine... Admettons
que le tribunal m'accorde dix mille francs, vous êtes une centaine qui pouvez
lui faire le même procès, il devra donc sortir de sa poche un joli petit million. Et ce n'est pas tout, il lui faudra rendre le torrent et démolir les travaux qu'il a exécutés, ce qui le privera de cette belle eau fraîche dont il est
si glorieux... Ah ! mes amis, la bonne affaire !

Tous s'excitaient triomphalement à l'idée de ruiner l'usine, d'abattre
surtout ce Luc, cet insensé qui voulait détruire le commerce, l'héritage,
l'argent, les fondements les plus vénérables des sociétés humaines. Seul,
Caffiaux réfléchissait.

— J'aurais préféré, finit-il par dire, que la ville fît le procès. Quand il
faut se battre, ces bourgeois aiment toujours mieux que ce soient les autres.
Où sont-ils donc les cent qui assigneront la Crêcherie ?

Dacheux éclata.

— Ah ! ce que je m'en serais mis volontiers, moi ! si ma maison ne se
trouvait pas de l'autre côté de la rue ! Et encore, je vais voir, parce que le

— Non, non, ce n'est rien, vous me trouvez dans un mauvais moment.

Clouque passe au bout de la cour de ma belle-mère. Il faut que j'en sois, tonnerre de Dieu?

— Mais, reprit Laboque, il y a d'abord madame Mitaine, qui est dans les mêmes conditions que moi, et dont la maison souffre, comme la mienne, depuis que le ruisseau est tari... Vous assignerez, n'est-ce pas, madame Mitaine?

Il l'avait invitée à venir, dans la sourde intention de la forcer à s'engager formellement, car il la savait désireuse de sa propre paix et respectueuse de la paix des autres, en brave femme. Elle se mit d'abord à rire.

— Oh! le tort fait à ma maison par la disparition du Clouque! Non, non, mon voisin, la vérité est que j'avais donné l'ordre de ne jamais employer une goutte de cette eau corrompue, dans la crainte de rendre malade ma clientèle... C'était si sale et ça sentait si mauvais, qu'il faudrait absolument, le jour où l'eau nous serait rendue, dépenser l'argent nécessaire pour nous en débarrasser, en la faisant passer sous terre, comme il en avait jadis été question.

Laboque feignit de ne pas entendre.

— Mais enfin, madame Mitaine, vous êtes avec nous, vos intérêts sont les nôtres, et si je gagne mon procès, vous marcherez avec tous les propriétaires riverains, forts de la chose jugée?

— Nous verrons, nous verrons, répondit la belle boulangère, devenue sérieuse. Je veux bien être avec la justice, si elle est juste.

Et il fallut que Laboque se contentât de cette promesse conditionnelle. Du reste, l'exaltation de rancune où il était le jetait hors de toute sagesse, il croyait déjà tenir la victoire, l'écrasement de ces folies socialistes dont l'essai, en quatre ans, avait fait tomber sa vente de moitié. C'était toute la société qu'il vengeait, en donnant des coups de poing sur la table, avec Dacheux; tandis que le prudent Caffiaux, de diplomatie compliquée, attendait le triomphe du vieux Beauclair ou de la Crêcherie, avant de s'engager à fond. Et, à leur table, où des sirops et des gâteaux étaient servis, les enfants, sans rien écouter de la bataille prochaine, fraternisaient comme un vol de gais oiseaux, lâchés en plein ciel, au libre avenir.

Tout Beauclair fut bouleversé, lorsqu'on y connut l'assignation de Laboque, cette demande de vingt-cinq mille francs, qui était l'ultimatum, la déclaration de guerre. Dès lors, il y eut un terrain de ralliement, les hostilités éparses se rencontrèrent, se groupèrent en une armée active, dont les forces entrèrent en campagne contre Luc et son œuvre, l'usine diabolique où se forgeait la ruine de la société antique et respectable. C'était l'autorité, la propriété, la religion, la famille qu'il s'agissait de défendre. Beauclair entier finissait par en être, les fournisseurs lésés ameutaient leurs clients, la bourgeoisie suivait, dans sa terreur des idées neuves. Il n'était pas de petit

rentier qui ne se sentît sous la menace d'un cataclysme effroyable, où s'effon-
drerait son étroite existence égoïste. Les femmes s'indignaient, se révoltaient,
depuis que le triomphe de la Crêcherie leur était présenté comme celui d'un
immense mauvais lieu, où elles seraient toutes au premier passant venu qui
aurait le caprice de les prendre. Même les ouvriers, même les pauvres mourant de faim, s'inquiétaient, commençaient à maudire l'homme, dont le
rêve ardent était de les sauver, et qu'ils accusaient d'aggraver leur misère,
en rendant les patrons et les riches plus inexorables. Mais surtout ce qui
empoisonnait, ce qui affolait Beauclair, c'était une violente campagne que
menait le journal local, la petite feuille publiée chez l'imprimeur Leblcu.
À cette occasion, le journal était devenu bi-hebdomadaire, et l'on soupçonnait le capitaine Jollivet d'être l'auteur des articles dont la virulence faisait
sensation. L'attaque, d'ailleurs, se réduisait à un bombardement d'erreurs
et de mensonges, toute la boue inepte qu'on jette au socialisme, en carica-
turant ses intentions et en souillant son idéal. Seulement, le succès d'une
telle tactique était certain sur de faibles cerveaux ignorants, et ce fut merveille comme le soulèvement gagna de proche en proche, au milieu d'in-
trigues compliquées, réunissant contre le perturbateur public toutes les
classes ennemies, furieuses de se voir dérangées dans leur cloaque séculaire,
sous le vain prétexte de les conduire, réconciliées, à la Cité saine, à la Cité
juste et heureuse de l'avenir.

Deux jours avant que le procès intenté à Luc par Laboque vînt devant
le tribunal civil de Beauclair, il y eut à l'Abîme, chez les Delaveau, un grand
déjeuner, dont le but secret était de se voir et de s'entendre, avant la
bataille. Les Boisgelin se trouvaient naturellement invités, le maire Gourier,
le sous-préfet Châtelard, le juge Gaume avec son gendre le capitaine Jollivet, enfin l'abbé Marle. Les dames en étaient, afin que la rencontre gardât
son apparence d'aimable réunion intime.

Châtelard, comme il le faisait d'habitude, passa chez le maire, dès onze
heures et demie, pour le prendre avec sa femme, la toujours belle Léonore.
Depuis le succès de la Crêcherie, Gourier traversait de mauvais moments
d'inquiétude et de doute. D'abord, il avait senti, parmi les centaines d'ouvriers qu'il employait, dans sa grande cordonnerie de la rue de Brias, une
sorte de vacillement, le frisson nouveau, l'association menaçante. Puis, il
s'était demandé si le mieux ne serait pas de céder, d'aider lui-même à cette
association, dont le succès le ruinerait, s'il ne s'en mettait pas. Mais c'était
là un combat intérieur qu'il tenait caché, car il avait une plaie vive, une
rancune qui le faisait l'ennemi personnel de Luc, depuis le jour où son fils
Achille, ce grand garçon indépendant, avait rompu avec lui pour occuper un
emploi à la Crêcherie, où il vivait près de Ma-Bleue, son amoureuse des
nuits bleues. Il avait défendu qu'on prononçât en sa présence le nom de

l'ingrat, déserteur de la bourgeoisie, passé à l'ennemi de toute sécurité sociale. Et, sans qu'il voulût le dire, ce départ de son fils aggravait son incertitude secrète, dans la crainte sourde où il était de se trouver peut-être un jour forcé de le suivre.

— Eh bien! dit-il à Châtelard, dès qu'il le vit entrer, le voilà qui arrive, ce procès. Laboque est revenu me voir, pour des certificats. Son idée est toujours d'engager la ville, et il est bien difficile de ne pas lui donner un coup de main, après l'avoir poussé comme nous l'avons fait.

Le sous-préfet se contenta de sourire.

— Non, non! mon ami, écoutez-moi, n'engagez pas la ville... Vous avez été assez sage pour vous rendre à mes bonnes raisons, en ne faisant pas le procès et en laissant marcher ce terrible Laboque, qui a soif de vengeance et de massacre. Je vous en prie, continuez, restez simple spectateur, il sera toujours temps de profiter de sa victoire, s'il est victorieux... Ah! mon ami, si vous saviez tout le bénéfice qu'on trouve à ne se mêler de rien!

Et, d'un geste, il compléta sa pensée, il dit toute la paix qu'il goûtait dans sa sous-préfecture, depuis qu'il s'y faisait oublier. Les choses allaient de mal en pis à Paris, l'autorité centrale s'effondrait un peu chaque jour, le temps était proche où la société bourgeoise devait s'émietter d'elle-même ou être emportée par une révolution; et lui, bon philosophe sceptique, demandait seulement à durer jusque-là, heureux de finir sans trop d'embarras, dans le nid tiède qu'il s'était choisi. Aussi toute sa politique se résumait-elle à laisser aller les faits, en s'en occupant le moins possible, convaincu du reste que le gouvernement, au milieu des difficultés où il agonisait, lui savait un gré infini d'abandonner la bête à sa belle mort, sans la tracasser davantage. C'était précieux, un sous-préfet dont on n'entendait jamais parler, dont l'effort intelligent avait supprimé Beauclair du souci gouvernemental. Et il réussissait très bien, on ne se souvenait de lui que pour le combler d'éloges, tandis qu'il achevait paisiblement d'enterrer la société mourante, en vivant son dernier automne aux genoux de la belle Léonore.

— Vous entendez, mon ami, ne vous compromettez pas, car, dans un temps comme le nôtre, on ne peut savoir ce qui arrivera demain. Il faut s'attendre à tout, le mieux est donc de ne s'exclure de rien. Laissez les autres courir les premiers et risquer de se casser les os. Vous verrez bien ensuite.

Mais Léonore entrait, vêtue de soie claire, comme rajeunie depuis qu'elle avait dépassé la quarantaine, d'une beauté blonde majestueuse, avec des yeux candides de dévote, dans son ménage à trois, accepté d'ailleurs de toute la ville. Et Châtelard lui prit la main, la baisa, galant comme au premier jour, installé là pour sa fin d'existence, pendant que le mari, l'air soulagé de devoirs trop lourds, les couvait d'un regard affectueux, en homme qui avait des compensations au dehors.

— Ah! tu es prête. Alors, nous partons, n'est-ce pas? Châtelard... Et, soyez tranquille, je suis prudent, je n'ai pas envie de me fourrer dans quelque bagarre, où nous laisserions notre tranquillité. Mais, vous savez, tout à l'heure, chez les Delaveau, il va falloir dire comme les autres.

A la même heure, le président Gaume attendait chez lui sa fille Lucile et son gendre le capitaine Jollivet, qui devaient venir le prendre, pour se rendre tous les trois ensemble à ce déjeuner des Delaveau. Le président avait beaucoup vieilli en quatre années, il semblait devenu plus sévère et plus triste, maniaque du droit, passant des heures à motiver ses jugements avec une minutie croissante. On l'avait, disait-on, entendu sangloter, certains soirs, comme si tout croulait sous lui, même la justice à laquelle il se cramponnait désespérément, espérant encore se sauver sur cette dernière épave. Et, dans le douloureux souvenir du drame intime qui l'écrasait, la trahison et la mort violente de sa femme, il devait surtout souffrir de voir ce drame renaître, sa fille adorée, cette Lucile, de visage si virginal, de ressemblance si frappante avec sa mère, tromper son mari, comme celle-ci l'avait trompé lui-même. Elle n'était pas depuis six mois la femme du capitaine Jollivet, qu'elle le trahissait, se donnait au petit clerc d'un avoué, un grand gamin blond, plus jeune qu'elle, aux yeux bleus de fille. Le président, qui surprit l'intrigue, en souffrit affreusement, comme d'un recommencement de la trahison, dont la plaie saignait toujours en son cœur. Il recula devant une explication douloureuse, il aurait cru revivre l'affreuse journée où sa femme s'était tuée devant lui, en confessant sa faute. Mais quel abominable monde où tout ce qu'il avait aimé l'avait trahi! et comment croire à une justice, lorsque c'étaient les plus belles et les meilleures qui faisaient tant souffrir?

Songeur et morose, le président Gaume était assis dans son cabinet, où il venait d'achever la lecture du *Journal de Beauclair*, lorsque parurent le capitaine et Lucile. Un article d'attaque violente contre la Crêcherie, qu'il avait lu, lui paraissait sot, maladroit et grossier. Et il le dit tranquillement.

— Ce n'est pas vous, j'espère, mon brave Jollivet, qui écrivez de pareils articles, comme le bruit en court. Ça ne sert à rien, d'injurier ses adversaires.

Le capitaine eut un geste embarrassé.

— Oh! écrire, vous savez bien que je n'écris pas, ça n'a jamais été mon plaisir. Mais c'est vrai, je fournis des idées à Lebleu, simplement des notes, des bouts de papier, sur lesquels il fait rédiger ça par je ne sais qui.

Et, comme le président continuait à faire une moue de désapprobation :

— Que voulez-vous? on se bat avec les armes qu'on a. Si ces sacrées fièvres de Madagascar ne m'avaient pas forcé à donner ma démission, ce serait à coups de sabre que je tomberais sur ces idéologues, qui sont en train de nous démolir, avec leurs utopies criminelles... Ah ! bon Dieu ! que cela me soulagerait donc d'en saigner une douzaine !

Lucile, qui se taisait, petite et mignonne, avait son fin sourire énigmatique. Et elle coula sur son grand homme de mari, aux moustaches victorieuses, un regard d'une ironie si claire, que le président y lut sans peine le dédain amusé qu'elle avait pour ce sabreur, dont ses frêles mains roses jouaient comme une chatte d'une souris.

— Oh ! Charles, murmura-t-elle, ne sois pas méchant, ne dis pas des choses qui me font peur !

Mais elle rencontra les yeux de son père, elle craignit de se sentir devinée, et elle ajouta de son air de vierge candide :

— N'est-ce pas, cher père, que Charles a tort de se brûler ainsi le sang ? Nous devrions vivre tranquilles, dans notre coin, et le bon Dieu nous bénirait peut-être, en nous envoyant enfin un beau petit garçon.

Gaume vit bien qu'elle se moquait encore, tandis que s'évoquait l'image de l'amant, le petit clerc d'avoué blond, aux yeux bleus de fille, dont elle avait fait sa poupée vicieuse.

— Tout cela est bien triste et bien cruel, conclut le président, sans préciser. Que résoudre, que faire, lorsque tous se trompent et se dévorent ?

Il s'était levé péniblement, il prit son chapeau et ses gants, pour se rendre chez les Delaveau. Et, dans la rue, Lucile, qu'il adorait malgré tant de souffrance, s'étant emparée de son bras, il eut un moment de délicieux oubli, comme après une querelle d'amoureux.

A l'Abîme, dès midi, Delaveau vint rejoindre Fernande dans le petit salon, qui ouvrait sur la salle à manger, au rez-de-chaussée de l'ancien pavillon des Qurignon, où logeait maintenant le directeur de l'usine. C'était un logis assez étroit, il n'y avait en bas qu'une autre pièce, dont Delaveau avait fait son cabinet, et qui communiquait par une galerie de bois avec les bureaux voisins de l'exploitation. En haut, au premier étage et au second, se trouvaient les chambres. Depuis qu'une jeune femme, passionnée de luxe, habitait là, des tapis et des tentures avaient mis aux anciens murs noirs un peu des splendeurs et des jouissances rêvées.

Mais Boisgelin parut le premier, seul.

— Comment ! s'écria Fernande d'un air désolé, Suzanne n'est pas venue ?

— Elle vous prie de l'excuser, répondit correctement Boisgelin. Elle a été prise ce matin d'une telle migraine, qu'elle n'a pu quitter sa chambre.

Chaque fois qu'il s'agissait de venir à l'Abîme, c'était ainsi ; Suzanne trouvait un prétexte pour s'éviter cette aggravation de douleur ; et il n'y avait plus que Delaveau, dans son aveuglement, qui n'eût pas compris.

Tout de suite, d'ailleurs, Boisgelin changea la conversation.

— Eh bien ! nous voilà donc à la veille du fameux procès. N'est-ce pas ?
c'est chose faite, la Crêcherie est condamnée d'avance.

Delaveau haussa ses fortes épaules.

— Qu'on la condamne ou non, que nous importe ! Sans doute, elle nous
fait du tort, en avilissant le prix des fers ; mais nous ne sommes pas en concurrence de fabrication, et ce n'est pas encore bien grave.

Frémissante, d'une merveilleuse beauté, ce jour-là, Fernande le regarda
de ses yeux de flamme.

— Oh ! toi, tu ne sais pas haïr... Voilà un homme qui s'est mis en travers
de tous tes projets, qui a fondé à ta porte une usine rivale dont le succès
serait la ruine de celle que tu diriges, qui ne cesse d'être l'obstacle, la
menace, et tu ne souhaites seulement pas sa perte !... Ah ! qu'il soit jeté nu au
fossé, moi je serai contente !

Depuis le premier jour, elle avait bien senti que Luc allait être l'ennemi,
et elle ne pouvait parler sans haine de cet homme qui menaçait sa jouissance.
Là était le grand, l'unique crime, elle exigeait pour sa faim toujours croissante de plaisirs et de luxe des gains sans cesse accrus, une usine prospère,
des centaines d'ouvriers pétrissant l'acier, devant la bouche incendiée des
fours. C'était elle la mangeuse d'hommes et d'argent, dont l'Abîme, avec ses
marteaux-pilons, ses machines géantes, ne suffisait plus à calmer les appétits.
Et que deviendrait son espoir de grande vie future, de millions entassés et
dévorés, si l'Abîme périclitait, succombait à la concurrence ? Aussi ne lais-
sait-elle de repos ni à son mari, ni à Boisgelin, les poussant, les inquiétant,
saisissant toutes les occasions de dire sa colère et ses craintes.

Boisgelin, qui mettait une sorte de supériorité à ne jamais s'occuper des
affaires de l'usine, dépensant sans compter les bénéfices, dans sa gloriole de
bel homme aimé, cavalier élégant, grand chasseur, avait pourtant un frisson,
lorsqu'il entendait Fernande parler de ruine possible. Et il se tournait vers
Delaveau, en qui sa confiance restait absolue.

— Tu es sans inquiétude, n'est-ce pas ? cousin... Tout va bien ici ?

De nouveau, l'ingénieur haussa les épaules.

— Tout va bien, la maison n'est pas touchée encore... La ville entière se
soulève contre cet homme, c'est un fou. On va voir son impopularité, et si
je suis content au fond du procès, la raison en est que ça l'achèvera dans
l'esprit de Beauclair. Avant trois mois, les quelques ouvriers qu'il nous a
enlevés viendront, à mains jointes, me supplier de les reprendre à l'Abîme.
Vous verrez, vous verrez ! il n'y a que l'autorité, l'affranchissement du travail est une bêtise, le travailleur ne fait rien de bon, dès qu'il est son maître.

Il y eut un silence, et il ajouta d'une voix ralentie, avec une ombre de
souci dans les yeux :

— Pourtant, nous devrions être prudents, la Crêcherie n'est pas une concurrence négligeable, et ce qui m'inquiéterait, ce serait de ne pas avoir, dans une nécessité brusque, les fonds nécessaires à la lutte. Nous vivons trop au jour le jour, il devient indispensable de créer une sérieuse caisse de réserve, en y versant par exemple le tiers des gains annuels.

Fernande retint un geste d'involontaire protestation. C'était là sa crainte, que le train de son amant ne diminuât, et qu'elle n'eût à en souffrir dans les joies d'orgueil et d'amusement qu'elle en tirait. Elle dut se contenter de regarder Boisgelin, qui, d'ailleurs, de lui-même, répondit nettement :

— Non, non ! cousin, pas en ce moment-ci, je ne puis rien laisser, j'ai de trop grosses charges. D'ailleurs, je te remercie encore, car tu fais rendre à mon argent au delà de ta promesse. Nous verrons plus tard, nous en recauserons.

Mais Fernande restait nerveuse, et sa sourde colère tomba sur Nise, que la femme de chambre venait de faire déjeuner seule, et qu'elle amenait, avant de la conduire passer l'après-midi chez une petite amie. Nise, qui allait avoir sept ans, grandissait en gentillesse, rose et blonde, toujours rieuse, avec ses cheveux fous dont la toison la faisait ressembler à un petit mouton frisé.

— Tenez ! mon cher Boisgelin, voici une fille désobéissante qui me rendra malade... Demandez-lui ce qu'elle a fait, l'autre jour, à ce goûter qu'elle a offert à votre fils Paul et à la petite Louise Mazelle.

Sans se troubler le moins du monde, Nise continuait à sourire de son air gai, en fixant sur les gens ses limpides yeux bleus.

— Oh ! continua la mère, elle ne conviendra pas de sa faute... Eh bien ! malgré ma défense dix fois répétée, elle a encore ouvert l'ancienne porte, là-bas, au fond de notre jardin, et elle a fait entrer toute la marmaille malpropre de la Crêcherie. Il y a là ce petit Nanet, un affreux gamin, qu'elle a pris en affection. Et, d'ailleurs, votre Paul en était, ainsi que Louise Mazelle, fraternisant avec la séquelle d'enfants de ce Bonnaire, qui nous a quittés d'une façon si vilaine. Oui, Paul avec Antoinette, et Louise avec Lucien, que mademoiselle Nise, avec son Nanet, conduisait à la dévastation de nos plates-bandes !... Et vous voyez, elle n'en rougit même pas de honte.

— C'est pas juste, répondit simplement Nise de sa voix claire, on n'a rien cassé, on s'est amusé très gentiment ensemble... Il est drôle, Nanet !

Cette réponse acheva de fâcher Fernande.

— Ah ! tu le trouves drôle... Écoute, si je te surprends jamais avec lui, je te prive de dessert pendant huit jours. Je n'ai pas envie que tu m'occasionnes quelque mauvaise histoire avec les gens d'à côté. Ils iraient dire partout que nous attirons leurs enfants, pour les rendre malades... Tu entends, cette fois c'est sérieux, tu auras affaire à moi, si tu revois Nanet.

— Oui, maman, dit Nise de son petit air tranquille et souriant.

Et, quand elle fut partie avec la femme de chambre, après avoir embrassé tout le monde, la mère conclut :

— C'est bien simple, je vais faire murer la porte, je serai sûre ensuite que nos enfants ne communiqueront plus. Rien n'est mauvais comme ces jeux de gamins, ils prennent la peste ensemble.

Ni Delavéau, ni Boisgelin, n'étaient intervenus, ne voyant là que des enfantillages, mais acquis aux mesures sévères, pour le bon ordre. Et l'avenir germait, Nise têtue emportait dans son petit cœur l'image de Nanet, qui était drôle et qui jouait si gentiment,

Enfin, les convives arrivèrent, les Gourier avec Châtelard, puis le président Gaume avec le jeune ménage Jollivet. Selon son habitude, l'abbé Marle parut le dernier, en retard. On était dix, les Mazelle, qu'un obstacle retenait, avaient formellement promis de venir prendre le café. Fernande mit à sa droite le sous-préfet, et le président à sa gauche, tandis que Delaveau s'asseyait entre les deux seules dames, Léonore et Lucile. Aux deux bouts se trouvèrent Gourier et Boisgelin, l'abbé Marle et le capitaine Jollivet. On avait voulu être en tout petit comité, pour causer plus à l'aise. D'ailleurs, la salle à manger, dont Fernande avait honte, était si étroite, que le vieux buffet d'acajou gênait le service, dès qu'on était plus d'une douzaine.

Dès le poisson, des truites délicieuses de la Mionne, la conversation tomba nécessairement sur la Crêcherie et sur Luc. Et ce que disaient ces bourgeois instruits, en position de connaître ce qu'ils appelaient l'utopie socialiste, n'était guère plus sage ni plus intelligent que les extraordinaires appréciations des Dacheux et des Laboque. Le seul qui aurait pu comprendre était Châtelard. Mais il plaisantait.

— Vous savez, les garçons et les filles poussent en commun, dans les mêmes classes, dans les mêmes ateliers, et j'espère dans les mêmes dortoirs, de sorte que voilà une petite ville qui va se peupler rapidement. Tous en famille, tous papas et mamans, avec une ribambelle d'enfants à tout le monde !

— Oh ! l'horreur ! dit Fernande d'un air de profond dégoût, car elle affectait une grande pruderie.

Léonore, de plus en plus acquise à la morale sévère de la religion, se pencha vers l'abbé Marle, son voisin, en murmurant :

— C'est une honte que Dieu saura bien empêcher.

Mais l'abbé se contenta de lever les yeux au ciel, car sa situation devenait d'autant plus difficile, qu'il n'avait pas voulu rompre avec Sœurette et qu'il retournait déjeuner régulièrement à la Crêcherie. Il se devait à toutes ses ouailles, surtout à celles qui avaient déserté le bercail et qu'il feignait de croire capables de retour. C'était ce qu'il appelait rester sur la brèche, lutter contre l'envahissement du mauvais esprit. Son effort devenait vain, à sanctifier l'agonie de la vieille société, et il était pris d'une tristesse profonde, lorsqu'il voyait les fidèles de moins en moins nombreux dans son église.

Boisgelin se mit à raconter une histoire.

— Parfaitement, dans une petite colonie communiste, dont on a tenté l'essai, il n'y avait pas assez de femmes. Et alors, qu'est-ce qu'elles faisaient? elles défilaient, elles passaient une nuit avec chaque homme. On appelait ça le roulement.

Un petit rire flûté de Lucile sonna si gaiement, que toute la table la regarda. Mais elle resta très à l'aise, avec son air candide; et elle coula seulement son mince regard si clair vers son mari, le capitaine, pour voir s'il trouvait l'histoire drôle.

Delaveau eut un geste de désintéressement. Les femmes en commun, ça ne le préoccupait pas. Ce qui était grave, c'était l'autorité sapée, le rêve criminel de vivre sans maître.

— Il y a là une conception qui me dépasse, dit-il. Comment se gouvernera leur Cité future? Et parlons seulement de l'usine, ils disent qu'ils arriveront par l'association à supprimer le salaire, et qu'un juste partage de la richesse se fera, le jour où il n'y aura plus que des travailleurs, donnant chacun sa part d'effort à la communauté... Je ne sais pas de rêve plus dangereux, car il est irréalisable, n'est-ce pas, monsieur Gourier?

Le maire, qui mangeait la face dans son assiette, s'essuya longuement la bouche avant de répondre, en voyant le sous-préfet le regarder.

— Irréalisable, sans doute... Seulement, il ne faut pas condamner à la légère l'association. Il y a en elle une grande force, dont nous pouvons nous-mêmes être appelés à nous servir.

Cette prudence indigna le capitaine, qui s'emporta.

— Eh quoi? vous arriveriez à ne pas condamner en bloc les exécrables attentats que cet homme, je parle de ce monsieur Luc, médite contre tout ce que nous aimons, notre vieille France, telle que l'épée de nos pères l'a faite et nous l'a léguée!

On servait des côtelettes d'agneau aux pointes d'asperges, et il y eut alors un soulèvement général contre Luc. Ce nom exécré suffisait à les rapprocher tous, à les unir étroitement dans la terreur de leurs intérêts menacés, dans un besoin impérieux de défense et de vengeance. On eut la cruauté de demander à Gourier des nouvelles de son fils Achille, le renégat, et le maire dut le maudire une fois de plus. Seul, Châtelard louvoyait toujours, tâchait de rester sur le ton de la plaisanterie. Mais le capitaine continuait à prophétiser les pires désastres, si l'on ne faisait pas tout de suite rentrer le factieux dans l'ordre, à coups de botte. Et il souffla une telle panique, que Boisgelin, pris d'inquiétude, provoqua une déclaration rassurante de Delaveau.

— Notre homme est déjà touché, dit le directeur de l'Abîme. La prospérité de la Crècherie n'est qu'apparente, et il suffirait d'un accident pour que tout croulât... Ainsi, tenez! ma femme me donnait un détail...

— Oui, continua Fernande, la bouche irritée, heureuse de se soulager un peu, je tiens le fait de ma blanchisseuse... Elle connaît Ragu, un de nos anciens ouvriers, qui nous a quittés pour aller à l'usine nouvelle. Eh bien ! Ragu crie partout qu'il en a assez, de leur sale boîte, qu'on y meurt d'ennui, et qu'il n'est pas le seul, et qu'un de ces beaux matins ils vont tous revenir ici... Ah ! qui donc commencera, portera le coup nécessaire, pour que ce Luc en soit renversé et écrasé !

— Mais, dit Boisgelin venant à son aide, il y a le procès Laboque. J'espère bien que ça va suffire.

Un nouveau silence se fit, au moment où paraissait un canard au sang. Ce procès Laboque, qui était la vraie cause de cette réunion amicale, personne n'avait encore osé en parler, devant le silence que gardait le président Gaume. Il mangeait à peine, ses chagrins cachés lui ayant donné une maladie d'estomac; et il se contentait d'écouter les convives, en les regardant de ses yeux gris et froids, où il éteignait volontairement toute pensée. Jamais on ne l'avait trouvé si peu communicatif, cela finissait par devenir gênant, car on aurait voulu savoir sur quel terrain on marchait avec lui. Bien qu'il n'entrât dans la tête de personne qu'il pût donner gain de cause à la Crècherie, on espérait qu'il aurait le bon goût de prendre un engagement, d'un mot suffisamment clair.

Ce fut encore le capitaine qui donna l'assaut.

— La loi est formelle, n'est-ce pas, monsieur le président? Tout dommage fait à quelqu'un doit être réparé.

— Sans doute, répondit Gaume.

On attendait davantage. Mais il s'était tu. Et l'affaire du Clouque fut alors bruyamment discutée, pour le forcer à s'engager plus à fond. Le ruisseau infect devint une des parures de Beauclair, on ne volait point ainsi l'eau d'une ville, surtout pour la donner à des paysans, après leur avoir détraqué la cervelle, au point de faire de leur village un foyer de furieuse anarchie, dont la contagion menaçait le pays entier. Toute la terreur bourgeoise apparut, car l'antique et sainte propriété était bien malade, si les fils des durs paysans d'autrefois en arrivaient à mettre en commun leurs lopins de terre. Il était grand temps que la justice s'en mêlât, en faisant cesser un pareil scandale.

— Nous sommes bien tranquilles, finit par dire Boisgelin d'une voix flatteuse, la cause de la société va se trouver en de bonnes mains. Rien n'est au-dessus d'un jugement juste, rendu en toute liberté par une conscience honnête.

— Sans aucun doute, répéta Gaume simplement.

Et il fallut, cette fois, se contenter de cette parole vague, où l'on voulut voir la condamnation certaine de Luc. C'était fini, il n'y avait plus, après une salade russe, qu'une glace à la fraise et le dessert. Mais les estomacs s'étaient épanouis, on riait beaucoup, on tenait la victoire. Et, lorsqu'on fut passé au salon pour prendre le café, et que les Mazelle arrivèrent, on les accueillit comme toujours avec une affection un peu moqueuse, tant ces braves rentiers, les délices de la paresse, attendrissaient les cœurs. La maladie de madame Mazelle n'allait pas mieux, mais elle en était ravie, elle avait obtenu du docteur Novarre de nouveaux cachets, avec lesquels elle pouvait manger impunément de tout. Il n'y avait plus que les abominables histoires de la Crêcherie, les menaces de la suppression de la rente, de l'abolition de l'héritage, qui lui tournassent les sangs. A quoi bon parler de choses désagréables ? Mazelle, qui veillait béatement sur elle, supplia les personnes présentes, avec des clignements d'yeux, de ne plus aborder ces atroces sujets, qui compromettaient la santé si chancelante de sa femme. Et ce fut charmant, on se hâta de vivre encore la vie heureuse, la vie de richesse et de jouissance, dont on cueillait toutes les fleurs.

Enfin, le jour du fameux procès arriva, au milieu des colères et des haines grandissantes. Jamais Beauclair n'avait été bouleversé par des passions si furieuses. Luc, d'abord, s'était étonné et n'avait fait que rire. L'assignation de Laboque l'avait amusé simplement, d'autant plus que la demande en vingt-cinq mille francs de dommages-intérêts lui paraissait insoutenable. Si le Clouque avait tari, il serait fort difficile de prouver que la cause en était dans le fait des sources captées et utilisées à la Crêcherie. Ces sources d'ailleurs appartenaient au domaine, elles étaient aux Jordan, franches, libres de toutes servitudes ; et le propriétaire avait le droit absolu d'en disposer à son gré. D'autre part, il aurait fallu que Laboque appuyât sur des preuves le prétendu tort qui lui était causé, ce qu'il tentait à peine de faire, et si maladroitement, qu'aucun tribunal au monde ne pouvait lui donner raison. Comme le disait plaisamment Luc, c'était lui qui aurait dû réclamer une cotisation publique pour le récompenser d'avoir délivré les riverains de l'empoisonnement dont ils s'étaient plaints si longtemps. La ville n'avait qu'à combler le trou et à vendre les terrains pour bâtir, bonne aubaine qui ferait tomber quelques centaines de mille francs dans sa caisse. Il riait donc, il ne s'imaginait pas qu'une telle poursuite pût être sérieuse. Et ce fut plus tard, devant l'acharnement des rancunes, en face des hostilités montant de partout contre lui, qu'il se rendit compte de la gravité de la situation et du péril mortel où allait se trouver son œuvre.

Il y eut là, pour Luc, un premier choc très douloureux. Sa candeur optimiste d'apôtre n'était point si naïve qu'il ignorât la méchanceté des hommes. Dans la lutte qu'il avait voulue contre le vieux monde, il s'attendait bien à ce que celui-ci ne cédât pas la place sans se fâcher et se débattre. Et il était prêt au calvaire, aux pierres et à la boue dont les foules ingrates accablent d'ordinaire les précurseurs. Mais son cœur vacilla pourtant, il sentit venir l'amertume des sottises, des cruautés et des trahisons. Il comprenait aisément que, derrière l'attaque intéressée des Laboque et du petit commerce, il y avait toute la bourgeoisie, tous ceux qui possédaient, sans rien vouloir lâcher de leur possession. Son essai d'association, de coopération, mettait en un tel péril la société capitaliste, basée sur le salariat, qu'il devenait pour elle l'ennemi public, dont il s'agissait de se débarrasser à tout prix. Et c'était l'Abîme, et c'était la Guerdache, et c'était la ville, l'autorité sous toutes ses formes, patronale, communale, gouvernementale, qui s'agitait, entrait en campagne, s'efforçait de l'écraser. Dans l'ombre, les égoïsmes menacés se rapprochaient, s'unissaient, agissaient, en une telle complication de fils tendus, de trappes ouvertes, de guets-apens préparés, qu'il se sentait perdu au moindre faux pas. S'il tombait, la meute se jetterait sur lui, il serait dévoré. Il savait bien leurs noms, il les aurait nommés tous, les fonctionnaires, les commerçants, les simples rentiers, aux faces placides, qui l'auraient mangé vivant, s'ils l'avaient vu s'abattre au coin d'une rue. Et, réprimant le frisson de son cœur, il s'était armé pour la bataille, dans la conviction qu'on ne fondait rien sans se battre, et qu'on scellait toujours de son sang les grandes œuvres humaines.

Ce fut un mardi, jour de marché, que le procès s'ouvrit devant le tribunal civil, présidé par Gaume. Beauclair était en rumeur, l'affluence venue des villages voisins augmentait encore la fièvre, sur la place de la Mairie et dans la rue de Brias. Aussi, prise d'inquiétude, Sœurette avait-elle supplié Luc de se faire accompagner au tribunal par quelques amis solides. Mais il refusa obstinément, il voulut s'y rendre seul, de même qu'il avait voulu se défendre en personne, n'acceptant un avocat que pour la forme. Quand il entra dans la salle des audiences, fort étroite et déjà pleine d'un public bruyant, il se fit un silence brusque, cette âpre curiosité qui accueille la victime isolée et sans armes, s'offrant au sacrifice. Sa bravoure tranquille enragea encore ses ennemis, on lui trouva l'air insolent. Il se tint debout devant le banc de la défense, il regarda tranquillement le monde qui s'écrasait là, reconnut Laboque, Dacheux, Caffiaux, d'autres boutiquiers, mêlés au flot innomé de la foule, des faces ardentes de furieux ennemis qu'il n'avait jamais vues. Et il fut un peu soulagé, en constatant que les intimes de la Guerdache et de l'Abîme avaient eu au moins le bon goût de ne pas venir le voir livrer aux bêtes.

On s'attendait à des débats fort longs et d'un intérêt passionné. Il n'en fut rien. Laboque avait choisi un de ces avocats de province, à la réputation de méchanceté, qui sont la terreur d'une région. Et le meilleur moment, en

effet, pour les ennemis de Luc, fut la plaidoirie dé cet homme, qui, sentant
la fragilité du terrain légal, où il appuyait la demande en dommages-intérêts,
se contenta de ridiculiser les réformes tentées à la Crêcherie. Il fit beaucoup
rire avec un tableau comique et empoisonné de la société future. Il souleva
la bruyante indignation de tous, quand il montra les enfants des deux sexes
se pourrissant ensemble dès le berceau, la sainte institution du mariage
abolie, l'amour retombé à la bestialité, les couples se prenant et se quittant
au hasard, pour la débauche d'une heure. Pourtant, l'avis général fut qu'il
n'avait pas trouvé l'injure ou l'argument suprême, le coup de massue qui
gagne une cause, qui écrase un homme. Et l'inquiétude devint telle, lorsque
Luc prit à son tour la parole, que ses moindres mots furent accueillis par
des murmures. Il parla très simplement, ne répondit même pas aux attaques
contre son œuvre, se contenta de démontrer, avec une force d'évidence décisive, que Laboque était mal fondé en sa demande. Ne serait-ce pas un service qu'il aurait rendu à Beauclair, s'il avait assaini la ville en desséchant
le Clouque empesté, tout en lui faisant le cadeau de bons terrains à bâtir ?
Mais ce n'était pas même un fait prouvé, que les travaux exécutés à la Crêcherie fussent la cause de la disparition du torrent, et il attendait qu'on lui
en donnât la preuve certaine. En finissant, un peu de l'amertume de son
cœur ulcéré apparut, quand il déclara que, s'il ne réclamait les remercie-
ments de personne pour ce qu'il croyait avoir déjà fait d'utile, il serait seulement heureux qu'on le laissât poursuivre son œuvre en paix, sans lui chercher de mauvaises querelles. A plusieurs reprises, le président Gaume avait
dû imposer silence à l'auditoire ; et la réplique de l'avocat de Laboque fut si
violente, il souleva de telles acclamations en traitant Luc d'anarchiste,
acharné à la destruction de la ville, qu'il dut menacer de faire évacuer la
salle, si de pareilles manifestations se renouvelaient. Puis, lorsque le procureur de la république eut parlé d'une façon volontairement confuse, en
donnant tort et raison aux deux parties, il renvoya à quinzaine pour le
jugement.

Quinze jours plus tard, les passions s'étaient échauffées encore, on se
battait sur le marché, dans l'attente de ce jugement. La presque unanimité
était convaincue d'une condamnation sévère, dix à quinze mille francs de
dommages-intérêts, sans compter les conséquneces, la mise en demeure de
rétablir le Clouque en l'état. Pourtant, certains hochaient la tête, n'étaient
sûrs de rien, car ils n'avaient pas été satisfaits de l'attitude du président
Gaume, pendant les plaidoiries. On le traitait d'original, on doutait même
qu'il eût toujours sa raison à lui, depuis qu'on le voyait si sombre, s'enfermant
dans un scrupule maladif de justice. Un autre sujet d'inquiétude était la
façon dont il avait fermé sa demeure, le lendemain de l'audience, sous le
prétexte d'une indisposition ; et l'on disait qu'il se portait parfaitement, qu'il

avait simplement voulu se soustraire à toute pression, ne recevoir personne, pour que personne ne s'avisât de peser sur sa conscience de juge. Les portes et les fenêtres closes, que faisait-il au fond de sa maison solitaire, où sa fille elle-même n'entrait pas? à quelle lutte morale, à quel drame intérieur était-il en proie, au milieu de sa vie foudroyée, dans tout ce qu'il avait aimé et dans tout ce qu'il avait cru? Le jugement devait être prononcé à midi, au commencement de l'audience. La salle était encore plus emplie, plus bruyante, plus ardente. Des rires montaient, des mots d'espoir et de violence s'échangeaient d'une extrémité à l'autre. Tous les ennemis de Luc étaient venus assister à son écrasement. Et lui, très brave, cette fois encore, n'avait pas voulu qu'on l'accompagnât, préférant se présenter seul, pour bien dire sa mission de paix. Debout à son banc, il souriait, il regardait la salle, sans paraître même soupçonner que toute cette colère grondât contre lui. Enfin, à l'heure exacte, le président Gaume entra, suivi des deux assesseurs et du procureur de la république. L'huissier n'eut pas besoin de demander le silence, les voix étaient brusquement tombées, les visages brûlant de curiosité anxieuse se tendirent. Le président s'était assis, le texte du jugement à la main; et, un instant, il se tint immobile, silencieux, les yeux au loin, au delà de la foule. Enfin, d'une voix lente, sans accent, il commença sa lecture. Ce fut long, car les « attendu » se succédaient avec une régularité monotone, retournant les questions sous toutes les faces, s'efforçant de résoudre les plus fugitifs scrupules. L'auditoire écoutait sans trop comprendre, sans arriver à prévoir quelle serait la conclusion, tellement le pour et le contre défilaient, l'un après l'autre, en se serrant de près. Il semblait pourtant, à chaque nouveau pas, que la thèse de Luc était adoptée, l'absence de tort réel fait à autrui, le droit que tout propriétaire a d'exécuter des travaux chez lui, lorsqu'aucune servitude ne l'en empêche. Et le jugement éclata, Luc gagnait son procès.

Il y eut d'abord, dans la salle, un moment de stupeur. Puis, lorsqu'on eut compris, ce furent des huées, des cris de violente menace. On retirait à la foule surexcitée, affolée de mensonges depuis des mois, la victime qu'on lui avait promise; et elle la voulait, elle la réclamait afin de la déchirer, puisqu'une justice, évidemment vendue, la lui enlevait au dernier moment. Luc n'était-il pas l'ennemi public, l'étranger venu on ne savait d'où pour corrompre Beauclair, pour y ruiner le commerce, y souffler la guerre civile, en ameutant les ouvriers contre les patrons? N'avait-il pas, dans un but de méchanceté diabolique, volé l'eau de la ville, tari un ruisseau, dont la disparition était un désastre pour les riverains. Ces accusations, le *Journal de Beauclair* les répétait chaque semaine, les faisait entrer dans les crânes les plus épais, avec des commentaires empoisonnés, des besoins d'immédiates vengeances. De même, toutes les autorités, tous les messieurs des

Les dames en étaient, afin que la rencontre gardât son apparence d'aimable réunion intime.

quartiers bourgeois les colportaient parmi le petit peuple, les développaient, leur donnaient l'appui de leur pouvoir et de leur fortune. Et le petit peuple, mis à ce régime, aveuglé, enragé, convaincu qu'une peste allait sortir de là Crêcherie, voyait rouge, hurlait à la mort. Des poings se tendaient, des cris redoublaient : « A mort! à mort! le voleur, l'empoisonneur, à mort! » Très pâle, la face rigide, le président Gaume était resté assis, au milieu du vacarme. Il voulut parler, faire évacuer la salle; mais il dut renoncer à être entendu. Et, simplement, par dignité, il dut se résoudre à suspendre l'audience, en se retirant, suivi des deux assesseurs et du procureur de la république.

Luc, souriant toujours, était très calme à son banc. Le jugement l'avait surpris autant que ses adversaires, car il n'ignorait pas dans quel air vicié vivait le président, il le croyait incapable de justice. Et c'était un réconfort, la rencontre d'un homme juste, parmi tant de déchéances humaines. Mais, lorsque les cris de mort éclatèrent, son sourire s'attrista, il se tourna vers la foule hurlante, le cœur envahi d'amertume. Que leur avait-il donc fait, à ces petits bourgeois, à ces marchands, à ces ouvriers? N'avait-il pas voulu le bien de tous, ne travaillait-il pas pour que tous fussent heureux, s'aimant, vivant en frères? Les poings le menaçaient, les cris le soufflettaient, plus violents : « A mort! à mort! le voleur, l'empoisonneur, à mort! » Ce pauvre petit peuple ainsi égaré, rendu fou de mensonges, lui causait une douleur profonde, dans la tendresse qu'il avait quand même pour lui. Mais il retenait ses larmes, il voulait rester debout, courageux et fier sous l'insulte. Le public, qui se croyait bravé, aurait fini par briser les cloisons de chêne, si des gardes n'avaient enfin réussi à le pousser dehors et à fermer les portes. Le greffier, au nom du président Gaume, vint supplier Luc de ne pas sortir tout de suite, pour éviter un accident possible, et il obtint de lui qu'il s'arrêterait quelques minutes, chez le concierge du Palais, en attendant que la foule se dissipât.

Cependant, Luc éprouvait une sorte de honte, une révolte à être forcé de se cacher ainsi. Il passa, chez ce concierge, le quart d'heure le plus pénible de son existence, trouvant lâche de ne pas aller droit à la foule, n'acceptant pas cette situation de coupable inquiet qui lui était faite. Et, quand les abords du Palais parurent déblayés, il n'écouta rien, il voulut partir, rentrer chez lui, tranquillement à pied, sans que personne l'accompagnât. Il était venu seul, il s'en retournerait seul. A la main, il n'avait qu'une canne légère, qu'il regrettait même d'avoir prise, par crainte qu'on ne le soupçonnât d'une pensée de défense. Lentement, il se mit donc en marche par les rues, ayant à traverser tout Beauclair, et personne ne sembla le remarquer, jusqu'à la place de la Mairie. Le public, qui sortait du Tribunal, s'en était allé répandre dans la ville entière la nouvelle de sa victoire, après l'avoir attendu quelques minutes, certain qu'il ne sortirait pas avant des heures. Mais, sur la place de la Mairie, où se tenait le marché, Luc fut reconnu. Des gestes le désignèrent, des paroles coururent, quelques personnes même le suivirent, sans intentions mauvaises encore, uniquement pour voir ce qui se passerait. Il n'y avait guère là que des paysans, des acheteurs, des curieux, qui n'étaient pas engagés dans la querelle. Et la situation ne commença sérieusement à se gâter qu'au moment où il s'engagea dans la rue de Brias, à l'angle de laquelle, devant sa boutique, Laboque déchaîné, furieux de sa défaite, s'emportait au milieu d'un groupe.

Tous les marchands, tous les petits détaillants du voisinage, étaient accourus chez les Laboque, dès qu'ils avaient connu la désastreuse nouvelle. Eh quoi? c'était donc vrai, la Crêcherie allait achever de les ruiner, avec ses Magasins coopératifs, puisque la justice lui donnait raison? Caffiaux, l'air atterré, gardait le silence, roulant des pensées qu'il ne disait pas. Mais Dacheux, le boucher, était parmi les plus violents, le sang au visage, prêt à défendre la viande des riches, la viande sacrée; et il parlait de tuer le monde, plutôt que de baisser ses prix d'un centime. Madame Mitaine n'était pas venue, elle n'avait jamais été pour le procès, elle déclarait bonnement qu'elle vendrait son pain, tant qu'on le lui achèterait, puis qu'elle verrait ensuite. Et Laboque, enflammé, racontait pour la dixième fois, à un nouvel arrivant, l'abominable trahison du président Gaume, lorsque, tout d'un coup, il aperçut Luc, qui, très tranquille, passait devant la quincaillerie dont il consommait la ruine. Cette audace acheva de le bouleverser, il fut sur le point de se jeter sur lui, il gronda, à demi étouffé par le flot de sa haine : « A mort! à mort! le voleur, l'empoisonneur, à mort! » Quand il fut devant la boutique, Luc, sans s'arrêter, se contenta de tourner la tête, pour poser un instant son regard calme et brave sur le groupe tumultueux, d'où partaient les sourdes invectives de Laboque. Alors, tous se crurent provoqués, une clameur générale s'éleva, qui grandit, s'aggrava en un souffle de tempête : « A mort! à mort! le voleur, l'empoisonneur, à mort! » Luc, d'ailleurs, comme s'il ne s'était pas agi de lui, continuait paisiblement son chemin, en regardant à droite et à gauche, de l'air d'un passant que le spectacle de la rue intéresse. Presque tout le groupe s'était mis à le suivre, redoublant de huées, d'outrages, de menaces : « A mort! à mort! le voleur, l'empoisonneur, à mort! »

Et cela ne cessa plus, cela grossit et déborda, à mesure qu'il montait de la rue de Brias, de son pas de promenade. De chaque boutique, de nouveaux marchands sortaient pour se joindre à la manifestation. Des femmes se montraient sur les portes, huant au passage. Quelques-unes même, exaspérées galopèrent, vinrent crier avec les hommes : « A mort! à mort! le voleur, l'empoisonneur, à mort! » Il en vit une jeune, d'une aimable beauté blonde, la

femme d'un fruitier, qui l'injuriait à belles dents blanches, en le menaçant
de loin de ses ongles roses, comme pour le déchirer. Des enfants couraient,
eux aussi, et il y en avait un de cinq ou six ans, pas plus grand qu'une botte,
qui s'égosillait, qui se jetait presque dans les jambes du monsieur, pour se
faire entendre de plus près. « A mort ! à mort ! le voleur, l'empoisonneur, à
mort ! » Pauvre gamin, qui donc lui avait appris déjà le cri de haine ? Et ce
fut pis, lorsque, dans le haut de la rue on passa devant les fabriques. Des
ouvrières de la cordonnerie Gourier parurent aux fenêtres, battirent des
mains, hurlèrent. Puis, il y eut même des ouvriers des usines Chodorge et
Mirande, fumant sur le trottoir en attendant le coup de cloche de la rentrée,
qui manifestèrent, dans l'hébétement de leur servitude. Un petit maigre, aux
cheveux roux, aux gros yeux troubles, fut comme pris de démence, courant,
gueulant plus fort que les autres : « A mort ! à mort ! le voleur, l'empoisonneur, à mort ! »

Ah ! cette montée de la rue de Brias, avec cette bande grossissante
d'ennemis sur les talons, sous ce flot ignoble d'outrages et de menaces ! Luc
se rappelait le soir de son arrivée à Beauclair, il y avait quatre ans, lorsque
le noir piétinement des déshérités, des meurt-de-faim, dans cette même rue,
l'avait empli d'une telle pitié active, qu'il s'était juré de donner sa vie au
salut des misérables. Qu'avait-il donc fait, depuis quatre ans, pour que tant
de haines se fussent amassées contre lui, au point d'être ainsi traqué par la
foule ameutée, hurlant à la mort ? Il s'était fait l'apôtre de demain, d'une
société de solidarité et de fraternité, réorganisée par le travail ennobli, régulateur de la richesse. Il avait donné un exemple, cette Crècherie où la Cité
future était en germe, où régnait déjà le plus de justice et le plus de bonheur
possible. Et cela suffisait, la ville entière le considérait comme un malfaiteur,
il la sentait derrière cette bande qui aboyait à ses trousses. Mais quelle amertume, quelle souffrance, dans cette aventure commune du calvaire que tout
juste doit gravir, sous les coups de ceux mêmes dont il veut le rachat ! Ces
bourgeois dont il troublait la digestion tranquille, il les excusait de le haïr,
dans leur terreur d'avoir à partager leurs jouissances égoïstes. Il les excusait
aussi, ces boutiquiers qui se croyaient ruinés par lui, lorsqu'il rêvait simplement un meilleur emploi des forces sociales, pour qu'il n'y eût plus une
perte inutile de la fortune publique. Même il les excusait, ces ouvriers qu'il
était venu sauver de la misère, pour lesquels il bâtissait si laborieusement sa
ville de justice, et qui le huaient, qui l'insultaient, tant on avait obscurci
leur cerveau et refroidi leur cœur. C'était la foule ignorante, se révoltant
contre celui qui veut son bien, refusant de quitter le lit de servitude où elle
agonise, s'y enfonçant dans la faim, dans l'ordure séculaire, en fermant les
oreilles et les yeux au bonheur qui naît. Seulement, s'il les excusait tous, en
son humanité douloureuse, combien il saignait de voir, parmi les plus inju-

rieux, ces travailleurs de l'usine et de l'atelier dont il s'efforçait de faire les nobles, les libres, les heureux de demain!

Luc montait toujours, la rue de Brias ne finissait pas, et la meute déchaînée avait encore grossi, les cris ne cessaient plus.

— A mort! à mort! le voleur, l'empoisonneur, à mort!

Un instant, il s'arrêta, se retourna, regarda ces gens, pour ne pas leur laisser croire qu'il fuyait. Et, justement, comme il y avait là des tas de pierres, devant une maison en construction, un homme se baissa, ramassa un caillou, qu'il lui jeta. Aussitôt, d'autres se baissèrent, les cailloux se mirent à pleuvoir, au milieu d'un redoublement de menaces.

— A mort! à mort! le voleur, l'empoisonneur, à mort!

Maintenant, on le lapidait. Il n'eut pas un geste, il reprit sa marche, il acheva de monter son calvaire. Ses mains étaient vides, sans autre arme que la canne légère, qu'il mit sous son bras. Et il restait très calme, avec cette idée que sa mission le rendait invulnérable, s'il devait la remplir. Seul, son cœur endolori souffrait affreusement, meurtri de tant d'erreur et de démence. Des larmes montaient à ses yeux; et il lui fallait faire un grand effort pour ne pas les laisser couler le long de ses joues.

— A mort! à mort! le voleur, l'empoisonneur, à mort!

Un caillou vint le frapper au talon, un autre lui effleura la cuisse. C'était devenu un jeu, des enfants s'en mêlaient. Mais ils étaient peu adroits, les cailloux ricochaient sur le sol. A deux reprises pourtant, il en passa si près de sa tête, qu'on put le croire touché, le crâne fendu. Il ne se retournait plus, il montait toujours la rue de Brias, du même pas de promeneur tranquille, rentrant chez lui. Dans sa douleur d'une si furieuse ingratitude, il semblait ne plus vouloir connaître ce qui se passait derrière lui, le long de cette rue de misère, où il souffrait son martyre. Mais un caillou enfin l'atteignit, lui déchira l'oreille droite, tandis qu'un autre le frappait à la main gauche, dont il coupait la paume, comme d'un coup de couteau. Et le sang coula, tomba en larges gouttes rouges.

— A mort! à mort! le voleur, l'empoisonneur, à mort!

Un remous de panique arrêta la foule. Plusieurs s'enfuirent, pris de lâcheté. Des femmes crièrent, emportèrent des enfants dans leurs bras. Et il n'y eut que les furieux qui galopèrent encore. Luc, continuant sa route douloureuse, avait simplement regardé sa main. Il tira son mouchoir, s'en essuya l'oreille, l'enroula autour de sa paume saignante. Mais son pas s'était ralenti, et il sentit le galop qui se rapprochait, il fit face une dernière fois, quand il eut sur la nuque le souffle ardent de cette meute qui le poursuivait. Au premier rang, courait d'un élan frénétique l'ouvrier petit et maigre, aux cheveux roux, aux gros yeux troubles. On disait que c'était un forgeron de l'Abîme. Il arriva d'un dernier bond sur l'homme qu'il traquait depuis le bas

la rue; et, de toute sa violence, sans qu'on pût savoir d'où venait cette frénésie de haine, il lui cracha au visage.

— A mort! à mort! le voleur, l'empoisonneur, à mort!

Luc était enfin en haut de la rue de Brias, et cette fois, il chancela, sous
l'abominable outrage. On le vit blêmir affreusement, tandis que, dans une
ruée involontaire de tout son corps, son poing valide se levait, terrible et
vengeur. Il aurait d'un coup écrasé le petit homme, tel un nain misérable à
côté d'un colosse glorieux. Mais Luc, en sa force, en sa beauté, eut le temps
de se reprendre. Il n'abattit pas le poing. Seules, les deux grosses larmes
ruisselèrent le long de ses joues, ces larmes d'infini chagrin qu'il avait eu le
pouvoir de retenir, mais qu'il était impuissant désormais à cacher, dans
l'amertume dernière du fiel dont on l'abreuvait. Il pleurait sur tant
d'ignorance, sur tant de malentendu, sur ce cher et triste peuple qui ne veut
pas être sauvé. Et il y eut des ricanements, on le laissa rentrer chez lui,
ensanglanté et solitaire.

Le soir, Luc s'enferma, voulut être seul dans le pavillon qu'il habitait
toujours, au bout du petit parc, sur la route des Combettes. Le gain de son
procès n'était point un succès qui pût l'illusionner. Les immondes violences
de l'après-midi, cette ruée de la foule contre lui disaient quelle guerre lui
serait faite, maintenant que la ville entière se soulevait. C'étaient les convul-
sions suprêmes de la société mourante, et qui ne voulait pas mourir. Elle
résistait furieusement, elle se débattait, avec l'espoir d'arrêter l'humanité en
sa marche. Les uns, les autoritaires, mettaient leur salut dans une répression
impitoyable; les autres, les sentimentaux, faisaient appel au passé, à la poésie
du passé, à tout ce que l'homme pleure de quitter à jamais; d'autres, pris
d'exaspération, se joignaient aux révolutionnaires, comme dans la hâte d'en
finir d'un coup. Et Luc avait de la sorte senti sur ses talons tout Beauclair,
qui était un monde en raccourci, au milieu du vaste monde. Si, dans son
amertume affreuse, il restait brave, résolu à la lutte, il n'en était pas moins
mortellement triste, il avait à user, ce soir-là, son grand chagrin, qu'il désirait ne montrer à personne. Pendant ses rares heures de défaillance, il préférait
s'enfermer étroitement, il buvait sa souffrance jusqu'à la lie, pour ne repa-
raître que guéri et vaillant. Et il avait donc verrouillé portes et fenêtres, en
donnant l'ordre absolu de ne laisser entrer personne.

Vers onze heures, sur la route, il lui sembla entendre des pas légers.
Puis, ce fut comme un appel, à peine un souffle, qui lui donna un frisson.
Vivement, il était allé ouvrir la fenêtre, et il regardait entre les lames des
persiennes, et il aperçut une ombre fine. Mais une voix très douce
monta.

— Monsieur Luc, c'est moi, il faut que je vous parle tout de suite.

C'était Josine. Il ne réfléchit même pas, il descendit lui ouvrir la petite porte qui donnait sur la route. Et il la fit monter, il l'amena par la main dans sa chambre, si jalousement close, où brûlait une lampe, à la clarté paisible. Puis là, lorsqu'il l'eut regardée, il fut pris d'une terrible inquiétude, à la voir, les vêtements en désordre, le visage meurtri.

— Mon Dieu! Josine, qu'avez-vous donc? que se passe-t-il?

Elle pleurait, sa chevelure défaite tombait sur son cou, dont le col de sa robe arraché montrait la blancheur délicate.

— Ah! monsieur Luc, j'ai voulu vous dire... Ce n'est pas parce qu'il m'a battue encore, en rentrant, c'est à cause des menaces qu'il a faites... Il faut que vous sachiez, ce soir même.

Et elle conta que Ragu, lorsqu'il avait appris ce qui s'était passé dans la rue de Brias, la belle conduite d'ignominie faite au patron, s'en était allé au cabaret de Caffiaux, en débauchant Bourron et d'autres camarades. Il venait seulement de rentrer, ivre, criant qu'il en avait assez, de l'orgeat de la Crêcherie, qu'il ne resterait pas un jour de plus dans une boîte où l'on s'embêtait à crever, où l'on n'avait pas seulement le droit de boire un coup de trop. Puis, après s'être égayé, avec de sales paroles, il avait voulu la forcer à faire immédiatement leur malle, afin de filer dès le lendemain matin à l'Abîme, qui embauchait tous les ouvriers sortant de la Crêcherie. Et comme elle voulait attendre, il avait fini par la battre et par la jeter dehors.

— Moi, monsieur Luc, ça ne compte pas. Mais c'est vous, grand Dieu! c'est vous que l'on insulte, et à qui l'on veut faire tant de mal?... Ragu partira demain matin, rien ne le retiendra, et il emmènera certainement Bourron, ainsi que cinq ou six autres camarades, qu'il ne m'a pas nommés... Moi, que voulez-vous? il faudra bien que je le suive, et tout ça me cause une si grosse peine, que j'ai eu besoin de vous le dire tout de suite, dans la crainte de ne jamais vous revoir.

Il continuait à la regarder, un nouveau flot d'amertume noyait son cœur. Le désastre était-il donc plus grand qu'il ne croyait? Voilà, maintenant, ses ouvriers qui le quittaient, qui retournaient à leur dure et sale misère d'autrefois, dans la nostalgie de l'enfer d'où il s'efforçait si laborieusement de les tirer! En quatre années, ils n'avaient rien conquis de leur intelligence ni de leur affection. Et le pis était que Josine n'était pas plus heureuse, qu'elle lui revenait, comme au premier jour, outragée, frappée, jetée à la rue. Rien n'était donc fait encore, tout restait à faire, car Josine n'était-elle pas le peuple souffrant? Il n'avait obéi au besoin d'agir que le soir où il l'avait rencontrée si douloureuse, si abandonnée, victime du travail maudit, imposé comme un esclavage. Elle était la plus humble, la plus basse, si près du ruisseau, et elle était la plus belle, la plus douce, la plus sainte. Tant que la femme souffrirait, le monde ne serait pas sauvé.

— Oh! Josine, Josine, que vous me faites de peine et que je vous plains!

murmura-t-il d'une voix d'infinie tendresse, tandis que lui aussi pleurait, gagné par ses larmes.

Mais, à le voir ainsi pleurer, elle souffrit davantage. Lui, pleurer si amèrement, avoir un si gros chagrin! lui qui était son dieu, qu'elle adorait comme une puissance supérieure, pour le secours qu'il lui avait apporté, la joie dont il avait désormais empli sa vie! La pensée des outrages qu'il venait de subir, de ce calvaire atroce de la rue de Brias, redoublait son adoration, la rapprochait de lui, dans un désir de panser les blessures reçues, de se donner tout entière, si ce don pouvait l'apaiser un instant. Comment faire pour qu'il se torturât moins? que trouver pour effacer l'insulte de son visage et pour qu'il se sentît respecté, admiré, adoré? Elle se penchait, les mains ouvertes, la face exaltée d'amour.

— Oh! monsieur Luc, j'ai tant de tristesse à vous voir malheureux, et j'aurais tant de bonheur à tâcher d'adoucir un peu vos tourments!

Ils étaient si près l'un de l'autre, que la tiédeur de leur haleine passait sur leur face. Et leur apitoiement mutuel les embrasait d'une tendresse qui ne savait de quelle façon agir. Comme elle souffrait! comme il souffrait! et il ne songeait qu'à elle, de même qu'elle ne songeait qu'à lui, avec une pitié immense, un immense besoin de charité et de félicité.

— Moi, je ne suis pas à plaindre, il n'y a que vous, Josine, dont la souffrance est un crime, et que je veux sauver.

— Non, non, monsieur Luc, moi, je ne compte pas, c'est vous qui ne devez pas souffrir, parce que vous êtes notre bon Dieu à tous.

Alors, comme elle se laissait tomber dans ses bras, il la prit lui-même d'une étreinte passionnée. C'était la nécessité inéluctable, deux flammes qui se rejoignaient, qui se confondaient, pour n'être plus qu'un foyer unique de bonté et de force. Et la destinée s'accomplit, ils se donnèrent l'un à l'autre, en un même besoin de faire de la vie et du bonheur. Tout les avait menés à cela, ils avaient la brusque vision de l'amour né un soir, puis lentement grandi, amassé au fond de leur cœur. Et il n'y avait plus que deux êtres se rencontrant dans le baiser si longtemps attendu, arrivant à leur floraison. Aucun remords n'était possible, ils s'aimaient comme ils existaient, afin d'être sains, d'être forts et d'être féconds.

Ensuite, dans cette chambre si calme, si douce, lorsque Luc, longuement, garda Josine en ses bras, il sentit bien qu'un grand secours lui était venu. Seul, l'amour ferait l'harmonie de la Cité. C'était sa communion intime avec le peuple des déshérités, cette Josine délicieuse, qu'il avait faite définitivement sienne. L'union était scellée, l'apôtre en lui ne pouvait rester infécond, il avait besoin d'une femme pour racheter l'humanité. Et quel réconfort elle lui apportait, la petite ouvrière salie et battue, qu'il avait rencontrée mourant de faim, qui était à cette heure, sur sa poitrine, une reine de charme et de volupté! Elle avait connu la pire déchéance, elle l'aiderait à créer un monde nouveau de splendeur et de joie. C'était d'elle, d'elle seule qu'il avait besoin, pour achever sa mission, car le jour où il aurait sauvé la femme, le monde serait sauvé.

Doucement, il lui dit :

— Donne-moi ta main, Josine, ta pauvre main blessée.

Et elle lui donna sa main, celle où l'index manquait, coupé, emporté par l'engrenage d'une machine.

— Elle est bien laide, murmura-t-elle.

— Laide! Josine, oh! non, elle m'est si chère, que, de toute ta personne adorée, c'est elle que je baise avec le plus de dévotion.

Il avait collé ses lèvres sur la cicatrice, il couvrait de caresses la petite main frêle et mutilée.

— Oh! Luc, que vous m'aimez, et que je vous aime!

Ce fut le cri charmant, le cri de bonheur et d'espoir, qui les réunit dans une nouvelle étreinte. Au dehors, sur Beauclair pesamment endormi, passaient les bruits de marteaux, les retentissements d'acier de la Crêcherie et de l'Abîme, luttant de travail nocturne. Et sans doute la guerre n'était point finie, la terrible bataille allait s'aggraver entre hier et demain. Mais, au milieu des pires tourments, une halte de félicité s'était faite; et, quelles que fussent les souffrances encore, l'immortelle semence d'amour était jetée pour les moissons futures.

III

Et, dès lors, ce fut le cri de Luc, à chaque désastre nouveau dont la Crêcherie se trouva frappée, quand les hommes refusaient de le suivre, l'entravaient dans la fondation de sa ville de travail, de justice et de paix.

— Mais ils n'aiment pas! S'ils aimaient, tout serait fécondé, tout pousserait et triompherait sous le soleil!

L'œuvre en était à cette heure angoissante et décisive de la régression, du
pas en arrière. Dans toute marche en avant, vient cette heure de la lutte, de
la halte forcée. On n'avance plus, on recule même, les terrains acquis
paraissent crouler, il semble que jamais plus on n'atteindra le but. Et c'est
l'heure aussi où les héros s'affirment, avec leur fermeté d'âme, leur indomptable foi dans la victoire finale.

Dès le lendemain, Luc tenta de retenir Ragu, qui voulait rompre l'association et quitter la Crêcherie, pour retourner à l'Abîme. Mais il se heurta
à une volonté méchante et goguenarde, heureuse de mal faire, au moment
où la défection des ouvriers pouvait ruiner l'usine. Puis, c'était quelque
chose de plus profond, cette nostalgie du travail d'esclave, le retour au vomis-
sement, à la misère noire, à tout l'affreux passé resté dans le sang. Sous le
tiède soleil, dans la propreté gaie de sa petite maison, entourée de verdure,
Ragu regrettait les étroites rues puantes du vieux Beauclair, les masures
lépreuses au travers desquelles soufflait la peste. L'odeur âcre du cabaret de
Caffiaux le hantait, lorsqu'il passait une heure dans la grande salle claire de
la Maison-Commune, où l'alcool était défendu. Le bel ordre des Magasins
coopératifs le fâchait également, lui donnait le besoin de dépenser son argent
à sa guise, chez des marchands de la rue de Brias, qu'il traitait lui-même de
voleurs, mais avec lesquels il avait la joie de se quereller. Et plus Luc insista,

en lui montrant la déraison de son départ, plus Ragu s'obstina, dans la pensée que, si l'on tenait tellement à lui, c'était donc qu'il nuisait en s'en allant.

— Non, non, monsieur Luc, ça ne peut pas s'arranger. Peut-être bien que je fais une bêtise, je n'en ai pourtant pas l'idée... Vous nous aviez promis monts et merveilles, nous devions devenir tous des richards, et la vérité est que nous ne gagnons pas plus qu'ailleurs, avec des embêtements en plus, selon mon goût.

C'était vrai, la répartition des gains, à la Crêcherie, n'avait pas atteint jusque-là un chiffre sensiblement supérieur aux salaires de l'Abîme.

— Nous vivons, répondit vivement Luc, et n'est-ce pas tout de vivre, lorsque l'avenir est certain? Si je vous ai demandé des sacrifices, c'est dans la conviction que le bonheur de tous est au bout. Mais il faut de la patience et du courage, il faut de la foi dans l'œuvre, et beaucoup de travail aussi.

Un tel langage ne pouvait toucher Ragu. Une seule expression l'avait frappé, il ricana.

— Oh! le bonheur de tous, c'est bien joli. Seulement, je préfère commencer par mon bonheur à moi.

Luc lui dit alors qu'il était libre, que son compte serait réglé, et qu'il s'en irait quand il voudrait. En somme, il n'avait aucun intérêt à garder un méchant homme, dont la présence finirait par être d'une contagion funeste. Mais le départ de Josine lui déchirait le cœur, et il resta un peu honteux, lorsqu'il découvrit qu'il ne mettait tant de chaleur à retenir Ragu que pour la retenir elle-même. La pensée qu'elle retournait dans ce cloaque du vieux Beauclair, aux mains de cet homme, qui, repris par l'alcool, continuerait à la violenter, lui était insupportable. Il la revoyait rue des Trois-Lunes, dans une chambre immonde, en proie à la misère sordide et meurtrière; et il n'était plus là pour veiller sur elle, et elle était sienne maintenant, il aurait voulu ne pas la quitter d'une minute, afin d'assurer sa vie heureuse. La nuit suivante, elle revint le voir, il y eut entre eux une scène déchirante, des larmes, des serments, des projets fous. La sagesse pourtant l'emporta, il fallait accepter les faits, s'ils ne voulaient compromettre l'œuvre, qui devenait commune. Josine suivrait Ragu, ce qu'elle ne pouvait refuser de faire, sans soulever un scandale inquiétant; tandis que Luc, à la Crêcherie, continuerait sa bataille pour le bonheur de tous, avec la conviction que la victoire, un jour, les réunirait. Ils étaient bien forts, puisqu'ils avaient avec eux l'amour invincible. Elle promit tendrement de revenir le visiter. Mais, quand même, quel déchirement, lorsqu'elle lui fit ses adieux, et que, le lendemain, il la vit quitter la Crêcherie, derrière Ragu, qui, aidé de Bourron, poussait dans une petite voiture le maigre déménagement!

Trois jours plus tard, Bourron suivit Ragu, qu'il retrouvait chaque soir chez Caffiaux. Le camarade le plaisantait tellement, sur l'orgeat de la Maison-Commune, qu'il crut accomplir un acte d'homme libre, en revenant, lui aussi, habiter la rue des Trois-Lunes. Sa femme, Babette, après avoir tenté de se mettre en travers d'une pareille bêtise, finit par s'y résigner, avec sa gaieté habituelle. Bah! ça irait tout de même très bien, son mari était au fond un brave homme, qui verrait clair tôt ou tard. Et elle riait, et elle déménagea, en disant au revoir aux voisines, car elle ne pouvait pas croire qu'elle ne reviendrait pas dans ces jolis jardins, où elle se plaisait beaucoup. Surtout, elle rêvait d'y ramener sa fille Marthe et son fils Sébastien, qui faisaient de grands progrès à l'école. Et, comme Sœurette parla de les y garder, elle y consentit.

Mais ce qui aggrava la situation, ce fut que d'autres ouvriers cédèrent à la contagion du mauvais exemple, en s'en allant, comme s'en étaient allés Bourron et Ragu. La foi leur manquait, autant que l'amour, et Luc entrait en lutte avec les mauvaises volontés humaines, les lâchetés, les défections, où l'on se heurte, dès qu'on travaille au bonheur des autres. Chez Bonnaire lui-même, si raisonnable, si loyal, il sentit un sourd ébranlement. Le ménage était troublé par les querelles quotidiennes de la Toupe, dont la vanité ne se trouvait pas satisfaite; car elle n'avait encore pu s'acheter la robe de soie et la montre, son rêve de coquetterie tant caressé. Puis, les idées d'égalité, de communauté, la fâchaient, dans son regret de n'être pas née princesse. Elle emplissait la maison d'un éternel ouragan, rationnait de tabac le père Lunot avec plus d'âpreté, bousculait les enfants, Lucien et Antoinette. Deux autres lui étaient encore venus, Zoé et Séverin, et c'était aussi là un désastre qu'elle ne pardonnait pas à Bonnaire, les lui reprochant sans trêve, comme s'ils étaient les fruits de ses idées subversives, dont elle se disait la victime. Bonnaire gardait un grand calme, habitué à ces tempêtes, qui l'attristaient simplement. Il ne répondait même pas, lorsqu'elle lui criait qu'il était une pauvre bête, une dupe, et qu'il laisserait ses os à la Crêcherie.

Pourtant, Luc s'apercevait bien que Bonnaire n'était pas de tout son cœur avec lui. Jamais il ne se permettait un blâme, il restait l'ouvrier actif, exact, consciencieux, qui donnait l'exemple aux camarades. Et il y avait, malgré cela, une désapprobation dans son attitude, presque de la lassitude et du découragement. Luc en souffrait beaucoup, désespéré qu'un tel homme, qu'il avait en grande estime, dont il connaissait l'héroïsme, pût s'écarter si vite. Si celui-là cessait de croire, était-ce donc que l'œuvre fût mauvaise?

Tous deux s'en expliquèrent un soir, à la porte des ateliers, sur un banc. Ils s'étaient rencontrés, comme le soleil se couchait, dans un grand ciel calme, et ils s'assirent, et ils causèrent.

— C'est bien vrai, monsieur Luc, répondit franchement Bonnaire à une question, j'ai de grands doutes sur votre succès. Vous vous rappelez, d'ailleurs, que je n'ai jamais eu vos idées et que votre tentative m'a toujours paru fâcheuse, au point de vue des concessions. Si je m'y suis prêté, c'est comme à une expérience. Mais plus les choses marchent, plus je vois que je n'avais pas tort. L'expérience est faite, il va falloir tenter autre chose, agir révolutionnairement.

— Comment, l'expérience est faite! s'écria Luc. Eh! nous ne faisons que la commencer! Elle demandera des années, plusieurs vies d'homme peut-être, un effort séculaire de bonne volonté et de courage. Et c'est vous, mon ami, vous l'énergique, le brave, qui doutez si vite!

Il le regardait, dans sa carrure de colosse, avec sa large face paisible, où se lisait tant de force honnête. Mais l'ouvrier hocha doucement la tête.

— Non, non, la bonne volonté et le courage n'y feront rien. C'est votre méthode qui est trop douce, qui compte trop sur la sagesse des hommes. Votre association du capital, du talent et du travail ira cahin-caha toujours, sans jamais rien fonder de solide et de définitif. Le mal en est arrivé à un tel degré d'abomination, qu'il devient nécessaire de le guérir par le fer rouge.

— Alors, que faut-il donc faire, mon ami?

— Il faut que le peuple s'empare tout de suite des outils du travail, il faut qu'il dépossède la classe bourgeoise, en disposant lui-même du capital, pour réorganiser le travail universel et obligatoire.

Et Bonnaire, une fois de plus, exposa ses idées. Il était resté tout entier au collectivisme, et Luc qui l'écoutait douloureusement, s'étonnait de n'avoir rien gagné sur cet esprit réfléchi, mais un peu obtus. Tel qu'il l'avait entendu parler rue des Trois-Lunes, la nuit où il avait quitté l'Abîme, tel il le retrouvait, avec la même conception révolutionnaire, sans que les cinq années d'expérience communiste, passées à la Crêcherie, eussent modifié sa foi. L'évolution était trop lente, le progrès par la seule association demanderait trop d'années encore, et il se lassait, et il ne croyait qu'en la révolution immédiate et violente.

— On ne nous donnera jamais ce que nous ne prendrons pas, dit-il en concluant. Il faut tout prendre pour tout avoir.

Il y eut un silence. Le soleil s'était couché, les équipes de nuit avaient repris la besogne, au fond des ateliers retentissants. Et, dans cet effort continu du travail, Luc se sentait envahi d'une indicible tristesse, en voyant que son œuvre allait aussi être compromise par la hâte des meilleurs à réaliser leur idéal social. N'était-ce pas souvent la bataille furieuse des idées qui entravait et retardait la réalisation des faits?

— Je ne veux pas discuter de nouveau avec vous, mon ami, reprit-il enfin. Je ne crois pas qu'une révolution décisive soit possible et bonne,

dans les circonstances où nous sommes. Et je reste convaincu que l'association, la coopération, aidées des syndicats, sont le lent chemin préférable,
qui finira par nous conduire à la Cité promise... Nous avons souvent causé
de ces choses, sans tout à fait nous entendre. A quoi bon recommencer et
nous attrister inutilement?... Mais ce que j'espère de vous, c'est, dans les
difficultés où nous sommes, de vous voir rester fidèle à la maison que nous
avons fondée ensemble.

Bonnaire eut un brusque geste fâché.

— Oh! monsieur Luc, auriez-vous douté de moi? Vous savez bien que je
ne suis pas un traître, et que, maintenant, puisque vous m'avez un jour
sauvé de la faim, je suis prêt à manger mon pain sec avec vous, aussi longtemps qu'il le faudra... N'ayez pas peur, ce que je viens de vous dire, je ne
le dis à personne. Ce sont des affaires entre vous et moi. Mais, naturellement, je ne vais pas décourager nos ouvriers, en leur annonçant la ruine
prochaine... Nous sommes associés et nous resterons associés, jusqu'à ce que
les murs nous tombent sur la tête.

Luc, très ému, lui serra les deux mains. Et la semaine suivante il fut
plus touché encore, lorsqu'il surprit toute une scène qui se passait dans la
halle des laminoirs. On l'avait prévenu que deux ou trois ouvriers mauvaise
tête voulaient faire comme Ragu, en tâchant d'entraîner le plus de camarades possible. Et, comme il arrivait pour rétablir l'ordre, il vit Bonnaire, au
milieu des mutins, qui intervenait avec véhémence. Il s'arrêta, il écouta.
Bonnaire, vaillamment, disait tout ce qu'il fallait dire, rappelait les bienfaits
de la maison, calmait les inquiétudes par la promesse d'un avenir meilleur,
si l'on était brave au travail. Il était si grand, si beau, que tous s'apaisaient,
à entendre un des leurs dire des choses si raisonnables. Pas un ne parlait
plus de rompre l'association, les défections se trouvèrent arrêtées. Et Luc
n'oublia plus ce spectacle de Bonnaire, le bon géant, pacifiant les révoltés,
d'un geste ample, en héros du travail, respectueux de la besogne acceptée
librement. Puisqu'on luttait pour le bonheur de tous, il se serait cru un
lâche en désertant son poste, même s'il pensait qu'on aurait dû lutter d'une
autre façon.

Mais, lorsque Luc le remercia, il eut de nouveau le cœur meurtri par
cette tranquille réponse :

— C'est bien simple, j'ai fait ce que je devais faire... N'importe, monsieur Luc, il faudra que je vous amène à mes idées. Autrement, nous finirons
tous par crever de faim ici.

Et, à quelques jours de là, une autre rencontre acheva de l'assombrir. Il
descendait justement du haut fourneau, avec Bonnaire, lorsque tous deux
passèrent devant les fours de Lange. Le potier s'était obstiné à ne pas quitter
l'étroit terrain qu'on lui abandonnait, contre la rampe rocheuse, et qu'il

avait entouré d'un petit mur en pierres sèches. Vainement, Luc s'éta
efforcé de le prendre avec lui, en lui offrant de diriger la creuseterie qu'
avait dû créer. Lange voulait rester libre, n'ayant ni Dieu ni maître, comm
il disait. Il continuait donc, au fond de son trou sauvage, à fabriquer l
poterie commune, les terrines, les marmites, les pots, qu'il promena
ensuite dans une petite voiture, par les marchés et par les foires des villag
voisins. Lui tirait, la Nu-Pieds poussait. Et, ce soir-là, tous deux rentraie
justement d'une de leurs tournées, comme Luc et Bonnaire se trouvaie
devant la porte du clos.

— Eh bien ! Lange, demanda cordialement le premier, ça va, le com
merce ?

— Toujours assez pour que nous ayons du pain, monsieur Luc. Je n'
demande pas davantage.

En effet, il ne promenait ses pots que lorsque le pain manquait. Et,
reste du temps, il s'oubliait à des poteries qui n'étaient pas de vente,
restait des heures à les regarder, les yeux remplis de rêve, en poète rustiq
dont la passion était de donner de la vie aux choses. Même les objets gro
siers qu'il fabriquait, les marmites et les terrines, en gardaient une naïve
une pureté de ligne, une grâce simple et fière. D'instinct, il avait retrouv
sorti du peuple, la primitive beauté populaire, cette beauté de l'humb
objet domestique, qui naît des proportions parfaites et de l'adaptati
absolue à l'usage qu'on doit en faire.

Luc était frappé de cette beauté, en examinant les quelques pièces n
vendues, dans la petite voiture. Et la vue de la Nu-Pieds, cette grande fi
brune si belle, avec ses membres fins et nerveux de lutteuse, sa petite go
dure de guerrière, l'emplissait aussi d'une admiration mêlée d'étonneme

— Hein ? reprit-il en s'adressant à elle, ça doit être rude, de pousser
toute une journée.

Mais elle était une silencieuse, elle se contenta de sourire, de ses gran
yeux de sauvagesse, tandis que le potier répondait pour elle.

— Bah ! on se repose à l'ombre, au bord du chemin, quand on re
contre une source... N'est-ce pas que ça va tout de même, la Nu-Pieds,
qu'on est heureux ?

Elle avait tourné vers lui ses yeux, qui s'emplirent d'une adoration sa
bornes, comme pour le maître tout-puissant et bon, le sauveur, le dieu. Pu
sans dire une parole, elle acheva de pousser dans le clos la petite voitu
qu'elle alla ranger sous un hangar.

Lange, lui, l'avait suivie d'un regard de tendresse profonde. Il fais
mine parfois de la rudoyer, en bohémienne ramassée sur les routes, d
il voulait rester le dompteur. Mais, à présent, c'était elle la maîtresse
l'aimait d'une passion qu'il n'avouait pas, qu'il cachait sous son air de

— A mort ! à mort ! le voleur, l'empoisonneur, à mort !

de paysan mal dégrossi. Ce petit homme trapu, à la tête carrée, embroussaillée de cheveux et de barbe, était, au fond, d'une infinie douceur amoureuse.

Il reprit soudain, avec sa franchise brutale, en se tournant vers Luc, qu'il affectait de traiter en camarade :

— Eh bien! ça ne marche donc pas, le bonheur de tous? ils ne veulent donc pas être heureux à votre façon, ces imbéciles qui consentent à s'enfermer dans votre caserne?

Il goguenardait, il plaisantait ainsi Luc à chacune de leurs rencontres, sur la tentative de communisme fouriériste faite à la Crêcherie. Et, comme celui-ci se contentait de sourire, il ajouta :

— J'espère bien qu'avant six mois vous viendrez à nous, les anarchistes... Encore une fois, je vous le répète, tout est pourri, il n'y a plus qu'à flanquer la vieille société par terre, à coups de bombes.

Bonnaire, qui, jusque-là, avait gardé le silence, intervint brusquement,

— Oh! à coups de bombes, c'est imbécile!

Lui, collectiviste pur, n'était pas pour l'attentat, pour la propagande par le fait, tout en croyant à la nécessité d'une révolution générale et violente.

— Comment, imbécile! s'écria Lange, blessé. Croyez-vous que, si l'on n'y prépare pas les bourgeois, votre fameuse socialisation des outils du travail se fera jamais? C'est votre capitalisme déguisé qui est imbécile. Commencez donc par tout détruire, pour tout reconstruire.

Ils continuèrent, l'anarchie de l'un aux prises avec le collectivisme de l'autre, et Luc n'eut plus qu'à les écouter. L'écart était aussi grand de Lange à Bonnaire, qu'il l'était de Bonnaire à lui. En les écoutant, on les aurait crus, à l'âpreté, à la méchanceté de la querelle, des hommes de races différentes, ennemis séculaires, prêts à se dévorer, sans aucune entente possible. Et, pourtant, ils voulaient le même bonheur pour tous les êtres, ils se rejoignaient au même but, la justice, la paix, le travail réorganisé, donnant le pain et la joie à tous. Mais quelle fureur encore, quelle haine agressive, meurtrière, dès qu'il s'agissait de s'entendre sur les moyens! Le long de la route si rude du progrès, c'était, à chaque halte, parmi les frères en marche, enflammés tous du même désir d'affranchissement, des batailles sanglantes, sur la simple question de savoir s'il fallait passer à droite ou à gauche.

— Et puis, chacun est son maître, finit par déclarer Lange. Endormez-vous dans votre niche à bourgeois, si ça vous amuse, camarade. Moi, je sais bien ce que j'ai à faire... Et ça marche, ça marche, les petits cadeaux, les petites marmites que nous irons déposer un beau matin chez le sous-préfet, chez le maire, chez le président, chez le curé, n'est-ce pas, la Nu-Pieds? Une fameuse tournée, hein? ce matin-là, et comme on poussera la carriole de bon cœur !

La grande belle fille était revenue sur le seuil, où elle se détachait, souveraine et sculpturale, parmi les argiles rouges du petit clos. De nouveau, ses yeux flambèrent, elle eut un sourire de servante qui s'est donnée, prête à suivre son maître jusqu'au crime.

— Elle en est, camarade, ajouta simplement Lange, de son air bourru et tendre. Elle m'aide.

Lorsque Luc et Bonnaire l'eurent quitté, sans fâcherie, malgré leur peu d'entente, ils marchèrent en silence un instant. Puis, le dernier éprouva le besoin de reprendre ses arguments, de prouver une fois de plus qu'il n'y avait pas de salut possible, en dehors de la foi collectiviste. Il damnait les anarchistes, comme il damnait les fouriéristes, ceux-ci parce qu'ils ne s'emparaient pas immédiatement du capital, ceux-là parce qu'ils le supprimaient violemment. Et Luc songeait de nouveau que la réconciliation n'était possible que dans la Cité fondée enfin, lorsque toutes les sectes s'apaiseraient devant le rêve commun réalisé. On ne se querellerait plus sur la meilleure route à suivre, on serait au but désiré de tous, et la paix fraternelle régnerait. Mais quelle inquiétude mortelle lui donnait le long chemin à parcourir encore, et quelle crainte il avait de voir les frères se dévorer, en s'entravant eux-mêmes dans leur marche !

Luc rentra très triste de ces continuels heurts, qui étaient autant d'obstacles à son œuvre. Dès que deux hommes voulaient agir, ils ne s'entendaient plus. Puis, lorsqu'il fut seul, son cri lui échappa, le cri qui sans cesse gonflait son cœur.

— Mais ils n'aiment pas ! S'ils aimaient, tout serait fécondé, tout pousserait et triompherait sous le soleil !

Morfain également lui donnait du souci. Il avait en vain essayé de le civiliser un peu, en lui faisant abandonner son trou de roche, pour descendre habiter une des petites maisons claires de la Crêcherie. Et le maître fondeur avait toujours refusé avec obstination, sous le prétexte qu'il était là-haut près de son travail, en continuelle surveillance. Luc s'en remettait complètement à lui, le laissait conduire le haut fourneau, qui fonctionnait à l'antique mode, dans l'attente des batteries de fours électriques, l'œuvre que poursuivait Jordan, sans se lasser jamais. Mais la vraie cause de l'entêtement de Morfain à ne pas descendre parmi les hommes qui peuplaient la Cité nouvelle, c'était le dédain, presque la haine où il les tenait. Lui, le Vulcain des temps primitifs, le conquérant du feu, l'ouvrier écrasé plus tard sous le long esclavage, donnant son effort en héros résigné, finissant par aimer la grandeur sombre du bagne où le destin le courbait, s'irritait de cette usine dont les ouvriers allaient être des messieurs, avares de leurs bras, remplacés par des machines, que des enfants bientôt conduiraient. Cela lui semblait petit, misérable, ce souci de peiner le moins possible, de ne plus se battre avec le feu et le fer. Il ne comprenait même pas, il haussait les épaules, sans une parole, dans les longs silences qu'il gardait pendant des journées entières. Et, très seul, très orgueilleux, il restait au flanc de sa montagne, régnant sur le haut fourneau, dominant l'usine, que quatre fois en vingt-quatre heures, régulièrement, les coulées éclatantes couronnaient de flammes.

Une autre raison encore fâcha Morfain contre ces temps nouveaux qu'il voulait ignorer, dont le souffle n'avait pas même effleuré sa rude peau tannée par le travail. Et, cette fois, chez ce silencieux, le cœur dut saigner affreusement. Sa fille, Ma-Bleue, dont les yeux bleus étaient le bleu de son ciel, cette belle et grande créature qui était la ménagère aimée, depuis la mort de la mère, devint grosse. Il s'emporta, puis pardonna, car il se disait qu'elle se serait mariée un jour. Mais où il n'eut plus de pardon, ce fut lorsqu'elle lui avoua le nom de l'homme, le fils du maire, Achille Gourier. Depuis des années, la liaison durait, les rencontres par les sentiers des Monts Bleuses, les nuits passées sur des couches odorantes de lavande et de thym, aux grands souffles libres des nuits étoilées. Achille, rompant avec sa famille, en jeune bourgeois que sa bourgeoisie dégoûtait et ennuyait, avait prié Luc de l'embaucher à la Crêcherie, où il était devenu dessinateur. Il brisait tous les liens, il aimait où et comment il lui plaisait, résolu à travailler pour la femme librement choisie, évoluant en fils conquis de la vieille société condamnée, allant à l'âge nouveau. Et ce fut là ce qui angoissa Morfain, jusqu'à lui faire chasser Ma-Bleue comme une fille perdue. Elle s'était laissé séduire par un monsieur, il n'y avait plus dans son cas que rébellion et diablerie. Tout l'antique édifice croulait, pour qu'une si belle et si bonne fille en eût ébranlé elle-même une des charpentes, en écoutant, en aguichant peut-être le fils du maire.

Puis, comme Ma-Bleue, mise à la porte, s'était naturellement réfugiée chez Achille, Luc dut intervenir. Les deux jeunes gens ne parlaient même pas de mariage. A quoi bon? ils étaient bien sûrs de s'aimer et de ne jamais se quitter. Pour se marier, il était nécessaire qu'Achille sommât judiciairement son père ; et cela lui semblait une complication vexatoire, inutile. Vainement, Sœurette insista, dans l'idée que la morale, pour la bonne réputation de la Crêcherie, exigeait encore le mariage légal. Et Luc finit par obtenir d'elle qu'elle fermât les yeux, car il sentait bien qu'avec les générations nouvelles, il faudrait peu à peu tolérer l'union libre.

Mais Morfain n'acceptait point aussi aisément la situation, et Luc dut monter un soir, pour le raisonner. Depuis qu'il avait chassé sa fille, le maître fondeur vivait seul avec son fils, Petit-Da, faisant tous les deux leur ménage et leur cuisine, dans leur trou de roche. Et, ce soir-là, ils avaient achevé de dîner d'une soupe, ils restaient assis sur des escabeaux, devant leur rude table de chêne qu'ils avaient fabriquée eux-mêmes à coups de hache, tandis que la maigre lampe qui les éclairait, projetait sur la pierre enfumée des murs leurs ombres de colosses.

— Pourtant, père, disait Petit-Da, le monde marche, on ne peut rester immobile.

D'un coup de poing, Morfain ébranla la lourde table.

— J'ai vécu comme mon père a vécu, et votre devoir était de vivre comme je vis.

D'habitude, les deux hommes n'échangeaient pas quatre paroles en un jour. Mais, depuis quelque temps, un malaise grandissait entre eux; et bien qu'ils fissent tout pour les éviter, des explications parfois éclataient. Le fils savait lire, écrire, était de plus en plus touché par l'évolution, qui soufflait jusqu'au fond des gorges de la montagne. Et le père, dans son entêtement glorieux de n'être qu'un solide ouvrier, dont l'effort suffisait à dompter le feu et à conquérir le fer, s'emportait douloureusement, en trouvant que sa race s'abâtardissait, par toute cette science et toutes ces idées inutiles.

— Si ta sœur n'avait pas lu des livres et ne s'était pas occupée de ce qui se passait là-bas, elle serait encore avec nous... Ah! cette ville nouvelle, cette ville maudite qui nous l'a prise!

Cette fois, son poing ne s'abattit pas sur la table, il se tendit par la porte ouverte, dans la nuit noire, vers la Crêcherie, dont les lumières braisillaient comme des étoiles, en bas de la rampe rocheuse.

Petit-Da ne répondait plus, respectueux, la conscience troublée d'ailleurs, car il savait son père fâché contre lui, depuis qu'il l'avait rencontré avec Honorine, la fille du cabaretier Caffiaux. Honorine, petite, brune et fine, avec un gai visage éveillé, s'était passionnée pour ce géant si doux, qui la trouvait lui-même délicieuse. Entre le père et le fils, dans l'explication de ce soir-là, c'était d'Honorine qu'il s'agissait au fond. Aussi l'attaque directe que celui-ci attendait finit-elle par se produire.

— Et toi, demanda brusquement Morfain, quand vas-tu me quitter?

Cette idée de séparation parut bouleverser Petit-Da.

— Pourquoi donc, père, veux-tu que je te quitte?

— Oh! lorsqu'il y a une fille en jeu, il ne peut en résulter que des brouilles et que des ruines... Et puis, laquelle as-tu choisie? Est-ce qu'elle voudra te la donner seulement, est-ce que c'est raisonnable, des mariages pareils, qui confondent les classes, un vrai monde à l'envers, la fin de tout?... J'ai trop vécu.

Doucement, tendrement, le fils s'efforça d'apaiser le père. Il ne renia pas son amour pour Honorine. Seulement, il en parlait en garçon raisonnable, décidé à patienter tant qu'il le faudrait. On verrait plus tard. Qu mal cela lui faisait-il, lorsqu'ils se rencontraient, la jeune fille et lui, qu'ils se dissent un bonjour amical? Si l'on n'était pas du même monde, cela n'empêchait pas qu'on pût se plaire. Et quand même les mondes se mêleraient un peu, est-ce que cela n'aurait pas le bon côté qu'on en viendrait à se connaître et à s'aimer davantage?

Mais, débordant de colère et d'amertume, Morfain se leva tout d'un coup, et il dit avec un grand geste tragique, sous le plafond de roche, qu'il touchait presque du front:

— Va-t'en, va-t'en, dès que tu le voudras!... Fais comme ta sœur, crache sur tout ce qui est respectable, saute dans le dévergondage et dans la folie. Vous n'êtes plus mes enfants, je ne vous reconnais plus, quelqu'un vous a changés... Et qu'on me laisse seul dans ce trou sauvage, où j'espère bien que les roches elles-mêmes finiront par crouler et par m'écraser!

— Luc, qui arrivait, s'était arrêté sur le seuil et avait entendu ces dernières paroles. Il en fut très affecté, car il avait une solide estime pour Morfain. Longuement, il le raisonna. Mais celui-ci, d'ailleurs, depuis que le maître était entré, avait renfoncé son chagrin, pour n'être plus que l'ouvrier, le subordonné soumis, tout à sa tâche. Il ne se permettait même pas de juger Luc, la cause première de ces abominations qui bouleversaient le pays et dont il souffrait. Les patrons restaient les maîtres d'agir à leur guise, c'était aux ouvriers d'être d'honnêtes gens, en faisant leur besogne comme les ancêtres l'avaient faite.

— Ne vous inquiétez pas, monsieur Luc, si j'ai des idées à moi, et si je me fâche, lorsqu'on les contrarie. Ça m'arrive bien rarement, vous savez que je ne cause guère.., Et, vous pouvez en être sûr, ça ne fait pas de tort au travail, j'ai toujours un œil ouvert, pas une coulée n'a lieu, sans que je sois présent... N'est-ce pas? quand on a le cœur gros, on n'en travaille que plus dur.

Puis, comme Luc s'efforçait encore de mettre la paix dans cette famille dévastée par l'évolution dont il s'était fait l'apôtre, le maître fondeur faillit s'emporter de nouveau.

— Non, non! c'est assez, qu'on me fiche la paix!... Si vous êtes monté pour me parler de Ma-Bleue, monsieur Luc, vous avez eu tort, parce que c'est le sûr moyen de gâter les choses davantage. Qu'elle reste chez elle, je reste chez moi!

Et, voulant rompre la conversation, il parla brusquement d'autre chose, il donna une mauvaise nouvelle, qui entrait pour beaucoup dans son atroce humeur.

— Je serais peut-être descendu tout à l'heure, pour vous dire que je suis allé ce matin à la mine, et que l'espoir d'y retrouver le filon de minerai riche vient encore d'être déçu... Selon moi, on devait le rencontrer infailliblement au fond de la galerie dont j'avais indiqué la direction... Mais, que voulez-vous? c'est comme un mauvais sort jeté sur tout ce que nous entreprenons depuis quelque temps, rien ne réussit.

Cette parole retentit chez Luc, tel que le glas de ses grandes espérances. Un instant, il causa encore avec le père et le fils, les deux colosses. Morfain le désespérait, comme le dernier témoin d'un monde disparu, avec sa tête énorme, sa face large, ravinée et roussie par le feu, ses yeux de flamme, sa bouche torturée, d'un rouge fauve de brûlure. Puis, il partit, il redescendit accablé d'une tristesse plus amère, en se demandant sur quel amas de ruines géantes, sans cesse accrues, il aurait à fonder sa ville.

A la Crêcherie même, dans l'intimité si calme, si tendre de Sœurette, Luc trouvait des causes de découragement. Elle continuait à recevoir l'abbé Marle, l'instituteur Hermeline et le docteur Novarre, et elle se montrait si heureuse d'avoir aussi, ces jours-là, son ami à déjeuner, qu'il n'osait refuser l'invitation, malgré le sourd malaise où le jetaient les continuelles disputes de l'instituteur et du prêtre. L'âme paisible, Sœurette n'en souffrait pas, croyait qu'il s'y intéressait, tandis que Jordan, enveloppé dans ses couvertures, rêvant à quelque expérience commencée, semblait écouter avec un sourire vague.

Et ce fut particulièrement rude, un mardi, dans le petit salon, en sortant de table. Hermeline avait entrepris Luc sur l'instruction telle qu'elle était donnée aux enfants de la Crêcherie, dans les cinq classes mixtes, et que coupaient des récréations prolongées et des heures nombreuses passées aux ateliers d'apprentissage. Cette école nouvelle, où l'on suivait une méthode diamétralement opposée à la sienne, lui avait pris des élèves, ce qu'il ne pardonnait pas. Et sa face anguleuse, au front osseux, aux lèvres minces, blêmissait de colère contenue, à l'idée qu'on pouvait croire à une autre vérité que la sienne.

— Je consentirais encore à ces garçons et à ces filles instruits en tas, bien que cela ne me paraisse guère propre. Les écoliers ont déjà assez d'instincts mauvais, d'imaginations diaboliques, lorsqu'on sépare les sexes, sans qu'on aille concevoir l'extraordinaire idée de les réunir, pour les exciter et les pourrir davantage ensemble. Ça doit être gentil, les petits jeux dans les coins, dès qu'on tourne le dos... Mais ce qui est tout à fait inacceptable, c'est l'autorité du maître détruite, c'est la discipline réduite à néant, du moment qu'on fait appel à la personnalité de ces bambins, et qu'on les laisse se diriger eux-mêmes, selon leur bon plaisir. Ne m'avez-vous pas dit que chaque élève suit son penchant, se consacre à l'étude qui lui plaît, reste libre de discuter sa leçon? Vous appelez cela susciter des énergies... Et puis, qu'est-ce que c'est que des études où l'on joue toujours, où les livres sont méprisés, où la parole du maître n'est plus infaillible, où le temps qu'on ne passe pas au jardin on le passe dans des ateliers, à raboter du bois ou à limer du fer? Certes, un métier manuel est bon à apprendre, mais il y a temps pour tout, et commencez-moi donc par faire entrer, dans le crâne dur de ces paresseux, le plus de grammaire et le plus de calcul possible, à coups de maillet!

Luc avait cessé de discuter, las de se heurter à cette intransigeance de sectaire, de catholique à rebours, ayant décrété le dogme du progrès, dont il ne voulait pas sortir. Et, tranquillement, il se contenta de répondre :

— Oui, nous croyons qu'il est nécessaire de rendre le travail attrayant, de changer les études classiques en de continuelles leçons de choses, et notre but est de faire avant tout des volontés, des hommes.

Alors, Hermeline éclata.

— Eh bien! savez-vous ce que vous ferez? Vous ferez des déclassés, des révoltés. Il n'y a qu'un moyen de donner à l'État des citoyens, c'est de les fabriquer exprès pour lui, tels qu'il les lui faut, afin d'être fort et glorieux. De là, la nécessité d'une instruction disciplinée, identique, préparant au pays, d'après les programmes reconnus les meilleurs, les ouvriers, les professionnels, les fonctionnaires dont il a besoin. En dehors de l'autorité, il n'y a pas de certitude possible... Certes, j'ai fait mes preuves, je suis un républicain de la veille, libre penseur et athée. Personne, j'espère, ne s'avisera de voir en moi un esprit rétrograde, et pourtant votre instruction, votre éducation libertaires, comme on dit, me jettent hors de moi, parce qu'avec elles, avant un demi-siècle, il n'y aurait plus de citoyens, plus de soldats, plus de nationaux... Oui, avec vos hommes libres, je vous défie bien de faire des soldats, et comment la patrie se défendrait-elle, en cas de guerre?

— Sans doute, en cas de guerre, il faudrait la défendre, dit Luc sans s'émouvoir. Mais, un jour, à quoi bon des soldats, si l'on ne se bat plus? Vous parlez comme le capitaine Jollivet, dans le *Journal de Beauclair*, lorsqu'il nous accuse d'être des sans-patrie et des traîtres.

Cette ironie peu méchante acheva d'exaspérer Hermeline.

— Le capitaine Jollivet est un imbécile que je méprise... Il n'en est pas moins vrai que vous nous préparez une génération déréglée, en rébellion contre l'État, et qui conduirait sûrement la République aux pires catastrophes.

— Toute la liberté, toute la vérité, toute la justice, sont des catastrophes, dit encore Luc en souriant.

Mais Hermeline continuait, en faisant une peinture épouvantable de la société de demain, si les écoles cessaient d'instruire des citoyens tous pareils, tous fabriqués pour le service de sa république autoritaire et centralisée : plus de discipline politique, plus d'administration possible, plus d'État souverain, la licence désordonnée aboutissant à la pire débauche physique et morale. Et, tout d'un coup, l'abbé Marle, qui écoutait, en approuvant de la tête, ne put résister au besoin de crier :

— Ah! que vous avez raison, et que tout cela est bien dit!

Sa face large et pleine, aux traits réguliers, au nez solide et fort, rayonnait de cette attaque furieuse contre la société naissante, où il sentait son Dieu condamné, près de n'être plus que l'idole historique d'une religion morte. Lui-même, chaque dimanche au prône, portait les mêmes accusations, prophétisait les mêmes désastres. Mais on ne l'écoutait guère, son église se vidait davantage chaque jour, et il en ressentait une grande douleur inavouée, s'enfermant de plus en plus, pour toute consolation, dans son étroite doctrine. Jamais il ne s'était montré plus attaché à la lettre, jamais il n'avait courbé ses pénitentes sous une pratique plus sévère, comme s'il eût voulu que ce monde bourgeois, dont il couvrait la pourriture du manteau de la religion, fût au moins englouti dans une attitude brave. Le jour où son église croulerait, il serait à l'autel, il achèverait sous les décombres sa dernière messe.

— C'est bien vrai, que le règne de Satan est proche, ces filles et ces garçons élevés ensemble, toutes les passions mauvaises déchaînées, l'autorité détruite, le royaume de Dieu remis sur la terre, ainsi qu'au temps des païens... Le tableau que vous venez de faire est si juste, que je ne saurais rien y ajouter de plus fort.

Gêné d'être loué de la sorte par le prêtre, avec lequel il ne s'entendait sur rien, l'instituteur s'était brusquement tu, les yeux au loin, regardant les pelouses du parc, comme s'il n'entendait pas.

— Mais, poursuivit l'abbé Marle, plus encore que cette instruction démoralisante donnée ici, dans vos Écoles, il est une chose que je ne puis pardonner, c'est que vous avez mis Dieu à la porte, c'est que volontairement vous avez oublié de bâtir une église, au milieu de votre ville nouvelle, parmi tant de belles et utiles constructions... Prétendez-vous donc vivre sans Dieu? Jusqu'ici, aucun État n'a pu s'en passer, une religion a toujours été nécessaire au gouvernement des hommes.

— Je ne prétends rien du tout, répondit Luc. Chaque homme est libre de sa foi, et si une église n'a pas été bâtie, c'est qu'aucun de nous ne s'en est encore senti le besoin. Mais on peut en bâtir une, dans le cas où il se trouverait des fidèles pour l'emplir. Il sera toujours loisible à un groupe de citoyens de se réunir pour se donner la satisfaction qui lui plaira. Et quant à la nécessité d'une religion, elle est en effet très réelle, lorsqu'on veut gouverner les hommes. Mais nous ne voulons pas les gouverner, nous voulons au contraire qu'ils vivent libres dans la Cité libre... Voyez-vous, monsieur l'abbé, ce n'est pas nous qui détruisons le catholicisme, il se détruit lui-même, il meurt lentement de sa belle mort, comme meurent nécessairement

les religions, après avoir accompli leur tâche historique, à l'heure marquée
par l'évolution humaine. La science abolit un à un tous les dogmes, la religion de l'humanité est née et va conquérir le monde. A quoi bon une église
catholique à la Crêcherie, puisque la vôtre est déjà trop grande pour Beauclair, qu'elle devient de plus en plus déserte et qu'elle s'écroulera un de ces
jours?

Très pâle, le prêtre ne comprit pas, ne voulut pas comprendre. Il se
contenta de répéter, avec l'entêtement du croyant qui met sa force dans
l'affirmation, sans raisonnements ni preuves :

— Si Dieu n'est pas avec vous, votre défaite est certaine. Croyez-moi,
bâtissez une église.

Hermeline ne put se contenir davantage. Les éloges du prêtre le suffo-
quaient, surtout avec cette conséquence de la nécessité d'une religion. Et il
cria :

— Ah! non, ah! non, l'abbé, pas d'église! Certes, je ne cache pas que les
choses, ici, ne s'organisent guère selon mon goût. Mais, s'il est une de ces
choses que j'approuve, c'est bien l'abandon de tout culte d'État... Gouverner
les hommes, eh oui! mais ce ne sera plus les curés dans leurs églises qui les
gouverneront, ce sera nous, les citoyens, dans nos mairies. Les églises, on
en fera des greniers publics, des granges pour les récoltes.

Et l'abbé Marle se fâchant, disant qu'il ne tolérerait pas en sa présence
des paroles sacrilèges, la dispute devint si âpre, que le docteur Novarre dut
intervenir, comme d'habitude. Jusque-là, il avait écouté de son air fin, avec
ses yeux vifs, en homme très doux et un peu sceptique, qui ne se troublait
pas pour des mots échangés, même les plus violents du monde. Mais il crut
s'apercevoir que Sœurette commençait à souffrir.

— Voyons, voyons, vous voilà presque d'accord, puisque vous utilisez
tous les deux les églises. L'abbé pourra toujours y dire sa messe, quitte à
abandonner un coin aux fruits de la terre, les années de grande abondance...
Le bon Dieu, de quelque religion qu'il soit, ne dirait pas non.

Puis, il parla d'une rose nouvelle qu'il avait obtenue, très blanche, très
pure, chauffée au cœur d'un flot de carmin. Il en avait apporté une touffe, et
Sœurette la regardait sur la table, dans un vase, de nouveau souriante à
cette floraison de charme et de parfum, gardant pourtant une lassitude
attristée de la virulence que prenaient les querelles, à ses déjeuners du
mardi. Bientôt, on ne pourrait plus se voir.

Alors seulement, Jordan sortit de sa songerie. Il n'avait cessé d'avoir
l'air attentif, comme s'il écoutait. Mais il dit un mot, qui montra combien
son esprit était loin.

— Vous savez qu'en Amérique un savant électricien vient d'emmagasiner assez de chaleur solaire pour produire de l'électricité.

Lorsque Luc fut resté seul avec les Jordan, il y eut un grand silence. La pensée des pauvres hommes qui se déchiraient, qui s'accablaient, dans leur aveugle poursuite du bonheur, lui oppressait le cœur. A la longue, en voyant avec quelle peine on travaillait au bien commun, parmi les révoltes de ceux mêmes qu'on voulait sauver, il était pris parfois de découragements qu'il n'avouait pas encore, mais qui lui brisaient les membres et l'esprit, comme après les grosses fatigues inutiles. Un instant, sa volonté chavirait, sur le point d'être engloutie.

Et, ce jour-là, il eut encore son cri de détresse sentimentale.

— Mais ils n'aiment pas! S'ils aimaient, tout serait fécondé, tout pousserait et triompherait sous le soleil!

A quelques jours de là, un matin d'automne, de très bonne heure, Sœurette reçut au cœur un coup affreux, dont la douleur inattendue lui causa une profonde angoisse. Elle était fort matinale, et elle allait donner des ordres à une vacherie qu'elle avait fait installer pour les enfants de sa crèche, lorsqu'elle eut l'idée, en suivant le mur en terrasse qui aboutissait au pavillon occupé par Luc, de jeter un coup d'œil sur la route des Combettes, que la terrasse dominait. Et, juste à ce moment, la porte du pavillon ouvrant sur la route s'étant entre-bâillée à peine, elle vit sortir doucement une femme, une ombre légère de femme, qui s'effaça presque aussitôt dans le brouillard rose du matin. Mais elle l'avait reconnue, si fine, si souple, d'un charme si pénétrant, telle qu'une vision d'infinie tendresse, fuyant au plein jour. C'était Josine qui sortait de chez Luc, et pour qu'elle en sortît de la sorte au lever du soleil, c'était donc qu'elle y avait passé la nuit.

Depuis que Ragu avait quitté la Crêcherie, Josine était ainsi revenue trouver Luc quelquefois, les nuits où elle était libre. Et, cette nuit-là, elle était venue lui dire qu'elle ne reviendrait pas, dans la crainte d'être surprise, des voisines l'espionnant, guettant ses sorties. Puis, l'idée de mentir, de se cacher, pour se donner à son dieu, finissait par lui être si pénible, qu'elle préférait attendre l'heure où elle clamerait son amour au grand soleil. Luc avait compris, s'était résigné. Mais quelle nuit de caresses, coupées de désespoirs, et quels adieux désolés, aux premières lueurs de l'aube! Ils s'étaient repris avec des baisers sans fin, ils avaient échangé tant de serments, que le jour était déjà clair, lorsqu'elle avait pu s'arracher de ses bras. Et, seules, les vapeurs matinales l'avaient voilée un peu à son départ.

Josine passant la nuit chez Luc, sortant de chez Luc, au lever du soleil! Cette brusque révélation retentissait en Sœurette avec un bruit de mortelle catastrophe. Elle s'était soudain arrêtée, clouée sur place, comme si la terre se fût ouverte devant ses pas. Un tel bouleversement l'agitait, un tel bruit d'orage montait à sa tête, que tout n'était plus en elle que confusion, sans une sensation nette, sans un raisonnement possible. Et elle ne continua pas son chemin, elle oublia qu'elle se rendait à la vacherie pour donner un ordre. Tout d'un coup, elle se mit à fuir, elle aussi ; elle revint sur ses pas en courant, rentra dans la maison, remonta follement à sa chambre, s'y enferma, se jeta sur son lit défait, les mains aux yeux et aux oreilles, comme pour ne plus voir et ne plus entendre. Elle ne pleurait pas, elle ne savait pas encore, en proie seulement à une immense désolation, mêlée d'un effroi sans bornes.

Pourquoi donc souffrait-elle ainsi, dans un pareil déchirement de tout son être? Elle ne s'était crue que l'amie très tendre de Luc, son disciple et son aide, passionnément dévouée à l'œuvre de justice et de bonheur humain qu'il rêvait d'accomplir. Près de lui, elle ne s'imaginait goûter que la délicieuse douceur d'une fraternité d'âme, sans que jamais encore un frisson l'eût effleurée. Et voilà qu'elle brûlait toute, qu'elle était secouée d'une ardente fièvre, parce que l'image de cette autre femme passant la nuit là, ne sortant qu'au matin, s'évoquait désormais, avec une tyrannie abominable. Elle aimait donc Luc, elle le désirait donc? et elle s'en apercevait le jour où le malheur était fait, où il devait être trop tard pour qu'elle se fît aimer! C'était cela, le désastre, d'apprendre si durement qu'elle aimait elle-même, lorsqu'une autre avait pris la place, la chassant de ce cœur dans lequel elle aurait pu s'installer peut-être en reine adorée et toute-puissante. Le reste disparaissait, et comment son amour était né, avait grandi, et pourquoi elle l'avait ignoré, candide encore à trente ans, parfaitement heureuse jusque-là d'une si tendre intimité, n'ayant point senti l'aiguillon d'un désir de possession plus étroite. Les larmes vinrent enfin, elle sanglota sur la brutalité du fait accompli, sur ce brusque obstacle qui se dressait entre elle et l'homme à qui elle s'était donnée toute, sans le savoir. Cela seul existait à présent, qu'allait-elle faire, de quelle façon allait-elle se faire aimer? car il lui semblait impossible de ne pas être aimée, puisqu'elle aimait, puisqu'elle ne cesserait jamais d'aimer. Maintenant que son amour criait en elle, il lui déchirait le cœur, elle ne pourrait plus vivre, si son amour partagé ne l'apaisait d'un baume rafraîchissant. Et ce n'était toujours que confusion, elle se débattait dans des pensées indécises, dans des résolutions obscures, ainsi qu'une femme déjà mûre, restée enfant, jetée soudain aux réalités torturantes de la vie.

Longtemps elle dut s'anéantir ainsi, la face dans l'oreiller. Le soleil avait grandi, la matinée s'avançait sans qu'elle trouvât une solution pratique, dans son émoi grandissant. Toujours revenait la question obsédante : qu'allait-elle faire pour dire qu'elle aimait, pour être aimée? Et, brusquement, l'idée de son frère lui vint, c'était à son frère qu'elle devait se confier, puisque lui seul au monde la connaissait, savait bien que son cœur n'avait jamais menti. Il était un homme, il comprendrait sûrement, il lui enseignerait ce qu'on fait, quand on a le besoin d'être heureux. Tout de suite, sans raisonner davantage, elle sauta de son lit, elle descendit au laboratoire, telle qu'une enfant qui a trouvé la solution à sa grosse peine.

Jordan, ce matin-là, venait de subir un échec désastreux. Depuis des mois, il croyait avoir trouvé le transport de la force électrique, dans des conditions parfaites de sûreté et d'économie. Il brûlait le charbon au sortir du puits, il amenait l'électricité sans déperdition aucune, ce qui abaissait le prix de revient d'une façon considérable. Le problème lui avait coûté quatre années de recherches, au milieu des continuels malaises de sa chétive personne. Il utilisait le mieux qu'il pouvait sa petite santé, dormant beaucoup, enveloppé dans ses couvertures, occupant avec méthode les rares heures qu'il conquérait ainsi sur la nature marâtre. Et il arrivait, en tirant le meilleur parti de l'instrument ingrat qu'était son misérable corps, à faire une formidable besogne. On lui cachait la crise inquiétante que traversait la Crêcherie, pour ne pas le troubler. Il croyait que tout marchait bien, il était d'ailleurs incapable de s'apercevoir des choses et de s'y intéresser, continuellement enfermé dans son laboratoire, tout à son œuvre, qui seule existait au monde. Et voilà que, ce matin même, il s'était mis au travail de bonne heure, en se sentant l'intelligence claire, voulant en profiter pour une dernière expérience. Et elle avait totalement échoué, il se heurtait à un obstacle imprévu, erreur de calcul, détail négligé, qui prenait soudain une importance destructive, qui reculait indéfiniment la solution cherchée de ses fours électriques.

C'était un écroulement, tant de travail improductif encore, tant de travail encore nécessaire. Au milieu de la vaste pièce désolée, il venait de se réenvelopper dans ses couvertures, pour s'allonger au fond du fauteuil où il passait de longues heures, lorsque sa sœur entra. Il la vit si pâle, si défaite, qu'il s'inquiéta vivement, lui qui avait assisté à l'échec de son expérience d'un front tranquille, en homme que rien ne décourage.

— Qu'as-tu donc, chérie ? Es-tu souffrante ?

Sa confidence ne la gêna pas. Elle dit sans une hésitation, en pauvre fille dont le cœur s'ouvrait dans un sanglot :

— J'ai, mon bon frère, que j'aime Luc et qu'il ne m'aime pas. Je suis bien malheureuse.

Et, de son air simple et candide, elle dit toute l'histoire, comment elle avait vu sortir Josine de chez Luc, comment elle en éprouvait au cœur une douleur si atroce, qu'elle accourait avec le besoin d'être consolée, guérie. Elle aimait Luc, et Luc ne l'aimait pas.

Jordan l'écoutait avec stupeur, comme si elle lui avait conté un cataclysme extraordinaire, inattendu.

— Tu aimes Luc, tu aimes Luc !

L'amour, pourquoi l'amour ? L'amour chez cette sœur adorée, qu'il avait toujours vue près de lui telle qu'un autre lui-même, cela le stupéfiait. Il n'avait jamais songé qu'elle pût aimer et qu'elle en fût malheureuse. C'était là un besoin qu'il ignorait, un monde dans lequel il n'était pas entré. Aussi son embarras devenait-il grand, si candide lui-même, d'une ignorance totale en cette matière.

— Oh ! dis-moi, frère, pourquoi Luc aime-t-il cette Josine, pourquoi n'est-ce pas moi qu'il aime ?

Elle sanglotait maintenant, elle avait noué les bras autour de son cou, la tête sur son épaule, dans une désolation qui le désespérait. Mais que lui dire pour la renseigner, pour la consoler ?

— Je ne sais pas, moi, petite sœur, je ne sais pas. Sans doute il l'aime, parce qu'il l'aime. Il ne doit pas y avoir d'autre raison... Il t'aimerait, s'il t'avait aimée la première.

Et c'était bien cela. Luc aimait Josine parce qu'elle était l'amoureuse, la femme de charme et de passion, rencontrée dans la souffrance, éveillant toutes les tendresses du cœur. Et puis, elle avait la beauté, le frisson divin du désir, elle apportait la chair voluptueuse et féconde, par qui le monde s'éternise.

— Mais, frère, il m'a connue avant elle, pourquoi ne m'a-t-il pas aimée la première ?

Jordan, que ces questions précises embarrassaient de plus en plus, cherchait avec émoi, trouvait des réponses délicates et bonnes, dans sa naïveté.

— C'est peut-être qu'il a vécu ici en ami, en frère. Il est devenu ton frère.

Il la regardait, il ne lui disait pas tout cette fois, en la voyant, pareille à lui, si mince, si frêle, avec sa figure insignifiante. Elle n'était point l'amour, trop pâle, toujours vêtue de noir, l'air charmant, très doux et très bon, mais si triste, comme toutes les silencieuses et les dévouées. Certainement, elle n'avait jamais été pour Luc qu'une intelligente, une bienfaisante, une heureuse.

— Tu comprends, petite sœur, s'il est devenu ton frère, ainsi que moi, il ne peut t'aimer d'amour cmme il aime Josine. Ça ne lui est pas venu à l'esprit. Mais il t'aime tout de même beaucoup, il t'aime davantage, autant que je t'aime.

Cela révolta Sœurette. Il y eut en elle un soulèvement de tout son pauvre être amoureux, qui lui fit crier sa détresse d'amante, au milieu d'un redoublement de sanglots.

— Non, non ! il ne m'aime pas davantage, il ne m'aime pas du tout. Ce n'est pas aimer une femme que de l'aimer en frère, lorsque je souffre ce que je souffre, en voyant bien qu'il est perdu pour moi. Si tout à l'heure encore je ne savais rien de ces choses, je les devine, à présent que je me sens mourir.

Jordan s'émouvait avec elle, retenait les larmes qui lui montaient aux yeux.

— Petite sœur, petite sœur, tu me fais une peine infinie, et ce n'est guère raisonnable de te rendre ainsi malade, avec un pareil chagrin. Je ne te reconnais pas, toi si calme, toi si sage, qui comprends si bien quelle fermeté d'âme il faut opposer aux misères de l'existence.

Et il voulut la raisonner.

— Voyons, tu n'as aucun reproche à faire à Luc ?

— Oh ! non, aucun. Je sais qu'il a beaucoup d'affection pour moi. Nous sommes de très grands amis.

— Alors, que veux-tu ? il t'aime comme il peut t'aimer, tu as tort de te fâcher contre lui.

— Mais je ne me fâche pas ! Je n'ai de haine contre personne, je n'ai que de la souffrance.

Les sanglots la reprirent, un nouveau flot de détresse la submergea, en lui arrachant le continuel cri :

— Pourquoi ne m'aime-t-il pas ? pourquoi ne m'aime-t-il pas ?

— S'il ne t'aime pas de l'amour dont tu voudrais être aimée, petite sœur, c'est qu'il ne te connaît pas assez. Non, il ne te connaît pas comme je te connais, il ne sait pas que tu es la meilleure, la plus douce, la plus dévouée, la plus aimante. Tu aurais été la compagne, l'aide, celle qui facilite et adoucit la vie. Mais l'autre est venue avec sa beauté, et il y a là des forces bien puissantes, puisqu'il l'a suivie sans te voir, toi qui l'aimais pourtant... Il faut te résigner.

Il l'avait prise dans ses bras, il la baisait sur les cheveux. Et elle se débattait toujours.

— Non, non ! je ne puis !

— Si, tu te résigneras, tu es trop bonne, trop intelligente pour ne pas te résigner... Un jour, tu oublieras.

— Oh ! cela, non ! jamais !

— J'ai tort, je ne te demande pas l'oubli, garde le souvenir dans ton cœur, personne autre que toi n'en pourra souffrir... Mais je te demande la résignation, parce que je sais bien qu'elle a toujours été en toi et que tu en es capable, jusqu'au renoncement, jusqu'au sacrifice... Songe donc à tous les désastres, si tu te révoltais, si tu parlais. Ce serait notre vie rompue, nos œuvres ruinées, et tu souffrirais mille fois davantage.

Frémissante, elle l'interrompit.

— Eh bien ! que la vie se rompe, que les œuvres soient ruinées ! Au moins, je me serai satisfaite... C'est mal, frère, de me parler ainsi. Tu es égoïste.

— Égoïste, lorsque je ne songe qu'à toi, petite sœur adorée ! En ce

Elle continuait à recevoir l'abbé Marle.

moment, c'est la douleur qui s'exaspère en ton être si bon. Et quel serait ton amer remords, si je te laissais tout détruire ! Demain, tu ne pourrais plus vivre, devant les décombres que tu aurais amoncelés... Pauvre cher cœur, tu te résigneras, c'est d'abnégation et de pure tendresse que ton bonheur sera fait.

Les larmes le suffoquèrent, ils mêlèrent leurs sanglots. Cela était exquis de passion fraternelle, ce débat entre ce frère et cette sœur, si naïfs, si aimants tous les deux. Et il répétait, sur un ton d'immense pitié, adoucie d'une affection sans bornes :

— Tu te résigneras, tu te résigneras.

Elle protestait encore, mais en s'abandonnant, et elle n'avait plus qu'une plainte de pauvre être blessé, dont on cherche à endormir le mal.

— Oh! non, je veux souffrir... Je ne peux pas, je ne me résigne pas.

Luc, ce matin-là, déjeunait avec les Jordan, et lorsque, dès onze heures et demie, il vint les rejoindre dans le laboratoire, il trouva le frère et la sœur agités encore, les yeux meurtris. Mais il était lui-même si désolé, si abattu, qu'il ne remarqua rien. Les adieux que Josine avait dû lui faire, cette nécessité de la séparation, l'emplissaient d'un véritable désespoir. C'était comme si on lui enlevait ses forces dernières, en lui arrachant son amour, l'amour qu'il croyait nécessaire à sa mission. S'il ne sauvait pas Josine, jamais il ne sauverait le peuple de misérables auquel il avait donné son cœur. Et, dès son lever, tous les obstacles qui entravaient sa marche, s'étaient dressés, insurmontables. Il avait eu la vision noire de la Crêcherie en perdition, perdue déjà, à ce point qu'il y aurait folie à espérer encore le salut. Les hommes s'y dévoraient, la fraternité n'avait pu s'établir entre eux, toutes les fatalités humaines s'acharnaient contre l'œuvre. Et, brusquement, il avait perdu la foi, en proie à la plus affreuse crise de découragement qu'il eût subie jusqu'à ce jour. Le héros en lui chancelait, aggravant le mal, près de renoncer à sa tâche, devant l'affreuse crainte de la défaite prochaine.

Sœurette, ayant remarqué son trouble, eut la divine tendresse de s'inquiéter.

— Est-ce que vous êtes souffrant, mon ami?

— Oui, je ne vais pas très bien, j'ai passé une matinée atroce... Depuis que je suis levé, je n'ai appris que des malheurs.

Elle n'insista pas, elle le regardait avec une anxiété croissante, en se demandant quelle pouvait être sa souffrance, à lui qui aimait et qui était aimé. Pour cacher un peu la mortelle émotion où elle était elle-même, elle s'était mise à sa petite table de travail, feignant de prendre des notes pour son frère ; tandis que celui-ci s'allongeait de nouveau au fond de son fauteuil, l'air brisé.

— Alors, mon bon Luc, dit-il, nous ne valons pas cher, ni les uns, ni les autres; car, si je me suis levé assez solide, j'ai eu, moi aussi, de telles contrariétés, que me voilà par terre.

Un instant, Luc se promena, le visage sombre, sans prononcer une parole. Il allait et venait, s'arrêtant parfois devant la haute fenêtre, jetant un coup d'œil sur la Crêcherie, sur la ville naissante, dont les toitures s'étalaient devant lui. Puis, il ne put contenir le flot de son désespoir, il parla.

— Mon ami, il faut pourtant que je vous dise... On n'a pas voulu vous troubler dans vos recherches, on vous a caché que nos affaires vont très mal, à la Crêcherie. Nos ouvriers nous quittent, la désunion et la révolte se sont mises parmi eux, à la suite des éternels malentendus de l'égoïsme et de la haine. Beauclair entier se soulève, les commerçants, les travailleurs eux-mêmes, dont nous gênons les habitudes, nous rendent la vie si dure, que notre situation devient chaque jour plus inquiétante... Enfin, je ne sais si les choses se sont trop assombries pour moi, ce matin, mais elles viennent de m'apparaître comme désespérées. Je nous vois perdus, et je ne puis pourtant pas vous dissimuler davantage la catastrophe où nous allons.

Étonné, Jordan l'écoutait. Il restait fort calme. Il eut même un léger sourire.

— N'exagérez-vous pas un peu, mon ami?

— Mettons que j'exagère, que la ruine n'est pas pour demain... Je ne m'en estimerais pas moins un malhonnête homme, si je ne vous prévenais pas de la crainte où je suis d'une ruine prochaine. Lorsque je vous ai demandé vos terrains, votre argent, pour l'œuvre de salut social que je rêvais, ne vous ai-je pas promis, non seulement une grande et belle action, digne de vous, mais encore une bonne affaire? Et voilà que je vous ai trompé, votre fortune va être engloutie dans la pire des défaites! Comment voulez-vous que je ne sois pas hanté du plus affreux remords?

D'un geste, Jordan avait tenté de l'interrompre, comme pour dire que l'argent ne comptait guère. Mais il continua :

— Et ce ne sont pas uniquement les sommes considérables déjà englouties, ce sont les sommes chaque jour nécessaires pour prolonger la lutte. Je n'ose plus vous les demander, car, si je puis me sacrifier tout entier, je n'ai pas le droit de vous entraîner dans ma chute, vous et votre sœur.

Il se laissa tomber sur une chaise, les jambes cassées, l'air abattu, tandis que Sœurette, très pâle, toujours assise devant sa petite table, les regards sur les deux hommes, attendait dans une émotion profonde.

— Ah! vraiment, les choses vont si mal, reprit Jordan de sa voix tranquille. C'était pourtant très bien, votre idée, et vous aviez fini par me conquérir... Je ne vous l'avais pas caché, je me désintéressais de ces tentatives politiques et sociales, étant convaincu que la science seule est révolutionnaire et que c'est elle seule qui achèvera l'évolution de demain, menant l'homme à toute vérité et à toute justice... Mais c'était si beau, votre solidarité! De cette fenêtre, après mes bonnes heures de travail, je regardais pousser votre ville avec intérêt. Elle m'amusait, et je me disais que je travaillais pour elle et qu'un jour l'électricité en serait la grande force, l'ouvrière active et bienfaisante... Faut-il donc renoncer à tout cela?

Alors, Luc laissa échapper ce cri d'abandon suprême : ˈ

— Je suis à bout d'énergie, je ne me sens plus aucun courage, toute ma foi s'en est allée. C'est fini, je viens vous dire que j'abandonne tout, plutôt que d'exiger de vous un nouveau sacrifice... Voyons, mon ami, l'argent qu'il nous faudrait encore, oseriez-vous me le donner, aurais-je moi-même l'audace de vous en faire la demande?

Et jamais cri de désespoir n'était sorti si déchirant de la poitrine d'un homme. C'était l'heure mauvaise, l'heure noire, que connaissent bien tous les héros, tous les apôtres, l'heure où la grâce s'en va, où la mission s'obscurcit, où l'œuvre apparaît impossible. Déroute passagère, lâcheté d'un moment, dont la souffrance est affreuse.

Jordan, de nouveau, eut son paisible sourire. Il ne répondit pas tout de suite à la question que Luc lui posait, en frémissant, au sujet des grosses sommes d'argent qui seraient encore nécessaires. D'un mouvement frileux, il ramena les couvertures sur ses membres frêles. Puis, doucement :

— Imaginez-vous, mon bon ami, que je ne suis pas non plus très content. Oui, ce matin, j'ai eu un véritable désastre... Vous savez, ma trouvaille pour le transport de la force électrique à bas prix et sans déperdition aucune? eh bien! je m'étais trompé, je ne tiens absolument rien de ce que je croyais tenir. Ce matin, une expérience de contrôle a totalement échoué, je me suis convaincu qu'il fallait recommencer tout. Ce sont des années de travail à reprendre... Vous comprenez, c'est ennuyeux, de se heurter ainsi à une défaite, lorsqu'on croit être certain de la victoire.

Sœurette s'était tournée vers lui, bouleversée d'apprendre ainsi cet échec qu'elle ignorait encore. De même, Luc, apitoyé dans sa propre désespérance, avait allongé la main, pour serrer la sienne, en une fraternelle sympathie. Et Jordan seul restait calme, avec son petit tremblement de fièvre habituel, lorsqu'il s'était surmené.

— Alors, qu'est-ce que vous allez faire? demanda Luc.

— Ce que je vais faire, mon bon ami? mais je vais me remettre au travail... Demain, je recommencerai, je reprendrai mon œuvre au commencement, puisqu'elle est tout entière à reprendre. C'est bien simple, et il n'y a évidemment pas autre chose à faire... Vous entendez! jamais on n'abandonne une œuvre. S'il faut vingt années, trente années, s'il faut des vies entières, on les lui donne. Si l'on s'est trompé, on revient sur ses pas, on refait autant de fois qu'il le faut le chemin déjà parcouru. Les empêchements, les obstacles ne sont que les haltes, les difficultés inévitables de la route...

Une œuvre, c'est un enfant sacré qu'il est criminel de ne pas mener à terme. Elle est notre sang, nous n'avons pas le droit de nous refuser à sa création, nous lui devons toute notre force, toute notre âme, notre chair et notre esprit. Comme la mère qui meurt parfois de la chère créature qu'elle enfante, nous devons être prêts à mourir de notre œuvre, si elle nous épuise... Et, si elle ne nous a pas coûté la vie, eh bien! nous n'avons encore qu'une chose à faire, lorsqu'elle est achevée, vivante et forte : c'est d'en recommencer une autre, et cela sans nous arrêter jamais, toujours une œuvre après une œuvre, tant que nous sommes debout, dans notre intelligence et notre virilité.

Il semblait être devenu grand, être devenu fort, comme cuirassé par sa croyance en l'effort humain contre tout découragement, certain de vaincre, s'il utilisait pour la victoire jusqu'au dernier battement de ses veines. Et Luc, qui l'écoutait, sentait déjà lui venir, de cet être si chétif, un souffle d'indomptable énergie.

— Le travail! le travail! continua Jordan, il n'est pas d'autre force. Quand on a mis sa foi dans le travail, on est invincible. Et cela est si aisé, de créer un monde : il suffit, chaque matin, de se remettre à la besogne, d'ajouter une pierre aux pierres du monument déjà posées, de le monter aussi haut que la vie le permet, sans hâte, par l'emploi méthodique des énergies physiques et intellectuelles dont on dispose. Pourquoi douterions-nous de demain, puisque c'est nous qui le faisons, grâce à notre travail d'aujourd'hui? Tout ce que notre travail ensemence, c'est demain qui nous le donne... Ah! travail sacré, travail créateur et sauveur, qui est ma vie, mon unique raison de vivre!

Ses regards s'étaient perdus au loin, il ne parlait plus que pour lui, répétant cet hymne au travail, qui revenait sans cesse sur ses lèvres, dans ses grosses émotions. Et il disait une fois de plus comment le travail l'avait consolé, l'avait soutenu toujours. S'il vivait encore, c'était qu'il avait mis dans sa vie une œuvre, pour laquelle il avait régularisé toutes ses fonctions. Il était bien sûr de ne pas mourir, tant que son œuvre ne serait pas finie. Quiconque se donnait à une œuvre, trouvait dès lors un guide, un soutien, comme le régulateur même du cœur qui battait dans sa poitrine. L'existence prenait un but, la santé se réglait, un équilibre se faisait d'où naissait la seule joie humaine possible, celle de l'action justement accomplie. Lui, si mal portant, n'était jamais entré dans son laboratoire, sans en éprouver un soulagement. Que de fois il s'était mis à la besogne les membres douloureux, le cœur en larmes; et, chaque fois, le travail l'avait guéri. Ses incertitudes, ses rares découragements n'étaient venus que de ses heures de paresse. L'œuvre portait son créateur, elle ne lui devenait funeste, elle ne l'écrasait que le jour où lui-même l'abandonnait.

Brusquement, il se retourna vers Luc, il conclut en lui disant, avec son
bon sourire :

— Voyez-vous, mon ami, si vous laissez mourir la Crêcherie, vous mourrez
de la Crêcherie. L'œuvre est notre vie même, il faut la vivre jusqu'au bout.

Luc s'était redressé, en un élan de tout son être. Ce qu'il venait d'entendre, cet acte de foi dans le travail, cet amour passionné de l'œuvre, le
soulevait d'un souffle héroïque, le rendait à toute sa foi, à toute sa force. Il
n'était tel, à ses heures de lassitude et de doute, que ce bain d'énergie qu'il
accourait ainsi prendre près de son ami, de ce pauvre corps maladif, d'où
émanait un pareil rayonnement de paix et de certitude. Chaque fois, le
charme opérait, un flot de courage remontait en lui, il n'avait plus que
l'impatience de se remettre à la lutte.

— Ah! cria-t-il, vous avez raison, je suis un lâche, j'ai honte d'avoir
désespéré. Le bonheur humain n'est que dans la glorification du travail, dans
la réorganisation du travail sauveur. C'est lui qui fondera notre ville... Mais
cet argent, tout cet argent qu'il va falloir risquer encore!

Jordan, épuisé par la passion qu'il avait mise dans ses paroles, enveloppait plus étroitement ses épaules maigres. Et il dit simplement, d'un petit
souffle las :

— Cet argent, je vous le donnerai... Nous ferons des économies, nous
nous arrangerons toujours. Vous savez bien qu'il nous faut peu de chose, du
lait, des œufs, des fruits. Pourvu que je puisse payer les frais de mes expériences, le reste ira bien.

Luc lui avait saisi les mains, qu'il serrait avec une émotion profonde.

— Mon ami, mon ami... Mais, votre sœur, est-ce qu'elle aussi nous
allons la ruiner ?

— C'est vrai, dit Jordan, nous oublions Sœurette.

Ils se tournèrent. Sœurette, silencieusement, pleurait. Elle n'avait point
quitté sa chaise, devant la petite table, les deux coudes appuyés, le menton
dans les mains. Et de grosses larmes ruisselaient sur ses joues, en une détente
éperdue de son pauvre cœur torturé et saignant. Elle aussi, ce qu'elle venait
d'entendre l'avait bouleversée, soulevée, au plus profond de son être. Tout
ce que son frère disait pour Luc, retentissait en elle avec une égale énergie.
Cette nécessité du travail, cette abnégation devant l'œuvre, n'était-ce pas la
vie acceptée, vécue loyalement, pour le plus d'harmonie possible? Désormais,
elle se serait, comme Luc, trouvée mauvaise et lâche, si elle avait entravé
l'œuvre, si elle ne s'y était pas dévouée jusqu'au renoncement. Son grand
courage de bonne âme, simple et sublime, lui était revenu.

Elle se leva, elle embrassa longuement son frère; et, tandis qu'elle restait
la tête sur son épaule, elle lui dit doucement à l'oreille :

— Merci, toi!... Tu m'as guérie, je me sacrifierai.

Cependant, Luc s'agitait, dans un nouveau besoin d'action. Il était retourné à la fenêtre, regardant le grand ciel bleu luire sur les toitures de la Crêcherie. Et il en revint, répétant son cri une fois de plus :

— Ah ! ils n'aiment pas! Le jour où ils aimeront, tout sera fécondé, tout poussera et triomphera sous le soleil !

Sœurette, qui s'était approchée affectueusement de lui, dit alors, avec un dernier frémissement de sa triste chair domptée :

— Et il faut aimer, sans vouloir qu'on vous aime, car l'œuvre ne peut commencer à être que pour l'amour des autres.

Cette parole d'une créature qui se donnait toute, dans l'unique joie de se donner, tomba au milieu d'un grand silence frissonnant. Et ils ne parlèrent plus, et tous les trois, réunis en une fraternité étroite, contemplèrent au loin, parmi les verdures, la Cité naissante de justice et de bonheur, qui allait étendre ses toitures peu à peu, à l'infini, maintenant que beaucoup d'amour était semé.

FIN DU TOME PREMIER

6810. — L.-Imprimeries réunies, rue Saint-Benoît, 7. — MOTTEROZ et MARTINET, directeurs.

TRAVAIL

LIVRE DEUXIÈME

IV

Dès lors, Luc, le constructeur, le fondateur de ville, se retrouva, voulut, agit, et les hommes et les pierres se levèrent à sa voix. On vit l'apôtre dans sa mission, dans sa force, dans sa gaieté. Il était très gai, il menait la lutte de la Crêcherie contre l'Abîme avec une allégresse triomphante, conquérant peu à peu les êtres et les choses, grâce au besoin d'affection et de bonheur qu'il épandait autour de lui. Sa ville fondée devait lui rendre Josine. Avec Josine, seraient sauvés les misérables de toute la terre. Il avait mis là sa foi, et il travaillait par et pour l'amour, certain de vaincre.

Justement, un clair jour de ciel bleu, il tomba sur une scène, qui l'égaya encore, en lui remplissant le cœur de tendresse et d'espérance. Comme il faisait le tour des dépendances de l'usine, désireux de tout surveiller, il fut surpris d'entendre des voix légères, de frais éclats de rire, venir d'un coin du domaine, au pied de la rampe des Monts Bleuses, à l'endroit où un mur séparait les terrains de la Crêcherie des terrains de l'Abîme. Et, s'étant approché prudemment, voulant voir sans être vu, il eut le spectacle délicieux d'une bande d'enfants, en train de jouer librement sous le soleil, rendus à toute l'innocence fraternelle de la terre.

En deçà du mur, Nanet, qui venait journellement à la Crêcherie retrouver des camarades, était là avec Lucien et Antoinette Bonnaire, qu'il devait avoir débauchés et entraînés en quelque terrible chasse aux lézards. Tous trois, le

17

nez levé, ils riaient, ils criaient, tandis que, de l'autre côté du mur, d'autres enfants qu'on ne voyait pas, riaient, criaient aussi. Et il n'était point difficile de comprendre qu'il y avait eu, chez Nise Delaveau, un déjeuner de petits amis, lâchés maintenant dans le jardin, accourus aux appels de l'autre bande, tous brûlant de se voir, de se réunir, pour bien s'amuser ensemble. Le pis était qu'on avait fini par murer la porte, las de les gronder inutilement, sans parvenir à les empêcher de voisiner. Chez Delaveau, on les punissait, avec la défense formelle d'aller même jusqu'au bout du jardin. A la Crêcherie, on s'efforçait de leur faire comprendre qu'ils seraient la cause d'une fâcheuse aventure, une plainte, un procès peut-être. Et ils passaient outre, en gamins candides qui cédaient aux forces inconnues de l'avenir, ils s'entêtaient à se mêler, à se confondre, fraternisant dans l'oubli total des rancunes et des luttes de classes.

Les voix aiguës, pures et cristallines, montaient toujours, pareilles à des chants d'alouette.

— C'est toi, Nise! bonjour, Nise!

— Bonjour, Nanet! Tu es seul, Nanet?

— Oh! non, non, j'ai Lucien et Antoinette!... Et toi, Nise, tu es seule?

— Oh! non, non, j'ai Louise et Paul!... Bonjour, bonjour Nanet!

— Bonjour, bonjour, Nise!

Et, à chaque bonjour, répété sans fin, c'étaient des rires, des rires encore, tellement cela leur semblait drôle, de causer ainsi sans se voir, comme si leur voix leur tombait du ciel.

— Dis donc, Nise, tu es toujours là?

— Mais oui, Nanet, je suis toujours là!

— Nise, Nise, écoute, tu ne viens pas?

— Oh! Nanet, Nanet, comment venir, puisqu'on a bouché la porte?

— Saute, saute, Nise, ma petite Nise!

— Nanet, mon petit Nanet, saute, saute!

Et, du coup, ce fut du délire, tous les six répétaient : Saute! saute! en dansant devant le mur, comme si, en sautant de plus en plus fort, ils finiraient par sauter si haut qu'ils se verraient et seraient ensemble. Ils tournaient, ils valsaient, ils faisaient des révérences à ce mur impitoyable, ils jouaient à se faire des gestes au travers, avec cette puissance d'imagination enfantine qui supprime les obstacles.

Puis, le clair chant de flûte reprit :

— Écoute, tu ne sais pas, Nise?

— Non, Nanet, je ne sais pas.

— Eh bien! je vas monter sur le mur, Nise, et je te tirerai par les épaules, pour te mettre par ici.

— Oh! c'est ça, c'est ça, Nanet! monte, mon petit Nanet!

Tout de suite, Nanet fut au haut du mur, s'agrippant des mains et des pieds, d'une agilité de chat. Et, là-haut, à califourchon, il était drôle, avec sa tête ronde, aux grands yeux bleus, aux cheveux blonds ébouriffés. Il avait quatorze ans déjà, mais il restait petit, les reins solides, l'air souriant et résolu.

— Lucien! Antoinette! faites le guet, vous autres!

Et, se penchant dans le jardin des Delaveau, tout fier de dominer la situation et de voir les deux côtés à la fois :

— Monte, Nise, que je t'empoigne!

— Ah! non, pas moi la première, Nanet! C'est moi qui vas faire le guet par ici.

— Alors, qui donc, Nise?

— Attends, Nanet, méfie-toi. C'est Paul qui monte. Il y a un treillage. Il va l'essayer pour voir si ça casse.

Un silence régna. On n'entendit plus que des craquements de vieux bois, mêlés à des rires étouffés. Et Luc se demandait s'il ne devait pas paraître pour rétablir l'ordre, en faisant envoler les deux bandes, comme des moineaux surpris dans une grange. Que de fois lui-même avait grondé ces enfants, par crainte que leurs jeux obstinés ne fussent la cause de quelque difficulté fâcheuse! Mais c'était si charmant, toute cette enfance, cette bravoure et cette allégresse à se rejoindre quand même, par-dessus les obstacles! Dans un instant, il sévirait.

Un cri de triomphe retentit, la tête de Paul apparaissait au ras du mur, et l'on vit Nanet qui le hissait, puis qui le passait de l'autre côté, pour le laisser tomber dans les bras de Lucien et d'Antoinette. Paul, bien qu'âgé lui aussi de quatorze ans passés, n'était pas lourd, tant il restait fluet et délicat, un joli enfant blond, très bon, très doux, avec des yeux fins de vive intelligence. Tout de suite, dès qu'il fut tombé dans les bras d'Antoinette, il l'embrassa, car il la connaissait bien, il aimait se retrouver avec elle, parce qu'elle était grande et belle pour ses douze ans, et qu'elle avait beaucoup de grâce.

— Ça y est, Nise! en voilà un! à qui le tour?

Mais la voix de Nise s'éleva inquiète, assourdie.

— Chut! chut! Nanet. Ça remue là-bas, près du poulailler. Couche-toi sur le mur, vite, vite!

Puis, le danger passé :

— Nanet, attention! c'est le tour de Louise, je vas pousser Louise!

Et, cette fois, en effet, ce fut la tête de Louise qui apparut, une tête de chèvre, aux yeux noirs un peu obliques, au nez mince, au menton aigu, d'une vivacité, d'une gaieté amusantes. A onze ans, elle était déjà une petite femme volontaire et libre, qui bouleversait ses parents, les bons Mazelle, stupéfaits qu'une telle sauvageonne, au cœur débordant, eût pu germer de leur placide égoïsme. Elle n'attendit même pas que Nanet la transbordât, elle sauta d'elle-même, elle tomba au cou de Lucien, le camarade qu'elle adorait, l'aîné d'eux tous, grand et solide à quinze ans comme un homme, et qui, très ingénieux, très inventif, lui fabriquait des jouets extraordinaires.

— Ça fait deux, Nise! N'y a plus que toi, monte vite! ça remue encore, là-bas, près du puits.

Des bois craquèrent, tout un pan du treillage dut s'abattre.

— Oh! la la, Nanet, je ne peux pas! C'est Louise qui a tapé des pieds et qui a tout jeté par terre.

— Attends, ça ne fait rien, donne-moi tes mains, Nise, et je te tirerai.

— Non, non! je ne peux pas! tu vois bien, Nanet, que j'ai beau me grandir, je suis trop petite!

— Et quand je te dis, Nise, que je te tirerai... Encore, encore! Moi, je me baisse, et toi, tu te hausses. Houp là! tu vois bien que je te tire!

Il s'était mis à plat ventre sur le mur, il ne s'y tenait plus que par un prodige d'équilibre; et, d'un vigoureux tour de reins, il enleva Nise, il l'assit à califourchon devant lui. Elle était encore plus ébouriffée que d'habitude, avec sa tête blonde de petit mouton frisé, à la bouche rose, toujours souriante, aux jolis yeux bleus, couleur du temps. Ils faisaient la paire, elle et son bon ami Nanet, tous les deux du même or tendre, de la même toison envolée aux quatre vents du ciel.

Un instant, ils restèrent à califourchon, face à face, dans le triomphe, ravis d'être ainsi en l'air.

— Ah! ce Nanet, il est fort, il m'a tirée tout de même!

— C'est que tu t'es faite très grande, Nise... J'ai quatorze ans, moi, tu sais.

— Et moi, Nanet, j'en ai onze... Hein, dis? c'est comme si on était à cheval, sur un très haut cheval qui serait en pierre.

— Nise, écoute, tu veux que je me mette tout debout?

— Oh! tout debout! je vais m'y mettre avec toi, Nanet!

Mais ça remua de nouveau dans le jardin, cette fois du côté de la cuisine; et, saisis d'inquiétude, ils se prirent à bras-le-corps, ils dégringolèrent l'un dans les bras de l'autre, en se serrant de toutes leurs forces. Ils auraient pu se tuer, mais ils riaient comme des fous, et quand ils furent par terre, ils y restèrent à jouer, à rire plus fort, sans le moindre mal, enchantés de leur culbute. Déjà, Paul et Antoinette, Lucien et Louise s'amusaient follement à courir, parmi les broussailles et les roches éboulées, qui ménageaient là, au pied des Monts Bleuses, des trous délicieux.

Et Luc, trouvant qu'il était trop tard pour intervenir, prit le parti de s'en aller doucement, sans faire de bruit. Puisqu'on ne l'avait pas vu, on ne saurait pas qu'il avait fermé les yeux. Ah! les chers enfants, qu'ils cédassent donc à la flamme de leur jeunesse, en se rejoignant ainsi sous le libre ciel, malgré les défenses ! Ils étaient la floraison de la vie qui savait bien pour quelles moissons futures elle fleurissait ainsi en eux. Ils apportaient peut-être la réconciliation des classes, le demain de justice et de paix. Ce que les pères ne pouvaient faire, eux le feraient, et leurs enfants le feraient plus encore, grâce au continuel devenir de l'évolution qui battait dans leurs veines. Et Luc, en se cachant, pour s'éloigner sans leur causer d'inquiétude, riait gaiement tout seul de les entendre rire, insoucieux de la difficulté qu'ils auraient bientôt à repasser le mur. Jamais un tel espoir ne lui était venu de l'avenir entrevu et si bon, jamais il ne s'était senti un tel courage pour la lutte et pour la victoire.

Alors, ce fut la lutte pendant de longs mois, la lutte acharnée, sans merci, entre la Crêcherie et l'Abîme. Luc, qui avait cru un instant la première ébranlée, près de glisser à la ruine, mit tout son effort à la tenir debout. Il n'espérait pas de longtemps gagner du terrain, il voulait simplement ne pas en perdre ; et il eut déjà un beau succès à rester stationnaire, vivant quand même, sous les coups qui l'accablaient de toutes parts. Mais quelle besogne formidable, quelle joyeuse bravoure au travail ! C'était sans cesse l'apôtre d'une idée en son prodige. Il était partout à la fois, enflammant les ouvriers dans les halles de l'usine, resserrant les liens fraternels des grands et des petits dans la Maison-Commune, veillant à la bonne administration dans les Magasins. On ne voyait que lui par les avenues ensoleillées de la Cité naissante, au milieu des enfants et des femmes, aimant à jouer et à rire, en jeune père de ce petit peuple qui était le sien. Tout naissait, grandissait, s'organisait à son geste, grâce à son génie, à sa fécondité de créateur, dont les deux mains ouvertes faisaient tomber des semences partout où il passait. Et surtout le miracle, ce fut la conquête qu'il fit de ses ouvriers, parmi lesquels la discorde et la rébellion avaient soufflé un moment. Bien que Bonnaire différât toujours d'opinion, il avait conquis l'affection de cet homme très brave, très bon, au point de trouver en lui le lieutenant le plus fidèle, le plus dévoué, sans lequel certainement l'œuvre n'aurait pu s'accomplir. De même, sa puissance d'amour avait agi sur tous les travailleurs, tous s'étaient peu à peu groupés, serrés autour de sa personne, à le sentir si tendre, si fraternel, ne vivant que pour le bonheur des autres, certain d'y trouver son propre bonheur. Le personnel de la Crêcherie devenait une grande famille, dont le lien se nouait de plus en plus étroit, chacun ayant fini par comprendre que c'était travailler à sa propre joie que de travailler à la joie de tous. En six mois, pas un ouvrier ne quitta la maison ; et, si ceux qui étaient partis ne revenaient pas encore, ceux qui restaient se dévouaient jusqu'à ne pas toucher la totalité de leurs bénéfices, pour permettre à la maison de constituer un fonds de réserve considérable et solide.

Et, à cette époque critique, ce fut certainement cette solidarité de tous les membres associés, luttant pour l'œuvre commune, qui sauva la Crêcherie, en l'empêchant de crouler, sous l'exécration égoïste et jalouse de l'ancien Beauclair. Le fonds de réserve, si prudemment amassé, augmenté, fut d'un secours décisif. Il permit de faire face aux heures mauvaises, il évita de recourir, pendant les crises, à des emprunts mortels. Grâce à lui, on put, à deux fois, acheter des machines nouvelles, nécessitées par des changements dans la fabrication, et qui abaissèrent de beaucoup les prix de revient. Puis, quelques chances heureuses se déclarèrent, il y eut vers ce temps de grands travaux de ponts, de constructions métalliques, de voies ferrées, qui absorbèrent des quantités considérables de rails, de poutres et de charpentes. La longue paix où vivait l'Europe développait singulièrement l'industrie du fer dans ce qu'elle peut produire de pacifique et de civilisateur. Jamais encore on n'avait fait entrer à ce point le fer bienfaisant dans la maison des hommes. Et le chiffre de fabrication, à la Crêcherie, avait donc grandi, sans que les gains fussent très forts, car la volonté de Luc était de produire à bon compte, avec la pensée que l'avenir était là. Il fortifiait l'usine par une administration très sage, de continuelles économies, toute cette réserve d'argent en caisse, pouvant [entrer en ligne, dès la première menace; et le dévouement à la cause commune, l'abnégation solitaire des travailleurs, des associés abandonnant de leur part, faisait le reste, permettait d'attendre le jour du triomphe, sans trop souffrir.

A l'Abîme, la situation paraissait très florissante, le chiffre d'affaires n'avait pas fléchi, il se menait toujours, autour de la fabrication chère des obus et des canons, un gros bruit de succès. Mais, déjà, il n'y avait plus là ·qu'une apparence, et Delaveau commençait à ressentir, par moments, de sérieuses inquiétudes, qu'il n'avouait pas. Il avait bien avec lui Beauclair, toute la société bourgeoise et capitaliste menacée. Il restait en outre convaincu qu'il était la vérité, l'autorité, la force, et que sa victoire finale était certaine. Cependant, un doute secret finissait par l'entamer, un trouble lui venait de la vie dure de la Crêcherie, dont il prophétisait la débâcle tous les trois mois. Il ne pouvait lutter sur les fers et les aciers de commerce, sur ces rails, ces poutres, ces fermes, que l'usine voisine produisait à bon marché, dans d'excellentes conditions. Et il ne lui restait donc que les aciers fins, les produits soignés à trois et quatre francs le kilogramme, que deux° maisons très importantes fabriquaient aussi dans un département voisin. Elles lui faisaient une terrible concurrence, il sentait que, sur les trois, il y en avait une de trop, et que la question était de savoir quelles seraient les deux qui mangeraient la troisième. Affaibli par la Crêcherie, l'Abîme n'allait-il pas être la maison condamnée à disparaître? Ce doute désormais le rongeait, bien qu'il redoublât d'activité et qu'il gardât une attitude de sereine confiance en la bonne cause, cette religion du salariat dont il était le défenseur. Mais, plus encore que les concurrences, que les hasards des luttes industrielles, ce qui le hantait, c'était de n'être pas appuyé sur un fonds de réserve, lui permettant de faire face aux nécessités, aux catastrophes imprévues. Qu'une crise se déclarât, un chômage, une grève, simplement une année mauvaise, et c'était un désastre, puisque l'usine n'aurait pas de quoi vivre, en attendant la reprise des affaires. Déjà, dans un cas pressé, pour un outillage nouveau, il avait fallu emprunter trois cent mille francs, dont les lourds intérêts grevaient maintenant le bilan annuel. Et que serait-ce, s'il fallait emprunter encore et toujours, jusqu'au saut final dans le gouffre de la dette?

Vers ce temps, Delaveau essaya de faire entendre raison à Boisgelin. Lorsqu'il avait décidé ce dernier à lui confier les débris de sa fortune, il lui avait bien promis, s'il achetait l'Abîme, de lui servir de gros intérêts, qui lui permettraient de continuer sa vie luxueuse. Seulement, depuis que des difficultés se présentaient, il désirait le voir assez raisonnable, pour réduire son train pendant quelque temps, avec la certitude de le reprendre et de l'élargir même, dès que la fortune redeviendrait propice. Si Boisgelin avait consenti à ne toucher que la moitié des bénéfices, cela aurait permis de constituer le fameux fonds de réserve, l'Abîme aurait traversé victorieusement les années mauvaises. Mais Delaveau le trouvait intraitable, exigeant tout, refusant de rien retrancher de ses réceptions, de ses chasses, de l'existence qu'il menait de plus en plus coûteuse. Des querelles même éclataient entre les deux cousins. Du moment que le capital menaçait de ne plus suer les intérêts attendus, que la chair à travail, les ouvriers ne suffisaient plus à entretenir l'oisif dans son luxe, le capitaliste accusait le directeur industriel de ne pas tenir ses promesses, s'il projetait de rogner ses rentes. Et Delaveau, irrité, désespéré de cette imbécile âpreté à la jouissance, ne soupçonnait toujours pas sa femme, Fernande, derrière son bellâtre de cousin, la corruptrice, la dévoratrice, celle pour qui tout l'argent était dépensé, en caprices et en folies. A la Guerdache, ce n'étaient que fêtes, Fernande goûtait là des revanches si délicieuses, se grisait de tels triomphes, qu'un arrêt dans sa joie lui aurait paru une déchéance. Elle exaspérait elle-même Boisgelin, elle lui racontait que son mari déclinait, ne faisait pas rendre à l'usine ce qu'il aurait pu en tirer; et, selon elle, la seule façon de l'aiguillonner était de l'accabler de demandes d'argent. L'attitude de Delaveau, homme autoritaire qui ne faisait jamais de confidences aux femmes, même à la sienne, bien qu'il l'adorât, avait fini par la convaincre qu'elle était dans le vrai. Si elle voulait réaliser plus tard son rêve, retourner à Paris avec les millions conquis, il fallait harceler son mari sans cesse, et tout dévorer, pour tout centupler.

Une nuit, pourtant, Delaveau s'oublia devant Fernande. Ils revenaient d'une chasse, donnée à la Guerdache, pendant laquelle Fernande, dont le grand plaisir était de galoper à cheval, avait disparu avec Boisgelin. Le soir, il y avait eu un grand dîner, et il était plus de minuit, lorsqu'une voiture ramena le ménage à l'Abîme. La jeune femme, qui semblait brisée de fatigue, comme repue des brûlantes jouissances dont elle faisait sa vie, se hâta de se dévêtir, délicieuse dans sa nudité lasse, puis s'allongea sous les couvertures; tandis que le mari, sans se presser, se déshabillait méthodiquement, tournant dans la chambre, d'un air de colère et de préoccupation.

— Dis donc, finit-il par demander, est-ce que Boisgelin ne t'a rien dit, lorsque vous avez filé ensemble?

Surprise, Fernande rouvrit ses yeux qui se fermaient déjà.

— Non, répondit-elle, rien d'intéressant, du moins... Que veux-tu qu'il me dise?

— Ah! reprit Delaveau, c'est qu'auparavant nous avions eu une discussion. Il m'a encore demandé dix mille francs, pour la fin du mois. Et, cette fois, j'ai refusé carrément, c'est impossible, c'est fou.

Elle redressa la tête, ses yeux se rallumèrent.

— Comment! c'est fou?... Pourquoi ne lui donnes-tu pas ces dix mille francs?

Justement, c'était elle qui avait soufflé à Boisgelin cette demande de dix mille francs, pour l'achat d'une automobile électrique, dans laquelle elle avait l'ardent caprice de se faire promener, en une folie de vitesse.

— Mais, cria Delaveau, s'oubliant, parce que cet imbécile finira par ruiner l'usine, avec ses continuelles dépenses. Nous sauterons, s'il ne se décide pas à restreindre son train. Et c'est si bête, la fête qu'il fait, sa stupide vanité à être mangé par tout le monde!

Du coup, elle s'était remise sur son séant, un peu pâle, tandis qu'il aggravait encore sa confidence, en ajoutant, avec sa naïveté rude de mari aveugle:

— Il n'y a qu'une personne raisonnable à la Guerdache, la pauvre Suzanne, la seule qui ne s'y amuse pas. Ça fait pitié de la voir si triste, et comme je la suppliais aujourd'hui d'intervenir auprès de son mari, elle m'a répondu, en refoulant des larmes, qu'elle ne voulait se mêler absolument de rien.

Cet appel maladroit à la femme légitime, à la sacrifiée, si digne et si haute, dans son renoncement, acheva d'exaspérer Fernande. Mais, surtout, l'idée que l'usine pouvait être en péril, la source même de ses plaisirs, l'émotionnait. Elle y revint.

— Nous sauterons, pourquoi dis-tu ça?... Je croyais que les affaires allaient très bien.

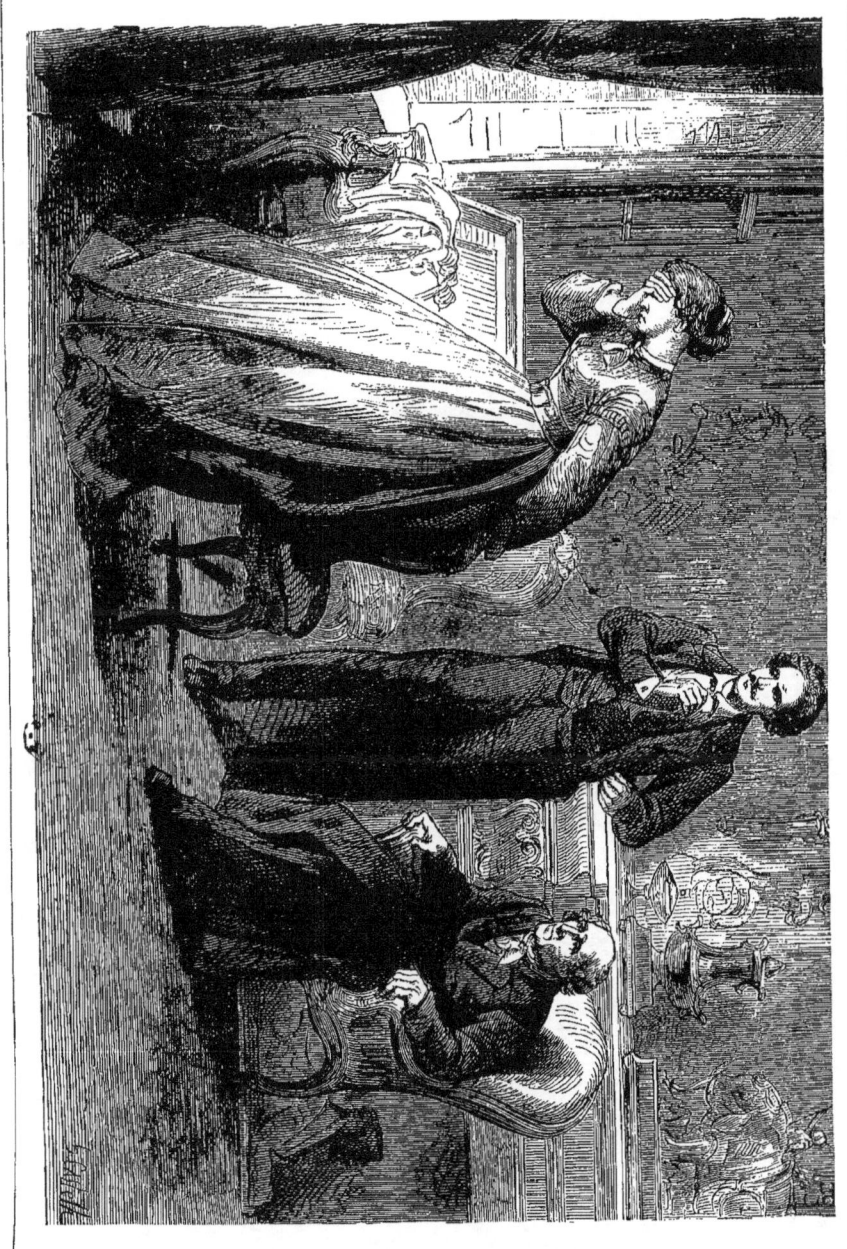

Sœurette, silencieusement pleurait.

Elle avait mis une telle passion inquiète dans la question, que Delaveau, pris de méfiance, redoutant de lui voir amplifier les craintes qu'il se cachait à lui-même, retint la vérité totale dont la colère allait lui arracher la confidence.

— Les affaires vont très bien, sans doute. Seulement, elles iraient mieux encore, si Boisgelin ne vidait pas la caisse, pour l'existence idiote qu'il mène. Je te dis qu'il est stupide, avec sa pauvre cervelle de bellâtre !

Rassurée, Fernande s'allongea de nouveau, d'un souple mouvement de son corps adorable, si fin et si mince. Son mari n'était qu'un esprit grossier, qu'un brutal et qu'un avare, rêvant de lâcher le moins possible des sommes considérables encaissées à l'usine ; et les plaisanteries lourdes, les gros mots dont il poursuivait Boisgelin, étaient pour elle autant d'attaques indirectes dont elle se sentait personnellement blessée.

— Mon cher, conclut-elle avec sécheresse, tout le monde n'est pas fait pour s'abrutir au travail la journée entière, et ceux qui ont de l'argent ont raison d'en jouir comme ils l'entendent, à goûter les distractions d'une existence supérieure.

Delaveau, violemment, voulut répondre. Puis, il réussit, d'un brusque effort, à se calmer. Pourquoi aurait-il tenté de convaincre sa femme ? Il la traitait en enfant gâtée, la laissait agir à sa guise, sans jamais se fâcher, chez elle, des erreurs de conduite, qu'il réprouvait si vivement chez les autres. Même, il ne s'apercevait pas de sa vie folle, car elle était sa folie à lui, le joyau qu'il avait voulu dans ses mains épaisses de grand travailleur. Jamais il ne l'avait aimée, désirée davantage, lorsque, le soir, il la retrouvait au lit, d'un charme exquis et d'un parfum grisant, après les dures journées qu'il passait au milieu des fumées âcres, des travaux noirs et assourdissants de l'Abîme. Elle restait son admiration, son adoration, l'idole qu'on met à part dans une abdication superstitieuse de sa dignité et de son bon sens, et qu'on ne peut même soupçonner.

Un silence s'était fait, Delaveau finit par se coucher à son tour, sans éteindre encore la petite lampe électrique, posée sur la table de nuit. Un instant, il demeura immobile, les yeux grands ouverts. Près de lui, il sentait la tiédeur, l'odeur pénétrantes de ce corps de femme, dont les bras nus, la gorge nue avaient une douceur de soie, parmi les dentelles. Mais, déjà, Fernande s'endormait, les yeux clos dans son beau visage, que la grande lassitude pâlissait, plus désirable, au milieu du flot déroulé de ses cheveux.

Le mari se tourna, mit un baiser sur une mèche folle, près de l'oreille. Puis, comme la femme ne bougeait pas, il crut qu'elle boudait, il voulut faire l'aimable, montrer qu'il comprenait les faiblesses du luxe.

— Mon Dieu ! ces dix mille francs, je les lui donnerai encore, s'il a une telle envie d'une automobile. Ce que j'en dis, c'est par prudence... La chasse a été fort belle, aujourd'hui.

Elle ne répondait toujours pas. De sa petite bouche rouge, légèrement entr'ouverte, laissant voir des dents éclatantes et dures, sortait un souffle chaud, régulier, tandis que les seins soulevaient leur pointe rose, en une faible palpitation, comme oppressés d'une longue fatigue d'amour. Elle dormait, abattue, demi-nue, ayant rejeté un coin de la couverture, cuvant l'ivresse de ses plaisirs de la journée.

— Fernande! Fernande! appela doucement Delaveau, en l'effleurant d'un nouveau baiser.

Et, quand il fut convaincu qu'elle était endormie, il se résigna, renonça.

— Alors, bonsoir, Fernande!

Après avoir éteint la lampe électrique, il se remit sur le dos. Mais lui ne put trouver le sommeil, ses yeux restèrent grands ouverts, dans les ténèbres de la chambre. Et, fiévreux, pris d'insomnie près de cette femme si tiède et si odorante, il retomba à ses craintes, aux anxiétés que lui causait la crise traversée par l'usine. En cet état douloureux de veille, les difficultés s'aggravaient, il n'avait jamais encore envisagé l'avenir avec une pareille lucidité, sous des points de vue si sombres. Nettement, la cause de la ruine lui apparaissait, cette démence à jouir, ce besoin inepte et maladif de manger l'argent à peine gagné. Il y avait certainement quelque part un gouffre où la fortune coulait, une abominable plaie par laquelle s'échappaient toute la santé et tout le gain du travail. Lui, très franc avec lui-même, faisait son examen de conscience, ne trouvait pourtant aucun reproche à s'adresser. Levé tôt le matin, il était le dernier à quitter les halles, le soir, toujours en surveillance, conduisant son vaste personnel comme il aurait conduit un régiment. Puis, c'était un effort soutenu de toutes ses facultés remarquables, beaucoup de rectitude dans sa rudesse, une puissance rare de méthode et de logique, une loyauté de lutteur qui a promis de vaincre, qui veut vaincre ou périr. Et il souffrait affreusement de se sentir, malgré son héroïsme, glisser au désastre, par une destruction lente de tout ce qu'il créait, par une sorte de ravage quotidien, qui venait il ne savait d'où et que son énergie ne pouvait arrêter. Sans doute, les continuelles dépenses, ce qu'il appelait la vie imbécile de Boisgelin, ce besoin goulu du plaisir était le chancre qui dévorait l'usine. Mais qui donc l'abêtissait ainsi, d'où soufflait la démence du pauvre homme, qu'il ne parvenait pas raisonnablement à comprendre, en travailleur sage, sobre, continent, qui avait la haine de l'oisiveté et de la jouissance, destructives de toute santé créatrice?

Et Delaveau ne se doutait pas que la démolisseuse, l'empoisonneuse, vivait à son côté les journées entières, que c'était sa Fernande adorée, cette femme si jolie, si fine et si souple, endormie là près de lui, et dont le parfum tiède le grisait d'amour. Pendant que, dans les fumées noires, au milieu de la réverbération brûlante des fours, il s'épuisait en efforts pour faire suer l'argent aux ouvriers douloureux, elle promenait des toilettes claires sous les ombrages de la Guerdache, elle jetait l'argent aux quatre vents de sa fantaisie, elle croquait de ses dents blanches, comme des pastilles, ces centaines de mille francs que mille salariés lui forgeaient, au branle retentissant des grands marteaux. Et, cette nuit même, tandis que, les yeux ouverts sur les ténèbres, il se torturait, à la pensée des payements prochains, se demandant par quel effort nouveau il pourrait produire et donner les sommes promises, elle sommeillait à son flanc, la chair contre sa chair, elle cuvait son ivresse du jour, gonflée, accablée de volupté, si lasse d'avoir joui, qu'il n'y avait plus d'elle que le petit souffle de sa gorge rassasiée. Par moments, son désir d'homme revenait vers cette compagne, qui était à lui, et qu'il ignorait absolument. Il la sentait nue, les membres alanguis, dans un complet abandon, à ce point qu'il aurait pu la prendre, sans qu'elle le sût peut-être. Puis, il retombait aux angoisses de sa bataille industrielle, elle n'était plus qu'une enfant inconsciente, dont il respectait le sommeil, de même qu'il tolérait ses caprices, en ne descendant jamais au fond de ce corps divin, l'idole de son culte. Et il finit par s'endormir, et il rêva que, sous l'Abîme, il y avait des forces perverses et diaboliques qui mangeaient le sol, pour que l'usine tout entière s'engouffrât, par une nuit fulgurante d'orage.

Les jours suivants, Fernande se rappela les craintes que son mari lui avait exprimées. Tout en faisant la part de ce qu'elle croyait son amour de l'argent mis en tas, sa haine des jouissances du luxe, elle eut un frisson, à la pensée de la ruine possible. Boisgelin ruiné, que deviendrait-elle? Ce n'était pas là seulement la fin de cette délicieuse vie qu'elle avait toujours voulue, cette revanche de sa misère d'autrefois, traînant des bottines éculées, sous l'exploitation brutale des hommes; c'était le retour à Paris en vaincus du sort, un logement de mille francs au fond de quelque quartier excentrique, un petit emploi où Delaveau végéterait, tandis qu'elle retomberait à la grossièreté, à la bassesse de son ménage de travailleurs. Non, non! elle ne consentait pas, elle ne se laisserait pas arracher la proie dorée, elle tenait à son triomphe, de toute sa chair, de toutes les forces avides de son être. En elle, dans ce corps si fin, d'un charme délicat, sous cette grâce légère, il y avait une âpreté de louve, aux furieux instincts de carnage. Elle était résolue à ne rien céder sur ses appétits, à se rassasier de son plaisir jusqu'au bout, sans laisser les autres le lui prendre ou simplement le compromettre. Cette usine boueuse et noire, où, nuit et jour, elle entendait les monstrueux marteaux lui forger son plaisir, elle en avait le mépris, comme d'une office basse, dans laquelle se cachaient les saletés de la vie; ces ouvriers qui se cuisaient la peau aux flammes de cet enfer, pour qu'elle eût une fraîche et heureuse paresse, elle les considérait un peu comme les animaux domestiques qui la nourrissaient, qui lui évitaient toute fatigue. Jamais elle

❘ ne risquait ses petits pieds sur le sol raboteux des halles, et jamais elle ne
s'intéressait au troupeau humain, défilant devant sa porte, sous l'écrasement
du travail maudit. Mais ce troupeau était à elle, cette usine était à elle,
l'idée qu'on pouvait tarir sa fortune en ruinant l'usine la révoltait, la mettait
en guerre, ainsi qu'un attentat contre sa propre personne. Et c'était pour
cela que quiconque nuisait à l'Abîme, devenait son propre ennemi, un
malfaiteur dangereux dont elle rêvait de se débarrasser par tous les moyens
imaginables. Aussi sa haine contre Luc était-elle allée en grandissant, depuis
leur première rencontre, à ce déjeuner de la Guerdache, où elle avait deviné
en lui, avec son flair subtil de femme, l'homme qui lui barrerait la route.
Toujours, en effet, elle s'était heurtée à lui, et voilà maintenant qu'il menaçait de détruire l'Abîme, de la rejeter elle-même au dégoût de la médiocrité.
Si elle le laissait agir, c'était fini de son bonheur, il lui volait tout ce qu'elle
aimait de la vie. Et, sous sa grâce, prise d'une furie meurtrière, elle ne
songea plus qu'à le faire disparaître, imaginant des catastrophes, où elle
l'anéantissait.

Il y avait bientôt huit mois que Josine, en une dernière nuit de tendresse,
était venue faire à Luc ses adieux, remettant à plus tard le bonheur que la
vie leur devait, lorsque tout un drame éclata, qui devait fournir à Fernande
la catastrophe rêvée, attendue. Josine était sortie fécondée des bras de Luc,
en cette nuit si triste et si délicieuse. Jusqu'au cinquième mois de sa grossesse, Ragu lui-même ne s'aperçut de rien; et ce fut seulement, un soir
d'ivresse, qu'ayant voulu la battre, il comprit tout, au geste terrifié qu'elle
fit pour protéger son ventre. Une stupeur, d'abord, l'immobilisa.

— Tu es grosse, tu es grosse, saleté !... Ah ! c'est donc ça que tu avais
toutes sortes de cachotteries et que tu ne changeais même plus de chemise
devant moi... Il faut que je sois aussi bête que tu es menteuse, pour n'avoir
rien vu !

Mais la certitude lui vint, le traversa comme l'éclair, que cet enfant ne
pouvait être de lui. Ainsi qu'il le disait, il ne la touchait jamais que pour le
plaisir, très sûr des précautions radicales qu'il prenait. Pas d'enfant, pas de
fil à la patte. On s'amusait ensemble, et bonjour, bonsoir, on n'encombrait
pas sa vie. Alors, d'où venait-il donc, cet enfant? qui l'avait fait? Et il serra
de nouveau les poings, grondant d'une colère croissante.

— Eh ! saleté, il ne s'est pas fait tout seul ?... Tu n'auras pas l'audace de
prétendre que c'est moi qui l'ai fait, car tu sais bien que je n'ai jamais
voulu en faire... De qui est-il? réponds, réponds, réponds vite, saleté ! ou
je t'écrase !

Josine, toute blanche, ses yeux doux et braves fixés sur l'ivrogne, ne
répondait pas. Et il y avait de l'étonnement, dans sa crainte, à le voir s'emporter ainsi, car il ne paraissait plus tenir à elle, il la menaçait chaque jour

de la jeter à la rue, en répétant qu'il serait bien débarrassé, si un autre homme la ramassait sur le trottoir. Lui-même avait repris sa vie de coureur, débauchait les filles de fabrique qui consentaient à l'écouter, se contentait des rôdeuses en haillons, éparses le soir dans les rues puantes du vieux Beauclair. Alors, puisqu'il mettait une insulte à ne plus vouloir d'elle, pourquoi s'enrageait-il de la sorte, le jour où il la trouvait enceinte?

— Il n'est pas de moi, tu n'oseras pas dire qu'il est de moi?

Elle finit par répondre, sans le quitter des yeux, d'une voix basse et profonde :

— Non, il n'est pas de toi.

D'un coup de poing, il voulut l'abattre. Mais elle s'était reculée, il ne lui effleura que l'épaule. Il hurlait :

— Tu oses me dire ça, bougre de saleté !... Et le nom de l'homme, dis-moi le nom de l'homme, pour que j'aille lui régler son affaire?

Tranquillement, elle répondit encore :

— Le nom, je ne te le dirai pas, tu n'as aucun droit à le savoir, puisque tu m'as dit vingt fois que tu avais assez de moi et que je pouvais chercher ailleurs.

Et elle ajouta :

— Tu n'as pas voulu un enfant de moi, j'en ai un d'un autre, et c'est celui-là qui est maintenant mon mari, ça ne te regarde pas.

Il l'aurait tuée. Elle dut fuir pour éviter les coups de pied dont il essayait, méchamment, par un calcul atroce, de l'atteindre en plein ventre. Ce qui l'enrageait ainsi, c'était ce qu'elle venait de dire, qu'un autre l'avait rendue mère, et que désormais rien ne le regardait plus d'elle, ni de son corps, ni de sa vie. Lui qui n'avait pas voulu d'enfant, il était mordu d'une sourde douleur, à cette idée de n'être pas le père. Il sentait qu'elle n'était plus à lui, qu'elle n'avait jamais été à lui. Un autre la lui avait prise, avant qu'il l'eût faite sienne; et, maintenant, jamais plus il ne la ferait sienne. C'était cela qui, confusément, le soulevait d'une jalousie affreuse, dont il ne connaissait point, dont il aurait cru ne pouvoir connaître la torture. Dès lors, cette femme qu'il parlait de jeter à la rue, qu'il délaissait pour des gueuses immondes, il l'enferma, il la surveilla, secoué d'accès de fureur, lorsqu'il la voyait causer avec un homme. La colère de l'irréparable l'emportait en de continuelles violences, la maltraitant, tâchant de la meurtrir dans sa chair, cette chair dont la possession lui échappait par sa faute. Et toujours il revenait, dans son orgueil blessé de mâle, qui n'avait pas su faire œuvre de vie, à sa rancune contre l'autre, l'inconnu, celui qui avait fait de cette chair une dépendance même de sa chair.

— Dis-moi son nom, dis-moi son nom, et je te jure que je te laisserai tranquille.

Mais elle ne cédait pas. Elle supportait les injures et les coups, répétant avec sa douce sincérité :

— Tu n'as pas besoin de savoir son nom, ça ne te regarde pas.

Ragu ne pouvait soupçonner Luc, et une telle supposition ne lui vint même pas à l'esprit, car pas une âme au monde, en dehors de Sœurette, n'avait surpris les visites de Josine. Il cherchait parmi les camarades, croyant à un abandon d'une heure entre les bras de quelque gaillard de son monde, un soir de paye, lorsque le vin chauffe le sang. Aussi toutes ses recherches furent-elles vaines, il eut beau guetter, interroger, il n'arriva qu'à s'exaspérer davantage.

Cependant, Josine se cachait de tous, dans la crainte que Luc eût à souffrir de cette grossesse, si leur secret était découvert. Lorsqu'elle avait eu la certitude d'être enceinte de lui, elle s'était sentie d'abord pleine d'une joie immense, elle aurait voulu courir lui annoncer la grande, la bonne nouvelle, certaine qu'il partagerait son ravissement. Puis, des inquiétudes lui étaient venues, elle avait pensé qu'elle devait attendre, pour ne pas précipiter quelque catastrophe, dans les heures si difficiles où se trouvait la Crêcherie. Et un hasard seul finit par apprendre à Luc la venue de ce bien-aimé enfant dont il était le père. Un jour, comme il accompagnait Bonnaire chez lui, en causant, il y tomba sur des voisines, auxquelles la Toupe apprenait que sa belle-sœur était enceinte, ce qu'elle accompagnait de commentaires empoisonnés, laissant entendre d'abominables choses. Il en resta saisi, le cœur battant à grands coups. Parfois, Josine revenait à la Crêcherie, pour chercher Nanet, qui s'y oubliait des journées entières; et, justement, ce jour-là, elle parut au moment où il était question de sa grossesse, elle dut répondre aux questions. Oui, c'était de six mois bientôt, et cela se voyait déjà beaucoup. Mais elle avait aperçu Luc, elle le sentait si frémissant, si éperdu, dans son silence, qu'elle était torturée de ne pouvoir parler, de ne savoir comment lui crier ce dont elle avait tant de bonheur. Elle se désespérait du doute affreux où elle le devinait, elle savait bien que d'un seul mot elle l'aurait calmé, enchanté. Ce mot montait de son cœur, l'étouffait : « Il est de toi ! » Et, délicieusement, elle trouva le moyen de le lui dire, en un court répit, où les commères, cessant de la regarder, reprenaient leurs bavardages. D'abord, elle porta les deux mains à son ventre de femme féconde; puis, d'un geste de remerciement et d'amour, elle les mit sur ses lèvres, elle lui envoya la certitude de sa paternité, dans un baiser discret; et il comprit très bien, il fut envahi de l'immense joie qu'elle avait eue à être fécondée par lui, et qu'elle lui apportait.

Ce jour-là, Luc et Josine ne purent échanger une parole, il y eut seulement entre eux ce geste adorable, ce baiser qui achevait de les unir. Mais Luc, plein de cette grande émotion, se renseigna, sut bientôt les terribles

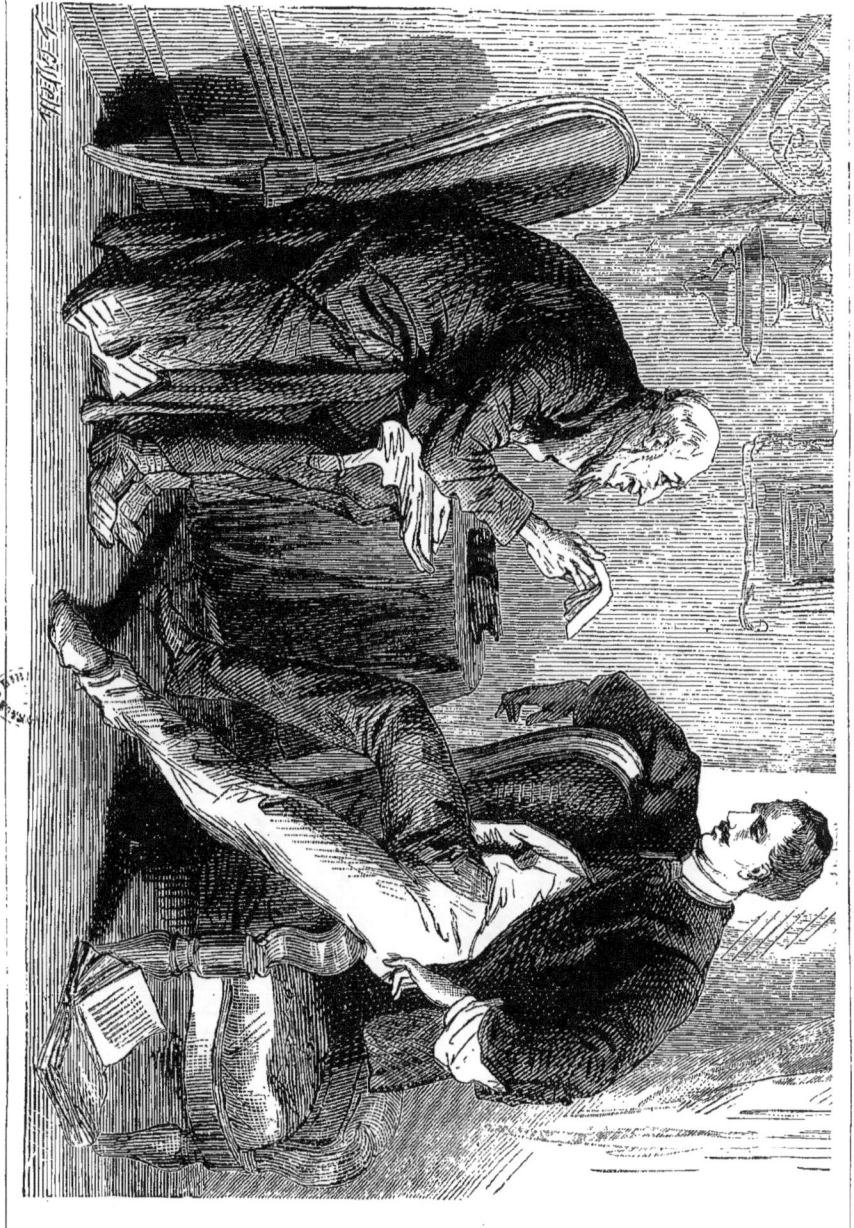

18

Delaveau n'était allé à Paris que, dans l'espoir de négocier un nouvel emprunt.

colères jalouses de Ragu, ses violences, l'étroite surveillance dans laquelle il
enfermait sa femme. Et, s'il avait gardé le moindre doute sur sa paternité,
cette jalousie féroce, s'exaspérant de la venue de cet enfant, aurait suffi
à lui prouver qu'il en était bien le père. Désormais, Josine était sa femme.
Elle était à lui, à lui seul, puisqu'elle était enceinte d'un enfant de lui. Le
seul époux était le père, le plaisir qu'on volait à une femme ne laissait rien,
ne comptait pas. Un seul lien nouait le couple, solide, éternel, l'enfant, la
vie propagée, un être nouveau, né de l'indissoluble union de deux êtres. Et
c'était pourquoi lui ne se sentait pas jaloux de Ragu, pendant que celui-ci
s'enrageait de jalousie, car Ragu n'existait pas, n'était que le voleur qui
passe et qu'on oublie. Pour toujours, Josine appartenait à Luc, et elle lui
reviendrait, l'enfant serait leur vivante floraison.

Dès lors, cependant, Luc s'inquiéta, souffrit cruellement de savoir Josine
injuriée, maltraitée, en continuel danger de quelque mauvais coup. Il lui
était insupportable de laisser, aux mains brutales et déshonorantes de Ragu,
cette femme adorée, qu'il aurait voulu faire vivre dans un paradis de tendresse, en l'entourant du culte dévot dû à la mère que l'enfant sanctifie.
Mais que faire, comment l'avoir toute à lui, lorsqu'elle s'obstinait à rester
si discrète, se taisant dans son ombre, pour lui éviter tout embarras? Elle
refusait même de le voir, par crainte de quelque surprise, qui aurait livré
son secret, si tendrement gardé au fond de son être douloureux; et il dut
la guetter, la surprendre, pour échanger un soir quelques mots avec elle.

Ce fut par une soirée très sombre que Luc, caché dans un angle obscur
de la misérable rue des Trois-Lunes, put arrêter Josine un instant au passage.

— Oh! Luc, c'est toi! Quelle imprudence, mon ami! Je t'en supplie,
embrasse-moi, et pars vite!

Mais lui, frémissant, la tenait à la taille, lui parlait à l'oreille, d'une
voix ardente.

— Non, non! Josine, je veux te dire... Tu souffres trop, et il est criminel à moi de te laisser dans une telle souffrance, toi si chère, si pré-
cieuse... Écoute-moi, Josine, je suis venu te chercher, et tu vas me suivre,
pour que je te mette chez moi, chez toi, en femme aimée, vénérée, heureuse.

Déjà, elle s'abandonnait, dans cette étreinte d'une douceur consolante.
Mais, tout de suite, elle se dégagea.

— Oh! Luc, que dis-tu? es-tu si peu sage?... Te suivre, grand Dieu!
lorsqu'un tel aveu pourrait attirer sur toi les pires dangers. C'est moi, dans
ce cas, qui deviendrais criminelle, d'être un embarras de plus dans l'œuvre
que tu accomplis... Va-t'en vite! On me tuerait que je ne dirais pas ton nom.

Alors, il essaya de la convaincre de l'inutilité d'un tel sacrifice à l'hypocrisie du monde.

— Tu es ma femme, puisque je suis le père de ton enfant, et c'est moi que tu dois suivre. Demain, lorsque notre Cité de justice sera bâtie, il n'y aura pas d'autre loi que la loi d'amour, la libre union sera respectée de tous... Pourquoi nous inquiéter des gens que nous scandaliserions encore aujourd'hui?

Puis, comme elle s'obstinait à son sacrifice, en disant qu'aujourd'hui seul comptait pour elle, du moment où elle le voulait dégagé de tout obstacle, fort et triomphant, il eut ce cri désolé :

— Est-ce donc que tu ne me reviendras jamais, et que cet enfant ne sera jamais mon enfant, devant tous, au grand soleil?

Elle le reprit dans ses bras de délicatesse et de charme, elle murmura doucement, les lèvres sur ses lèvres :

— Je te reviendrai, le jour où tu auras besoin de moi, quand je ne serai plus un embarras, mais une aide, avec ce cher enfant qui sera pour nous deux une force nouvelle.

Et le noir Beauclair, le vieux bourg empesté du travail maudit, agonisait dans les ténèbres, autour d'eux, sous l'écrasement des siècles d'iniquité, pendant qu'ils échangeaient cet espoir en l'avenir de paix et de bonheur.

— Tu es mon mari, il n'y aura eu que toi dans mon existence, et si tu savais combien cela m'est délicieux de ne pas dire ton nom, même sous les menaces, de le garder comme une fleur secrète et comme une armure! Ah! ne me plains pas trop, je suis bien forte et je suis bien heureuse!

— Tu es ma femme, je t'ai aimée, le premier soir où je t'ai rencontrée, si misérable, si divine, et si tu tais mon nom, je tairai le tien, j'en ferai mon culte et ma force, jusqu'à l'heure où toi-même tu crieras notre amour.

— Oh! Luc, que tu es sage, que tu es bon, et quelle félicité nous attend!

— C'est toi, Josine, qui m'as fait bon et sage, et c'est parce que je t'ai secourue un soir, que nous serons si heureux plus tard, dans le bonheur de tous.

Sans parler davantage, ils restèrent un instant encore unis en une puissante étreinte. Lui, la sentait frémir toute, avec son ventre sacré de femme féconde, dont les tressaillements lui promettaient la vie future qu'il avait ensemencée en elle; et elle, pour se donner plus encore, écrasait sa gorge amoureuse contre sa poitrine d'homme, comme en un besoin d'entrer et de disparaître en lui. Puis, elle se détacha, elle retourna glorieuse et invincible à son martyre, tandis que lui-même se perdait dans les ténèbres, raffermi, allant reprendre sa bataille et sa victoire.

Mais, quelques semaines plus tard, un hasard mit aux mains de Fernande le secret de Josine. Fernande connaissait Ragu, dont le retour à l'Abîme avait fait un éclat, et que, depuis lors, Delaveau affectait d'estimer, de pousser, l'ayant nommé maître puddleur, lui accordant des gratifications, bien que sa conduite fût exécrable. Aussi Fernande était-elle au courant du drame qui ravageait le ménage de Ragu. Celui-ci ne se gênait guère, lâchait tout haut d'immondes injures contre sa femme, la traitait publiquement en fille battant les trottoirs, se laissant engrosser par le premier passant venu. Et cela courait les ateliers, quel était donc le camarade qui avait fait l'enfant à la Josine? On en causait même chez le directeur, et Delaveau avait dit devant Fernande son gros ennui de tout cela, tellement Ragu prenait mal la chose, enragé de jalousie, ne travaillant plus que comme un fou, tantôt ne touchant pas un outil de trois jours, tantôt se ruant sur la besogne, brassant le métal en fusion avec furie, en homme qui a besoin de taper et de tuer.

Un matin d'hiver, au premier déjeuner, comme Delaveau était parti la veille pour Paris, où il devait passer trois jours, Fernande questionna sa femme de chambre, qui lui servait son thé, avec des rôties. Nise était là, assise bien sagement, buvant sa tasse de lait, jetant des regards de convoitise sur le thé de sa mère, une gourmandise défendue.

— Est-ce vrai, Félicie, qu'il y a eu encore une querelle chez les Ragu? La blanchisseuse m'a dit que Ragu, cette fois, avait à moitié tué sa femme.

— Je ne sais pas, madame, mais ça pourrait bien être exagéré, parce que j'ai vu tout à l'heure la Josine passer devant la maison, et elle n'avait pas l'air plus abîmée que les autres jours.

Il y eut un silence, puis la femme de chambre, en s'en allant, ajouta :

— Ça n'empêche qu'il la tuera pour sûr, un de ces jours, car il le dit à tout le monde.

Le silence retomba. Fernande mangeait lentement, sans une parole, perdue dans son rêve noir, lorsque Nise, au milieu de ce lourd recueillement de l'hiver, pensa tout haut, en chantonnant à demi-voix.

— Le vrai mari de Josine, ce n'est pas Ragu, c'est le maître de la Crêcherie, c'est monsieur Luc, monsieur Luc, monsieur Luc!

Stupéfaite, la mère leva les yeux, la regarda fixement.

— Qu'est-ce que tu dis là, toi? Pourquoi dis-tu ça?

Mais, saisie d'avoir chanté ça, sans le vouloir, Nise fourrait son nez dans sa tasse, tâchait de prendre un air innocent.

— Moi, pour rien. Je ne sais pas.

— Comment tu ne sais pas, petite menteuse! Ça ne t'est pas venu tout seul, ce que tu chantes là. Il faut bien que quelqu'un te l'ait dit, pour que tu le répètes.

De plus en plus troublée, sentant qu'elle s'était mise dans une vilaine histoire, qui allait la mener très loin, Nise s'entêtait contre l'évidence, de son air le plus dégagé possible.

— Je t'assure, maman, on chante des choses, sans savoir, quand ça vous passe par la tête.

Fernande, à la regarder fixement, à la voir si gamine dans le mensonge, eut une brusque illumination.

— C'est Nanet qui t'a dit ce que tu chantes, ça ne peut être que Nanet.

Les paupières de Nise battirent, c'était bien Nanet. Mais elle eut peur d'être grondée, punie encore, comme le jour où sa mère l'avait surprise, avec Paul Boisgelin et Louise Mazelle, revenant de la Crêcherie, par-dessus le mur. Et elle crut devoir s'entêter à mentir.

— Oh! Nanet, Nanet! puisque je ne le vois plus du tout, depuis que tu me l'as défendu!

La mère, enfiévrée par le besoin de savoir, se fit soudain très douce. Elle était en proie à une telle émotion, qu'elle en oubliait de sévir, les escapades de Nise avec Nanet perdant de leur gravité, devant le fait considérable dont elle désirait être certaine.

— Écoute, ma petite fille, c'est très laid de ne pas dire la vérité. L'autre fois, quand je t'ai privée de dessert, c'est que tu as voulu me soutenir que vous aviez tous les trois passé par-dessus le mur, pour aller chercher une balle... Aujourd'hui, si tu me dis la vérité, je te promets de ne pas te punir... Voyons, sois franche, c'est Nanet?

Nise, bonne petite fille au fond, répondit tout de suite :

— Oui, maman, c'est Nanet.

— Et il t'a dit que le vrai mari de Josine était monsieur Luc?

— Oui, maman.

— Et qu'en sait-il, pourquoi dit-il que monsieur Luc est le vrai mari de Josine?

Alors, Nise se troubla, son innocence de fillette lui fit de nouveau baisser le nez dans sa tasse.

— Ah! pour des choses, pour des choses... Enfin, parce qu'il le sait bien, lui!

Malgré son désir d'être renseignée, Fernande se sentit honteuse des questions qu'elle posait à son enfant. Elle n'insista pas, elle s'efforça de rattraper la curiosité brutale qu'elle avait laissé voir.

— Nanet ne sait rien du tout, il dit des bêtises, et toi tu es une sotte de les répéter. Tu vas me faire le plaisir de ne plus jamais chanter des bêtises pareilles, si tu tiens à manger du dessert.

Et le déjeuner s'acheva dans le silence du grand froid qu'il faisait dehors, sans que d'autres paroles fussent échangées entre la mère et la fille, celle-là possédée par le secret qu'elle venait d'apprendre, celle-ci très heureuse d'en être quitte à si bon compte.

Fernande passa la journée dans sa chambre, réfléchissant, discutant. D'abord, elle se demanda si ce que disait Nanet était bien la vérité certaine.

Mais comment douter? il savait, il avait certainement vu, entendu, il aimait trop sa sœur pour mentir sur elle; et, d'ailleurs, tous les petits faits réunis rendaient cette histoire vraisemblable, évidente. Puis, Fernande chercha comment elle pouvait utiliser une pareille arme, que le hasard mettait ainsi dans sa main. Confusément encore, elle rêvait d'empoisonner cette arme, de la rendre mortelle. Jamais elle n'avait haï Luc davantage, Delaveau n'était allé à Paris que pour tâcher de négocier un nouvel emprunt, l'Abîme périclitant un peu plus chaque jour, et quelle victoire assurée, si elle parvenait à supprimer le maître exécré de la Crêcherie, l'homme qui compromettait sa vie de luxe et de plaisir! Mort l'ennemi, morte la concurrence, la défaite possible. Avec un jaloux comme Ragu, ivre, furieux, les événements pouvaient se précipiter. Il suffirait sans doute de lui faire sortir son couteau de la poche. Seulement, elle ne recommençait toujours là qu'un rêve, comment le réaliser, comment agir? Avertir Ragu, lui nommer l'homme dont il cherchait à connaître le nom depuis trois mois, c'était évidemment le plan indiqué, et la difficulté ne commençait qu'ensuite, lorsqu'elle venait à se demander de quelle façon elle avertirait Ragu, où et par qui. Elle s'arrêta enfin à une lettre anonyme, elle découperait des mots dans un journal, elle les collerait, attendrait la nuit pour aller jeter la lettre à la poste. Même elle avait commencé à découper les mots. Et, brusquement, le moyen lui parut peu sûr, d'une efficacité amoindrie, car une lettre est froide, on peut la négliger. Si Ragu n'était pas, d'un coup, piqué au sang, exaspéré jusqu'à la démence, frapperait-il jamais? Il fallait qu'on lui entrât la vérité dans la peau, qu'il la reçût en plein visage, et en de telles circonstances, qu'il en devînt fou. Alors, qui lui envoyer, où choisir le délateur, l'empoisonneur? Découragée, elle ne trouva personne, et la nuit vint, comme elle cherchait toujours, fiévreuse, la tête malade de cette tragédie dont elle ne savait comment amener le dénouement.

Pourtant, lorsqu'elle se coucha, de bonne heure, vers dix heures, elle avait de nouveau pris une décision. Le lendemain, elle ferait venir Ragu, sous le prétexte de lui demander s'il consentait à ce que sa femme fît des journées de couture chez elle; et, quand il serait là, seul, à causer, peut-être elle-même trouverait-elle une occasion de tout lui dire. Mais cela ne la satisfaisait pas encore, en l'emplissant d'inquiétudes sur les conséquences d'une telle révélation, faite en bas, dans le cabinet de son mari absent. Elle était heureuse de cette absence, elle tenait tout le grand lit de son corps souple, allongeant ses membres brisés de fièvre. Et elle finit par s'endormir, reprise de doute, ne sachant plus ce qu'elle ferait, si accablée de lassitude, que, jusqu'à cinq heures du matin, elle ne bougea pas, souffla seulement d'un petit souffle d'enfant. Comme cinq heures sonnaient à la pendule, elle s'éveilla tout d'un coup; et, restée sur le dos, les yeux grands ouverts, dans les ténèbres de la chambre, elle reprit ses réflexions au point où elle les avait quittées, elle résolut le problème immédiatement, avec une audace, avec une netteté extraordinaires. C'était bien simple, elle devait se rendre elle-même à l'usine, sous le prétexte déjà imaginé, puis laisser tomber le mot irréparable, au courant de la conversation. Justement, elle s'était renseignée, elle savait que Ragu travaillait cette nuit-là; de sorte qu'au jour, vers sept heures, elle pourrait descendre, elle le surprendrait au moment où les équipes de jour remplaçaient les équipes de nuit. Dans la fièvre qui l'avait reprise, elle ne discutait plus, elle avait l'absolue certitude de tenir la solution la meilleure, et ce qui la poussait était moins sa raison que sa sensation de femme séductrice et mangeuse d'hommes, comptant sur la complicité des êtres et des choses, sur des circonstances qu'elle n'aurait pu dire, mais qui certainement se produiraient.

Quelle attente, de cinq heures à sept heures, dans le désir du jour, si lent à se lever! Elle ne put se rendormir, elle se retournait dans son lit brûlant, avec la hâte de courir à ce rendez-vous qu'elle se donnait; et jamais rendez-vous d'amour, espoir d'une volupté nouvelle, inconnue, délirante, ne l'avait ainsi exaspérée de mille aiguillons de feu. Elle ne trouvait plus de places fraîches pour ses membres, elle barrait tout le grand lit de ses nœuds souples de couleuvre mince, sa chemise remontée en sa continuelle agitation, son épaisse chevelure défaite, noyant sa face ardente. Mais elle ne faiblissait pas dans sa résolution, elle ne voulait même plus réfléchir, prévoir comment les choses se passeraient, les organiser à l'avance, afin d'assurer la réussite de son plan. Tout marcherait très bien, elle en était convaincue. Il lui semblait que le destin l'emportait à des événements nécessaires, dont elle était l'ouvrière désignée, qui ne pouvaient se refuser à son action. Et elle ne souffrait que d'attendre si longtemps, ne sachant plus à quoi tuer les minutes, finissant par se caresser elle-même, pour apaiser un peu le feu dont sa peau brûlait. Ses petites mains longues et douces remontaient lentement sur les cuisses, s'arrêtaient au ventre, redescendaient, se glissaient partout, en une flatterie légère, à peine appuyée, puis remontaient encore, filaient le long des flancs, jusqu'à la gorge dure, où elles s'irritaient tout d'un coup, empoignant les deux seins, les écrasant, dans l'exaspération aiguë de ne pouvoir se calmer.

Enfin, à sept heures moins un quart, à l'heure exacte qu'elle s'était fixée, elle sauta du lit. Le froid de la chambre la glaça, elle devint très calme, maîtresse absolue d'elle-même. Bien qu'il fît à peine jour, elle n'alluma pas, n'ouvrit même pas les persiennes. Simplement, elle tordit ses cheveux, les ramena, les attacha avec des épingles; et, sans mettre de corset, elle passa un ample peignoir de flanelle blanche, dans lequel elle s'enveloppa toute, chaussée de pantoufles de velours également blanc. Et elle descendit, comme les jours où elle avait à donner quelque ordre matinal, dont le souvenir lui était revenu pendant la nuit.

En bas, les bonnes n'étaient pas levées encore, profitant de l'absence de monsieur, comptant bien que madame ferait la grasse matinée. Fernande, avec une précision de mouvements extraordinaire, traversa le cabinet de son mari, ouvrit la porte de l'étroite et courte galerie, qui mettait ce cabinet en communication avec le corps de bâtiment de l'Abîme, où les bureaux administratifs se trouvaient installés. Les employés n'arrivaient qu'à huit heures, et le garçon de bureau, chargé du balayage, flânait dehors, sur la route, en compagnie du gardien, qui fumait paisiblement sa pipe. Elle ne fut pas même aperçue, elle put couper au plus droit par la cour, entrer dans la halle des fours à puddler, sans que personne la remarquât. Comme elle en avait la tranquille certitude, les circonstances la servaient, les équipes de nuit venaient de partir, bien que les équipes de jour ne fussent pas encore là. Et, pour comble d'heureuse chance, Ragu, qui s'était attardé dans une rage de travail, demeurait seul, en train de changer de vêtements.

Fernande, tout en connaissant son chemin, ne s'était jamais hasardée ainsi, dans cet empire noir du charbon et du fer. Elle avait le dégoût profond de tant de saleté, unie à tant de bassesse. Aussi resta-t-elle un peu gênée, avec son peignoir blanc, ses pantoufles blanches, lorsqu'il lui fallut entrer dans l'immense trou sombre de la halle du puddlage. Le jour naissant y pénétrait à peine, deux fours seuls, allumés, trouaient les fumées volantes de deux rayons d'astre. Et elle ne savait où risquer le pied, parmi les flaques boueuses, sur le sol noirci de poussières de charbon, encombré de lingots de fer. Une odeur âcre, faite des gaz des brasiers et des exhalaisons humaines, la prenait à la gorge. Pourtant, elle entra, et ce fut tout de suite que, dans le vide de la vaste halle, elle aperçut Ragu, qui se dirigeait vers la sorte de baraque en planches, où les ouvriers pendaient leurs vêtements. La nuit entière, le maître puddleur avait brassé l'acier, en un de ces furieux besoins d'anéantissement et d'oubli, qui lui faisaient manier le ringard comme une arme dont il aurait sabré le monde. Il était encore trempé de sueur, ayant déjà ôté son tablier, n'étant plus vêtu que d'une chemise et d'une simple cotte; et, avant de remettre son vêtement de ville, il achevait son quatrième litre, dépassant son habituelle ration de la nuit, buvant au goulot, ivre de vin, de flamme et de rage mal cuvée. Mais, brusquement, du seuil de la baraque, il vit Fernande, une femme toute blanche dans le noir affreux de la halle, si étonné d'une telle apparition, qu'il s'avança, pour se rendre compte.

Fernande, en le reconnaissant, la bouteille haute, se vidant dans le gosier ce qui restait du litre, s'était arrêtée, gênée d'avance. Il était à demi nu, la chemise ouverte sur sa poitrine très blanche, les bras montrant aussi leur peau jusqu'aux épaules, cette peau fine et éclatante des roux, qui tranchait violemment avec le ton du visage congestionné et déjà cuit par le feu. Elle s'était dit que, pour l'aborder, elle attendrait qu'il eut remis ses vêtements. Mais elle ne put l'éviter, puisqu'il venait à elle, et elle dut immédiatement engager l'affaire.

— C'est moi, Ragu, j'ai quelque chose à vous demander, et comme je vous savais là...

Il restait si stupéfait de la voir se déranger ainsi, qu'il continuait à la regarder, béant. Elle-même, alors seulement, sentit l'inexplicable inconvenance de sa démarche, et elle ne s'en inquiéta pas davantage, elle ne s'attarda pas à vouloir l'excuser, allant droit au but.

— Je désirais vous demander si vous consentiriez à ce que votre femme vînt faire chez moi quelques journées. J'ai besoin de quelqu'un, j'ai songé à elle.

Du coup, Ragu oublia l'étrangeté d'une pareille visite. Un flot de colère aveugle fit bourdonner tout son sang dans son crâne.

— Ma femme! vous voulez ma femme? Ah! tonnerre de Dieu! prenez la donc, et ne me la rendez pas, qu'elle crève!

C'était cette violence que Fernande attendait. Elle feignit la surprise, la pitié, la désolation attendrie.

— Ça ne va donc pas mieux dans votre ménage? Je croyais que vous aviez pardonné, que les choses s'arrangeaient, en attendant le pauvre petit qui va naître.

— Pardonner quoi? cria Ragu, sous ce nouveau coup de fouet dont elle le cinglait en pleine blessure jalouse. Pardonner l'enfant que la garce s'est fait faire? La garce aurait le plaisir, tandis que, moi, ici, je m'userais le tempérament!

— Sans doute, votre femme a été légère, elle est si jeune, si jolie, c'est si naturel à son âge d'aimer le plaisir, de céder aux beaux messieurs qui la cajolent!

Il ferma les yeux, devant l'ardente vision qu'elle évoquait, s'affolant, grondant sourdement :

— Je lui en donnerai, des messieurs pour la cajoler! Et vous voulez, madame, que je pardonne, que je le nourrisse, son bâtard, dont elle est revenue pleine, comme une sale chienne qu'elle est?

Alors, Fernande affecta un vif étonnement, lâcha tout, d'un air de parfaite innocence.

— Mais, que m'a-t-on dit? je croyais cette question de l'enfant réglée. Est-ce que le père ne doit pas le prendre et subvenir à tous ses besoins?

— Comment ça?

— Mais oui, le maître de la Crêcherie, ce monsieur Luc, le père enfin!

— Comment le père?

Ragu, stupide, ne comprenant pas, s'était rapproché, avançait sa face suante, brûlante, tout près de ce visage délicat de femme, de cette bouche fraîche d'où sortaient des choses si étranges.

— Vraiment, ce n'est pas vrai? vous ne savez rien? Oh! mon Dieu! quel regret d'avoir trop parlé! On m'avait dit que vous étiez tombé d'accord avec ce monsieur Luc, et que vous garderiez la femme, à la condition qu'il prendrait l'enfant, puisque c'est lui qui l'a fait.

Un tremblement agitait Ragu, ses yeux devenaient fous, tandis qu'il avançait toujours davantage sa mâchoire convulsée. Et, rageusement, il grogna, perdant tout respect, car il n'y avait plus là qu'une femelle et qu'un mâle.

— Que me racontes-tu, dis? qu'est-ce que tu es venue me raconter là Tu voulais me mettre ça dans la main, le monsieur Luc qui a couché avec ma femme; et c'est bien possible, c'est même certain, parce que, maintenant, je vois clair, et que tout s'explique. N'aie pas peur, le monsieur Luc aura son compte, je m'en charge... Mais toi, dis? pourquoi es-tu venue, pourquoi as-tu fait ça?

Il lui soufflait au visage une haleine si terrible, qu'elle s'effraya, sentant bien qu'il devenait son maître, que toute son adresse enveloppante de femme n'aurait plus d'action sur cette brute lâchée. Elle voulut battre en retraite.

— Vous perdez la raison, Ragu, et vous viendrez, nous causerons, si vous le désirez, quand vous serez plus calme.

D'un bond, il lui barra le chemin.

— Non, non! écoute, j'ai à te dire...

Dans sa crainte, elle lâchait son peignoir mal attaché, il voyait un peu de sa gorge, d'une finesse de soie. Surtout, il la sentait nue, sans corset, sans jupon, à peine enveloppée de ce vêtement flottant, qu'un seul geste de ses mains rudes arracherait. Et elle sentait bon, elle était encore tout odorante et toute moite du lit, et elle achevait de le mettre en démence par l'étrangeté de sa venue, cette chair blanche, cette femme toute blanche qui tombait dans son enfer noir, aux rouges flammes.

— Écoute, c'est toi qui le dis, les beaux messieurs cajolent nos femmes et leur font des enfants... Alors, dis donc, c'est bien juste que nous leur rendions ça et que ce soit, des fois, le tour à leurs femmes d'y passer.

Elle avait compris, il la poussait vers la baraque de planches, ce vestiaire immonde, ce trou de ténèbres où des loques étaient jetées, dans un coin. Elle aussi perdit la tête, se débattit, révoltée, terrifiée à l'approche de la monstrueuse étreinte.

— Laissez-moi, je vais crier!

— Tu ne crieras pas, tu ne feras pas venir le monde, bien sûr. C'est toi qui serais la plus attrapée.

Et il la poussait toujours, brutalement, avec sa mâchoire en avant, ses mains dures qui la violentaient et déjà la fouillaient. Tout un fumet de fauve s'exhalait de lui, de sa peau claire, qu'elle revoyait par l'écartement de la chemise. Son enragée besogne de la nuit, la sueur dont elle l'avait inondé, le trempait, l'enfiévrait encore, le sang comme cuit par le four, d'une chaleur amassée, brûlante en ses veines. Et elle-même se sentait défaillir dans ce brasier abominable, emportée, subjuguée, n'ayant plus l'audace d'appeler à son secours.

— Je vous jure que je vais crier, si vous ne me lâchez pas !

Mais il ne parlait plus, les dents serrées, dans une frénésie, où le besoin du sang versé aboutissait à ce rut, à ce besoin du viol. Et, d'une poussée dernière, il la culbuta dans le coin, sur les vieilles hardes entassées, une couche infecte d'ignominie. Des deux mains il avait arraché le peignoir, fendu la chemise ; et il l'avait nue, il l'écrasait, il tâchait de l'immobiliser, pour éviter les coups d'ongle dont elle lui labourait le corps. Une fureur sombre avait fini par la prendre, elle se débattait en fauve elle-même, silencieusement, lui arrachant les cheveux, le mordant à la poitrine, s'efforçant de l'atteindre plus bas et de le mutiler, tandis qu'il grondait encore :

— Des garces, des garces, toutes des garces !

Tout d'un coup, elle cessa de se débattre. Une onde d'abominable volupté, un flot d'effroyable ivresse était monté dans sa chair, en un frisson éperdu qui submergeait sa volonté, qui la livrait pantelante, délirante. Et cette volupté affreuse était faite de l'abjection même où elle tombait, de cette couche ignoble, de ce réduit obscur, empesté, de cette brute enragée, à l'odeur de fauve, à la peau suante, au sang brûlé par le four, enfin de tout le sombre écrasement de l'Abîme, du monstre mangeur d'existences, dont les ténèbres traversées de flammes lui donnaient un vertige d'enfer. La chercheuse, la perverse qu'elle était, si peu gâtée par son mari et par son bellâtre d'amant, touchait là le fond de la sensation. Elle fut consentante, elle rendit son étreinte à la brute ivre, en un spasme jamais ressenti, qui la fit crier de plaisir fou, comme la femelle qu'un mâle éventre, au fond des bois.

Ragu, tout de suite, s'était remis debout. Ainsi que le sanglier dans sa bauge, il tournait, grognait, en se rhabillant à la hâte. Son veston était tombé sous elle, il la poussa du pied, telle qu'une chose gênante. Et, deux fois encore, il la poussa du pied, cherchant, de l'air d'un homme qui a perdu quelque chose ; et, à chaque coup de pied, il grognait :

— Salope ! salope ! salope !

Puis, à peine habillé, il trouva enfin. C'était son couteau qui avait glissé de sa poche, et qui était sous une des jambes écartées de la femme. Quand il le tint, il s'en alla en courant, en poussant un dernier grognement :

— A l'autre maintenant ! je vas lui régler son affaire !

Fernande, parmi les vieilles hardes, était restée pâmée, inerte, anéantie par la violence de la sensation, les deux bras convulsés et rabattus sur la face. Lorsqu'elle fut seule, au bout d'un instant, elle se ramassa avec peine, renoua ses cheveux, s'enveloppa le mieux possible dans les lambeaux de son peignoir. Et elle eut l'extraordinaire chance de s'en aller comme elle était venue, sans rencontrer personne, en se coulant le long des bâtiments, en filant par les salles désertes. Enfin, dans sa chambre, elle se sentit sauvée. Mais que faire des vêtements déchirés, souillés, immondes, qu'elle rapportait? Les pantoufles de velours blanc étaient noires de boue, le peignoir de laine blanche avait des taches d'huile et de charbon, la chemise fendue, arrachée, portait des traces ignobles. Elle se décida, fit un paquet de ces linges qu'elle ne pouvait laisser voir, le cacha sous un meuble, en se promettant de le brûler, comme l'assassin qui rentre avec ses vêtements couverts de sang. Puis, après avoir passé une chemise fraîche, elle se recoucha, voulut s'anéantir dans son lit, incapable de rester debout, désireuse de sommeil, pour échapper à la minute inouïe qu'elle venait de vivre. Mais elle avait eu beau changer de chemise, l'odeur fauve de l'homme lui était demeurée dans la peau, ses cheveux avaient gardé tout le souffle d'ivresse qui l'avait emportée. Et elle dut revivre la minute, elle remâcha sans fin la volupté terrible, dans ce fumet dont sa chair était imprégnée, et qu'elle avait jusque sous les ongles. Le sommeil ne venait pas, elle était sur le dos, sans un mouvement, enfouie dans les couvertures, fermant les yeux, serrant ses mains nues au-dessous de son ventre nu, en proie au furieux souvenir qui la secouait, qui la brûlait du recommencement continu de ce bonheur ignoré, atroce, dont elle ne pouvait se rassasier. Les heures se passaient, et elle ne bougeait pas, et c'était la chute exécrable et délicieuse d'un vertige sans fin.

Vers dix heures, Félicie, la femme de chambre, finit par frapper et par entrer, surprise que madame n'eût pas sonné encore, et d'autant plus impatiente, qu'elle venait d'apprendre une grosse nouvelle qui révolutionnait le quartier.

— Madame n'est pas malade?

Ne recevant pas de réponse, elle attendit un instant, puis se dirigea vers la fenêtre, pour ouvrir les persiennes, comme elle en avait l'habitude. Mais un murmure, sorti de l'ombre du lit, l'arrêta.

— Alors, madame veut se reposer?

Toujours pas de réponse. Et Félicie que brûlait le désir d'apprendre à madame la grosse nouvelle, se décida quand même.

— Madame ne sait pas?

Un grand silence frissonnant emplissait la chambre enténébrée. Il ne sortait du lit, vague et perdu, qu'un petit souffle, la vie ardente, décuplée, enfouie là, dans l'étouffement âcre des couvertures.

— Eh bien ! madame, c'est un ouvrier de l'Abîme, c'est ce Ragu, vous savez, qui vient de tuer d'un coup de couteau monsieur Luc, le maître de la Crêcherie.

Fernande, comme sous la détente d'un ressort, se leva sur son séant, toute blanche, échevelée, la gorge nue, au milieu du lit ravagé.

— Ah ! dit-elle simplement.

— Oui, madame, il lui a planté par derrière le couteau entre les deux épaules. C'est à cause de sa femme, à ce qu'on dit. En voilà une catastrophe !   .

Les yeux fixes, perdus au loin, comme s'ils voyaient l'invisible, la gorge soulevée, toute la chair tendue dans le spasme qui continuait, Fernande restait immobile, à demi obscure.

— C'est bien, dit-elle enfin, qu'on me laisse dormir.

Et, quand la femme de chambre eut refermé doucement la porte, elle retomba dans le lit en désordre, se mit sur le flanc, tourna la face contre le mur, et de nouveau ne bougea plus. Maintenant, un atroce goût de sang se mêlait à l'odeur de fauve qui l'enveloppait toute ; et il entra une excitation monstrueuse du crime, dans son plaisir. Elle crut en mourir, tellement la sensation était violente, aiguë, pareille à un fer dont la pointe l'aurait labourée, aux plis secrets les plus délicats de la volupté. C'était l'inoubliable, le bonheur, l'épouvante, le triomphe, toute la créature nerveuse bandée en un paroxysme d'exaltation, qu'elle n'avait jamais connu, qu'elle ne connaîtrait plus jamais. Et elle s'oublia des heures et des heures, au fond des ténèbres du lit ardent, la face contre le mur, comme si elle n'avait pas voulu rentrer dans sa banale vie quotidienne, pour remâcher à l'infini l'exécrable jouissance.

Il était près de neuf heures, dans le petit jour pâle de l'hiver, lorsque Luc fut frappé. Ainsi qu'à l'habitude, il venait faire sa visite matinale aux Écoles, sa meilleure joie de la journée ; et Ragu, qui le guettait, caché derrière un massif de fusains, s'élança, lui planta le couteau entre les épaules, comme il était sur le seuil, riant avec des fillettes, accourues à sa rencontre. Il poussa un grand cri, il tomba, pendant que l'assassin fuyait, gagnait les pentes des Monts Bleuses, où il disparut parmi les roches et les broussailles. Justement, Sœurette n'était pas là, occupée à la laiterie, de l'autre côté du parc. Les fillettes présentes, terrifiées, s'enfuirent elles aussi, appelant au secours, criant que c'était Ragu qui venait de tuer monsieur Luc. Il s'écoula quelques minutes avant que des ouvriers de l'usine entendissent et pussent relever la victime, évanouie sous la violence du coup. Une mare de sang avait coulé déjà, les marches de l'aile droite de la Maison-Commune, où se trouvaient les Écoles, en étaient rouges, comme baptisées. On ne songea même pas à poursuivre Ragu, galopant au loin. Et Luc, que des ouvriers s'apprètaient à déposer dans une salle voisine, étant sorti de son évanouissement, les supplia, d'une voix faible :

— Non, non, chez moi, mes amis.

On dut lui obéir, on le transporta sur une civière au pavillon qu'il habitait. Mais ce fut à grand'peine qu'on le déposa enfin sur son lit, et il y perdit de nouveau connaissance, sous l'atrocité de la douleur.

A ce moment, Sœurette arrivait. Une des fillettes avait eu la présence d'esprit d'aller la prévenir, à la laiterie, pendant qu'un ouvrier courait à Beauclair, pour en ramener le docteur Novarre. Quand elle entra, quand elle vit Luc étendu, blême, couvert de sang, elle le crut mort, elle vint s'abattre à genoux, devant le lit, en proie à une douleur si vive, que le secret de son amour lui échappa. Elle avait pris une de ses mains inertes, et elle la baisait, et elle sanglotait, elle bégayait toute la passion combattue, enfouie au fond de son être. Elle l'appelait sa tendresse unique, son seul bien. En le perdant, elle perdait son cœur même, elle n'aimerait plus, elle ne vivrait plus. Et, dans son désespoir, elle ne s'apercevait pas que Luc, trempé de ses larmes, était revenu à lui, et qu'il l'écoutait, avec une affection infinie, une infinie tristesse.

Puis, il murmura, d'une voix légère comme un souffle :

— Vous m'aimez, ah ! pauvre, pauvre Sœurette !

Mais elle, toute à la surprise heureuse de le voir vivant encore, ne regretta rien de son aveu, plutôt ravie de ne plus lui mentir, dans la certitude où elle était de l'aimer assez, pour qu'il ne souffrît jamais de cet amour.

— Oui, je vous aime, Luc, mais est-ce que je compte, moi? Vous vivez, et cela me suffit, je ne suis pas jalouse de votre bonheur... Oh ! Luc, vivez, vivez, je serai votre servante.

A cette minute tragique, dans la mort qu'il croyait proche, une telle découverte, cet amour si muet, si absolu, l'enveloppant, l'accompagnant en bon ange, le pénétrait d'une douceur immense et douloureuse.

— Pauvre, pauvre Sœurette, oh ! ma divine et triste amie ! murmura-t-il encore, de sa voix défaillante.

La porte se rouvrit, et ce fut le docteur Novarre qui entra, très émotionné. Tout de suite, il voulut examiner la blessure, aidé de Sœurette, dont il connaissait les qualités de bonne infirmière. Il régna un grand silence, un moment d'angoisse inexprimable. Puis, ce fut un soulagement inespéré, un attendrissement d'espérance. Le couteau avait rencontré l'omoplate, et il avait dévié, n'atteignant aucun organe important, ne déchirant que les chairs. Mais la blessure était affreuse, l'os devait s'être brisé, ce qui pouvait amener des complications. S'il n'y avait aucun danger immédiat, la convalescence serait certainement très longue. Et quelle joie pourtant, de voir la mort écartée !

Luc avait abandonné sa main à Sœurette, souriant faiblement. Il demanda :

— Et mon bon Jordan, sait-il ?

— Non, il ne sait rien encore, il s'est barricadé depuis trois jours dans son laboratoire. Mais je vais vous l'amener... Ah ! mon ami ! combien je suis heureuse de l'assurance que nous donne le docteur !

Ravie, elle lui tenait ainsi la main dans la sienne, lorsque la porte se rouvrit de nouveau. Et, dans ce bonheur, ce fut cette fois Josine qui entra. Elle accourait à la première nouvelle du meurtre, bouleversée, affolée. Ce qu'elle redoutait s'accomplissait donc ! Quelque misérable avait livré son cher secret, et Ragu venait de tuer Luc, l'époux, le père. Sa vie était finie, elle n'avait plus rien à cacher, elle mourrait là, chez elle.

En la reconnaissant, Luc poussa un cri. Il avait lâché vivement la main de Sœurette, il fit un effort surhumain pour se soulever.

— Ah ! Josine, c'est toi, tu me reviens !

Et, comme, chancelante, lourde de sa maternité très avancée déjà, elle s'affaissait sur le bord du lit, à son côté, il comprit son angoisse mortelle, il la rassura.

— Tu me reviens avec le cher petit, Josine, et ne te désespère pas, je vivrai, le docteur l'assure, je vivrai pour vous deux.

Elle l'écoutait, elle eut un grand soupir, comme si l'existence rentrait en elle. Mon Dieu ! était-ce donc la réalisation de l'espoir invincible, ce qu'elle attendait de la vie, qui paraît si dure, et qui fait l'œuvre nécessaire ? Il vivrait, et voilà que cet abominable coup de couteau les avait réunis à jamais, eux unis déjà pour toujours l'un à l'autre !

— Oui, oui, je te reviens, Luc, nous te revenons, et c'est fini, nous ne nous quitterons plus, puisque nous n'avons plus rien à cacher... Rappelle-toi, je te l'avais bien promis de te revenir, le jour où tu aurais besoin de moi, quand je ne serais plus un embarras, mais une aide, avec ce cher enfant, dont le lien va être pour nous deux une force nouvelle... Tous les autres liens sont dénoués, je suis ta femme devant tous, ma place est ici, à ton chevet.

Il était si ému, si pénétré de joie, que des larmes parurent dans ses yeux.

— Ah ! chère, chère Josine, c'est l'amour et c'est le bonheur qui entrent ici avec toi.

Mais, tout d'un coup, il se souvint de Sœurette. Il leva les yeux, il la retrouva toute droite, de l'autre côté de son lit, un peu pâle, souriante pourtant. D'un regard d'affection, il lui sourit de nouveau.

— Ma bonne Sœurette, c'était un secret que j'avais dû vous cacher.

Elle eut un petit frisson, elle dit simplement :

— Oh ! je savais, j'avais vu Josine, un matin, sortir de chez vous.

— Je les cultive assez pour avoir du pain.

19

— Comment, vous saviez !

Et il devina tout, il eut pour elle une pitié, une admiration, une adoration infinies. Son renoncement, cet amour qu'elle lui gardait, qu'elle lui témoignait en une tendresse sans bornes, en un don de sa vie entière, le touchait et l'exaltait comme l'acte du plus haut, du plus pur héroïsme. Doucement, presque à l'oreille, elle dit encore :

— Soyez sans crainte, Luc, je savais, je ne serai jamais que la plus dévouée et la plus fraternelle des amies.

— Ah ! Sœurette, répéta-t-il d'un souffle presque indistinct, ah ! divine et triste amie !

En le voyant si las, le docteur Novarre intervint, lui défendit absolument de parler. Il s'égayait discrètement, l'aimable docteur, de tout ce qu'il apprenait là. C'était très bien que son blessé eût une sœur, une femme, pour le soigner ; mais il fallait être raisonnable, ne pas se donner la fièvre par trop d'émotion. Et Luc promit d'être très sage, ne parlant plus, ne jetant plus que des regards attendris sur Josine et sur Sœurette, ses deux anges, l'une à droite, l'autre à gauche de son lit.

Il y eut un long silence. Le sang de l'apôtre avait coulé, et c'était le calvaire, la passion d'où allait sortir le triomphe. Comme les deux femmes s'empressaient doucement autour de lui, le blessé rouvrit les yeux pour les remercier. Puis, il s'endormit, en murmurant :

— Enfin, l'amour est venu, et maintenant nous sommes vainqueurs.

V

Des complications se produisirent, Luc faillit être emporté. Pendant deux jours, on le crut mort. Josine et Sœurette ne quittaient pas son chevet, Jordan était venu s'asseoir près du lit douloureux, délaissant son laboratoire, ce qu'il n'avait pas fait depuis la maladie de sa mère. Et quel désespoir parmi ces cœurs tendres, qui, d'heure en heure, s'attendaient à recevoir le dernier soupir de l'être aimé !

Le coup de couteau dont Ragu venait de frapper Luc, avait bouleversé la Crêcherie. Dans les ateliers en deuil, le travail continuait; mais, à chaque instant, on voulait des nouvelles, tous les ouvriers s'étaient sentis solidaires, éprouvant pour la victime la même affection inquiète. Ce meurtre imbécile, le sang qui avait coulé, resserrait le lien fraternel, plus que des années d'expérience humanitaire. Et, jusque dans Beauclair, la sympathie s'était fait sentir, beaucoup de gens revenaient à ce garçon si jeune encore, si beau, si actif, dont le seul crime, en dehors de son œuvre de justice, était d'avoir aimé une adorable femme que son mari accablait d'outrages et de coups. En somme, personne ne se scandalisait de voir Josine, dont la grossesse était très avancée, s'installer auprès de Luc agonisant. On trouvait cela très naturel : n'était-il pas le père de l'enfant? n'avaient-ils pas acheté tous les deux, au prix de leurs larmes, le droit de vivre ensemble? D'autre part, les gendarmes lancés à la poursuite de Ragu, n'avaient retrouvé aucune trace, toutes les recherches depuis quinze jours étaient restées vaines; et ce qui semblait devoir dénouer le drame, c'était qu'on avait découvert, au fond d'un ravin des Monts Bleuses, le cadavre d'un homme, à moitié mangé par les loups, dans lequel on prétendait reconnaître les restes affreux de Ragu. L'acte de décès ne put être dressé, mais la légende s'établit que Ragu était mort, soit d'un accident, soit d'un suicide, dans la folie furieuse de son crime. Alors, si Josine était veuve, pourquoi n'aurait-elle pas vécu avec Luc, pourquoi les Jordan n'auraient-ils pas accepté chez eux le ménage? Et leur union était si naturelle, si forte, si indissoluble désormais, que, plus tard même, l'idée qu'ils n'étaient point mariés légalement ne vint à personne.

Enfin, par un beau matin de février, au clair soleil, le docteur Novarre crut pouvoir répondre de Luc; et, quelques jours plus tard, en effet, il se trouvait en pleine convalescence. Jordan, ravi, était retourné à son laboratoire. Il n'y avait plus là que Sœurette et Josine, bien lasses des nuits passées, mais si heureuses! Josine surtout, qui n'avait point voulu se ménager, malgré son état, souffrait beaucoup, sans le dire. Et ce fut un matin encore, par un soleil de printemps hâtif, que les douleurs, dont elle dissimulait les crises depuis son lever, lui arrachèrent un faible cri, comme elle assistait au premier déjeuner de Luc, le premier œuf permis par le docteur.

— Qu'as-tu donc, ma Josine?

Elle continuait de lutter, mais elle dut se rendre, prise tout entière.

— Oh! Luc, je crois bien que le moment est venu.

Il comprit, il eut une joie vive, mêlée à l'inquiétude de la voir pâlir, et chanceler.

— Josine, Josine, c'est donc à toi de souffrir maintenant, mais pour une œuvre si certaine, pour un bonheur si grand!

Sœurette, qui s'occupait dans le petit salon voisin, était accourue; et, tout de suite, elle parla de faire transporter Josine ailleurs, car il n'y avait pas d'autre chambre à coucher, il semblait impossible que les couches pussent se faire là. Mais Luc se mit à la supplier.

— Mon amie, oh! non, n'emmenez pas Josine. Je vais être dans un souci affreux. Et puis, elle est ici chez elle, il n'y a pas de lien qui nous unira davantage... On va s'arranger, on dressera un lit dans le salon.

Tombée dans un fauteuil, Josine, secouée de grandes ondes douloureuses, avait parlé, elle aussi, de s'en aller. Elle sourit divinement. Il avait raison, pouvait-elle le quitter maintenant, est-ce que le cher enfant n'allait pas achever l'union indissoluble? Et Sœurette elle-même comprenait, acceptait, de son air de sainte affection, lorsque le docteur Novarre entra, pour sa visite de chaque matin.

— Alors, j'arrive bien, dit-il gaiement. Voilà que j'ai deux malades! Mais si le papa ne m'inquiète plus, la maman ne m'inquiète guère. Vous allez voir ça.

En quelques minutes, tout fut organisé. Il y avait dans le salon un grand divan, qu'on poussa au milieu de la pièce. Un matelas fut apporté, un lit dressé. Et il n'était que temps, l'accouchement eut lieu tout de suite, avec une promptitude, un bonheur extraordinaire. Le docteur continuait à rire, plaisantant, regrettant de n'être pas resté chez lui, puisque ça marchait si bien. Luc l'ayant exigé, on avait laissé la porte grande ouverte, entre la chambre et le salon; et, cloué encore dans son lit, assis sur son séant, il écoutait, anxieux, impatient d'entendre, de comprendre. A chaque minute, il lançait des questions, il brûlait de savoir. Les moindres plaintes de la chère femme qui souffrait là, si près de lui, sans qu'il pût la voir, lui retournaient le cœur. Il aurait tant désiré qu'elle répondît elle-même, un simple mot, pour le rassurer; et elle en trouvait le courage, elle jetait elle aussi des mots entrecoupés, de faibles réponses, où elle s'efforçait d'être gaie, de cacher le tremblement de sa voix.

— Mais tenez-vous donc tranquille, laissez-nous la paix! finit par gronder le docteur. Quand on vous dit que c'est une merveille, jamais un petit homme n'est venu si bellement! Car, vous savez, ce sera un petit homme, pour sûr.

Tout à coup, il y eut un léger cri, le cri de vie, une voix nouvelle qui montait dans la lumière. Et Luc, penché, tendu de tout son être vers l'événement qui s'accomplissait, l'entendit, en reçut au cœur la secousse heureuse.

— Un fils, un fils? demanda-t-il éperdu.

— Attendez donc! répondit Novarre en riant. Vous êtes bien pressé. Il faut voir.

Puis, presque aussitôt :

— Mais certainement, c'est un fils, c'est un petit homme, je l'avais bien dit!

Luc, alors, déborda de joie, battit des mains comme un enfant, cria plus fort, à toute volée :

— Merci, merci, Josine! merci du beau cadeau! Je t'aime et je te dis merci, Josine!

Elle ne put répondre tout de suite, si endolorie, si épuisée, qu'elle restait un instant sans voix. Il s'inquiétait déjà, il répéta :

— Je t'aime et je te dis merci, merci, Josine!

Et, l'oreille tendue, tournée vers la porte de la pièce voisine, il finit par entendre une voix très légère, à peine un souffle ravi et délicieux, qui lui arrivait, en disant :

— Je t'aime et c'est moi qui te dis merci, merci, Luc!

Quelques minutes plus tard, Sœurette apporta l'enfant au père, pour qu'il le baisât. Elle avait au cœur un tel amour épuré, qu'elle était radieuse elle-même de ces belles couches, de ce gros garçon, goûtant une joie sublime à partager le bonheur de Luc. Et, comme après avoir embrassé le petit, il lui disait tendrement, dans son allégresse :

— Sœurette, mon amie, il faut aussi que je vous embrasse, vous l'avez bien mérité, et je suis trop content!

Elle répondit, du même ton tendre et joyeux :

— C'est ça, mon bon Luc, embrassez-moi, nous sommes tous si heureux !

Puis, pendant les semaines qui suivirent, il y eut les bonheurs de la double convalescence. Dès que le docteur permit à Luc de se lever, celui-ci voisina, passa une heure dans un fauteuil, près du lit de Josine, couchée encore. Un printemps précoce emplissait la pièce de soleil, il y avait toujours sur la table une gerbe de roses admirables que le docteur apportait chaque jour de son jardin, comme une ordonnance de jeunesse, de santé et de beauté, disait-il. Et, entre eux, se trouvait le berceau du petit Hilaire, qu'elle nourrissait elle-même. C'était surtout l'enfant qui, maintenant, fleurissait leur existence de plus de force et d'espoir. Ainsi que le répétait Luc, dans les continuels projets d'avenir qu'il faisait, en attendant de pouvoir se remettre à l'œuvre, il était désormais bien tranquille, certain de fonder la Cité de justice et de paix, depuis qu'il avait l'amour, l'amour fécond, Josine et le petit Hilaire. On ne fonde rien sans l'enfant, il est l'œuvre vivante, élargissant et propageant la vie, continuant aujourd'hui par demain. C'est le couple qui seul enfante, qui seul sauvera les pauvres hommes de l'iniquité et de la misère.

La première fois que Josine, enfin debout, put commencer sa nouvelle existence, au côté de Luc, celui-ci la serra dans ses bras, en s'écriant :

— Ah ! tu n'es qu'à moi, tu n'as jamais été qu'à moi, puisque ton enfant est de moi ! Et nous voilà complets, nous ne craignons plus rien du sort !

Dès que Luc put reprendre la direction de l'usine, la sympathie qui venait à lui de toutes parts, fit merveille. D'ailleurs, ce ne fut pas seulement le sang versé dont le baptême détermina la réussite de la Crêcherie, désormais grandissante, d'une marche continue, invincible. Il y eut aussi une heureuse rencontre, la mine redevint une source d'énorme richesse, car on avait fini par retomber sur des filons considérables d'excellent minerai, ce qui donnait raison à Morfain. On produisit dès lors des fers et des aciers à si bon compte et d'une qualité si belle, que l'Abîme fut menacé même dans sa fabrication des objets fins, de prix élevé. Toute concurrence devenait impossible. Puis, il y eut encore la grande poussée démocratique qui partout multipliait les voies de communication, l'extension sans fin des chemins de fer, la construction décuplée de ponts, de bâtiments, de villes entières, où les fers et les aciers étaient employés en une proportion prodigieuse, sans cesse croissante. Depuis les premiers Vulcains qui avaient fondu le fer dans un trou, pour en forger des armes et se défendre, et conquérir la royauté des êtres et des choses, l'emploi du fer n'avait fait que s'élargir, le fer finirait par être demain la source de la justice et de la paix, lorsque la science l'aurait définitivement conquis, en le produisant presque pour rien, en le pliant à tous les usages. Mais surtout ce qui détermina la prospérité, le triomphe de la Crêcherie, ce furent les raisons naturelles, une administration meilleure, plus de vérité, plus d'équité, plus de solidarité. Elle portait en elle son succès, du premier jour où elle avait été créée sur le système transitoire d'une sage association entre le capital, le travail et l'intelligence ; et les jours difficiles qu'elle venait de traverser, les obstacles de toutes sortes, les crises qu'on avait crues mortelles, était simplement les cahots inévitables de la route, les premiers jours de marche, si durs, où il s'agit de ne point succomber, si l'on veut arriver au but. Et cela, aujourd'hui, apparaissait, qu'elle avait toujours été vivace, toute gonflée et travaillée de sève, pour les moissons de l'avenir.

C'était, dès maintenant, une leçon de choses, une expérience décisive, qui peu à peu allait convaincre tout le monde. Comment nier la force de cette association du capital, du travail et de l'intelligence, lorsque les bénéfices devenaient plus considérables d'année en année et que les ouvriers de la Crêcherie gagnaient déjà le double de leurs camarades des autres usines ? Comment ne pas reconnaître que le travail de huit heures, de six heures, de trois heures, le travail devenu attrayant, par la diversité même des tâches, dans des ateliers clairs et joyeux, avec des machines que des enfants auraient conduites, était le fondement même de la société future, lorsqu'on voyait les misérables salariés d'hier renaître, redevenir des hommes sains, intelligents, allègres et doux, dans cet acheminement à la liberté, à la justice totales ? Comment ne pas conclure à la nécessité de la coopération, qui supprimerait les intermédiaires parasites, le commerce où tant de richesse et de force se perdent, lorsque les Magasins-Généraux fonctionnaient sans heurt, décuplant le bien-être des affamés d'hier, les comblant de toutes les jouissances réservées jusque-là aux seuls riches ? Comment ne pas croire aux prodiges de la solidarité qui doit rendre la vie aisée, en faire une continuelle fête, pour tous les vivants, lorsqu'on assistait aux réunions heureuses de la Maison-Commune, destinée à devenir un jour le royal Palais du peuple, avec ses bibliothèques, ses musées, ses salles de spectacle, ses jardins, ses jeux et ses divertissements ? Comment enfin ne pas renouveler l'instruction et l'éducation, ne plus les baser sur la paresse de l'homme, mais sur son inextinguible besoin de savoir, et rendre l'étude agréable, et laisser à chacun son énergie individuelle, et réunir dès l'enfance les deux sexes qui doivent vivre côte à côte, lorsque les Écoles étaient là si prospères, débarrassées du trop de livres, mêlant les leçons aux récréations, aux premières notions des apprentissages professionnels, aidant chaque génération nouvelle à se rapprocher de l'idéale Cité, vers laquelle l'humanité est en marche depuis tant de siècles ?

Aussi l'exemple extraordinaire que la Crêcherie donnait quotidienne-

ment sous le grand soleil, devenait-il contagieux. Il ne s'agissait plus de
théories, il s'agissait d'un fait qui se passait là, aux yeux de tous, d'une floraison superbe, dont l'épanouissement s'élargissait sans arrêt. Et, naturellement, l'association gagnait de proche en proche les hommes et les terrains
d'alentour, des ouvriers nouveaux se présentaient en foule, attirés par les
bénéfices, par le bien-être, des constructions nouvelles poussaient de partout,
s'ajoutaient continuellement aux premières bâties. En trois ans, la population de la Crêcherie doubla, et la progression s'accélérait avec une incroyable
rapidité. C'était la Cité rêvée, la Cité du travail réorganisé, rendu à sa
noblesse, la Cité future du bonheur enfin conquis, qui sortait naturellement
de terre, autour de l'usine élargie elle-même, en train de devenir la métropole, le cœur central, source de vie, dispensateur et régulateur de l'existence sociale. Les ateliers, les grandes halles de fabrication s'agrandissaient,
couvraient des hectares; tandis que les petites maisons, claires et gaies, au
milieu des verdures de leurs jardins, se multipliaient, à mesure que le personnel, le nombre des travailleurs, des employés de toutes sortes, augmentait. Et, ce flot peu à peu débordant, les constructions nouvelles, s'avançait
vers l'Abîme, menaçait de le conquérir, de le submerger. D'abord, il y avait
eu de vastes espaces nus entre les deux usines, ces terrains incultes que Jordan possédait en bas de la rampe des Monts Bleuses. Puis, aux quelques
maisons bâties près de la Crêcherie, d'autres maisons s'étaient jointes, toujours d'autres, une ligne de maisons qui envahissait tout comme une marée
montante, qui n'était plus qu'à deux ou trois cents mètres de l'Abîme. Bientôt, quand le flot viendrait battre contre lui, ne le couvrirait-il pas, ne l'empor-
terait-il pas, pour le remplacer de sa triomphante floraison de santé et de joie?
Et le vieux Beauclair lui aussi était menacé, car toute une pointe de la Cité
naissante marchait contre lui, près de balayer cette noire et puante bourgade ouvrière, nid de douleur et de peste, où le salariat agonisait sous les
plafonds croulants.

Parfois, Luc, le bâtisseur, le fondateur de ville, la regardait croître, sa
Cité naissante, qu'il avait vue en rêve, le soir où il avait décidé son œuvre;
et elle se réalisait, et elle partait à la conquête du passé, faisant sortir du
sol le Beauclair de demain, l'heureuse demeure d'une humanité heureuse.
Tout Beauclair serait conquis, entre les deux promontoires des Monts
Bleuses, tout l'estuaire des gorges de Brias se couvrirait de maisons claires,
parmi des verdures, jusqu'aux immenses champs fertiles de la Roumagne. Et,
s'il fallait des années et des années encore, il l'apercevait déjà de ses yeux
de voyant, cette Cité du bonheur qu'il avait voulue, et qui était en marche.

Un soir, Bonnaire lui amena Babette, la femme à Bourron; et elle lui dit,
de son air de perpétuelle belle humeur :

— Voici, monsieur Luc, c'est mon homme qui voudrait bien rentrer comme ouvrier à la Crêcherie. Seulement, il n'a point osé venir lui-même, car il se souvient de vous avoir quitté d'une façon bien vilaine... Alors, je suis venue.

Bonnaire ajouta :

— Il faut pardonner à Bourron, que ce malheureux Ragu dominait... Il n'est point méchant, Bourron, il n'est que faible, et sans doute pourrons-nous encore le sauver.

— Mais ramenez Bourron! cria Luc gaiement. Je ne veux pas la mort du pécheur, au contraire! Combien ne s'abandonnent que débauchés par des camarades, sans résistance contre les noceurs et les fainéants! Bonne recrue, nous en ferons un exemple.

Jamais il ne s'était senti si heureux, ce retour de Bourron lui parut décisif, bien que l'ouvrier fût devenu médiocre. Le racheter, le sauver, comme disait Bonnaire, n'était-ce pas une victoire sur le salariat? Et puis, cela faisait à sa ville une maison de plus, un petit flot ajouté aux autres flots, gonflant la marée qui devait emporter le vieux monde.

Un autre soir, Bonnaire vint encore le prier d'admettre un ouvrier de l'Abîme. Mais, cette fois, la recrue était si pitoyable, qu'il n'insista point.

— C'est ce pauvre Fauchard, il se décide, dit-il. Vous vous souvenez, il a tourné autour de la Crêcherie à plusieurs reprises. Il ne pouvait prendre une résolution, il craignait de choisir, tant le travail écrasant, toujours le même, l'avait hébété, anéanti. Ce n'est plus un homme, c'est un rouage, déjeté, faussé... Je crains qu'on ne puisse plus en tirer rien de bon.

Luc songeait, évoquait ses premiers jours à Beauclair.

— Oui, je sais, il a une femme, Nathalie, n'est-ce pas? une femme soucieuse et dolente, toujours en quête de crédits. Et il a un beau-frère, Fortuné, qui n'avait encore que seize ans, et que j'ai vu si pâle, si ahuri, si mangé déjà par le travail machinal et précoce. Ah! les pauvres êtres... Et bien! qu'ils viennent tous, pourquoi ne viendraient-ils pas? Ce sera encore un exemple, même si nous ne pouvons refaire de Fauchard un homme libre et joyeux!

Puis, il ajouta, d'un air d'allégresse plaisante :

— Encore une famille, encore une maison ajoutée aux autres. Ça se peuple, n'est-ce pas? Bonnaire, nous voilà partis pour une grande et belle ville, la ville dont je vous ai tant parlé, dès le début, et à laquelle vous ne pouviez croire. Vous rappelez-vous? l'expérience vous laissait inquiet, vous n'étiez guère avec moi que par raison et par reconnaissance... Êtes-vous au moins convaincu, maintenant?

Bonnaire, un peu gêné, ne répondit pas tout de suite. Pourtant, il finit par dire, avec sa franchise :

— Est-ce qu'on est jamais convaincu? Il faut toucher les résultats du doigt... Sans doute, l'usine est prospère, notre association s'élargit, l'ouvrier vit mieux, il y a un peu plus de justice et de bonheur. Mais vous connaissez mes idées, monsieur Luc : tout cela, c'est encore le salariat maudit, je ne vois pas que la société collectiviste se réalise.

D'ailleurs, le théoricien seul maintenant se défendait en lui. S'il ne lâchait pas ses idées, comme il disait, il se montrait admirable de foi dans le travail, d'activité et de courage. Il était le héros ouvrier, le vrai chef qui avait décidé de la victoire de la Crêcherie, en donnant aux camarades un fraternel exemple de solidarité. Quand il apparaissait dans les halles, si grand, si fort, si bonhomme, toutes les mains se tendaient. Et il était conquis déjà plus qu'il ne voulait le dire, ravi de voir les camarades souffrir moins, goûter à toutes les joies, vivre dans des demeures saines, avec des fleurs autour d'eux. Il ne s'en irait donc pas, sans que le vœu de toute sa vie fût rempli, celui qu'il y eût moins de misère et plus d'équité.

— Oui, oui, la société collectiviste, dit Luc qui riait, le connaissant bien, nous la réaliserons, nous réaliserons même mieux; et, si ce n'est pas nous, ce seront nos enfants, les chers petits que nous élevons pour cela... Ayez confiance, Bonnaire, dites-vous que désormais l'avenir est à nous, puisque notre ville est à nous, puisque notre ville pousse, pousse toujours.

Et, d'un geste large, il montrait, parmi les jeunes arbres, les toits des maisons aux faïences de couleur, si gaies sous le soleil couchant. Et il revenait toujours à ces vivantes maisons, que son souffle semblait faire sortir de terre et qu'il voyait réellement en marche, telle qu'une armée pacifique, partie pour ensemencer l'avenir sur les décombres du vieux Beauclair et de l'Abîme.

Mais si, à la Crêcherie, le peuple industriel avait triomphé seul, il y aurait eu simplement là un événement heureux, aux conséquences discutables. Ce qui rendait cet événement décisif, d'une portée considérable, c'était que le peuple paysan, aux Combettes, triomphait de son côté, dans le commun effort, dans l'association qui s'était faite entre le village et l'usine. Là aussi, il n'y avait qu'un commencement, mais quelle promesse de prodigieuse fortune ! Depuis le jour où le maire Lenfant, et son adjoint Yvonnot, réconciliés par leur besoin de s'entendre, s'ils voulaient lutter et vivre, avaient décidé tous les petits propriétaires de la commune à s'associer, à joindre leurs bouts de champs les uns aux autres, afin d'en constituer un seul et vaste domaine de plusieurs centaines d'hectares, une fertilité extraordinaire s'y était déclarée. Jusqu'alors, en ces derniers temps surtout, la terre semblait y avoir fait faillite, comme dans toute l'immense plaine de la Roumagne, autrefois si féconde, maintenant d'apparence ingrate, couverte d'épis grêles et rares. Ce n'était, à la vérité, qu'un effet de la paresseuse lassitude et de l'ignorance entêtée des hommes, les méthodes surannées, le manque d'engrais, de machines et de bonne entente. Aussi, quelle leçon, dès que les associés des Combettes s'étaient mis à cultiver leur domaine en commun ! Ils achetaient à bon compte les engrais, ils se procuraient les outils et les machines à la Crêcherie, en échange du pain, du vin, des légumes, qu'ils lui fournissaient. Ce qui faisait leur force, c'était justement de n'être plus isolés, d'avoir noué le lien solidaire, désormais indestructible, entre le village et l'usine ; et c'était la réconciliation rêvée, longtemps impossible, du paysan et de l'ouvrier, le paysan qui donne le blé nourrisseur de l'homme, l'ouvrier qui donne le fer pour que la terre soit ensemencée et que le blé pousse. Si la Crêcherie avait besoin des Combettes, les Combettes n'auraient pu être sans la Crêcherie. Enfin, l'union était faite, le mariage fécond, d'où naîtrait la société heureuse de demain. Et quel spectacle miraculeux, cette plaine renaissante, la veille presque abandonnée, se couvrant aujourd'hui de débordantes moissons ! Au milieu des autres terres encore frappées de mort par la désunion et l'incurie, les Combettes faisaient comme une petite mer de grasses verdures, que tout le pays regardait avec stupéfaction, peu à peu avec envie. Tant de sécheresse, tant de stérilité hier, et tant de vigueur, tant d'abondance aujourd'hui ! Alors, pourquoi ne pas suivre l'exemple de ceux des Combettes? Déjà des communes s'intéressaient, questionnaient, voulaient en être. On parlait de Fleuranges, de Lignerolles, de Bonneheux, dont es maires dressaient des projets d'association, recueillaient des signatures. Bientôt, la petite mer grandirait, s'unirait à d'autres mers, étendrait toujours son flot de puissantes verdures, jusqu'à ce que la Roumagne entière, à perte de vue, ne fût plus qu'un seul domaine, un seul océan pacifique de blé, assez vaste pour nourrir tout un peuple heureux. Et les jours étaient proches, car la terre nourricière, elle aussi, se mettait en marche.

Souvent, pour le plaisir, Luc faisait de longues promenades à pied, au travers de ces champs fertiles, et parfois il rencontrait Feuillat, le fermier de Boisgelin, qui flânait également, les mains au fond des poches, en regardant, de son air silencieux et énigmatique, pousser les belles récoltes dans ces terres si bien cultivées. Il savait la grande part qu'il avait prise à l'initiative de Lenfant et d'Yvonnot, il n'ignorait pas que c'était lui qui, aujourd'hui encore, les conseillait. Et sa surprise restait grande de voir dans quel état de souffrance il laissait les terres qu'il avait affermées, ce domaine de la Guerdache dont les champs pauvres, maintenant, faisaient tache, semblaient un désert inculte, à côté de l'autre domaine si riche des Combettes.

Un matin, comme tous deux suivaient en causant un chemin qui séparait les deux propriétés, il ne put s'empêcher de lui en faire la remarque.

— Mais dites donc, Feuillat, vous n'éprouvez pas quelque honte, à si mal tenir vos terres, lorsque, de l'autre côté de cette route, les terres de vos voisins sont si admirablement cultivées? D'ailleurs, votre simple intérêt devrait vous déterminer à un travail actif et intelligent dont je vous sais très capable.

Le fermier n'eut d'abord qu'un sourire muet. Puis, il osa parler sans crainte.

— Oh! monsieur Luc, la honte est un sentiment trop raffiné pour nous, les pauvres bougres. Et quant à mon intérêt, il est bonnement de tirer juste ma vie de ces terres, qui ne sont pas à moi. C'est ce que je fais, je les cultive assez pour avoir du pain, car ce serait une trop grande duperie, de les travailler, de les fumer, d'en faire des terres excellentes, puisque cela n'enrichirait que monsieur Boisgelin, qui peut, à chaque fin de bail, me jeter dehors... Non, non! pour faire d'un champ un bon champ, il faut qu'il soit à tout le monde.

Et il goguenardait, et il se moquait de ceux qui crient aux paysans : « Aimez la terre! aimez la terre! » Sans doute, il voulait bien l'aimer ; mais, tout de même, il voulait aussi en être aimé, c'est-à-dire qu'il ne voulait plus l'aimer pour les maîtres. Comme il le répétait, son père, son grand-père, son arrière-grand-père, l'avaient aimée sous le bâton des exploiteurs, sans en tirer autre chose que de la misère et des larmes. Alors, lui, en avait assez de cette exploitation féroce, de ce marché de dupe du fermage, la terre aimée, caressée, fécondée par le fermier, pour que le propriétaire ait ensuite l'enfant avec la femme, toute la richesse.

Il y eut un silence. Et il ajouta d'un air d'ardeur concentrée, à voix plus basse :

— Oui, oui, la terre à tous, pour qu'on se remette à l'aimer, à la cultiver... Moi, j'attends.

Très frappé, Luc le regarda. Il le sentait d'une intelligence vive, dans son attitude fermée. Et voilà que, derrière le paysan fruste, un peu sournois, il apercevait maintenant un fin diplomate, un précurseur de regard clair, voyant l'avenir, menant l'expérience des Combettes, pour un but lointain, connu de lui seul. Il soupçonna la vérité, il voulut avoir une certitude.

— Alors, si vous laissez vos terres dans cet état, c'est aussi pour qu'on les compare aux terres voisines et que l'on comprenne?... Mais n'est-ce pas un rêve! Jamais les Combettes n'envahiront, ne mangeront la Guerdache.

De nouveau, Feuillat eut son rire muet. Puis, sans vouloir en dire davantage :

— Peut-être, il faudrait d'ici là de grosses affaires... Enfin, qui sait? j'attends.

Au bout de quelques pas, il reprit encore, avec un geste large, emplissant l'horizon :

— N'empêche que ça marche. Vous vous rappelez le désolant coup d'œil qu'on avait d'ici, avec ces pauvres lopins de terre, d'une si maigre récolte! Et voyez, voyez! avec un seul domaine, avec la culture en commun, avec l'aide des machines et de la science, les moissons débordent, tout le pays est peu à peu conquis. Ah! c'est un riche spectacle!

L'ardent amour qu'il avait gardé à la terre, qu'il tenait secret, en jaloux désireux de l'aimer pour lui, éclatait dans la flamme de ses yeux, dans l'enthousiasme de sa voix. Et Luc était gagné par le grand souffle de fécondité dont le frisson passait sur cette mer de blé. S'il se sentait si fort, à la Crêcherie, c'était maintenant qu'il avait son grenier d'abondance, certain du pain, ayant élargi son petit peuple d'ouvriers d'un petit peuple de paysans. Et sa joie n'était pas plus grande à voir sa Cité en marche, le flot des maisons s'avancer toujours, conquérir l'Abîme et le vieux Beauclair, qu'à venir regarder les champs fertiles des Combettes en marche eux aussi, s'allongeant des champs voisins, roulant peu à peu leurs moissons en un océan sans bornes, d'un bout à l'autre de la Roumagne. C'était le même effort, la même civilisation prochaine, l'humanité qui allait à la vérité et à la justice, à la paix et au bonheur.

L'effet le plus immédiat du succès de la Crêcherie fut de faire comprendre aux petites usines du pays l'avantage qu'elles auraient à suivre son exemple, à s'associer avec elle. La maison Chodorge, une fabrique de clous qui achetait toute sa matière première à sa puissante sœur, se décida d'abord, en se laissant définitivement absorber, dans l'intérêt commun. Puis, la maison Hausser, qui avait la spécialité des serpes et des faulx, après avoir surtout forgé des sabres, entra à son tour dans l'association, devint comme un prolongement naturel de la grande forge voisine. Il y eut quelques difficultés pour la maison Mirande et C⁰, qui construisait des machines agricoles, et dont l'un des deux propriétaires, homme de réaction, luttait contre toutes nouveautés; mais la crise devint telle, qu'il se retira, dans la crainte d'une catastrophe certaine, et que l'autre propriétaire sauva son usine, en se hâtant de la fondre dans la Crêcherie. Toutes ces maisons entraînées ainsi dans le mouvement d'association et de solidarité, se mettaient en actions, acceptaient les mêmes statuts, le partage des bénéfices, basé sur l'alliance du capital, du travail et de l'intelligence. Elles finissaient par constituer une seule et même famille, aux cent groupes divers, toujours prête à recevoir de nouveaux adhérents, pouvant de la sorte s'étendre à l'infini; et c'était là surtout la société refondue, se reconstituant sur une organisation nouvelle du travail, allant à une humanité libre et heureuse.

Dans Beauclair étonné, déconcerté, l'inquiétude fut au comble. Alors, quoi? la Crêcherie grandirait sans cesse, s'augmenterait de chaque petite usine qu'elle rencontrerait au passage, celle-ci, puis celle-là, puis cette autre? et la ville elle-même, et la plaine immense aux alentours y passeraient, ne seraient plus que des dépendances, le domaine, la chair même de la Crêcherie? Les cœurs étaient troublés, les cerveaux commençaient à se

demander où était le vrai intérêt de chacun, la fortune possible. Dans le petit
monde des commerçants, des fournisseurs surtout, la perplexité augmentait,
devant les recettes qui baissaient chaque jour; et il s'agissait de savoir si
l'on ne serait pas forcé bientôt de fermer boutique. Aussi l'affolement
devint-il général, lorsqu'on apprit que Caffiaux, l'épicier cabaretier, venait
de s'entendre avec la Crêcherie, pour que sa maison devînt un simple dépôt,
une sorte de succursale des Magasins-Généraux. Longtemps il avait passé pour
être l'homme de l'Abîme, vaguement mouchard de la direction, empoisonnant l'ouvrier d'alcool, le vendant ensuite à ses chefs, car le cabaret est le
plus ferme pilier du salariat. En tout cas, l'homme était louche, aux aguets
de la victoire du plus fort, continuellement prêt à une trahison, se retournant avec l'aisance d'un gaillard qui n'aime point la défaite. Et qu'il se fût
mis si aisément du côté de la Crêcherie, cela doubla l'angoisse des gens
inquiets, travaillés du besoin de prendre parti au plus tôt. Tout un mouvement d'adhésions s'indiquait, qui devait aller en s'accélérant, avec la force
décuplée de la vitesse acquise. La belle madame Mitaine, la boulangère,
n'avait pas attendu la conversion de Caffiaux pour trouver très bien ce qui se
passait à la Crêcherie, et elle était disposée à entrer dans l'association, quoique
sa boulangerie fût restée florissante, grâce au renom de beauté et de bonté
dont elle l'avait rendue populaire. Seul, le boucher Dacheux s'entêtait, dans
la fureur sombre de la débâcle de toutes ses idées; il disait qu'il préférait
mourir, au milieu de ses derniers quartiers de viande, le jour où il ne trouverait plus un bourgeois pour les lui acheter à leur prix; et cela paraissait
devoir se réaliser, sa clientèle le quittait peu à peu, il était pris de telles
rages, que l'apoplexie sûrement le menaçait, en coup de foudre.

Dacheux, un jour, se rendit chez les Laboque, où il avait supplié madame
Mitaine de se rendre également. Il s'agissait, disait-il, des intérêts moraux et
commerciaux de tout le quartier. Le bruit courait que les Laboque, pour
éviter la faillite, étaient sur le point de faire la paix avec Luc et de s'associer,
de façon à devenir simplement les dépositaires de la Crêcherie. Depuis que
celle-ci échangeait directement ses fers et ses aciers, ses outils et ses
machines, contre le pain des Combettes et des autres villages syndiqués, ils
avaient perdu leurs meilleurs clients, les paysans des environs, sans compter
les petites ménagères, les bourgeoises de Beauclair elles-mêmes, qui réalisaient de grandes économies, en se fournissant aux Magasins de l'usine, dont
Luc avait eu l'idée victorieuse d'ouvrir les portes à tout le monde. C'était la
mort du commerce, tel qu'on l'avait entendu jusque-là, l'intermédiaire entre
le producteur et le consommateur, renchérissant la vie, vivant en parasite sur
les besoins des autres. Un rouage inutile, mangeur de force et de richesse,
dont la disparition était désormais chose certaine, du moment qu'un
exemple démontrait avec quelle facilité on le supprimait pour le bien-être

de tous. Et, au milieu de leur bazar désert, les Laboque se lamentaient.

Lorsque Dacheux se présenta, la femme, noire et maigre, était au comptoir, inoccupée, n'ayant même plus le courage de tricoter des bas, tandis que l'homme, au nez et aux yeux de furet, allait et venait d'un air d'âme en peine, le long des cases de marchandises, envahies par la poussière.

— Qu'est-ce qu'on me dit? cria le boucher congestionné, vous trahissez, Laboque, vous êtes sur le point de vous rendre! Vous qui avez perdu contre le bandit ce procès désastreux, vous qui aviez juré la mort du bandit, quitte à y laisser vous-même la peau! Et voilà que vous vous mettriez contre nous, que vous achèveriez le désastre!

Mais Laboque s'emporta, dans l'effondrement où il était.

— J'ai assez de peine, fichez-moi la paix! Ce procès imbécile, c'est vous tous qui m'y avez poussé. Maintenant, vous ne m'apportez sûrement pas de l'argent pour payer mes échéances de la fin du mois. Alors, qu'est-ce que vous venez me chanter là, avec la peau que j'ai promis d'y laisser?

Et, montrant d'un geste les marchandises endormies :

— Elle y est, ma peau, et si je ne m'arrange pas, les huissiers seront ici mercredi prochain... Oui! c'est vrai, puisque vous voulez que je vous le dise, oui! je suis en pourparlers avec la Crêcherie, je me suis entendu, et je signerai ce soir... J'hésitais encore, mais on m'embête trop à la fin!

Il se laissa tomber sur une chaise, tandis que Dacheux, saisi, suffoqué, ne trouvait à bégayer que des jurons. Et madame Laboque, alors, écrasée dans son comptoir, dit à son tour sa plainte, d'une voix basse et monotone.

— Avoir tant travaillé, mon Dieu! nous être donné tant de mal, au commencement, quand nous avons débuté, en allant vendre de la quincaillerie de village en village! Et, plus tard, les efforts qu'il nous a fallu faire ici, pour ouvrir cette boutique, pour l'agrandir ensuite d'année en année! On était tout de même récompensé, ça marchait, on nourrissait le rêve d'acheter une maison en pleine campagne, pour s'y retirer avec des rentes. Puis, voilà que ça croule, Beauclair devient fou, je n'ai pas encore compris pourquoi, mon Dieu!

— Pourquoi, pourquoi? gronda Dacheux, parce que c'est la révolution et que les bourgeois sont des lâches qui n'osent même pas se défendre. Moi, un de ces matins, si l'on m'y pousse, je vais prendre mes couteaux, et vous verrez!

Laboque haussa les épaules.

— Belle affaire!... C'est bon quand on a le monde avec soi; mais, quand on se sent à la veille de rester tout seul, le mieux est encore, tout en enrageant, d'aller où vont les autres... Caffiaux l'a bien compris.

— Ah! cette crapule de Caffiaux! hurla le boucher, repris de fureur. En

20

Elle rejeta la magnifique fourrure qui lui couvrait les épaules.

voilà un traître, un vendu! Vous savez que ce bandit de monsieur Luc lui a donné cent mille francs pour nous lâcher.

— Cent mille francs! répéta le quincaillier, avec des yeux de flamme, en affectant une ironie sceptique, je voudrais bien qu'il me les offrît, je les prendrais tout de suite... Non, voyez-vous, c'est bête de s'entêter, la sagesse est d'être toujours avec les plus forts.

— Quelle misère! quelle misère! reprit madame Laboque de sa voix dolente, le monde se met à l'envers pour sûr, c'est la fin du monde!

Justement, la belle madame Mitaine, qui entrait, entendit ces paroles.

— Comment, la fin du monde! dit-elle gaiement, voilà encore deux de nos voisines qui viennent d'accoucher de deux gros garçons... Et vos enfants, et Auguste et Eulalie, comment vont-ils? Ils ne sont donc pas là?

— Non, ils n'étaient pas là, ils n'étaient jamais là. Auguste, âgé de vingt-deux ans bientôt, s'était pris de passion pour les arts mécaniques, ayant en horreur le commerce; tandis qu'Eulalie, très sage à quinze ans, déjà petite femme de ménage, vivait le plus souvent chez un oncle, fermier à Lignerolles, près des Combettes.

— Oh! les enfants! se plaignit encore madame Laboque, si l'on compte sur les enfants!

— Tous des ingrats! déclara Dacheux, dans l'indignation où il était de ne pas se retrouver en sa fille Julienne, grosse et belle demoiselle attendrie, qui, malgré ses quatorze ans sonnés, jouait encore avec les petits malheureux, lâchés sur le pavé de la rue de Brias. Quand on compte sur les enfants, on est sûr de mourir de misère et de chagrin!

— Mais je compte sur mon Évariste, moi! reprit la boulangère. Le voilà qui va sur ses vingt ans, et ce n'est pas parce qu'il a refusé d'apprendre l'état de son père, que nous nous fâcherons. Ces petits, ça pousse naturellement avec des idées différentes des nôtres, puisque ça naît pour des époques où nous ne serons plus là. Moi, je ne lui demande, à mon Évariste, que de m'aimer bien, et c'est ce qu'il fait.

Elle exposa ensuite posément son cas à Dacheux. Si elle était venue, sur sa demande, c'était pour qu'il fût bien entendu que chaque commerçant de Beauclair devait garder sa liberté d'action. Elle ne faisait pas encore partie de l'association de la Crêcherie, mais elle comptait y entrer quand il lui plairait, le jour où elle serait convaincue d'agir dans l'intérêt des autres et d'elle-même.

— Évidemment! conclut Laboque. Je ne peux pas faire autrement, je signerai ce soir.

Et le gémissement de madame Laboque recommença, infini.

— Je vous l'ai dit, le monde s'est mis à l'envers, c'est la fin du monde!

— Mais non! mais non! s'écria de nouveau la belle madame Mitaine,

comment voulez-vous que le monde finisse, puisque voilà nos enfants bientôt
en âge de se marier, et qu'ils auront des enfants, qui se marieront à leur
tour, pour avoir des enfants encore? Les uns poussent les autres, le monde
se renouvelle, voilà!... C'est la fin d'un monde, si vous voulez.

Le mot tomba si net, si décisif, que Dacheux exaspéré, à bout de violence,
s'en alla en faisant claquer la porte, le sang aux yeux, sous le frisson de
l'apoplexie menaçante. C'était bien la fin d'un monde, la fin du commerce
inique et pourrisseur, du commerce qui ne fait la fortune de quelques-uns
que pour la misère du plus grand nombre.

Un dernier coup allait bouleverser Beauclair. Jusque-là, le succès de la
Crêcherie n'avait agi que sur les industries similaires et que sur le petit
commerce, vivant de la clientèle de la rue, au jour le jour. Aussi l'émotion
fut-elle considérable, le beau matin où l'on apprit que le maire Gourier
s'était laissé gagner aux idées nouvelles. Lui, solide, n'ayant besoin de personne, comme il le déclarait vaniteusement, n'entendait pas entrer dans
l'association de la Crêcherie. Mais il créait à côté une association semblable,
il mettait sa grande cordonnerie de la rue de Brias par actions, sur la base
désormais éprouvée du capital, du travail et de l'intelligence, en faisant ainsi
trois parts des bénéfices. C'était simplement un groupe nouveau, le groupe
du vêtement, à côté du groupe du fer et de l'acier, groupe identique d'ailleurs; et la ressemblance s'accentua davantage, lorsque Gourier parvint à
syndiquer toutes les industries du vêtement, les tailleurs, les chapeliers, les
bonnetiers, les lingiers, les merciers. D'autre part, on parla d'un autre groupe
encore, qu'un grand entrepreneur de maçonnerie s'occupait de créer, en
associant aux maçons tous les ouvriers du bâtiment, les tailleurs de pierres,
les menuisiers, les serruriers, les plombiers, les couvreurs, les peintres, vaste
groupe qui engloberait aussi les architectes, les artistes, sans compter les
ouvriers du meuble, les ébénistes, les tapissiers, les bronziers, même les
horlogers et les bijoutiers. Il n'y avait là qu'une végétation logique, l'exemple
de la Crêcherie avait semé cette idée féconde des groupements, des associations sériées en groupes naturels, et les groupes poussaient d'eux-mêmes, par
imitation, par le besoin du plus de vie et du plus de bonheur possible. La loi
de création humaine agissait; et elle agirait certainement avec une énergie
croissante, si l'existence heureuse de l'espèce l'exigeait; et, dès maintenant,
il devenait même sensible qu'un lien général s'établissait au-dessus de ces
groupes, un lien commun qui, tout en les laissant distincts, les réunirait un
jour, en une vaste réorganisation sociale du travail, unique code de la Cité
future.

Mais l'idée d'échapper à la Crêcherie en l'imitant, semblait bien forte
pour le cerveau de Gourier. Aussi l'opinion était-elle qu'il avait dû être
conseillé par le sous-préfet Châtelard, qui se terrait dans plus d'ombre et

plus de tranquille insouciance, à mesure que Beauclair se transformait, sous le souffle vivant de l'avenir. Et l'on devinait juste, cela s'était passé dans un petit déjeuner à trois, chez le maire, les deux hommes face à face, n'ayant entre eux que la toujours belle Léonore.

— Mon cher, avait dit le sous-préfet avec son sourire aimable, je crois que nous sommes fichus. A Paris, tout va de travers, tout marche à l'abandon, et c'est la révolution prochaine, dont le souffle emporte ce qui reste du vieil édifice pourri, tombant en ruine. Ici, notre Boisgelin est un pauvre homme vaniteux que cette petite madame Delaveau mangera jusqu'au dernier sou. Il n'y a que le mari pour ne pas savoir où passent les gains de l'Abîme, dans sa lutte héroïque contre la faillite, et vous verrez bientôt quel désastre... Alors, vraiment, ce serait imbécile de ne pas songer à soi, si l'on ne veut pas être entraîné dans la débâcle.

Léonore s'inquiéta.

— Est-ce que vous êtes menacé, mon ami ?

— Moi, oh ! non. Qui songe à moi ? aucun gouvernement ne se donnera la peine de s'occuper de ma chétive personne, car j'ai le talent d'administrer le moins possible, en disant toujours comme mes chefs, de sorte que je passe pour être la créature de chaque ministre. Je mourrai ici, oublié, heureux, sous l'effondrement du dernier ministère... Mais c'est à vous que je songe, mes bons amis.

Et il expliqua son idée, énuméra tous les avantages qu'il y aurait à devancer la révolution, en faisant de la cordonnerie Gourier une autre Crêcherie. Les bénéfices n'en seraient pas diminués, au contraire. Puis, il était convaincu, il se disait trop intelligent pour ne pas comprendre : l'avenir était là, le travail réorganisé finirait par balayer la vieille et inique société bourgeoise. Dans ce fonctionnaire si paisible, si sceptique, d'une inaction totale et raisonnée, un véritable anarchiste avait fini par pousser, qu'il dissimulait sous les dehors de sa diplomatique réserve.

— Vous savez, mon bon Gourier, conclut-il en riant, ça ne m'empêchera pas de me déclarer contre vous, ouvertement, lorsque vous aurez fait ce beau coup de passer à la société nouvelle. Je dirai que vous trahissez, ou que vous perdez la raison... Mais je vous embrasserai, quand je viendrai ici, car vous leur aurez joué là un fameux tour, qui vous rapportera gros. Vous verrez leurs têtes !

Cependant, Gourier, effaré, ne consentit pas, discuta longtemps. Tout son passé protestait, toute sa longue royauté de patron se révoltait à l'idée de n'être plus que l'associé des centaines de travailleurs dont il était resté jusque-là le maître absolu. Mais, sous son épaisse enveloppe, il y avait un esprit très délié en affaires, il se rendait très bien compte qu'il ne risquait rien, qu'il assurait au contraire sa maison contre tous les dangers de l'avenir, en suivant le conseil du sage Châtelard. Et puis, lui-même était touché par le vent qui soufflait, cette exaltation, cette passion de réformes, dont la fièvre contagieuse, aux époques révolutionnaires, affole justement les classes qui vont être dépossédées. Gourier finit par croire que l'idée était de lui, ainsi que Léonore, sur le conseil de son ami Châtelard, le lui répétait matin et soir, et il marcha.

Ce fut un scandale dans toute la bourgeoisie de Beauclair. On tenta des démarches, on alla trouver le président Gaume pour le supplier d'intervenir auprès du maire, puisque le sous-préfet avait formellement refusé de s'occuper de cette triste affaire, qu'il déclarait à haute voix scandaleuse, et dans laquelle, disait-il, il ne voulait pas compromettre l'administration. Mais le président, qui vivait très retiré, ne voyant plus personne, depuis le jour où sa fille Lucile, surprise en flagrant délit avec un très jeune clerc de notaire, avait dû se réfugier chez lui, n'accepta pas non plus d'aller faire au maire des représentations, que celui-ci accueillerait sans doute fort mal. Alors, on employa les grands moyens. Son gendre, le capitaine Jollivet, à la suite du départ de sa femme, s'était lancé dans la réaction, avec une furie croissante. Il donnait de tels articles au *Journal de Beauclair*, que l'imprimeur Lebleu, inquiet de la façon dont tournaient les choses, sentant la nécessité d'être du côté des plus forts, lui avait un jour fermé sa porte, désireux d'évoluer, de passer du parti de l'Abîme au parti de la Crêcherie. Désarmé, oisif, le capitaine promenait ses colères impuissantes, lorsqu'on eut l'idée que lui seul pouvait déterminer le président à prendre parti, car il n'avait point rompu complètement avec son beau-père, il échangeait encore des saluts avec lui. Chargé de cette mission délicate, il se rendit donc chez ce dernier en cérémonie, il ne reparut pas de deux longues heures; et, quand il sortit de la maison, il n'avait tiré de son beau-père que des réponses évasives, mais il était réconcilié avec sa femme. Le lendemain, elle réintégra le domicile conjugal, le capitaine pardonnait pour cette fois, sur l'engagement formel qu'elle ne recommencerait pas. Tout Beauclair fut stupéfait de ce dénouement, et cela finit dans un grand éclat de rire.

Ce furent les Mazelle qui réussirent à confesser le président Gaume, par hasard, et sans avoir été chargés d'aucune mission. D'habitude, chaque matin, il sortait, il gagnait le boulevard de Magnolles, une longue avenue déserte, et il s'y promenait sans fin, la tête basse, les mains derrière le dos, dans une sombre rêverie. Ses épaules pliaient comme sous l'effondrement final, il semblait dans l'anéantissement de toute une existence manquée, du mal qu'il avait fait, du bien qu'il ne pouvait faire. Et, quand il relevait un instant les yeux, regardant au loin, il paraissait attendre de l'inconnu de demain quelque chose qui ne venait pas, qu'il ne verrait pas. Or, ce matin-là, les Mazelle, levés de bonne heure pour se rendre à l'église osèrent

l'aborder, afin d'avoir son opinion sur les affaires publiques, tellement ils
redoutaient d'y trouver quelque désastre personnel.

— Eh bien ! monsieur le président, que dites-vous de ce qui se passe?

Il releva la tête, regarda un instant au loin. Puis, continuant son
affreuse rêverie, pensant tout haut, comme si personne ne l'eût écouté :

— Je dis qu'il est bien long à venir, l'ouragan de vérité et de justice
qui finira par emporter cet abominable monde.

Saisis, les Mazelle, ne croyant pas comprendre, bégayèrent :

— Comment, comment ?... Vous voulez nous effrayer, parce que vous
savez que nous ne sommes pas très braves. Ça, c'est vrai, et l'on nous plaisante un peu.

Mais déjà Gaume s'était repris. En reconnaissant les Mazelle, effarés
devant lui, le visage blême, suant l'inquiétude de leur argent et de leur
paresse, un pli d'ironie dédaigneuse avait contracté sa bouche.

— Que craignez-vous? reprit-il, le monde durera bien encore vingt ans,
et si vous vivez toujours, vous vous consolerez des ennuis de la révolution,
en assistant à des choses intéressantes... C'est votre fille qui devrait se préoccuper de l'avenir.

Désolée, madame Mazelle s'écria :

— Justement, c'est que Louise ne s'en préoccupe pas, oh ! pas du
tout !... Elle a treize ans à peine, et elle trouve très drôle ce qui se passe,
quand elle nous entend naturellement en parler du matin au soir. Elle rit,
pendant que nous nous désespérons. Les jours où je lui dis : « Mais,
malheureuse ! tu n'auras pas un sou », elle me répond, avec un saut de
chèvre : « C'est ça qui m'est égal, par exemple ! et j'en serai plus gaie ! »
Elle est gentille tout de même, bien qu'elle nous donne peu de contentement.

— Oui, dit Gaume, c'est une enfant qui rêve de faire sa vie elle-même,
il y en a comme ça.

Mazelle restait perplexe, craignant d'être plaisanté encore. L'idée qu'il
avait fait fortune en dix ans, que depuis lors il jouissait de la délicieuse
vie de fainéantise rêvée dès sa jeunesse, et que sa félicité d'oisif pouvait
cesser, qu'il serait peut-être forcé de se remettre au travail, si tout le monde
travaillait, le jetait à une angoisse sourde et continue, qui était comme un
premier châtiment.

— Mais la rente, monsieur le président, que deviendrait la rente, selon
vous, si tous ces anarchistes arrivaient à renverser le monde?... Vous vous
souvenez, ce monsieur Luc, qui joue un si vilain rôle, nous plaisantait lui
aussi, en racontant qu'on supprimerait la rente... Alors, autant qu'on nous
égorge au coin d'un bois !

— Dormez donc en paix, répéta Gaume avec son ironie tranquille, la
société nouvelle vous nourrira, si vous ne voulez pas travailler.

Et les Mazelle s'en allèrent à l'église, car ils y brûlaient des cierges pour la guérison de madame Mazelle, depuis que le docteur Novarre avait eu la brutalité, un jour, de dire à celle-ci qu'elle n'était pas malade. Pas malade ! une maladie qu'elle soignait avec amour depuis tant d'années, dont elle vivait, tellement elle avait fini par en faire son occupation, sa joie, sa raison d'être ! Le médecin la croyait donc incurable, puisqu'il l'abandonnait; et, prise de terreur, elle s'était adressée à la religion, elle y trouvait de grands soulagements.

Sur le boulevard de Magnolles, dans ce désert troublé à peine par de rares passants, il était un autre promeneur, l'abbé Marle, qui venait y lire son bréviaire. Mais, souvent, il laissait retomber le livre, il continuait à marcher avec lenteur, perdu lui aussi au fond d'une songerie noire. Depuis les derniers événements, toute cette évolution emportant la ville à un destin nouveau, son église s'était encore vidée, il y restait à peine les très vieilles femmes du peuple, stupides et têtues, mêlées aux quelques bourgeoises qui soutenaient la religion comme le suprême rempart du beau monde, en train de crouler. Quand les derniers fidèles auraient déserté les églises catholiques, devenues les ruines d'une société morte, envahies par les ronces et les orties, une autre civilisation commencerait. Aussi, sous cette menace, ni les quelques bourgeoises, ni les très vieilles femmes du peuple ne consolaient l'abbé Marle du vide qu'il sentait se faire de plus en plus autour de son Dieu. Léonore, la femme du maire, avait beau être d'une prestance très décorative aux cérémonies du dimanche, et elle avait beau ouvrir sa bourse toute grande pour l'entretien du culte : il n'ignorait point son indignité, son péché chronique d'adultère, que la ville entière acceptait, qu'il avait dû lui-même couvrir du manteau de son ministère sacré, mais qu'il réprouvait comme une damnation dont il serait responsable. Les Mazelle lui suffisaient moins encore, si enfantins, si bassement égoïstes, venant à lui dans l'unique espoir de tirer du ciel une félicité personnelle, plaçant leurs prières ainsi qu'ils avaient placé leur argent, afin d'en toucher les rentes. Et tous et toutes étaient ainsi, dans cette société finissante, sans la véritable foi qui, aux premiers siècles, avait fondé le pouvoir du Christ, sans ce goût du renoncement et de l'obéissance totale, nécessaire aujourd'hui surtout à la toute-puissance de l'Église. Alors, il ne se le dissimulait plus, les jours étaient comptés, et si Dieu ne lui faisait pas la grâce de le rappeler bientôt à lui, il assisterait peut-être à l'affreuse catastrophe, le clocher s'écroulant, trouant la toiture de la nef, écrasant l'autel.

C'était cette rêverie noire qu'il venait ainsi promener pendant des heures. Il l'avait enfouie au plus profond de son être, s'efforçant de s'en cacher à lui-même la désespérance. Il affectait de rester brave, hautain, dédaigneux des événements d'un jour, sous le prétexte que l'Église était la maîtresse de l'éternité. Mais, quand il se rencontrait avec l'instituteur Hermeline, qui ne décolérait point devant le succès des méthodes de la Crècherie, près de passer à la réaction, au nom du salut même de la République, il ne discutait plus avec son âpreté d'autrefois, il prétendait s'en remettre à Dieu; car Dieu permettait certainement ces saturnales anarchiques, dans le but de foudroyer ses ennemis et de faire ensuite éclater son triomphe. Le docteur Novarre, plaisantant, avait trouvé le mot, en disant que l'abbé abandonnait Sodome, à la veille de la pluie de feu. Sodome, c'était le vieux Beauclair empesté, le Beauclair bourgeois mangé d'égoïsme, la ville coupable comdamnée à être détruite, dont il fallait assainir la terre, si l'on voulait voir pousser à la place la Cité de santé et de joie, de justice et de paix. Tous les symptômes indiquaient le craquement final, le salariat râlait, la bourgeoisie affolée se faisait révolutionnaire, le sauve-qui-peut des intérêts amenait aux vainqueurs les forces vives du pays, et ce qui restait, les matériaux usés, inemployables, les décombres épars, allait être balayé par le vent. Déjà le Beauclair rayonnant de demain sortait des ruines. Quand l'abbé Marle, sous les arbres du boulevard de Magnolles, laissait retomber son bréviaire, le pas ralenti, les yeux à demi fermés, c'était sûrement cette vision qui, en se dressant devant lui, le noyait d'amertume.

Parfois, le président Gaume et l'abbé Marle se rencontraient, dans ces promenades silencieuses, en pleine solitude. D'abord, ils ne se voyaient pas, ils continuaient leur marche parallèle, la tête si basse, les yeux si perdus, que rien du monde extérieur ne leur parvenait. Chacun, de son côté, roulait sa mélancolie, son regret du monde qui disparaissait, son appel au monde qui sortait de terre. La religion finie ne voulait pas mourir, la justice à naître se désespérait de tant tarder. Cependant, ils levaient la tête, ils se reconnaissaient, et il fallait échanger quelques mots.

— Un temps bien triste, monsieur le président. Nous aurons de la pluie.

— Je le crains, monsieur l'abbé. Ce mois de juin est très froid.

— Ah! que voulez-vous? toutes les saisons sont bouleversées maintenant. Plus rien n'est d'aplomb.

— C'est vrai, et pourtant la vie continue, le bon soleil remettra peut-être tout en place.

Puis, chacun reprenait sa marche solitaire, retombait dans ses réflexions, promenant de la sorte à l'infini l'éternelle lutte de l'avenir et du passé.

Mais, surtout, ce fut à l'Abîme que retentit le contre-coup de Beauclair en évolution, peu à peu transformé par la réorganisation du travail. A chaque succès nouveau de la Crècherie, Delaveau devait déployer plus d'activité, plus d'intelligence et de courage; et, naturellement, tout ce qui faisait la prospérité de l'usine rivale, devenait chez lui un désastre. C'était ainsi

que la découverte d'excellents filons, dans la mine anciennement abandonnée, lui avait porté un coup terrible, en avilissant le prix de la matière
première. Il ne pouvait plus lutter pour les fers et les aciers de commerce,
il se trouvait même atteint dans sa fabrication des canons et des obus. Les
commandes avaient fléchi, depuis que l'argent de la France allait surtout aux
constructions de paix et de solidarité sociale, aux chemins de fer, aux ponts,
aux bâtiments de tous genres, où le fer et l'acier triomphaient. Le pis était
que ces commandes, dont trois maisons seulement se partageaient la proie,
ne suffisaient plus pour le gain de ces maisons, qui avaient fini par réaliser
le projet de tuer une d'elles, afin de déblayer le marché; et, la moins solide
étant l'Abîme, en ce moment-là, c'était l'Abîme que les forges concurrentes
se décidaient à exécuter sauvagement. Les difficultés devenaient pour lui
d'autant plus grandes, que ses ouvriers ne lui restaient plus fidèles. Le coup
de couteau de Ragu avait comme jeté la déroute parmi les camarades qu'il
laissait derrière lui. Puis, lorsque Bourron, assagi, converti, les avait quittés
pour retourner à la Crêcherie, emmenant Fauchard, tout un mouvement
s'était fait, la plupart se demandaient pourquoi ne pas l'imiter, puisque de
gros avantages les y attendaient. L'expérience était aujourd'hui éclatante,
les ouvriers gagnaient à la Crêcherie des journées doubles en ne travaillant que huit heures, sans compter les avantages dont ils jouissaient, les
petites maisons heureuses, les Écoles toujours en joie, la Maison-Commune
toujours en fête, les Magasins-Généraux abaissant d'un bon tiers les prix de
consommation, tant de santé et tant de bien-être. Rien ne prévaut contre les
chiffres, les ouvriers de l'Abîme réclamèrent une augmentation des tarifs,
voulant gagner autant que ceux de la Crêcherie. Comme il était impossible
de les satisfaire, beaucoup partirent, allèrent naturellement où ils devaient
trouver le plus de bonheur. Enfin, ce qui paralysait Delaveau, c'était l'absence d'un fonds de réserve, car il ne consentait pas à se déclarer vaincu, il
aurait tenu longtemps, il aurait fini par triompher, pensait-il, s'il avait eu
en caisse quelques centaines de mille francs, pour l'aider à traverser cette
crise, qu'il s'obstinait à croire temporaire. Seulement, comment se battre,
comment faire face aux échéances des mauvais jours, lorsque l'argent
manquait? L'argent emprunté déjà, la dette créée était en outre un poids
mort terrible, une charge qui l'écrasait. Et il luttait en héros, toujours
debout, donnant son intelligence, donnant sa vie, dans l'espoir de sauver
encore le passé croulant qu'il soutenait, l'autorité, le salariat, la société
bourgeoise et capitaliste, et dans le désir âprement honnête de faire rendre
au capital mis entre ses mains les rentes qu'il avait promises.

Au fond, la pire souffrance de Delaveau était ainsi de ne plus pouvoir
assurer à Boigelin les bénéfices auxquels il s'était engagé; et son échec se
matérialisait cruellement, les jours où il devait lui refuser de l'argent.

Bien que le dernier inventaire eût été désastreux, Boisgelin entendait ne rien retrancher du train de la Guerdache, excité par Fernande elle-même, qui traitait son mari en bête de labour, qu'il fallait piquer au sang pour en tirer tout son effort. Depuis la violence affreuse de Ragu, cachée et gardée au plus profond de sa chair, elle était comme affolée de jouissance, jamais elle ne s'était montrée ardente à ce point, insatiable. On la trouvait rajeunie, embellie, avec quelque chose d'éperdu dans les yeux, comme un désir de l'impossible, inassouvi toujours. Elle apparaissait aux amis de la maison très inquiétante, le sous-préfet Châtelard disait en confidence au maire Gourier que cette petite femme-là commettrait certainement quelque grosse sottise, dont ils auraient tous à souffrir. Jusque-là, elle s'était contentée de changer son ménage en enfer, par son ardeur gaspilleuse à lancer Boisgelin sur son mari, en de continuelles demandes d'argent, ce qui jetait Delaveau dans de telles exaspérations, qu'il en grondait la nuit, jusque sur l'oreiller conjugal. Elle, méchamment, l'aiguillonnait par des observations maladroites, achevait de retourner le fer au fond de la blessure. Et il l'adorait toujours, il la mettait à l'écart, innocente, sans tare possible, dans le culte qu'il avait voué à son charme souple et délicieux.

Novembre vint, avec de grands froids précoces. Ce mois-là, les échéances étaient si fortes, que Delaveau sentit la terre trembler. Il n'avait point en caisse l'argent nécessaire. La veille des payements, il s'enferma dans son cabinet, pour réfléchir, pour écrire des lettres, tandis que Fernande, invitée, allait dîner à la Guerdache. Sans qu'elle le sût, le matin, il s'y était rendu lui-même, il avait eu avec Boisgelin une conversation décisive dans laquelle, après un exposé brutal de la terrible situation, il l'avait décidé enfin à réduire ses dépenses. Pendant plusieurs années, il comptait le mettre à la portion congrue. Même il lui avait conseillé de vendre la Guerdache. Et, maintenant, seul dans son cabinet, après le départ de sa femme, il se promenait à pas ralentis, il activait par instants, d'une main machinale, le grand feu de coke qui brûlait dans une sorte de foyer en tôle, installé devant la cheminée. Le seul salut possible était d'obtenir du temps, d'écrire aux créanciers, qui ne pouvaient vouloir la fermeture de l'usine. Mais il ne se hâtait pas, il écrirait les lettres après le dîner; et il continuait ses réflexions, allant d'une fenêtre à l'autre, revenant toujours se planter devant celle d'où il voyait les immenses terrains de la Crêcherie, jusqu'au parc lointain, jusqu'au pavillon que Luc habitait. Dans le grand froid clair, le soleil se couchait en un ciel d'une pureté de cristal, une clarté d'or pâle détachait sur un fond de pourpre, avec une délicatesse infinie, la ville naissante. Jamais il ne l'avait vue de la sorte, si nette, si vibrante, car il aurait compté les minces branches déliées des arbres, il distinguait les moindres détails des maisons, les décors de faïence dont les couleurs vives les rendaient si gaies. Il y eut un moment où, sous les rayons obliques de l'astre, toutes les fenêtres s'enflammèrent, pétillèrent, pareilles à des centaines de feux de joie. Ce fut une apothéose, une gloire. Et il restait là, écartant les rideaux de cretonne, la face collée à une vitre, assistant à ce triomphe.

Comme Luc, qui, de là-bas, de l'autre bord des terrains de la Crêcherie, regardait parfois sa ville se mettre en marche, s'étendre, menacer l'Abîme d'un prochain envahissement, Delaveau, de son côté, venait souvent la regarder aussi, toujours grandissante, en sa menace de conquête. Que de fois, dans ces dernières années, il s'était onblié devant cette fenêtre, à s'emplir les yeux de l'inquiétant horizon; et, chaque fois, il avait vu la marée montante des maisons s'enfler davantage, se rapprocher de l'Abîme. Elle était partie de très loin, du fond des vastes terrains incultes et déserts; une maison avait paru, ainsi qu'un petit flot, puis une autre, puis une autre; la ligne des façades blanches s'était allongée, les petits flots s'étaient multipliés sans fin, se poussant, activant leur course; et, maintenant, ils avaient couvert l'espace, ils n'étaient plus qu'à quelques centaines de mètres, en une véritable mer d'une puissance incalculable, près d'emporter tout ce qui s'opposerait à leur passage. C'était l'invasion irrésistible de demain, tout le passé balayé, l'Abîme et Beauclair lui-même remplacés par la jeune Cité triomphante. Delaveau en calculait l'approche, avec le sourd frisson de prévoir le jour où le danger deviendrait mortel. Il avait un instant espéré que le mouvement s'arrêtait, à l'époque où la Crêcherie traversait une crise si dure; et, de nouveau, la Cité s'était remise en marche, d'un tel élan, que déjà les vieux murs de l'Abîme en tremblaient. Cependant, il ne voulait pas désespérer, il se raidissait contre l'évidence, se flattant de trouver dans son énergie le barrage, le rempart nécessaire. Mais, ce soir-là, il était sous le coup d'une inquiétude qui l'amollissait, il en arrivait à éprouver un regret sourd. N'avait-il pas eu tort, autrefois, de laisser partir Bonnaire? Il se rappelait les paroles prophétiques de cet homme simple et fort, au moment de la grande grève; et c'était le lendemain que Bonnaire avait aidé à fonder la Crêcherie, en bon travailleur. Depuis, l'Abîme n'avait fait que décliner, Ragu l'avait souillé d'un assassinat, Bourron, Fauchard et les autres le quittaient à présent, comme un lieu de ruine et de malédiction. Au loin, la ville naissante flamboyait toujours sous le soleil, et il fut envahi d'une colère brusque, dont la violence le rendit à lui-même, aux croyances de toute sa vie. Non, non! il avait eu raison, la vérité était dans le passé, on ne tirait rien des hommes qu'en les pliant sous l'autorité du dogme, le salariat restait la loi du travail, en dehors de laquelle il n'y avait que démence et catastrophe. Et il ferma les grands rideaux de cretonne, il ne voulut plus voir, alluma sa petite lampe électrique, se remettant à réfléchir dans son cabinet bien clos, que la cheminée embrasée chauffait d'une grosse chaleur.

Après son dîner, Delaveau s'assit enfin à son bureau, pour écrire les lettres, tout le salut dont il mûrissait le plan depuis des heures. Minuit sonnait qu'il était encore là, achevant cette correspondance si lourde, si pénible; et des doutes lui étaient venus, toute une crainte de nouveau l'emplissait : était-ce vraiment le salut, que ferait-il ensuite, en admettant même qu'on lui accordât les délais demandés? Écrasé de fatigue, dans l'effort surhumain qu'il tentait pour sauver l'Abîme, il avait laissé tomber son front entre ses deux mains, il restait plongé dans une angoisse immense. Et, à ce moment, il y eut un bruit de voiture, des voix se firent entendre, c'était Fernande qui revenait de son dîner de la Guerdache et qui envoyait les bonnes se coucher.

Lorsqu'elle entra dans le cabinet, elle avait le geste brusque, la parole nerveuse d'une femme hors d'elle, contenant et remâchant sa colère.

— Mon Dieu! qu'il fait chaud ici! Est-il possible de vivre avec un feu pareil?

Et elle se renversa dans un fauteuil, elle dégrafa et rejeta la magnifique fourrure qui lui couvrait les épaules. Alors, elle apparut adorable, d'une merveilleuse beauté, toute vêtue de soie et de dentelle blanche, très décolletée, la gorge et les bras nus. C'était un luxe dont le mari ne s'étonnait pas, qu'il ne voyait même pas, n'aimant d'elle qu'elle-même, la délicieuse créature, devant laquelle le frisson du désir l'avait toujours rendu obéissant, sans clairvoyance ni force. Et jamais plus d'ivresse ne s'était exhalée d'elle.

Mais, lorsque, la tête bourdonnante encore, assis à son bureau, il l'eut regardée un moment, il s'inquiéta.

— Qu'as-tu donc, chère amie?

Elle était visiblement bouleversée. Ses grands yeux bleus de brune, si caressants d'habitude, luisaient d'une ardeur sombre. Sa bouche, petite, aux sourires tendrement menteurs, s'entr'ouvrait, montrait les dents solides, d'un éclat inaltérable, prêtes à mordre. Tout son visage, à l'ovale délicieux, sous la noire chevelure, se gonflait d'un besoin de violence.

— Ce que j'ai? finit-elle par dire, frémissante. Je n'ai rien.

Le silence retomba, et l'on entendit dans la grande paix morte de l'hiver le grondement de l'Abîme en travail, dont le branle secouait la maison d'un frisson continu. D'habitude, ils n'en avaient même plus conscience. Mais, cette nuit-là, bien que les commandes eussent fortement diminué, on venait de mettre en action le marteau-pilon de vingt-cinq tonnes, pour forger en hâte le tube d'un grand canon; et le sol tremblait, les vibrations de chaque coup semblaient retentir dans le cabinet même, en se communiquant par la légère galerie de bois qui le reliait aux bâtiments voisins de l'usine.

— Voyons, tu as quelque chose, reprit Delaveau. Pourquoi ne me dis-tu pas ce que tu as?

Elle laissa échapper un geste de furieuse impatience, elle répondit :

— Montons nous coucher, ça vaudra mieux.

Mais elle ne bougeait pas, ses mains tordaient fiévreusement son éventail, tandis qu'un souffle court soulevait sa gorge nue. Et elle finit par dire ce qui l'étouffait ainsi.

— Tu es donc allé à la Guerdache, ce matin?

— Oui, j'y suis allé.

— Et c'est vrai ce que Boisgelin vient de me raconter? l'usine est en danger de faillite, nous sommes à la veille de la ruine, à ce point qu'il va falloir ne plus manger que du pain et ne plus porter que des robes de laine!

— Oui, j'ai dû lui dire la vérité.

Elle tremblait, elle se contenait, pour ne pas éclater tout de suite en reproches et en outrages. C'en était fait, sa jouissance était menacée, perdue. La Guerdache ne donnerait plus de fêtes, ni dîners, ni bals, ni chasses. On en fermerait les portes, Boisgelin ne lui avait-il pas avoué qu'il serait peut-être forcé de vendre? Et c'en était fait aussi de son retour à Paris, avec des millions. Tout ce qu'elle avait cru tenir enfin, la fortune, le luxe, le plaisir goûté, épuisé en un continuel raffinement de la sensation, croulait. Elle ne sentait plus autour d'elle que des ruines, et ce Boisgelin venait de l'exaspérer encore par sa mollesse, sa lâcheté à plier la tête sous le désastre.

— Tu ne me dis jamais rien de nos affaires, reprit-elle âprement. J'ai l'air d'une bête, cela m'est tombé sur la tête comme si les plafonds s'effondraient... Et, alors, qu'est-ce que nous allons faire, dis-moi?

— Nous allons travailler, répondit-il simplement, il n'y a pas d'autre salut possible.

Mais elle ne l'écoutait déjà plus.

— As-tu pu croire un instant que je vais consentir à n'avoir rien à me mettre sur le dos, à ne plus porter que des bottines éculées, à recommencer cette misère dont le souvenir est un cauchemar? Ah! non, je ne suis pas comme vous autres, je ne veux pas, moi! Il faut que vous vous arrangiez, Boisgelin et toi, je ne veux pas redevenir pauvre!

Elle continua, lâcha ce qui grondait dans son être éperdu. C'était sa jeunesse misérable, lorsque à vingt ans, nourrie par sa mère, la maîtresse de piano, elle traînait la faillite de sa grande beauté, séduite, puis abandonnée, toute cette aventure odieuse, enfouie au plus secret d'elle-même. C'était son mariage de calcul et de raison, ce Delaveau accepté malgré sa laideur et sa condition infime, dans le besoin où elle se trouvait d'un soutien, d'un mari qu'elle utiliserait. C'était le coup de fortune de l'Abîme, la réussite de son calcul, ce mari devenant l'occasion et la garantie de sa victoire, Boisgelin conquis, la Guerdache à elle, tous les luxes et toutes les jouissances à elle. Et c'était, pendant douze années, tout ce que la jouisseuse, la pervertisseuse, avec son fond de cruauté innée, avait goûté là de rare et d'exquis, satisfaisant ses appétits démesurés, apaisant la rancune noire amassée dès l'enfance, heureuse de ses mensonges, de ses parjures, de ses trahisons, du désordre et de la ruine qu'elle apportait, heureuse surtout des larmes qu'elle faisait couler des yeux de Suzanne. Et cela ne durerait pas toujours, et elle retomberait, vaincue, à sa pauvreté d'autrefois!

— Arrangez-vous, arrangez-vous! je ne veux pas aller toute nue, je ne retrancherai absolument rien de mon existence.

Delaveau, qu'elle commençait à impatienter, haussa ses fortes épaules. Il avait appuyé sur ses deux poings sa tête massive de bouledogue, aux mâchoires saillantes; et il la regardait, de ses gros yeux bruns, la face congestionnée par le grand feu, à demi perdue dans le collier de barbe noire.

— Ma chère amie, tu avais raison, ne parlons pas de ces choses, car tu me parais ce soir peu raisonnable... Tu le sais, je t'aime bien, je suis prêt à tous les sacrifices pour que tu ne souffres pas. Mais, je l'espère, tu te résigneras à faire comme moi, qui vais me battre jusqu'au dernier souffle. S'il le faut, je me lèverai dès cinq heures, je vivrai d'une croûte de pain, je donnerai à notre œuvre ma journée entière de dur effort, et je me coucherai encore très content le soir... Mon Dieu! quand tu porterais des robes plus simples et que tu te promènerais à pied! Tu me disais l'autre soir ta lassitude, ton dégoût de ces plaisirs, toujours les mêmes.

C'était vrai. Ses yeux bleus, si caressants, s'assombrirent encore, devinrent presque noirs. Depuis quelque temps, elle se sentait ravagée, peu à peu détruite par son désir éperdu, qu'elle ne savait plus comment assouvir. L'effroyable volupté, goûtée sous le viol de Ragu, dans l'étreinte de ce brutal fou de vengeance et de rage, encore suant de sa besogne, la peau brûlée par le four, les muscles durcis par le ringard, ardent et odorant, sentant le roussi diabolique de l'enfer, la hantait, aiguillonnait en elle, la curieuse et la perverse, un besoin exaspéré de sensations nouvelles. Jamais elle n'avait connu un spasme si aigu, aux bras du travailleur Delaveau et de l'oisif Boisgelin, l'un toujours pressé, préoccupé, l'autre si correct, presque indifférent. Aussi éprouvait-elle une sourde rancune contre ces gens qui ne l'amusaient plus, prise d'une colère grandissante à la pensée que jamais plus personne ne l'amuserait. C'était pourquoi elle venait d'accueillir avec un mépris insultant les doléances de Boisgelin, quand il lui avait confié ses ennuis, son désespoir d'être forcé de diminuer son train. Et c'était pourquoi elle rentrait si violente, si haineuse, toute gonflée de l'envie de mordre et de détruire.

— Oui, oui, bégaya-t-elle, ces plaisirs toujours les mêmes, ah! ce n'est pas toi qui m'en donnerais de nouveaux!

Dans l'usine, le marteau-pilon continuait à taper ses rudes coups, dont le sol tremblait. Si longtemps il lui avait forgé ses joies, en faisant suer à l'acier sa richesse dont elle était avide, tandis que le noir troupeau des ouvriers donnaient leur vie, pour qu'elle vécût la sienne en pleine et libre jouissance! Un instant, elle entendit ce branle douloureux du travail, au milieu du lourd silence. Et une vision unique s'évoqua encore, celle de Ragu demi-nu, la jetant sur le tas de haillons immondes, la possédant dans la flamme des fours. Jamais plus, jamais plus! Et ce fut contre son mari un redoublement de haine sauvage.

— C'est ta faute, ce qui arrive... Je l'ai dit à Boisgelin. Si tu avais commencé par étrangler ce misérable Luc Froment, nous n'en serions pas à la veille de la ruine... Mais tu n'as jamais su conduire tes affaires.

Brusquement, Delaveau se leva, résistant encore à l'emportement qui l'envahissait.

— Montons nous coucher... Tu finirais par me pousser à te dire des choses que je regretterais ensuite.

Elle ne bougea toujours pas, elle continua, devint si amère, si agressive, en l'accusant d'avoir fait le malheur de sa vie, qu'il finit par s'écrier, brutal à son tour :

— Mais enfin, ma chère, quand je t'ai épousée, tu n'avais pas un sou, c'est moi qui ai dû t'acheter des chemises. Tu allais être sur le pavé, et où serais-tu, à cette heure?

Outrageante, la gorge en avant, les yeux meurtriers, elle répondit :

— Dis donc, est-ce que tu crois que, belle comme je l'étais, fille d'un prince, j'aurais accepté un homme tel que toi, laid, commun, sans position, si j'avais eu seulement du pain. Regarde-toi donc, mon ami! Je t'ai bien voulu, parce que tu t'es engagé à conquérir pour moi la fortune, une situation royale. Et, si je te dis tout ça, c'est que, justement, tu n'as tenu aucun de tes engagements.

Il s'était planté devant elle, il la laissait aller, serrant les poings, s'efforçant de garder son sang-froid.

— Tu entends, répéta-t-elle avec une obstination furieuse, aucun de tes engagements, aucun! Et pas plus envers Boisgelin qu'envers moi, car c'est bien toi qui l'as ruiné, ce pauvre homme. Tu l'as décidé à te donner son argent, tu lui as promis des rentes fabuleuses, et voilà que lui non plus ne va pas avoir de quoi s'acheter des souliers... Mon ami, quand on n'est pas capable de diriger une grosse affaire, on reste petit employé, on vit dans son trou, avec une femme assez laide et assez bête pour torcher les enfants et raccommoder les chaussettes... C'est la faillite, et c'est ta faute, tu entends, à toi, à toi seul!

Il ne put se contenir davantage. Ce qu'elle lui disait si sauvagement, lui

— Tu vas mourir ! tu vas mourir !

retournait le couteau dans le cœur et dans la conscience. Lui qui l'avait tant
aimée, l'entendre parler de leur mariage comme d'un marché bas, où il n'y
avait eu de sa part que nécessité et que calcul! Lui qui, depuis bientôt
quinze ans, travaillait si loyalement, si héroïquement, à tenir la promesse
faite à son cousin, être accusé par elle de mauvaise administration et d'incapacité! Il la saisit des deux mains, par ses bras nus, il la secoua, en disant à
voix basse, comme s'il craignait que l'éclat de sa parole ne l'affolât lui-même :

— Malheureuse! tais-toi, ne me rends pas fou !

Mais elle s'était levée à son tour, elle s'était dégagée, balbutiante de
colère et de douleur, en sentant les deux étaux dans lesquels il venait de la
prendre, en voyant ses deux bras si délicats, si blancs, se cercler de rouge.

— Tu me bats maintenant, goujat, brute! Ah! tu me bats, tu me bats!

Et elle avançait sa face délicieuse, que la rage bouleversait, et elle crachait
son mépris de tout près dans ce visage d'homme, qu'elle aurait voulu
déchirer. Jamais elle ne l'avait exécré davantage, jamais elle ne s'était irritée
à ce point de sa carrure massive de dogue. Sa longue rancune remontait, la
poussait à un besoin de quelque insulte irréparable, pour en finir. Et sa
cruauté cherchait la blessure empoisonnée, celle qui le ferait le plus crier et
souffrir.

— Tu n'es qu'une brute, tu n'es pas capable de diriger un atelier de dix
hommes !

A cette insulte singulière, il fut pris d'un rire convulsif, tellement cela lui
parut stupide, enfantin. Et ce rire acheva de la jeter à une exaspération telle,
qu'elle finit par délirer. Que lui dire donc pour que le coup fût mortel et
qu'il cessât de rire?

— Oui, c'est moi qui t'ai fait, sans moi tu ne serais pas resté un an directeur de l'Abîme.

Il riait plus fort.

— Tu es folle, ma chère, tu dis de si grosses bêtises, que cela ne m'atteint
pas.

— Ah! je dis des bêtises, ah! ce n'est pas grâce à moi que tu as gardé
ta place !

Brusquement, l'aveu lui était monté à la gorge. Lui crier ça dans sa
figure de chien, lui crier qu'elle ne l'avait jamais aimé, qu'elle était la maîtresse d'un autre! C'était le coup de couteau qui ferait taire son rire. Et
comme ça la soulagerait, comme elle goûterait une terrible et féroce volupté,
dans la débâcle de sa vie qui craquait sous elle! Une fois encore, la vision de
Ragu passa, elle eut un cri d'abominable jouissance, en se jetant elle-même
au gouffre.

— Je dis si peu de bêtises, mon ami, que je couche avec ton Boisgelin
depuis douze ans.

Delaveau ne comprit pas tout de suite. A la volée, il avait reçu au visage l'injure atroce qui l'étourdissait.

— Qu'est-ce que tu dis?

— Je dis que je couche avec ton Boisgelin depuis douze ans, et puisqu' n'y a plus rien, puisque tout s'écroule, eh bien! voilà, c'est fini!

Les dents serrées, bégayant, délirant à son tour, il s'était rué sur elle, l'avait reprise par les bras, la secouant, la renversant dans le fauteuil. Ce épaules nues, cette gorge nue, cette nudité provocante qu'elle étalait dan ses dentelles, il aurait voulu la broyer à coups de poing, l'anéantir, pour qu'elle ne l'insultât pas et ne le torturât pas davantage. Le voile de sa longue confiance, de sa longue crédulité, se déchirait enfin, et il voyait, et il dev nait. Jamais elle ne l'avait aimé, son existence près de lui n'avait jamais é qu'hypocrisie, ruse, mensonge et trahison. De cette femme si belle, si fine, exquise, de cette femme qu'il adorait, qu'il désirait d'un cœur idolâtre brusquement se levait la louve, la fureur sombre, la brutalité des instincts Il voyait naître d'elle tout ce qu'il avait ignoré si longtemps, la pervertis seuse, l'empoisonneuse qui avait lentement tout corrompu autour de lui une chair de traîtrise et de cruauté dont la jouissance était faite des larme et du sang des autres.

Et, dans la stupeur où il se débattait, ce fut elle encore qui l'injuria.

— A coups de poing, n'est-ce pas? brute! Va, va, à coups de poing comme tes ouvriers, quand ils sont ivres!

Alors, au milieu de l'effrayant silence, Delaveau entendit les coup cadencés du marteau-pilon, ce branle du travail qui, sans arrêt, berçait se jours et ses nuits. Cela lui arrivait de très loin, comme une voix connue, don le clair langage achevait de lui conter l'effroyable aventure. Tout ce que marteau avait forgé de richesse, n'était-ce point Fernande qui l'avait dévor de ses petites dents blanches, d'un émail inaltérable? Cette pensée brûlan lui envahissait le crâne, elle était la dévoratrice, la cause du désastre, d millions mangés, de la faillite inévitable et prochaine. Pendant que lui dévouait héroïquement pour tenir ses promesses, travaillait dix-huit heur par jour, tâchait de sauver le vieux monde croulant, c'était elle qui rongea l'édifice, qui remplissait son rôle de pourriture. Elle vivait là, près de lu l'air si tranquille, la face tendre et souriante, et elle était pourtant le poiso la destruction, minant tout ce qu'il tentait, paralysant son effort, anéanti sant son œuvre. Oui, la ruine était là, toujours présente, à sa table, da son lit, et il ne la voyait pas, et elle avait ébranlé et broyé tout de ses petit mains souples, de ses petites dents blanches. Un souvenir lui revint, les nui où elle rentrait de la Guerdache, grise des caresses de son amant, des vi bus, des valses dansées, de l'argent jeté à pleines mains, et où elle cuvait s ivresse sur l'oreiller conjugal, tandis que lui, l'innocent, l'imbécile, allon près d'elle, les yeux grands ouverts dans les ténèbres, se torturait le cerveau pour sauver l'Abîme, en évitant de l'effleurer même d'une caresse, par crainte de troubler son sommeil. Et ce fut l'horreur suprême, la fureur folle qui lui fit crier :

— Tu vas mourir !

Elle se redressa dans le fauteuil, les deux coudes appuyés, sa chair nue, son délicieux visage de nouveau en avant, sous le casque noir de son admirable chevelure.

— Ah ! ça, je veux bien ! J'en ai assez, de toi, et des autres, et de moi-même, et de la vie ! Si c'est pour vivre misérable, j'aime mieux mourir.

Et lui s'affola de plus en plus, répétant, hurlant :

— Tu vas mourir ! tu vas mourir !

Mais il cherchait, tournait au travers de la pièce, n'ayant point d'arme. Pas un couteau, rien que ses deux mains, pour l'étrangler; et puis, lui, qu'aurait-il fait ? se serait-il résigné à vivre encore ? Un couteau aurait servi pour les deux. Elle vit son embarras, son hésitation d'une seconde, et elle en triompha, elle crut que jamais il ne retrouverait la force de la tuer. A son tour, elle se mit à rire, d'un rire d'ironie et d'insulte.

— Eh bien ! tu ne me tues donc pas ?... Tue-moi donc, tue-moi donc, si tu l'oses ?

Tout d'un coup, dans sa quête éperdue, il aperçut la cheminée de tôle, où brûlait un tel brasier de coke, que la pièce surchauffée en était comme incendiée déjà. Et ce fut en lui une brusque démence qui lui fit oublier tout, jusqu'à sa fille, sa Nise adorée, endormie paisiblement là-haut dans sa petite chambre, au second étage. Oh ! en finir lui-même, s'anéantir, au fond de cette horreur, de cette fureur qui le transportait ! Oh ! emmener cette exécrable femme dans la mort, afin qu'elle ne soit plus à d'autres, et s'en aller avec elle, et ne plus vivre, puisque la vie désormais était souillée et perdue !

Elle le cinglait toujours de son rire méprisant.

— Tue-moi donc ! tue-moi donc ! Tu es bien trop lâche pour me tuer !

Oui, oui ! tout brûler, tout détruire, un incendie immense où la maison, l'usine disparaîtraient, où la ruine cette fois serait bien totale, la ruine que cette femme et son amant imbécile avaient voulue ! Un bûcher gigantesque où lui-même tomberait en cendres, avec cette femme parjure, empoisonneuse et dévoratrice, parmi les décombres fumants de la vieille société morte, qu'il avait eu la sottise de défendre !

D'un coup de pied terrible, il renversa la cheminée, il la jeta au milieu de la pièce, répétant son cri :

— Tu vas mourir ! tu vas mourir !

Le coke embrasé s'était répandu sur le tapis, en une nappe rouge. Des morceaux avaient roulé jusqu'à une fenêtre. Les rideaux de cretonne flam-

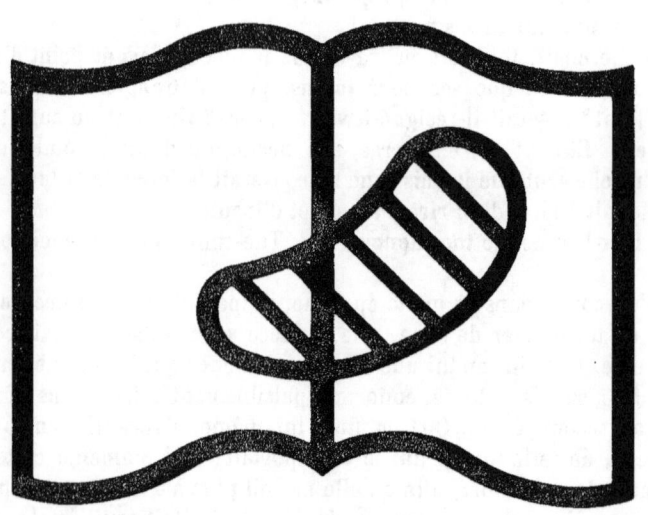

Original illisible

NF Z 43-120-10

bèrent d'abord, tandis que le tapis s'allumait. Puis, les meubles, les murs s'enflammèrent avec une rapidité foudroyante. Bâtie légèrement, la maison prenait feu, pétillait et fumait comme une bourrée.

Alors, ce fut effroyable. Fernande, épouvantée, s'était mise debout, ramenant ses jupes de soie et de dentelle, cherchant le passage où les flammes ne les atteindraient pas encore. Elle se précipita vers la porte donnant sur le vestibule, avec la certitude qu'elle avait le temps de s'échapper, qu'elle serait d'un bond dans le jardin. Mais là, devant la porte, elle trouva Delaveau, dont les poings lui barraient le passage. Elle le vit si terrible, qu'elle se précipita vers l'autre porte, celle qui ouvrait sur la galerie de bois reliant le cabinet aux bâtiments voisins de l'usine. Déjà il n'était plus temps de fuir par ce côté, la galerie brûlait, faisant cheminée, avec un tel appel d'air, que les bureaux de l'administration étaient menacés. Et elle revint au milieu de la pièce, ▓▓▓▓▓ ▓ffoquée, trébuchante, prise d'une rage à sentir sa robe qui flambait ▓ ▓▓▓ ▓▓eux dénoués qui prenaient feu à leur tour, sur ses épaules nues ▓▓▓ ▓▓ ▓▓▓▓ brûlures. Et elle râlait, d'une voix affreuse :

— ▓▓ ▓▓ ▓▓ pas mourir ! je ne veux pas mourir ! Laissez-moi passer, assass▓▓ ▓▓▓ ▓▓▓

De nouv▓ ▓▓lle s'était jetée vers la porte du vestibule, et elle tâcha de forcer le passage, en se ruant sur son mari, toujours là, debout, immobile dans sa volonté farouche. Il ne criait plus, il répéta seulement, sans violence :

— Je te dis que tu vas mourir !

Et, comme, pour passer, elle lui entrait les ongles dans la chair, il dut la saisir, il la ramena une fois encore au milieu de la pièce, changée en brasier. Ce fut alors une atroce lutte. Elle se débattait avec une force décuplée par la peur de la mort, elle cherchait les portes, les fenêtres, d'un élan instinctif d'animal blessé ; tandis que lui la maintenait parmi les flammes, où il voulait mourir, où il voulait qu'elle mourût avec lui, pour tout anéantir à la fois de leur abominable existence. Il n'avait pas trop de ses deux bras solides, les murs se fendaient, et à dix reprises il l'écarta des issues. Enfin, il l'emprisonna, il l'écrasa dans une dernière étreinte, lui qui l'avait adorée, qui l'avait si souvent prise et possédée ainsi. Ensemble ils tombèrent parmi les braises du plancher, les tentures achevaient de se consumer comme des torches, les boiseries laissaient pleuvoir des tisons ardents. Et, bien qu'elle l'eût mordu, il ne lâchait pas, il la gardait, l'emportait au néant, incendiés l'un et l'autre, brûlant du même feu vengeur. Et ce fut fini, le plafond s'effondra sur eux, en un écroulement de poutres flambantes.

A la Crêcherie, cette nuit-là, Nanet, qui faisait son apprentissage d'ouvrier électricien, sortait de la chambre des machines, lorsqu'il aperçut, du côté de l'Abîme, une grande lueur rouge. Il crut d'abord à quelque flamboiement des fours à cémenter. Mais la lueur augmentait ; et, tout d'un coup, il comprit : c'était la maison du directeur qui brûlait. En une secousse brusque, la pensée de Nise le frappa, il se mit follement à courir, se heurta au mur mitoyen que tous deux, autrefois, franchissaient si gaillardement pour se retrouver, le franchit de nouveau sans savoir comment, en s'aidant des pieds et des mains. Et il se trouva dans le jardin, seul encore, l'alarme n'ayant pas été donnée. C'était bien la maison qui brûlait, qui s'allumait du rez-de-chaussée à la toiture, ainsi qu'un énorme bûcher, sans que personne à l'intérieur remuât. Les fenêtres restaient closes, la porte ne s'ouvrait pas, incendiée déjà, ne permettant plus de sortir ni d'entrer. Nanet crut seulement entendre de grands cris, toute une lutte d'abominable agonie. Enfin, les persiennes d'une des fenêtres du second étage furent rabattues violemment, et Nise parut dans la fumée, toute blanche, vêtue de sa chemise et d'un simple jupon. Elle appelait au secours, elle se penchait, terrifiée.

— Aie pas peur! aie pas peur! cria Nanet éperdument. Je monte!

Il avait aperçu une grande échelle, couchée le long d'un hangar. Mais, quand il voulut la prendre, il s'aperçut qu'elle était enchaînée. Ce fut une minute d'angoisse terrible. Il avait saisi une grosse pierre, il tapait de toutes ses forces sur le cadenas, pour le briser. Les flammes ronflaient, le premier étage entier prenait feu, avec un tel redoublement d'étincelles et de fumée, que Nise, par moments, disparaissait là-haut. Il entendait toujours ses cris qui s'affolaient, et il tapait, et il tapait, criant lui aussi :

— Attends, attends! je monte!

Le cadenas s'écrasa, il put tirer l'échelle. Plus tard, jamais il ne comprit comment il était parvenu à la mettre debout. Il y eut du prodige, il la dressa sous la fenêtre. Alors, il vit qu'elle était trop courte, et son désespoir fut tel, que lui-même, un instant, chancela dans sa bravoure de héros de seize ans, résolu à sauver cette fillette de treize, son amie. Il perdait la tête, il ne savait plus.

— Attends, attends! ça ne fait rien, je monte!

Justement, l'une des deux servantes, dont la mansarde ouvrait sur le toit, venait de sortir par sa fenêtre, cramponnée au bord de la gouttière; et, folle d'épouvante, en croyant que les flammes l'atteignaient déjà, elle sauta soudain dans le vide, elle vint s'aplatir près du perron, le crâne défoncé, tuée du coup.

Nanet, que les appels de Nise, de plus en plus affreux, bouleversaient, crut qu'elle allait sauter. Il la vit sanglante à ses pieds, il jeta un dernier cri terrible.

— Ne saute pas, je monte, je monte!

Et il monta quand même le long de l'échelle; et, lorsqu'il fut au premier étage en flammes, il entra par une des fenêtres, dont les vitres avaient éclaté, sous la violence de la chaleur. Des secours arrivaient, beaucoup de monde se trouvait déjà sur la route et dans le jardin. Et il y eut, parmi la foule, quelques minutes d'effroyable anxiété, à suivre ce sauvetage d'une enfant par un autre, si follement brave. Le feu gagnait toujours, les murs craquaient, l'échelle semblait s'allumer elle-même, vide et debout contre la façade, où ne reparaissaient ni le garçon ni la fillette. Enfin, il revint, la tenant sur ses épaules, comme un agneau qu'on emporte. Il avait pu, dans cette fournaise, monter un étage, la saisir, redescendre; mais ses cheveux grésillaient, ses vêtements brûlaient; et, lorsqu'il se fut laissé glisser au bas de l'échelle, plutôt qu'il n'en descendit, avec son cher fardeau, tous les deux étaient couverts de brûlures, évanouis dans les bras l'un de l'autre, serrés en une étreinte si étroite, qu'il fallut les porter ensemble à la Crêcherie, où Sœurette, tout de suite prévenue, vint leur servir d'infirmière.

Une demi-heure plus tard, la maison s'écroulait, pas une pierre n'en restait debout. Et le pis était que l'incendie, après s'être communiqué, par la galerie, aux bureaux de l'administration, venait de gagner des hangars voisins et dévorait maintenant la grande halle des fours à puddler et des laminoirs. L'usine entière était menacée, le feu faisait rage parmi ces vieux bâtiments presque tous en bois, si délabrés et calcinés. On disait que l'autre servante des Delaveau, ayant pu s'échapper par la cuisine, avait la première donné l'alarme aux équipes de nuit, qui étaient accourues de l'Abîme. Mais les ouvriers n'avaient pas de pompe, et il avait fallu attendre que ceux de la Crêcherie, conduits par Luc lui-même, vinssent fraternellement au secours de l'usine rivale, avec la pompe et le service de pompiers, une des créations de la Maison-Commune. Les pompiers de Beauclair, dont l'organisation était très défectueuse, n'arrivèrent qu'ensuite. Et il était trop tard, l'Abîme flambait, d'un bout à l'autre de ses constructions sordides, sur plusieurs hectares, en un brasier immense, d'où n'émergeaient plus que les hautes cheminées et la tour à tremper les canons.

Lorsque le petit jour se leva, après cette nuit de désastre, des groupes nombreux stationnaient encore devant les foyers mal éteints, sous le ciel livide et glacé de novembre. Les autorités de Beauclair, le sous-préfet Châtelard, le maire Gourier, n'avaient pas quitté le lieu du sinistre; et le président Gaume était avec eux, ainsi que son gendre, le capitaine Jollivet. L'abbé Marle, prévenu trop tard, n'arriva qu'au jour, suivi bientôt d'un flot de curieux, des bourgeois, des boutiquiers, les Mazelle, les Laboque, les Dacheux, les Caffiaux. Un vent de terreur passait, tous causaient à voix basse, la grande angoisse était de savoir de quelle façon une pareille catastrophe avait pu se produire. Il ne restait qu'un seul témoin, la servante qui avait pu fuir; et elle contait comment madame était rentrée de la Guerdache un peu avant minuit : tout de suite, il y avait eu un gros bruit de querelle, puis les flammes avaient paru. On écoutait, on répétait l'histoire à demi-voix, les

intimes devinaient l'épouvantable drame. A coup sûr, comme le disait la
servante, monsieur et madame étaient morts dans la fournaise. Et l'horreur
qui soufflait s'accrut encore, lorsqu'on vit paraître Boisgelin, qu'il fallut
aider à descendre de voiture, tant il était défaillant et blême. Il eut une syn-
cope, le docteur Novarre dut le soigner, devant ce champ de ruines, où fumaient les débris de sa fortune, et dans lequel les ossements de Delaveau et
de Fernande achevaient de tomber en cendres.

Luc, cependant, dirigeait les dernières manœuvres de ses hommes, pour
éteindre la halle du marteau-pilon qui brûlait toujours. Jordan, enveloppé
dans une couverture, s'obstinait à rester, malgré le grand froid. Bonnaire,
arrivé un des premiers, s'était signalé par son courage à sauver ce qu'il
avait pu des machines et des outils, en faisant la part du feu. Bourron, Fauchard, tous les anciens ouvriers de l'Abîme passés à la Crêcherie, l'aidaient,
se dévouaient, sur ce terrain si bien connu d'eux, où ils avaient peiné pen--
dant tant d'années. Mais c'était comme un destin furieux qui grondait en
ouragan, tout se trouvait emporté, balayé, anéanti, malgré leurs efforts.
Le feu vengeur, le feu purificateur venait de tomber là en coup de foudre,
et il rasait le champ entier, et il le déblayait des décombres, dont la
chute du vieux monde l'avait obstrué. Maintenant, la besogne était faite,
l'horizon était libre, à l'infini, et la Cité naissante de justice et de paix
pouvait pousser le flot vainqueur de ses maisons jusqu'au bout des vastes
plaines.

Dans un groupe, on entendit Lange, le potier, l'anarchiste, qui disait de
sa voix rude et gaie :

— Non, non! je n'ai pas à m'en faire l'honneur, ce n'est pas moi qui
l'ai allumé; mais n'importe, c'est de la belle besogne, et c'est drôle que les
patrons nous aident, en se rôtissant eux-mêmes.

Il parlait du feu. Et le frisson de tous était si profond, que personne ne le
fit taire. La foule allait aux forces victorieuses, les autorités de Beauclair
félicitaient Luc de son dévouement, les commerçants et les petits bourgeois
entouraient les ouvriers de la Crêcherie, achevaient de se mettre ouvertement avec eux. Lange avait raison, il est des heures tragiques où les sociétés
caduques, frappées de folie, se jettent au bûcher. Et, sur le ciel gris, de cette
usine de l'Abîme, si noire, si douloureuse, où le salariat avait râlé, aux
heures dernières du travail déshonoré et maudit, il ne restait que quelques
murs croulants, soutenant des carcasses de toitures, au-dessus desquelles
les hautes cheminées de la tour à tremper les canons se dressaient seules,
inutiles et lamentables.

Vers onze heures, ce matin-là, comme le soleil s'était décidé à paraître,
limpide, monsieur Jérôme passa, dans sa petite voiture que poussait un
domestique. Il faisait sa promenade habituelle, il venait de suivre le chemin

des Combettes, en longeant l'usine et la ville grandissante de la Crêcherie, si vives, si joyeuses, par ce temps sec et ensoleillé. Et, maintenant, il voyait se dérouler le champ de défaite, l'Abîme saccagé, détruit, sous la violence justicière des flammes. Longuement, il regarda de ses yeux vides et clairs, d'une transparence d'eau de source. Il n'eut pas un mot, pas un geste, il regarda simplement, et il passa, et rien ne disait s'il avait vu et compris.

LIVRE TROISIÈME

I

A la Guerdache, le coup fut terrible. Du jour au lendemain, la ruine s'abattait sur cette résidence de luxe et de plaisir, qui retentissait de continuelles fêtes. Une chasse dut être décommandée, il fallut renoncer aux grands dîners de chaque mardi. Le nombreux personnel allait être congédié en masse, on parlait déjà de la vente des voitures, des chevaux, du chenil. Dans les jardins, dans le parc, la vie bruyante, l'affluence sans fin des visiteurs avait cessé. La vaste demeure elle-même, les salons, la salle à manger, le billard, le fumoir, n'étaient plus que des déserts, où frissonnait le vent de désastre. Une demeure foudroyée, qui agonisait dans la soudaine solitude du malheur.

Et, au travers de cette infinie tristesse, Boisgelin promenait son ombre lamentable. La tête perdue, décomposé, anéanti, il passait des journées affreuses, ne sachant que faire de son corps, errant ainsi qu'une âme en peine, parmi cet écroulement de ses jouissances. Ce n'était au fond qu'un pauvre être, homme de cheval et de cercle, médiocre aimable, dont la belle prestance, la haute mine correcte, monocle à l'œil, s'effondrait, au premier souffle tragique de la vérité et de la justice. Jusque-là, installé carrément dans son plaisir, convaincu qu'il lui était dû, n'ayant jamais rien fait de ses dix doigts et se croyant **un être à part**, élu, privilégié, né pour que le travail des autres le nourrît et l'amusât, comment aurait-il compris la logique catastrophe qui l'écrasait? La religion de son égoïsme recevait un choc trop rude, il restait éperdu devant l'avenir dont il ignorait l'inquiétude. Au fond de son effarement, il y avait surtout la terreur de l'oisif, de l'entretenu, que bouleverse l'incapacité où il se sent de gagner sa vie. Puisque Delaveau n'était plus là, de qui donc exigerait-il les bénéfices que son cousin lui avait promis, le jour où il l'avait déterminé à mettre son capital dans la bonne spéculation de l'Abîme? L'usine était brûlée, le capital avait sombré sous les décombres, où trouverait-il de quoi vivre demain? Et il marchait comme un fou, par les jardins déserts, par la maison lugubre, sans trouver la réponse.

D'abord, au soir du drame, Boisgelin fut hanté par l'effroyable fin de Delaveau et de Fernande. Lui ne pouvait avoir de doute, car il se souvenait de quelle façon rageuse elle l'avait quitté, en proférant des menaces contre son mari. C'était certainement à la suite de quelque scène atroce que Delaveau avait lui-même incendié la maison, afin de s'anéantir avec la coupable. Et il y avait là, pour un simple jouisseur comme Boisgelin, une férocité noire, une violence de monstrueuses passions, dont l'effroi persistait, gâtait sa vie. Ensuite, ce qui l'acheva, ce fut de comprendre qu'il n'avait pas la tête solide, l'énergie nécessaire pour mettre un peu d'ordre dans une affaire si compliquée et si compromise. Du matin au soir, il roulait des projets, sans savoir auquel s'arrêter. Devait-il chercher à relever l'usine, tâcher de découvrir de l'argent, une société, un ingénieur, dans l'espoir de continuer l'exploitation? Cela semblait d'une réussite presque impossible, car les pertes étaient considérables. Ou bien allait-il attendre un acheteur, qui s'accommoderait des terrains, de l'outillage et du matériel sauvés, à ses risques et périls? Mais, cet acheteur, il doutait fort de sa venue, il doutait surtout d'obtenir de lui un prix même assez gros qui permît de liquider la situation. Et la question de l'existence demeurait toujours à résoudre, dans ce grand domaine de la Guerdache, grevé d'énormes frais, d'un entretien très lourd, et où, dès la fin du mois, il n'aurait peut-être pas de pain à manger.

Une seule créature eut alors pitié de ce misérable homme, si tremblant, si abandonné, rôdant dans sa demeure vide comme un enfant perdu, et ce fut Suzanne, sa femme, cette femme d'une héroïque douceur qu'il avait affreusement outragée. Au début, lorsqu'il lui imposait sa liaison avec Fernande, vingt fois elle s'était levée le matin résolue à un éclat, pour chasser de la maison la maîtresse, l'étrangère; et, chaque fois, elle avait fini par demeurer dans son aveuglement volontaire, certaine que, si elle chassait Fernande, son mari la suivrait, tellement il était hanté, possédé. Puis, la situation anormale s'était réglée, elle avait fait chambre à part, elle n'avait plus été la femme légitime que devant le monde, gardant ainsi les apparences, se consacrant tout entière à l'éducation de son fils Paul, qu'elle voulait sauver du désastre. Sans ce bel enfant, blond comme elle, doux comme elle, jamais elle ne se serait résignée. Il était la cause profonde de son renoncement, de son sacrifice. Aussi l'avait-elle enlevé au père indigne, comme une intelligence, un cœur à elle, à elle seule, où elle cultiverait la raison et la bonté, pour sa consolation.

Et les années s'étaient écoulées de la sorte, dans la joie grave de le voir grandir en sagesse, en tendresse; et elle avait assisté, sans y prendre part, de loin pour ainsi dire, au drame qui se déroulait, la lente ruine de l'Abîme en face de la prospérité croissante de la Crêcherie, la contagion de la jouissance, dont la folie, autour d'elle, emportait son monde au gouffre. Enfin, une démence dernière venait de tout anéantir dans une suprême flambée d'incendie, et elle non plus ne doutait pas que ce ne fût Delaveau, prévenu, qui eût allumé ce colossal bûcher, pour s'y brûler avec la coupable, la corruptrice, la dévoratrice. Elle en gardait aussi le frisson, elle se demandait si elle n'était pas un peu complice, par sa faiblesse, sa résignation à tolérer depuis si longtemps la trahison, la honte installées chez elle. Si elle s'était révoltée dès le premier jour, peut-être le crime ne serait-il pas allé jusqu'au bout. Et ce débat de sa conscience acheva de la bouleverser, de l'attendrir devant ce misérable homme qu'elle voyait, depuis la catastrophe, promener éperdument son affreux désarroi, au travers du jardin désert et de la maison vide.

Alors, comme elle traversait un matin le grand salon, où il avait donné tant de fêtes, elle l'aperçut effondré dans un fauteuil, qui pleurait comme un enfant, à gros sanglots. Elle en fut toute remuée, emplie d'une grande pitié. Et elle s'approcha, elle qui, depuis tant d'années, ne lui adressait plus la parole, quand le monde était parti.

— Ce n'est pas en te désespérant, dit-elle, que tu trouveras la force dont tu as besoin.

Saisi de la voir, de l'entendre lui parler, il la regardait confusément, parmi ses larmes.

— Oui, tu auras beau errer du matin au soir, le courage doit être en toi, tu ne le trouveras pas ailleurs.

Il eut un geste de désolation, il répondit à voix très basse :

— Je suis si seul !

Ce n'était point un méchant homme, ce n'était qu'un sot et un faible, un de ces lâches cœurs dont le plaisir égoïste fait des bourreaux. Et il s'était plaint de la solitude où elle le laissait, dans le malheur, d'un air si accablé, qu'elle en fut très émue.

— Tu veux dire que tu as voulu être seul. Pourquoi, depuis ces affreuses choses, n'es-tu pas venu à moi ?

— Mon Dieu ! bégaya-t-il, est-ce un pardon ?

Et il lui saisit les mains qu'elle lui abandonna ; et, dans l'anéantissement où il était, il confessa sa faute, éperdu de repentir. Il n'avouait rien qu'elle ne sût déjà, sa longue trahison, cette maîtresse introduite au foyer domestique, cette femme qui l'avait rendu fou jusqu'à la ruine; mais il mettait à s'accuser un tel emportement de franchise, qu'elle en était touchée, comme d'un aveu nouveau, entier, dont il aurait pu s'éviter l'humiliation. Et il finit en disant :

— C'est vrai, je t'ai outragée si longtemps, j'ai été abominable... Pourquoi m'avais-tu abandonné, pourquoi n'as-tu rien tenté pour me reprendre ?

Il touchait là le douloureux cas de conscience où elle était, le sourd remords qu'elle éprouvait, de n'avoir peut-être pas fait tout son devoir, en ne l'arrêtant pas dans sa chute. Et la réconciliation, que la pitié avait commencée, s'acheva dans ce sentiment de fraternelle indulgence. Les plus purs, les plus héroïques, n'ont-ils pas souvent leur part de la faute, lorsque les mauvais et les faibles succombent autour d'eux ?

— Oui, dit-elle, j'aurais dû lutter davantage, j'ai trop voulu sauver ma fierté, assurer ma paix. Nous avons besoin d'oubli l'un et l'autre, il faut que tout ce passé soit mort.

Puis, comme leur fils Paul passait dans le jardin, sous les fenêtres, elle l'appela. C'était maintenant un grand garçon de dix-huit ans, intelligent et fin, qu'elle avait fait à son image, d'une grande tendresse, d'une grande raison, débarrassé surtout de tous les préjugés de caste, prêt à vivre du travail de ses mains, le jour où les circonstances l'exigeraient. Il s'était passionné pour la terre, il passait des journées à la ferme, s'intéressant aux questions de culture, aux semences qui germent, aux moissons qui poussent. Et, justement, lorsque sa mère le pria de venir un instant, il se rendait chez Feuillat, pour voir un nouveau modèle de charrue.

— Viens, mon enfant, ton père est dans le chagrin, et je désire que tu l'embrasses.

Il y avait eu rupture entre le père et le fils, comme entre l'époux et l'épouse. Pris tout entier par la mère, l'enfant avait grandi dans un respect froid pour cet homme qu'il sentait le méchant, le tourmenteur. Aussi Paul, saisi, touché, regarda-t-il quelques secondes ses parents, si pâles, si bouleversés d'émotion. Il comprit, il embrassa très affectueusement son père, il se jeta au cou de sa mère, pour l'embrasser elle aussi, de tout son cœur. La famille se retrouvait, il y eut là une minute heureuse, où l'on put croire que désormais l'entente serait parfaite.

Lorsque Suzanne à son tour l'eut embrassé, Boisgelin dut contenir une nouvelle crise de larmes.

— Bien ! bien ! nous voilà d'accord. Ah ! mes enfants, ça me rend du courage... Nous sommes dans une situation si terrible ! Il va falloir nous entendre, prendre une décision.

Assis tous les trois, ils causèrent un moment, car il avait le besoin de parler, de se confier à cette femme et à cet enfant, après avoir si éperdument promené seul l'angoisse de sa faiblesse. Il crut devoir rappeler à Suzanne comment ils avaient acheté l'Abîme un million et la Guerdache cinq cent mille

francs, avec les deux millions qui leur restaient, le million de sa dot à elle
et le million sauvé dans la débâcle de sa fortune à lui. Les cinq cent mille
francs qui restaient sur les deux millions, remis aux mains de Delaveau,
avaient servi comme fonds de roulement pour l'usine. Tout leur argent se
trouvait donc placé là, et le pis était que, lors des derniers embarras, il avait
fallu emprunter six cent mille francs, dette qui grevait lourdement l'exploitation. Il semblait bien que l'usine était morte, maintenant qu'elle était
brûlée, et qu'il eût fallu payer les six cent mille francs, avant de la faire
renaître de ses cendres.

— Alors, à quoi vas-tu te décider? demanda Suzanne.

Il dit les deux solutions entre lesquelles il se débattait, sans pouvoir
choisir, tant elles offraient de difficultés l'une et l'autre : ou bien se débarrasser de tout, vendre ce qui restait de l'Abîme à n'importe quel prix, sans
doute à peine de quoi payer la dette de six cent mille francs; ou bien trouver
des fonds nouveaux, constituer une société, dont il serait, avec son apport
des terrains et de l'outillage sauvé, combinaison qu'il sentait d'ailleurs
chimérique. Et, chaque jour, la solution était plus pressante, car la ruine
s'aggravait, totale et certaine.

Suzanne fit une remarque.

— Nous avons encore la Guerdache, nous pouvons vendre.

— Oh! vendre la Guerdache! répondit-il d'un air désespéré. Vendre ce
domaine où nous nous plaisons, où nous avons nos habitudes! Et pour aller
nous réfugier, nous cacher dans quelque trou de misère! Quelle déchéance,
quelle affreuse douleur encore!

Elle était redevenue grave, voyant bien qu'il ne s'accoutumait pas à l'idée
d'une existence médiocre et sage.

— Mon ami, il faudra bien toujours en venir là. Nous ne pouvons plus
garder un train de maison si lourd.

— Sans doute, sans doute, on vendra la Guerdache, mais plus tard,
lorsqu'une occasion se présentera. Si nous la mettions en vente maintenant,
nous ne trouverions pas la moitié de sa valeur, car ce serait l'aveu de
notre ruine, et tout le pays s'entendrait contre nous, pour se réjouir et
spéculer.

Puis, il se servit d'un argument plus direct.

— D'ailleurs, chère amie, la Guerdache est à toi. Ainsi qu'il a été dit
dans les actes, les cinq cent mille francs de l'achat ont été pris sur le million
de ta dot, et les autres cinq cent mille francs sont entrés pour la moitié dans
le million que l'Abîme nous a coûté. Si nous sommes copropriétaires de
l'usine, la Guerdache est donc ta propriété entière, et mon désir est simplement de la conserver le plus longtemps que nous pourrons.

Suzanne eut un geste, ne voulant pas insister, mais laissant entendre

que, depuis longtemps, elle était résignée à tous les sacrifices. Son mari la
regardait, et il parut brusquement pris d'un souvenir.

— Ah! dis donc, je voulais te demander... Est-ce que tu as jamais revu
ton ancien ami, monsieur Luc Froment?

Elle demeura un instant stupéfaite. A la suite de la fondation de la Crêcherie et de la rivalité aiguë qui s'était déclarée entre les deux usines, sa
rupture nécessaire avec Luc n'avait pas été le moindre de ses chagrins,
parmi tant d'amertumes domestiques. Elle perdait en lui un cœur fraternel,
cordial et consolateur, qui l'aurait secourue, soutenue. Mais elle s'était résignée une fois de plus, elle ne l'avait dès lors rencontré que de loin en loin,
au hasard de ses rares sorties, sans jamais lui adresser la parole. Lui-même
imitait sa discrétion, son renoncement, il semblait bien que leur ancienne
intimité attendrie était pour toujours morte. Cela n'empêchait pas la jeune
femme de porter à l'œuvre de Luc un intérêt passionné, dont elle ne parlait
à personne. Elle continuait à être secrètement avec lui, dans son effort géné-
reux, dans sa volonté de mettre un peu de justice et d'amour sur la terre.
Aussi avait-elle souffert avec lui, triomphé avec lui, et lorsqu'on l'avait cru
mort un moment, sous le couteau de Ragu, elle s'était enfermée deux jours,
loin de tous les yeux. Et, au fond de sa douleur, elle découvrait une angoisse
intolérable, la liaison avec Josine qu'elle apprenait ainsi et qui lui laissait
une blessure. Avait-elle donc aimé Luc sans le savoir? n'avait-elle pas rêvé
la joie, la fierté d'un époux tel que lui, qui aurait fait un si magnifique
usage de la fortune? ne s'était-elle pas dit qu'elle l'aurait aidé, qu'ils auraient
ensemble réalisé des prodiges de paix et de bonté? Mais il avait guéri, il
était maintenant le mari de Josine, et elle avait senti de nouveau tout sombrer dans son abnégation d'épouse sacrifiée, de mère ne vivant plus que
pour son fils. Luc cessait d'exister pour elle, et la question qui lui était posée
la ramenait de si loin, qu'elle ne cacha pas sa grande surprise, avant de
répondre.

— Comment veux-tu que j'aie revu monsieur Froment? Tu le sais bien,
voilà plus de dix ans que nos relations sont rompues.

Boisgelin, tranquillement, haussa les épaules.

— Oh! ça n'empêche pas, tu aurais pu le rencontrer et lui parler. Vous
vous entendiez si parfaitement, autrefois... Alors, tu n'as gardé aucun rapport avec lui?

— Non, dit-elle nettement. Si je le voyais encore, tu le saurais.

Elle sentait grandir son étonnement, blessée de son insistance, un peu
honteuse d'être interrogée de la sorte. Où voulait-il en venir? à quel propos
ce désir qu'elle eût conservé des rapports avec Luc? Et, à son tour, elle fut
curieuse d'être renseignée.

— Pourquoi me demandes-tu cela?

Dès lors, dans sa tendresse inquiète, Suzanne surveilla le vieillard...

— Pour rien, une idée en l'air que j'ai eue tout à l'heure.

Il y revint cependant, il finit par se confesser.

— Voilà... Je te disais que nous avions deux partis à prendre, ou vendre l'Abîme en nous débarrassant de tout, ou créer une société d'exploitation, dans laquelle je resterais. Eh bien! il y a un troisième moyen, une combinaison des deux autres qui serait de nous faire acheter l'Abîme par la Crêcherie, tout en nous réservant la meilleure part des bénéfices... Tu comprends?

— Non, pas tout à fait.

— C'est pourtant très simple... Ce Luc doit avoir une envie folle de nos terrains. Or, il nous a fait assez de mal, n'est-ce pas? il est bien légitime que nous tirions de lui une grosse somme. Et notre salut serait certainement là, surtout si nous avions en outre des intérêts dans la maison, ce qui nous permettrait de garder la Guerdache, sans rien diminuer de notre train d'existence.

Suzanne l'écoutait avec un grand saisissement de tristesse. Eh quoi! c'était toujours le même homme, l'effroyable leçon ne l'avait pas corrigé. Il ne rêvait que de spéculer sur les autres, de tirer profit de la situation où ils pouvaient être. Surtout, il n'avait toujours qu'un but, ne rien faire, rester l'oisif, l'entretenu, le capitaliste qu'il était. Dans le désespoir affolé où il se débattait depuis la catastrophe, il n'y avait que la terreur, la haine du travail, la pensée obsédante de se demander comment il s'arrangerait pour continuer à vivre, en ne faisant rien. Et, brusquement, sous les larmes déjà séchées, le jouisseur reparaissait.

Elle voulut savoir jusqu'au bout.

— Mais, reprit-elle, qu'ai-je à voir dans cette affaire, pourquoi me demandais-tu si j'avais conservé des relations avec monsieur Froment?

Tranquillement, il répondit :

— Oh! mon Dieu! parce que ça m'aurait facilité les ouvertures que je songe à lui faire. Tu comprends, après des années de brouille, il n'est pas facile d'aborder un monsieur pour entamer une question d'intérêt; tandis que ça devenait beaucoup plus simple, si le monsieur était resté ton ami... Toi-même, peut-être, tu aurais pu le voir, lui parler...

Elle l'arrêta d'un geste brusque.

— Jamais je n'aurais parlé à monsieur Froment, dans de telles conditions. Tu oublies que j'avais pour lui une affection de sœur.

Ah! le malheureux, il en tombait à cette bassesse de spéculer sur la tendresse que Luc pouvait avoir gardée au cœur; et c'était elle qu'il imaginait d'employer pour attendrir l'adversaire, de façon à le vaincre ensuite plus aisément!

Il dut comprendre qu'il la blessait, en la voyant tout de suite plus pâle et plus froide, comme si elle s'était de nouveau retirée de lui. Et il voulut effacer l'impression mauvaise.

— Tu as raison, les affaires ne regardent pas les femmes. Tu ne pouvais en effet te charger d'une pareille commission. Mais, tout de même, je suis content de mon idée, car plus j'y réfléchis, plus je suis convaincu que notre salut est là. Je vais dresser mon plan d'attaque, puis je trouverai bien un moyen de me mettre en rapport avec le directeur de la Crêcherie. A moins encore que je ne le laisse faire lui-même le premier pas, ce qui serait plus adroit.

Il était ragaillardi par cet espoir d'en duper un autre et d'en tirer son plaisir, comme il avait fait jusque-là. La vie avait encore du bon, si l'on pouvait la vivre, les mains paresseuses et blanches, ignorantes de l'outil. Il se leva, eut un soupir de soulagement, regarda d'une des fenêtres le grand parc, qui semblait plus vaste par cette claire journée d'hiver, et où il espérait, dès le printemps, reprendre ses fêtes. Puis, il eut ce cri :

— Nous serions bien bêtes de nous désoler. Est-ce que des gens comme nous peuvent jamais être misérables !

Suzanne, qui était restée assise, avait senti croître son horrible tristesse. Un instant, elle venait d'avoir la naïve espérance de corriger cet homme, et elle s'apercevait que toutes les tempêtes, les révolutions pouvaient passer sur lui, sans qu'il s'amendât, sans qu'il comprît même les temps nouveaux. L'antique exploitation de l'homme par l'homme était dans son sang, il ne pouvait vivre et jouir que sur les autres. Toujours, il resterait un grand enfant mauvais, dont elle aurait plus tard la charge, si la justice faisait jamais son œuvre. Alors, elle n'eut plus pour lui que beaucoup d'amère pitié.

Pendant cette longue conversation, Paul n'avait pas bougé, écoutant ses parents, de son air doux d'intelligence et de tendresse. Dans ses grands yeux pensifs, passaient visiblement toutes les émotions qui agitaient sa mère. Il était en communion constante avec elle, il souffrait de ce qu'elle souffrait, en voyant l'époux et le père indigne. Et, comme elle s'aperçut de sa gêne douloureuse, elle lui demanda :

— Où allais-tu donc, mon enfant?

— Mère, j'allais à la Ferme, où Feuillat doit avoir reçu la nouvelle charrue, pour les labours d'hiver.

Boisgelin eut un gros rire.

— Et ça t'intéresse?

— Mais oui, mon père... Aux Combettes, ils ont des charrues à vapeur qui font des sillons de plusieurs kilomètres, dans leurs champs mis en commun, devenus un champ immense. Et c'est superbe de voir la terre retournée et fécondée, jusqu'aux entrailles.

Il s'enthousiasmait avec une passion juvénile. Sa mère souriait, attendrie.

— Va, va, mon enfant, va voir la charrue nouvelle, et travaille, tu t'en porteras mieux.

Les jours qui suivirent, Suzanne remarqua que son mari ne se hâtait point de mettre son projet à exécution. Il semblait lui suffire d'avoir trouvé la solution qui, selon lui, devait les sauver tous; et il était repris par son indolence, incapable de volonté. D'ailleurs, elle avait à la Guerdache un autre grand enfant dont les allures lui causèrent une soudaine inquiétude. Monsieur Jérôme, le grand-père, qui venait d'atteindre l'âge avancé de quatre-vingt-huit ans, malgré la sorte de mort vivante dont la paralysie l'avait frappé, menait toujours à l'écart sa vie muette, n'ayant plus de rapports avec le monde extérieur, en dehors de ses continuelles promenades, dans la petite voiture que poussait un domestique. Seule, Suzanne entrait chez lui, le soignait, avait les attentions tendres que, fillette, elle lui prodiguait déjà, il y avait bientôt trente ans, dans cette même chambre du rez-de-chaussée, ouvrant sur le parc. Et elle était si habituée aux yeux clairs du vieillard, ces yeux sans fond, comme pleins d'eau de source, qu'elle pouvait y lire les moindres ombres fugitives. Or, depuis les derniers événements, les yeux s'étaient assombris, il semblait qu'un sable lointain, en se soulevant, les eût troublés. Pendant tant d'années monotones, elle s'était penchée sur eux sans rien y voir, se demandant si la pensée ne s'en était pas allée à jamais, pour qu'ils restassent si purs, si vides! Était-ce donc, maintenant, que la pensée revenait? ces ombres, ces fièvres renaissantes n'indiquaient-elles pas un réveil possible de tout l'être? Peut-être même avait-il toujours été conscient, intelligent; peut-être était-ce, par un miracle, le dur lien physique de la paralysie qui se relâchait, le délivrant un peu, au moment de la fin, du silence et de l'immobilité où il avait vécu si longtemps emprisonné. Et elle suivait avec une surprise et une angoisse croissantes ce lent travail de délivrance.

Un soir, le domestique qui poussait la petite voiture de monsieur Jérôme, se permit d'arrêter Suzanne, comme elle sortait de la chambre du vieillard, remuée par le regard vivant dont il l'avait accompagnée jusqu'à la porte.

— Madame, je me suis promis de vous dire... Il me semble que monsieur n'est plus le même. Aujourd'hui, il a parlé.

Saisie, elle s'écria :

— Comment, il a parlé !

— Oui, hier même, j'avais bien cru l'entendre bégayer des mots, à demi-voix, pendant une petite halte que nous avons faite, sur la route de Brias, en face de l'Abîme. Mais, aujourd'hui, comme nous passions devant la Crêcherie, il a certainement parlé, j'en suis sûr.

— Et qu'a-t-il dit ?

— Ah ! madame, je n'ai pas bien compris, je crois bien que c'étaient des paroles sans suite, ça n'avait pas de sens raisonnable.

Dès lors, dans sa tendresse inquiète, Suzanne surveilla de près le grand-père. Le domestique avait l'ordre, chaque soir, de venir conter la journée à madame. Et ce fut ainsi qu'elle put suivre la fièvre croissante qui semblait s'emparer de monsieur Jérôme. Il était pris d'un besoin de voir, d'entendre, il exigeait qu'on prolongeât ses promenades, comme s'il fût avide des spectacles se déroulant le long des routes. Mais, surtout, il se faisait conduire quotidiennement aux deux mêmes endroits, soit à l'Abîme, soit à la Crêcherie, sans se lasser de regarder pendant deux heures les ruines sombres de l'un, la gaie prospérité de l'autre. Il forçait le domestique à ralentir la marche, il lui ordonnait de repasser à plusieurs reprises, bégayant de plus en plus distinctement ces mots sans suite, dont le sens échappait encore. Et Suzanne, bouleversée de ce lent réveil, finit par faire venir le docteur Novarre, désireuse d'avoir son avis.

— Docteur, lui dit-elle, après lui avoir expliqué le cas, vous ne sauriez croire de quel effroi cela m'emplit. C'est comme si j'assistais à une résurrection. Mon cœur se serre, il me semble voir là un signe prodigieux, qui annonce d'extraordinaires événements.

Novarre sourit de cette nervosité de femme. Puis, il voulut se rendre compte par lui-même. Mais monsieur Jérôme n'était point un malade commode, il avait fermé sa porte aux médecins ainsi qu'au reste du monde ; et, en somme, comme son état ne réclamait aucun traitement, le docteur s'abstenait d'entrer chez lui, depuis des années. Il dut donc se contenter de l'attendre dans le parc, à une de ses sorties, de le saluer, de le suivre sur la route. Même il l'aborda, il vit ses yeux s'éclairer, ses lèvres s'ouvrir en un balbutiement confus. Et il fut étonné, remué à son tour.

— Vous avez raison, madame, revint-il dire à Suzanne, le cas est très singulier. Il y a évidemment là toute une crise de l'être, qui doit venir d'un profond ébranlement intérieur.

Anxieuse, elle demanda :

— Mais que prévoyez-vous, docteur, et que pouvons-nous faire ?

— Oh ! nous ne pouvons rien faire, cela est malheureusement certain. Et, quant à prévoir ce qu'un tel état peut amener prochainement, je ne m'y hasarderai même pas... Pourtant, je dois dire que, si de pareils cas sont rares, il y en a des exemples. Ainsi, je me souviens d'avoir examiné, à l'Asile de Saint-Cron, un vieillard qui s'y trouvait enfermé depuis près de quarante ans, sans que les gardiens se souvinssent de l'avoir jamais entendu prononcer une parole. Tout d'un coup, il parut s'éveiller, il parla confusément d'abord, puis très nettement, et ce fut un flux interminable, des heures entières d'un bavardage ininterrompu. Mais l'extraordinaire était que ce vieillard, considéré comme idiot, avait tout vu, tout entendu, tout compris, pendant ses quarante ans d'apparent sommeil ; et ce qu'il contait ainsi, d'un flot de paroles débordant, était précisément le récit sans fin de ses sensations, de ses souvenirs, emmagasinés depuis son entrée à l'Asile.

Suzanne frémissait, tâchait de cacher l'affreuse émotion où la jetait cet exemple.

— Et, demanda-t-elle de nouveau, qu'est-ce que le malheureux est devenu ?

Novarre hésita une seconde.

— Il est mort trois jours après. Je dois vous l'avouer, madame, ces sortes de crises sont presque toujours le symptôme d'une fin prochaine. C'est l'éternelle image qui jette un dernier éclat avant de s'éteindre.

Un grand silence régna. Elle était devenue très pâle, le froid de la mort passait. Mais ce n'était point la fin prochaine du triste grand-père, c'était en elle une autre crainte, une autre douleur. Comme le vieillard de Saint-Cron, est-ce que le grand-père avait tout vu, tout entendu, tout compris ? Et elle finit par poser encore une question.

— Docteur, croyez-vous l'intelligence abolie, chez notre cher infirme ? Selon vous, comprend-il, pense-t-il ?

Novarre eut un geste vague, le geste du savant qui, en dehors de la certitude expérimentale, ne croit pouvoir s'engager à rien.

— Oh ! madame, vous m'en demandez beaucoup. Tout est possible, dans ce mystère du cerveau, où nous pénétrons si difficilement encore. L'intelligence peut rester intacte, après la perte de la parole, car ce n'est pas parce qu'on ne parle pas qu'on ne pense pas... Cependant, j'aurais diagnostiqué un affaiblissement de toutes les facultés mentales de monsieur Jérôme, je l'ai cru sombré à jamais dans l'enfance sénile.

— Mais il est possible, dites-vous, qu'il ait gardé ses facultés intactes ?

— Très possible, je commence même à le soupçonner, et la preuve en est le réveil de tout l'être, la parole qui semble lui revenir peu à peu.

A la suite de cette conversation, Suzanne resta en une sorte de douloureuse horreur. Elle ne pouvait plus s'attarder affectueusement dans la chambre du grand-père, assister ainsi à sa résurrection, sans ressentir un secret effroi. S'il avait tout vu, tout entendu, s'il avait tout compris, dans la rigidité muette où la paralysie l'enchaînait, quel terrible drame s'était passé au fond de son silence ! Depuis plus de trente ans, il était comme le témoin impassible de la rapide déchéance de sa race, ses yeux clairs avaient vu se dérouler cette défaite des siens, une chute que le vertige de la possession accélérait de père en fils. Deux générations venaient de suffire pour brûler, au feu dévorateur de la jouissance, la fortune fondée par son père et par lui, et qu'il croyait si solide. Il avait vu son fils Michel, devenu veuf, se ruiner dans l'amour des femmes chères, se casser la tête d'un coup de pistolet, tandis que sa fille Laure, perdue de mysticisme, entrait au couvent, et que son autre fils Philippe, marié à une catin, était tué en duel, après une existence imbécile. Il avait vu son petit-fils Gustave, le fils de Michel, jeter celui-ci au suicide, en lui volant une maîtresse et les cent mille francs de ses échéances, à l'heure où son autre petit-fils, André, le fils de Philippe, échouait dans le cabanon d'une maison de santé. Il avait vu Boisgelin, le mari de sa petite-fille Suzanne, racheter l'Abîme en péril, le confier à un cousin pauvre, Delaveau, qui, après lui avoir rendu une courte prospérité, venait de le réduire en cendres, à demi effondré déjà, le soir où il avait découvert le poison destructeur, la trahison de sa femme Fernande et du bellâtre Boisgelin, s'affolant l'un l'autre d'un besoin éperdu de luxe et de plaisir, jusqu'à la destruction de tout ce qui les entourait. Il avait vu l'Abîme, sa création aimée, cette usine reçue si modeste des mains de son père, si élargie par les siennes, devenue géante, il avait vu l'Abîme, dont il espérait que sa race ferait toute une ville, l'empire du fer et de l'acier, décliner si rapidement, que, dès la deuxième génération, il n'en restait pas une pierre debout. Il avait enfin vu sa race, où s'était accumulée si lentement, dans une longue ascendance de misérables ouvriers, la force créatrice qui avait éclaté en son père et en lui, il avait vu sa race tout de suite gâtée, dégénérée, détruite par l'abus de la richesse, comme si, chez ses petits-enfants, plus rien déjà ne flambait de l'héroïsme au travail des Qurignon. Et quelle effroyable histoire amassée dans le crâne de ce vieillard de quatre-vingt-huit ans, quelle suite de faits terribles, résumant tout un siècle d'efforts, éclairant le passé, le présent, l'avenir d'une famille ! Et quelle terrifiante chose que ce crâne, où semblait dormir cette histoire, se réveillât lentement, et que tout menaçât d'en sortir bientôt, en un flot de débordante vérité, si les lèvres déjà balbutiantes se mettaient à crier des paroles claires !

C'était ce terrible réveil que Suzanne attendait maintenant avec une anxiété croissante. Elle et son fils étaient les derniers de la race, Paul restait le seul mâle des Qurignon. La tante Laure venait de mourir dans le couvent des Carmélites cloîtrées, où elle avait vécu près de quarante ans ; et, depuis des années déjà, le cousin André était mort fou, retranché du monde dès son enfance. Aussi, lorsque Paul, à présent, accompagnait sa mère chez monsieur Jérôme, celui-ci le regardait-il longuement, de ses yeux qui s'éclairaient d'intelligence. L'unique et frêle rameau était là, du chêne au tronc puissant, qu'il avait jadis espéré voir croître et se bifurquer en vigoureuses branches, toute une famille pullulante. L'arbre familial n'apportait-il pas la sève nouvelle, une santé et une vigueur puisées dans de rudes ancêtres travailleurs ? sa descendance n'allait-elle pas désormais s'épanouir, se répandre,

pour la conquête de tous les biens et de toutes les joies de la terre ? Et la
sève était déjà tarie chez ses petits-fils, la vie de richesse mal vécue avait
consumé l'amas lointain des forces ancestrales, en moins d'un demi-siècle.
Quelle amertume, lorsque le triste grand-père, le témoin suprême demeuré
debout au milieu de tant de ruines, ne trouvait plus devant lui que le doux
Paul, si fin, si délicat, dernier cadeau de la vie, qui semblait avoir voulu
laisser aux Qurignon ce précieux rejeton, afin de repousser et de refleurir
dans la terre nouvelle ! Et quelle ironie douloureuse, qu'il restât seulement,
à cette heure, cet enfant paisible et réfléchi, dans cette Guerdache énorme,
cette habitation royale, achetée très cher autrefois par monsieur Jérôme,
dans l'espoir et l'orgueil de la peupler un jour de ses nombreux descendants ! Il en voyait les appartements si vastes occupés par dix ménages, il
y entendait les rires d'une troupe sans cesse accrue de garçons et de filles,
c'était le domaine familial, heureux, luxueux, où régnerait la dynastie de
plus en plus féconde des Qurignon. Puis, voilà, au contraire, que les appartements s'étaient vidés chaque jour davantage ; l'ivresse, la folie, la mort
avaient passé, faisant leur œuvre destructive ; une dernière corruptrice était
venue, qui avait achevé de ruiner la maison ; et, depuis la dernière catastrophe, on fermait les deux tiers des appartements, tout le second étage
était abandonné à la poussière, les salons de réception eux-mêmes, au rez-
de-chaussée, s'ouvraient seulement le samedi, pour permettre au soleil
d'entrer. La race allait finir, si Paul ne la relevait pas, et l'empire où elle
aurait dû prospérer n'était plus qu'une grande demeure vide, trop lourde
aux épaules du ménage désuni, et qui allait s'émietter peu à peu dans l'abandon, si on ne lui rendait pas une vie nouvelle.

Une semaine encore se passa. Le domestique, à présent, distinguait des
mots dans le balbutiement confus de monsieur Jérôme. Puis, une phrase
nette se forma, et il vint la répéter à madame.

— Oh ! ce n'a pas été sans peine, madame, mais je puis affirmer à
madame que monsieur a encore répété ce matin : « Il faut rendre, il faut
rendre. »

Suzanne restait incrédule. Cela ne correspondait à rien. Il faut rendre
quoi ?

— Écoutez mieux, mon ami, tâchez de mieux saisir les mots.

Le lendemain, le domestique fut plus affirmatif encore.

— J'assure à madame que monsieur dit bien : « Il faut rendre, il faut
rendre », et cela vingt fois, trente fois de suite, d'une petite voix basse et
continue, comme s'il mettait là toute la force qui lui reste.

Dès le soir, Suzanne prit la résolution de veiller elle-même le grand-
père, pour se rendre compte. Le jour suivant, il ne put se lever. Tandis que
le cerveau se dégageait, les jambes et bientôt tout le tronc furent envahis,

comme déjà frappés de mort. Elle s'épouvanta, elle envoya de nouveau chercher Novarre, qui, impuissant, la prévint doucement que la fin approchait.
Et, dès lors, elle ne quitta plus la chambre.

C'était une vaste chambre, garnie de tapis très épais, ornée de tentures
très lourdes. Toute rouge, d'un luxe solide et un peu sombre, elle avait des
meubles de palissandre sculpté, un grand lit à colonnes, une haute glace où
tout le parc se reflétait. Quand les fenêtres étaient ouvertes, on apercevait,
au delà des pelouses, entre les cimes des arbres séculaires, un déroulement
immense d'horizon, l'amas des toitures de Beauclair d'abord, puis les Monts
Bleuses au delà, la Crêcherie avec son haut fourneau, et l'Abîme dont les
cheminées géantes restaient debout.

Un matin, Suzanne s'était assise près du lit, après avoir relevé les
rideaux, pour que le soleil d'hiver entrât, lorsqu'elle eut l'émotion
d'entendre monsieur Jérôme parler. Depuis un instant, la face tournée vers
une fenêtre, il regardait au loin l'horizon, de ses grands yeux clairs. Et il ne
dit d'abord que deux mots :

— Monsieur Luc...

Suzanne, qui avait distinctement entendu, resta un moment frappée de
surprise. Pourquoi monsieur Luc? Jamais monsieur Jérôme ne s'était trouvé
en relations avec Luc, il devait même ignorer son existence; à moins pourtant qu'il n'eût eu conscience des derniers événements, tout vu, tout
compris, ce dont elle avait seulement le soupçon et la crainte. Ce « monsieur
Luc » tombant de ses lèvres si longtemps closes, c'était la première preuve
que, derrière son silence, il y avait une intelligence toujours éveillée, qui
voyait et comprenait. Elle en sentit croître son angoisse.

— C'est bien monsieur Luc que vous dites, grand-père?

— Oui, oui, monsieur Luc...

Il y mettait une netteté, une énergie croissantes, les yeux ardemment
fixés sur elle.

— Et pourquoi me parlez-vous de monsieur Luc? vous le connaissez
donc, vous avez donc quelque chose à me dire de lui?

Là, il hésita, ne trouvant sans doute pas les mots; puis, il répéta encore
le nom de Luc, avec une impatience d'enfant.

— Autrefois, reprit-elle, il était mon grand ami, mais voici de bien
longues années qu'il ne vient plus.

Vivement, il hocha la tête, et alors il trouva, comme si sa langue se
dénouait peu à peu.

— Je sais, je sais... Je veux qu'il vienne...

— Vous voulez que monsieur Luc vienne vous voir, vous désirez lui
parler, grand-père?

— Oui, oui, c'est cela... Qu'il vienne tout de suite, je lui parlerai.

La surprise de Suzanne augmentait, avec le sourd effroi dont elle était envahie. Que pouvait vouloir dire monsieur Jérôme à Luc? Cela lui paraissait si gros d'hypothèses pénibles, qu'un instant elle tâcha d'éluder ce désir, en y voyant seulement une imagination délirante. Mais il avait bien toute sa raison, il la suppliait d'un élan plein de ferveur, irrésistible, où il épuisait les dernières forces de son pauvre être infirme. Et elle finit par être profondément troublée, trouvant là un cas de conscience, se demandant si elle ne serait pas coupable en refusant à un moribond une entrevue d'où sortiraient peut-être les choses menaçantes et obscures dont elle sentait le frisson.

— Vous ne pouvez pas me parler, à moi, grand-père?

— Non, non, à monsieur Luc... Je lui parlerai tout de suite, oh! tout de suite!

— C'est bien, grand-père, je vais lui écrire, et j'espère qu'il viendra.

Mais, quand Suzanne l'écrivit, cette lettre à Luc, sa main trembla. Elle ne traça que deux lignes : « Mon ami, j'ai besoin de vous, venez tout de suite. » Et, à deux reprises, elle dut s'arrêter, la force lui manquait pour aller au bout de ces quelques mots, tellement ils éveillaient de souvenirs en elle, toute sa vie perdue, le bonheur à côté duquel elle avait passé, et qu'elle ne connaîtrait jamais. Il était à peine dix heures du matin, un petit domestique partit avec la lettre, pour la porter à la Crêcherie.

Justement, Luc se trouvait devant la Maison-Commune, achevant son inspection matinale, lorsque la lettre lui fut remise; et sans tarder, il suivit le petit domestique. Mais quelle émotion aussi, quel attendrissement de tout son cœur, à ces simples mots, si touchants : « Mon ami, j'ai besoin de vous, venez tout de suite! » Il y avait douze ans que les événements les avaient séparés, et elle lui écrivait comme s'ils s'étaient quittés la veille, certaine de le voir répondre à son appel. Elle n'avait pas douté un instant de son ami, il était touché aux larmes de la sentir toujours la même, dans leur bonne fraternité d'autrefois. Les plus effroyables drames avaient pu éclater autour d'eux, toutes les passions s'étaient déchaînées, balayant les hommes et les choses, et ils se retrouvaient naturellement la main dans la main, après tant d'années de séparation. Puis, comme, d'un pas alerte, il approchait de la Guerdache, il se demanda pourquoi elle l'appelait. Il n'ignorait pas le désir où était Boisgelin de lui vendre l'Abîme le plus cher possible, en spéculant sur la situation. Sa résolution était d'ailleurs formelle, jamais il n'achèterait l'Abîme; car la seule solution acceptable était que l'Abîme entrât dans l'association de la Crêcherie, comme les autres usines de moindre importance s'y étaient déjà fondues. L'idée l'effleura un instant que Boisgelin avait dû pousser sa femme à lui faire des ouvertures. Mais il la connaissait, elle était incapable de se prêter à un pareil rôle. Et il la devinait brisée d'inquiétude, ayant besoin de lui en quelque circonstance tragique. Il ne chercha plus, elle lui dirait elle-même le service qu'elle attendait de son affection.

Suzanne attendait Luc dans un petit salon, et quand il entra, elle crut défaillir, tant son trouble fut profond. Lui-même restait bouleversé, le cœur débordant. D'abord, ils ne purent dire une parole. Et ils se regardaient en silence.

— Oh! mon ami, mon ami, murmura-t-elle enfin.

Et elle mettait dans ces simples mots l'émotion de tout ce qui s'était passé depuis douze ans, leur séparation à peine coupée de rares et muettes rencontres, la vie cruelle qu'elle avait vécue à son foyer outragé et souillé, surtout l'œuvre qu'il avait accomplie pendant ce temps, qu'elle avait suivie de loin, d'une âme enthousiaste. Il devenait un héros, elle lui rendait un culte, elle aurait voulu s'agenouiller, panser ses blessures, être la compagne qui console et qui aide. Mais une autre était venue, elle avait tant souffert de Josine, que son cœur d'amante désormais était mort, enseveli dans cet amour ignoré de tous, dont elle-même ne voulait plus savoir s'il avait existé. Et, de voir son dieu devant elle, cela faisait remonter toutes ces choses des secrètes profondeurs de son être, en un attendrissement éperdu qui mouillait ses yeux et agitait ses mains d'un petit tremblement.

— Oh! mon ami, mon ami, vous voilà donc, il a suffi que je vous appelle!

Chez Luc, frémissant d'une pareille sympathie, les souvenirs évoquaient de même tout le passé. Il l'avait sue si malheureuse, sous l'outrage de la maîtresse, de la corruptrice, presque installée dans sa maison! Il l'avait sue si digne, si héroïque, ne voulant pas céder la place, défendant l'honneur du nom en restant à son foyer, la tête haute, pour son fils, pour elle-même! Aussi, malgré la séparation, jamais elle n'était sortie de son esprit ni de son cœur, toujours il l'avait vénérée et plainte davantage, à chaque nouveau chagrin dont il la savait frappée. Bien souvent, il s'était demandé comment aller à son secours, de quelle aide il pouvait lui être. Il aurait éprouvé une si grande joie à lui donner la preuve qu'il n'avait rien oublié, qu'il était demeuré l'ami d'autrefois, le complice discret de ses bonnes actions! Et c'était pourquoi il accourait si vite au premier appel, plein de cette affection inquiète, qui maintenant, devant elle, lui gonflait le cœur, incapable de parler, jusqu'à ce qu'il pût répondre enfin :

— Oui, votre ami, votre ami qui n'a cessé de l'être, qui attendait cet appel pour accourir!

Ils étaient restés fraternels, et ils sentirent alors si profondément cette fraternité, nouée pour toujours, qu'ils tombèrent dans les bras l'un de l'autre. Ils se baisèrent sur les joues, en camarades, en amis ne craignant plus rien des folies humaines, certains de ne jamais souffrir l'un par l'autre, de ne se donner que de la paix et du courage. Tout ce que l'amitié entre un homme et une femme peut avoir de fort et de tendre, fleurissait dans leur sourire.

— Mon amie, si vous saviez ma crainte, lorsque j'ai compris que, sous mes coups, l'Abîme finirait par crouler! N'est-ce pas que je vous ruinais? Et à quelle foi j'ai dû obéir, pour ne pas m'arrêter devant cette pensée! Parfois, j'étais pris de grandes tristesses, vous deviez me maudire, vous ne me pardonneriez jamais d'être la cause des soucis où vous vous débattez à cette heure.

— Moi, vous maudire, mon ami! Mais j'étais avec vous, je faisais des vœux pour vous, vos victoires ont été mes seules joies! Et cela m'était si doux, au milieu de ce monde qui est le mien et qui vous exécrait, d'avoir ma secrète affection, de vous comprendre et de vous aimer, en un sanctuaire intime, ignoré des autres!

— Je ne vous en ai pas moins ruinée, mon amie. Qu'allez-vous devenir, vous habituée dès l'enfance à cette vie de luxe?

— Oh! ruinée, mon ami, la besogne se serait faite sans vous. Ce sont les autres qui m'ont ruinée. Et vous verrez si je serai brave, toute délicate que vous me pensez.

— Mais Paul, mais votre fils?

— Paul! il ne pouvait lui arriver de plus grand bonheur. Il travaillera. Voyez ce que l'argent a fait des miens.

Et Suzanne dit enfin à Luc pourquoi elle lui avait adressé un si pressant appel. Monsieur Jérôme, dont elle lui conta le poignant réveil d'intelligence, désirait le voir. C'était le vœu d'un mourant, le docteur Novarre croyait à une fin très prochaine. Luc, étonné comme elle, et comme elle saisi d'un vague effroi, à la pensée de cette résurrection, où il était prié si étrangement d'intervenir, répondit qu'il était tout à elle, prêt à faire ce qu'elle lui demanderait.

— Vous avez prévenu votre mari de ce désir et de ma visite!

Elle le regarda, avec un léger haussement d'épaules.

— Non, je n'y ai pas songé, c'est inutile. Depuis longtemps, le grand-père ne paraît même plus savoir que mon mari existe. Il ne lui parle pas, il ne le voit pas... D'ailleurs, mon mari est parti pour la chasse, de grand matin, et il n'est pas encore rentré.

Puis, elle ajouta :

— Si vous voulez bien me suivre, je vais tout de suite vous conduire.

Quand ils entrèrent chez monsieur Jérôme, celui-ci, assis sur son séant dans le vaste lit de palissandre, le dos appuyé contre des oreillers, avait encore la tête tournée vers la fenêtre, dont les rideaux étaient restés grands ouverts. Il ne devait pas avoir quitté des yeux le parc superbe, le déroulement de l'horizon, avec l'Abîme et la Crêcherie, au flanc des Monts Bleuses, là-bas, par-dessus les toitures entassées de Beauclair. C'était un spectacle qui semblait le hanter, une continuelle évocation du passé, du présent et de l'avenir, depuis les longues années que, muet, il avait cet horizon sans cesse devant lui.

— Grand-père, dit Suzanne, je vous amène monsieur Luc Froment. Le voici, il nous a fait l'amitié d'accourir tout de suite.

Lentement, le vieillard tourna la tête, posa sur Luc ses grands yeux, qui paraissaient plus grands encore, d'une clarté profonde, infinie. Et il ne dit rien, pas même une parole d'accueil et de remerciement. Le lourd silence continua plusieurs minutes, sans qu'il détournât les regards de cet inconnu, de ce fondateur de la Crêcherie, comme s'il eût voulu le bien connaître, entrer en lui de ses yeux de mourant, au plus profond de l'âme.

Suzanne, un peu embarrassée, reprit :

— Grand-père, vous ne connaissiez pas monsieur Froment, peut-être l'aviez-vous remarqué dans vos promenades?

Il n'eut pas l'air d'entendre, il ne répondit pas davantage à sa petite-fille. Mais, au bout d'un instant, il tourna de nouveau la tête, chercha des yeux dans la chambre. Et, ne trouvant pas, il finit par prononcer un seul mot, un nom :

— Boisgelin...

Ce fut, pour Suzanne, un nouvel étonnement, mêlé d'inquiétude et de gêne.

— Vous demandez mon mari, grand-père, vous désirez qu'il soit là?

— Oui, oui, Boisgelin.

— C'est qu'il n'est pas rentré, je crois. En attendant, vous devriez dire à monsieur Froment pourquoi vous avez voulu le voir.

— Non, non... Boisgelin, Boisgelin.

Évidemment, il ne pouvait parler que devant Boisgelin. Suzanne, après s'être excusée près de Luc, quitta la chambre, à la recherche de son mari. Et Luc resta face à face avec monsieur Jérôme, et il sentait toujours sur sa personne les regards d'infinie clarté. Lui-même alors l'examina, le trouva d'une beauté extraordinaire, dans son extrême vieillesse, avec sa face blanche, ses traits réguliers, auxquels l'approche de la mort, ennoblie par un grand acte, donnait une majesté souveraine. L'attente fut longue, pas un mot ne fut échangé entre les deux hommes, dont les yeux plongeaient les uns dans les autres. Autour d'eux, la chambre, aux épaisses tentures, aux meubles massifs, semblait dormir, sous l'étouffement de son luxe lourd. Pas un bruit, pas un souffle, rien que le frisson qui venait, au travers des murs, du vide des grands salons fermés, des étages entiers abandonnés à la poussière. Et rien n'était plus tragique ni plus solennel que cette attente.

Enfin, Suzanne reparut, en amenant Boisgelin, qui justement rentrait. Il était encore guêtré, ganté, en veste de chasse, car elle ne lui avait pas laissé

le temps de mettre un veston d'appartement. Et il entra l'air anxieux, ahuri
de tomber dans une telle aventure. Ce que sa femme venait de lui dire rapidement, Luc appelé par monsieur Jérôme, Luc chez lui, dans la chambre du
vieillard, qui renaissait à l'intelligence, qui l'attendait pour parler, tous ces
événements imprévus le bouleversaient, le jetaient à un trouble extrême,
sans qu'il eût même quelques minutes de réflexion.

— Eh bien! grand-père, dit Suzanne, voilà mon mari. Parlez si vous
avez quelque chose à nous dire. Nous vous écoutons.

Mais, une fois encore, le vieillard chercha dans la chambre, et ne trouvant pas, il demanda :

— Paul, où est Paul?

— Vous voulez aussi que Paul soit là?

— Oui, oui, je veux!

— C'est que Paul doit être à la Ferme. Ça va demander un grand quart
d'heure.

— Il le faut, je veux, je veux !

On céda, on envoya en hâte un domestique. Et, cette fois, l'attente fut
encore plus solennelle et plus tragique. Luc et Boisgelin s'étaient simplement salués, sans trouver une parole à se dire, après tant d'années, dans
cette chambre qu'un souffle auguste semblait emplir déjà. Personne n'ouvrit
la bouche, on n'entendait dans l'air frissonnant que le souffle un peu fort de
monsieur Jérôme. De nouveau, ses yeux élargis, pleins de lumière, étaient
retournés à la fenêtre, vers cet horizon de l'effort humain en travail, où le
passé était révolu, où demain allait naître. Et les minutes s'écoulaient,
lentes, régulières, dans cette attente anxieuse de ce qui devait venir, l'acte
de grandeur souveraine dont on sentait l'approche.

Il y eut un bruit léger de pas, Paul entra, la figure saine et rose, fouettée
du grand air.

— Mon enfant, dit Suzanne, c'est ton grand-père qui nous a réunis et
qui désire ne parler que devant toi.

Sur les lèvres, si longtemps rigides de monsieur Jérôme, un sourire
parut, d'une infinie tendresse. Il appela Paul du geste, le fit asseoir le plus
près possible, sur le bord du lit. C'était surtout pour lui qu'il voulait
parler, pour ce dernier des Qurignon, de qui la race pouvait refleurir et
porter encore des fruits excellents. Comme il le vit très ému, le cœur souffrant
du dernier adieu, il s'attarda un instant à le rassurer de ses yeux d'aïeul
attendri, pour qui la mort était douce, puisqu'il allait léguer à son arrière-
petit-fils l'héritage de sa longue existence, un acte de bonté, de justice et
de paix.

Puis, enfin, il parla, dans le silence religieux de tous. Il avait tourné la
tête vers Boisgelin, il répéta d'abord les seuls mots que le domestique,

depuis plusieurs jours, l'entendait bégayer à demi-voix, au milieu d'autres confuses paroles :

— Il faut rendre, il faut rendre...

Et, voyant qu'on hésitait à comprendre ce qu'il voulait dire, il revint à Paul, il redit avec plus de force :

— Il faut rendre, mon enfant, il faut rendre...

Suzanne, saisie du grand frisson qui passait, avait échangé un regard avec Luc, également frémissant; et, tandis que Boisgelin, pris de malaise et de peur, affectait de s'attendre à quelque divagation de vieillard, elle demanda :

— Qu'entendez-vous dire, grand-père, et que faut-il donc que nous rendions?

La voix de monsieur Jérôme se faisait de plus en plus nette et aisée.

— Tout, ma fille... Là-bas, il faut rendre l'Abîme. Ici, il faut rendre la Guerdache. A la Ferme, il faut rendre les terres... Il faut tout rendre, parce que rien ne doit être à nous, parce que tout doit être à tous.

— Mais, grand-père, expliquez-vous, à qui donc faut-il rendre?

— Je te le dis, ma fille... Il faut rendre à tous. Rien n'est à nous de ce que nous avons cru notre bien. Si ce bien nous a empoisonnés, nous a détruits, c'est qu'il était le bien des autres... Pour notre bonheur à nous, pour le bonheur de tous, il faut rendre, il faut rendre...

Et, alors, ce fut une scène d'une souveraine beauté, d'une grandeur incomparable. Il ne trouvait pas toujours les mots, mais le geste achevait la pensée. Lentement, au milieu du silence sacré que gardaient ceux qui l'écoutaient, il arrivait quand même à se faire entendre. Il avait tout vu, tout entendu, tout compris; et, comme Suzanne l'avait senti venir avec une angoisse frissonnante, c'était tout le passé qui revenait, toute la vérité du passé terrible qui coulait en un flot débordant, de ce témoin si longtemps muet, impassible, muré dans sa prison de chair. Il semblait n'avoir survécu à tant de désastres, à toute une famille d'heureux et de foudroyés, que pour en tirer le grand exemple. Au jour du réveil, avant d'entrer dans la mort, il déroulait son long supplice d'homme qui, après avoir cru en sa race, installée dans l'empire fondé par lui, avait assez duré pour voir la race et l'empire emportés, au vent de l'avenir. Et il disait pourquoi il jugeait et réparait.

Ce fut, d'abord, le premier Qurignon, l'ouvrier étireur, créant l'Abîme, avec quelques camarades, aussi pauvre qu'eux, plus adroit et plus économe sans doute. Ensuite, ce fut lui, le deuxième Qurignon, qui gagna la fortune, les millions entassés, dans une lutte opiniâtre où il se montra un héros de la volonté, de l'effort constant et intelligent. Mais, s'il avait accompli des prodiges d'activité et de génie créateur, s'il avait gagné l'argent par une admirable entente des conditions de la production et de la vente, il savait

Mais où les petits de ce monde jouissaient enfin de la santé du plein air...

bien qu'il était un simple aboutissant, que de longues générations de travailleurs œuvraient en lui, faisaient en lui sa force et son triomphe. Quel nombre avait-il fallu de paysans suant sur la glèbe, d'ouvriers usés par l'outil, pour aboutir aux deux premiers Qurignon, conquérants de la fortune? Chez eux s'était amassé l'âpre besoin de lutter, de s'enrichir, de monter d'une classe, le lent affranchissement du misérable courbé sur la besogne, dans la servitude. Et, enfin, voilà qu'un Qurignon était assez fort pour vaincre, s'échapper de la geôle, acquérir la richesse tant souhaitée, être un riche, un maître à son tour! Et, tout de suite après, voilà qu'en deux générations, la descendance périclitait, retombait aux luttes douloureuses, affaiblie déjà par la jouissance, dévorée par elle comme par une flamme!

— Il faut rendre, il faut rendre, il faut rendre...

C'était son fils Michel qui, après des folies, se tuait, la veille d'un jour d'échéances. C'était son autre fils Philippe, marié à une drôlesse, qui, ruiné par elle, laissait la vie dans un duel imbécile. C'était sa fille Laure, mourant plus tard au couvent, inféconde, la tête affaiblie de visions mystiques. C'étaient ses deux petits-fils, André, fils de Philippe, rachitique, à demi fou, s'éteignant au fond d'une maison de santé, et Gustave, fils de Michel, allant périr tragiquement sur une route d'Italie, après avoir poussé son père au suicide, en lui volant une maîtresse et l'argent de sa fin de mois. Enfin, c'était sa petite-fille Suzanne, la tendre, la sage, la bien-aimée, dont le mari, Boisgelin, après avoir racheté l'Abîme et la Guerdache, achevait la dévastation. L'Abîme était en cendres, chaud encore de l'incendie qui l'avait ravagé, vengeur des sottises et des souillures. La Guerdache, où il espérait voir pulluler sa race, étendait son désert autour de lui, ses salons vides, son parc morne, au travers duquel ne passait plus que le fantôme pâle de l'empoisonneuse, de la corruptrice, cette Fernande qui venait de consommer la ruine. Et, pendant que ceux de sa race succombaient ainsi, les uns après les autres, ébranlant, emportant l'œuvre de son père et la sienne, il avait vu se dresser, en face, une œuvre nouvelle, la Crêcherie, toute prospère maintenant, toute vivante de l'avenir qu'elle apportait. Et il savait ces choses, parce qu'elles s'étaient passées devant ses yeux clairs, au cours de ses continuelles promenades, des heures de muette contemplation, où il se revoyait devant l'Abîme, au moment de la sortie des ouvriers, devant la Crêcherie, dont les vieux ouvriers, déserteurs de sa maison, le saluaient, devant l'Abîme encore, le matin où il ne restait de cette maison si aimée que des décombres fumants.

— Il faut rendre, il faut rendre, il faut rendre...

Ce cri qu'il ne cessait de jeter, au milieu de son flot lent de paroles, qu'il accentuait chaque fois avec plus d'énergie, montait comme la conséquence même des faits désastreux dont il avait tant souffert. Si les choses, à son entour, avaient si rapidement croulé, n'était-ce pas que la fortune acquise

par le travail des autres était empoisonnée et empoisonneuse? La jouissance
qu'elle procure est le plus certain des ferments destructeurs, elle abâtardit
la race, elle désorganise la famille, elle détermine les drames abominables.
C'était elle qui, en moins d'un demi-siècle, avait dévoré cette force, cette
intelligence, ce génie, dont la réserve s'était faite chez les Qurignon pendant
des siècles de rude labeur. Leur faute, à ces ouvriers si robustes, avait été
de croire qu'ils devaient, pour leur bonheur personnel, s'emparer et jouir
de la richesse qu'ils créaient avec les bras des camarades. Et la richesse
rêvée, la richesse réalisée, venait d'être le châtiment. Rien n'était d'une pire
morale que de donner en exemple l'ouvrier enrichi, devenu patron, maître
souverain de milliers d'hommes courbés sur la tâche, suant l'argent dont il
triomphe. Lorsqu'on dit : « Avec de l'ordre et de l'intelligence, vous voyez
bien qu'un simple forgeron peut arriver à tout », on pousse simplement à
l'œuvre d'iniquité, on aggrave le déséquilibre social. Le bonheur de l'élu
n'est fait que du malheur des autres, car c'est leur bonheur à ceux-là qu'il
rogne et qu'il vole. Un camarade qui arrive barre le chemin à des milliers de
camarades, vit désormais de leur misère et de leur souffrance. Et souvent
cet heureux est puni par le succès, par la fortune elle-même, trop hâtive,
disproportionnée, dès lors meurtrière. Et c'est pourquoi l'unique vérité était
de revenir au travail sauveur, au travail de tous, à tous gagnant leur vie, ne
devant leur joie qu'à leur intelligence et à leurs bras.

— Il faut rendre, il faut rendre, il faut rendre...

Il faut rendre, parce qu'on meurt du bien volé à autrui. Il faut rendre,
parce que l'unique guérison, l'unique certitude et l'unique bonheur sont là.
Il faut rendre, par esprit de justice et plus encore par intérêt personnel, le
bonheur de chacun ne pouvant être que dans le bonheur de tous. Il faut
rendre pour se mieux porter, pour vivre une vie saine et heureuse, au
milieu de la paix universelle. Il faut rendre, car si tous les conquérants
injustes, si tous les détenteurs égoïstes de la fortune publique, rendaient
demain les richesses qu'ils gaspillent pour leurs plaisirs solitaires, les grands
domaines, les grandes exploitations, les usines, les routes, les villes, ce serait
tout de suite la paix faite, l'amour fleurissant parmi les hommes, une telle
abondance de biens, qu'il n'y aurait plus un seul misérable. Il faut rendre,
il faut donner l'exemple, si l'on veut que d'autres riches comprennent,
sentent d'où viennent les maux dont ils agonisent, veuillent retremper leur
descendance dans la vie active, le labeur quotidien, le pain qui ne nourrit
jamais mieux que lorsqu'on l'a gagné. Il faut rendre, quand il en est temps
encore, quand il y a quelque grandeur à retourner avec les camarades, en
leur montrant qu'on s'est trompé, qu'on reprend sa place pour l'effort
commun, dans l'espoir de l'heure prochaine de justice et de paix. Il faut
rendre, et mourir ainsi la conscience nette, le cœur joyeux du devoir

accompli, et laisser ainsi la leçon réparatrice, libératrice, au dernier de sa race, afin qu'il la relève, qu'il la sauve de l'erreur, qu'il la continue en force, en joie et en beauté.

— Il faut rendre, il faut rendre, il faut rendre...

Des larmes avaient paru dans les yeux de Suzanne, en voyant l'exaltation où les paroles de l'aïeul jetaient son fils Paul, pendant que Boisgelin témoignait sa sourde irritation par des mouvements d'impatience.

— Mais, grand-père, demanda-t-elle, à qui et comment voulez-vous que l'on rende?

Le vieillard tourna vers Luc ses yeux de lumière.

— Si j'ai désiré que le créateur de la Crêcherie fût là, c'était pour qu'il m'entendît et pour qu'il vous aidât, mes enfants... Il a beaucoup travaillé à l'œuvre de réparation, lui seul peut s'entremettre et rendre ce qui reste de notre fortune aux camarades, aux fils, aux petits-fils des camarades d'autrefois.

Luc, que l'émotion étranglait aussi devant ce spectacle d'extraordinaire noblesse, eut cependant une hésitation, en sentant combien Boisgelin était hostile.

— Je ne puis, dit-il, faire qu'une chose. C'est simplement, si les propriétaires de l'Abîme le veulent bien, les accepter dans notre association de la Crêcherie. Comme d'autres usines sont déjà venues à nous, l'Abîme élargira notre famille d'ouvriers, doublera d'un coup l'importance de notre ville naissante. Et, si par rendre vous entendez ce retour à plus de justice, à un acheminement vers la justice totale, je puis vous aider, j'y consens de tout mon cœur.

— Je sais, répondit lentement monsieur Jérôme, je ne demande pas davantage.

Mais Boisgelin, ne pouvant se contenir plus longtemps, protesta.

— Ah! non, ce n'est pas ce que je veux. Malgré le gros chagrin que j'en aurai, je suis prêt à céder l'Abîme à la Crêcherie. Le prix de vente sera débattu, je demanderai, en dehors de la somme fixée, de garder un intérêt dans la maison, dont on discutera aussi le chiffre... J'ai besoin d'argent, je veux vendre.

C'était le plan qu'il mûrissait depuis quelques jours, dans l'idée que Luc avait une envie folle des terrains de l'Abîme, et qu'il tirerait de lui une somme considérable, immédiatement, tout en se réservant des rentes pour l'avenir. Et tout ce plan croula, lorsque Luc déclara d'une voix nette, où l'on sentait une volonté irrévocable :

— Il nous est impossible d'acheter. Cela est contraire à l'esprit qui nous dirige. Nous ne sommes qu'une association, une famille ouverte à tous les frères désireux de se joindre à nous.

Monsieur Jérôme, dont les regards éclatants s'étaient fixés sur Boisgelin, reprit sans colère, avec sa tranquillité souveraine :

— C'est moi qui veux et qui ordonne. Ma petite-fille Suzanne, ici présente, copropriétaire de l'Abîme, se refusera formellement à tout arrangement autre, en dehors de ma volonté. Et, j'en suis sûr, elle n'aura, comme moi, qu'un regret, celui de ne pouvoir tout rendre, de toucher encore les intérêts de son capital, dont elle disposera selon son cœur.

Et, Boisgelin se taisant, se soumettant dans la faiblesse éperdue où l'avait jeté sa ruine, le vieillard continua :

— Ce n'est pas tout, il reste la Guerdache et la Ferme. Il faut rendre, il faut rendre.

Alors, épuisé, d'une parole qui redevenait difficile, il acheva de dire ses volontés. Comme l'Abîme allait se fondre dans la Crêcherie, il voulait que la Ferme entrât dans l'association des Combettes. D'un bloc, le domaine irait élargir les vastes champs mis en commun de Lenfant, d'Yvonnot et des autres paysans, vivant en frères depuis que leurs intérêts bien compris les avaient réconciliés. Il n'y aurait plus qu'une terre, une mère unique, aimée de tous, cultivée par tous, les nourrissant tous. La plaine entière de la Roumagne finirait par être une seule et même moisson, le grenier d'abondance de Beauclair régénéré. Et, quant à la Guerdache, puisqu'elle appartenait en totalité à Suzanne, il chargeait celle-ci de la rendre aux misérables, aux souffrants, pour ne rien garder des biens empoisonnés dont les Qurignon agonisaient. Et, revenant à Paul, toujours assis au bord du lit, lui prenant les mains dans les siennes, le regardant de ses yeux qui maintenant commençaient à s'éteindre, il dit encore, de plus en plus bas :

— Il faut rendre, il faut rendre, mon enfant... Tu ne garderas rien, tu donneras ce parc aux anciens camarades, pour qu'ils s'y réjouissent, les jours de fête, et pour que leurs femmes et leurs enfants s'y promènent, y goûtent des heures de gaieté et de santé, sous les beaux arbres. Tu rendras, tu donneras aussi la maison, cette immense demeure que nous n'avons pas su emplir, malgré notre argent, et je veux qu'elle soit à ces femmes, à ces enfants des ouvriers pauvres. On les y accueillera, on les y soignera, lorsqu'ils seront malades ou simplement las... Ne garde rien, rends tout, rends tout, mon enfant, si tu veux le sauver du poison. Et travaille, ne vis que de ton travail, et cherche la fille d'un ancien camarade qui travaille encore, épouse-la, aie d'elle de beaux enfants qui travailleront, qui seront des justes et des heureux, qui auront d'autres beaux enfants, pour l'éternel travail futur... Ne garde rien, mon enfant, rends tout, c'est l'unique salut, la paix et la joie.

Tous pleuraient, jamais souffle plus beau, plus grand, plus héroïque n'avait passé sur des âmes humaines. La vaste chambre en était devenue auguste. Et les yeux du vieillard qui l'avaient emplie de clarté, continuaient à s'éteindre peu à peu, tandis que sa voix elle aussi, se faisait plus sourde, rentrait dans l'éternel silence. Il avait accompli son œuvre sublime de réparation, de vérité et de justice, aidant au bonheur qui est le droit primordial de tous les hommes. Et, le soir, il mourut.

Mais, lorsque Suzanne accompagna Luc, au sortir de la chambre de monsieur Jérôme, ils se retrouvèrent seuls un instant, dans le petit salon. Ils étaient tellement jetés hors d'eux-mêmes, bouleversés d'émotion que tout leur cœur vint sur leurs lèvres.

— Comptez sur moi, dit-il, je vous jure de veiller à l'exécution des volontés suprêmes dont vous êtes la dépositaire. Je vais m'y employer dès maintenant.

Elle lui avait pris les mains.

— Oh! mon ami, je mets ma foi en vous... Je sais quels miracles de bonté vous avez réalisés déjà, je ne doute pas du prodige que vous achèverez, en nous réconciliant tous... Il n'y a que l'amour. Ah! si j'avais été aimée, comme j'aimais!

Il la voyait trembler, livrant le secret si longtemps ignoré d'elle-même, qui lui échappait en cette minute solennelle.

— Mon ami, mon ami! quelles forces j'aurais eues pour le bien, de quelle aide je me serais sentie capable, au bras d'un juste, d'un héros, dont j'aurais fait mon dieu! Mais, s'il est irrévocablement trop tard, voulez-vous tout de même de moi, comme d'une amie, d'une sœur, qui pourra vous être de quelque secours?

Et il comprit, c'était le cas si doux, si triste de Sœurette qui recommençait. Elle l'avait aimé sans le dire, sans même se l'avouer, en honnête femme avide de tendresse, mettant en lui son rêve d'amour heureux, la consolation des cruautés de son ménage. Lui-même ne l'avait-il pas aimée, aux jours lointains de leurs premières rencontres, chez les pauvres gens où ils s'étaient connus? Cela était délicieusement discret, un amour de songe dont il aurait craint de l'offenser, qui gardait en son cœur le parfum des fleurs du souvenir, retrouvées entre deux pages. Et, maintenant que Josine était l'élue, maintenant que ces choses étaient mortes, sans résurrection possible, elle se donnait comme Sœurette, en compagne fraternelle, en simple amie dévouée, désireuse d'être de sa mission, de son œuvre.

— Si je veux de vous! cria-t-il touché aux larmes, ah! oui, il n'y a jamais assez d'affection, de bonne volonté tendre et active! La besogne est si grande, vous y pourrez dépenser votre cœur, sans compter... Venez avec nous, mon amie, et vous ne me quitterez plus, vous serez une part de ma raison et de mon amour.

Elle fut transportée, elle se jeta dans ses bras, ils s'embrassèrent. Le lien se nouait indissoluble, un mariage de sentiment d'une pureté exquise, où il ne restait que la commune passion des pauvres et des souffrants, que le désir inextinguible d'exterminer la misère du monde. Il avait une épouse adorée, féconde, qui lui donnait les enfants de sa chair, et il allait avoir deux amies, deux compagnes aux mains délicates de femme, qui l'aideraient dans les œuvres de son esprit.

Des mois s'écoulèrent, la liquidation des affaires embrouillées de l'Abîme fut très laborieuse. Il y avait la dette de six cent mille francs dont il fallait se débarrasser avant tout. On prit des arrangements, les créanciers acceptèrent d'être remboursés par annuités, sur les bénéfices que réaliseraient les actions de l'Abîme, lorsqu'il serait entré dans l'association de la Crêcherie. On avait dû évaluer la somme représentant le matériel et l'outillage sauvés de l'incendie. C'était, avec les terrains très vastes, le long de la Mionne, jusqu'au vieux Beauclair, l'apport des Boisgelin; et une rente modeste leur était assurée, à prélever sur les bénéfices, avant de les partager entre les créanciers. Le vœu du vieux Qurignon n'était de la sorte rempli qu'à moitié, dans cette période de transition où le capital œuvrait encore, au même titre que le travail et l'intelligence, en attendant qu'il disparût devant la victoire du travail unique et souverain. Mais, du moins, la Guerdache et la Ferme purent faire un retour complet à la communauté, furent rendues totalement aux héritiers des travailleurs qui les avaient payées autrefois de leur sueur; car, dès que les terres de la Ferme, entrées dans l'association des Combettes, réalisant l'idée secrète, longtemps mûrie de Feuillat, prospérèrent, devinrent une source de gains considérables, tout cet argent fut employé à faire de la Guerdache une maison de convalescence pour les enfants faibles et pour les mères récemment accouchées. Des lits étaient fondés, des pensions gratuites étaient ouvertes, et le parc toujours fleuri appartenait maintenant aux petits de ce monde, jardin immense, paradis de rêve où jouaient les enfants, où les mères retrouvaient de la santé, où tout le peuple venait se récréer comme en un palais de la nature, qui était maintenant le palais de tous.

Des années s'écoulèrent. Luc avait cédé aux Boisgelin une des petites maisons de la Crêcherie, bâtie à quelque distance du pavillon qu'il occupait toujours. Et les premiers temps de cette existence médiocre furent très durs pour Boisgelin, qui ne s'était pas résigné sans de violentes révoltes. Un instant, il avait même voulu partir pour Paris, y vivre à son gré, au hasard. Mais son oisiveté de naissance, l'impossibilité où il était de gagner sa vie, le rendaient d'une faiblesse d'enfant, le livraient aux mains de qui voulait le prendre. Depuis les désastres, Suzanne, si raisonnable, si douce, mais si ferme, avait sur lui une autorité absolue; et il finissait toujours par faire ce qu'elle voulait, comme un pauvre être désemparé, emporté au gré de l'existence. Bientôt, parmi ce monde actif de travailleurs, la paresse lui pesa tellement, qu'il en vint à désirer une occupation. Il était las de se traîner la journée entière, il souffrait d'une sourde honte, d'un besoin d'agir, n'ayant plus l'inutile fatigue d'une grande fortune à gérer et à manger. L'hiver encore, il lui restait la chasse ; mais, dès les beaux jours, en dehors de quelques promenades à cheval, l'ennui morne l'écrasait. Aussi accepta-t-il, lorsque Suzanne décida Luc à lui confier une inspection, une sorte de contrôle dans les Magasins-Généraux, trois heures de son temps à donner par jour. Sa santé, qui avait souffert, se raffermit un peu, sans qu'il cessât de se montrer inquiet, avec l'air éperdu et malheureux d'un homme qui serait tombé sur une autre planète.

Et des années s'écoulèrent encore. Suzanne était devenue l'amie, la sœur de Josine et de Sœurette, les aidant, partageant leurs travaux. Toutes trois entouraient Luc, le soutenaient, le complétaient, étaient comme sa bonté, sa tendresse, sa douceur agissantes. Il les appelait en souriant ses trois vertus, et il les disait, à des titres différents, l'expansion même de son amour, les messagères de tout ce qu'il aurait voulu de délicieusement tendre dans le monde. Elles s'occupaient des crèches, des écoles, des infirmeries, des maisons de convalescence, elles allaient partout où il y avait une faiblesse à protéger, une douleur à soulager, une joie à faire naître. Sœurette et Suzanne surtout acceptaient, ambitionnaient les plus ingrates besognes, celles qui exigent l'abnégation personnelle, l'entier renoncement ; tandis que Josine, prise par ses enfants, par son foyer sans cesse élargi, se donnait naturellement moins aux autres. Elle était d'ailleurs l'amoureuse, la fleur de beauté et de désir, lorsque Sœurette et Suzanne n'étaient que les amies, les consolatrices et les conseillères. Luc eut parfois encore de grandes amertumes ; et, souvent, au sortir des bras de l'épouse, c'étaient les deux amies qu'il écoutait, qu'il chargeait de panser les blessures, heureuses de se donner toutes à l'œuvre commune de salut. C'était par la femme et pour la femme que la Cité nouvelle devait être fondée.

Et huit ans déjà s'étaient écoulés, lorsque Paul Boisgelin, qui accomplissait sa vingt-septième année, épousa la fille aînée de l'ouvrier Bonnaire, alors âgée de vingt-quatre ans. Lui, dès l'entrée des terres de la Guerdache dans l'association des Combettes, s'était passionné, avec l'ancien fermier Feuillat, non plus pour le gain que pouvaient rapporter ces terres, mais pour la fertilité de plus en plus grande des vastes champs qu'elles venaient élargir encore. Il s'était fait cultivateur, il dirigeait une des sections du domaine commun, dont il avait fallu diviser l'immensité en divers groupes d'une même et fraternelle famille. Et c'était chez sa mère, dans la petite maison de la Crêcherie, où il revenait coucher tous les soirs, qu'il avait connu Antoinette, qui occupait avec ses parents la maison voisine. Toute une liaison s'était nouée entre cette famille de simples travailleurs et l'ancienne héritière des Qurignon, devenue de train si modeste, de bonté si accueillante; et, bien que madame Bonnaire, la Toupe terrible, fût restée peu commode, il avait suffi, pour rendre la liaison intime, de la noblesse simple de Bonnaire, le héros du travail, un des fondateurs de la Cité nouvelle. Aussi fut-ce un charme que de voir, de part et d'autre, les enfants s'aimer, resserrer le lien qui s'établissait ainsi entre les deux classes anciennement en lutte. Antoinette, faite à la ressemblance de son père, forte et belle brune, avec beaucoup de grâce, avait passé par les écoles de Sœurette, et elle l'aidait maintenant dans la grande laiterie, installée au bout du parc, contre la rampe des Monts Bleuses. Comme elle le disait en riant, elle n'était qu'une vachère, experte aux laitages, aux fromages et aux beurres. Et, quand on les maria, le fils des bourgeois retourné à la terre, la fille du peuple travaillant de ses mains, il y eut une grande fête, on voulut célébrer glorieusement ces noces symboliques, qui disaient la réconciliation, l'union du capital repenti et du travail triomphant.

Et ce fut l'année suivante, lors de la première grossesse d'Antoinette, que les Boisgelin, accompagnés de Luc, se retrouvèrent ensemble à la Guerdache, par une tiède journée de juin. Il y avait près de dix ans que monsieur Jérôme était mort, et que, selon sa volonté, le domaine avait fait retour au peuple. Antoinette, dont les couches venaient d'être laborieuses, se trouvait depuis deux mois pensionnaire de la maison de convalescence, installée dans le château où les Qurignon avaient régné. Elle put faire une promenade sous les beaux ombrages du parc, au bras de son mari, tandis que Suzanne, en bonne grand'mère, portait le nouveau-né. Derrière, à quelques pas, marchaient Luc et Boisgelin. Et quels souvenirs se levaient de cette royale maison transformée ainsi en maison de fraternité, de ces futaies, de ces pelouses, de ces avenues où ne retentissaient plus le bruit des fêtes coûteuses, les galops des chevaux, les abois des chiens, mais où les petits de ce monde jouissaient enfin de la santé du plein air, de la joie reposante des grands arbres! Tout le luxe du domaine magnifique était désormais pour eux, la maison de convalescence leur ouvrait ses chambres claires, ses salons aimables, ses cuisines abondantes, le parc leur réservait ses allées ombreuses, ses sources cristallines, ses gazons où des jardiniers entretenaient à leur intention des corbeilles de fleurs embaumées. Ils reprenaient là leur part, refusée si longtemps, de beauté et de grâce. Et cela était délicieux, cette enfance, cette jeunesse, cette maternité, souffrantes depuis des siècles, enfermées dans des taudis sans soleil, mourant d'immonde misère, et brusquement appelées à la joie de la vie, à la part de bonheur de toute créature humaine, à ce luxe d'être heureux, que d'innombrables générations de misérables avaient regardé de loin, sans pouvoir y toucher.

Puis, comme le couple, suivi des parents, au bout d'une rangée de saules,

arrivait à une mare d'une limpidité de miroir, sous le ciel bleu, Luc se mit
à rire doucement.

— Ah! mes amis, quel bon et gai souvenir me revient! Vous en doutez-
vous? C'est au bord de cette eau, si calme, que Paul et Antoinette se sont
fiancés, il y a vingt ans de cela.

Il rappela la scène délicieuse d'enfance qu'il avait vue jadis, lors de sa
première visite à la Guerdache : l'invasion populaire des trois pauvres
gamins de la rue, le petit Nanet amenant ses petits camarades, Lucien et
Antoinette Bonnaire, au travers d'une haie, pour jouer près de la mare ; et
l'invention ingénieuse de Lucien, le bateau qui marchait tout seul sur l'eau ;
et l'arrivée des trois petits bourgeois, Paul Boisgelin, Nise Delaveau, Louise
Mazelle, émerveillés du bateau, fraternisant tout de suite; et les couples qui
s'étaient naturellement formés, les fiançailles, Paul et Antoinette, Nise et
Nanet, Louise et Lucien, dans la complicité souriante de la bonne nature,
l'éternelle mère.

— Vous ne vous souvenez pas? demanda Luc gaiement.

Le jeune ménage, qui riait avec lui, avoua que le souvenir était un peu
lointain.

— Si j'avais quatre ans, dit Antoinette très amusée, ma mémoire ne
devait pas être très solide.

Mais Paul faisait un effort, regardait fixement dans le passé.

— Moi, j'en avais sept... Attendez donc! il me semble revoir de vagues
ombres : le petit bateau qu'on ramenait avec une perche, quand les roues
ne tournaient plus ; et puis, une des fillettes qui a failli tomber dans la
mare ; et puis, les gamins, les bandits qui se sont sauvés, en voyant venir du
monde.

— C'est bien cela! c'est bien cela! s'écria Luc. Ah! vous vous souvenez!... Et moi, je me souviens d'avoir eu, ce jour-là, le frisson d'espoir
de l'avenir, car c'était bien un peu de la réconciliation future. La divine
enfance travaillait ici, dans sa fraternité naïve, à un nouveau pas vers la
justice et la paix... Tenez! ce que vous allez réaliser de bonheur nouveau,
ce petit monsieur est chargé de l'élargir encore.

Il désignait le nouveau-né, le petit Ludovic, sur les bras de Suzanne, si
heureuse d'être grand'mère. Elle dit à son tour, plaisamment :

— Pour l'instant, il est sage, parce qu'il dort... Plus tard, mon cher
Luc, nous le marierons à une de vos petites-filles, et de cette manière ce
sera la réconciliation complète, tous les combattants d'hier unis et apaisés
dans leur descendance... Voulez-vous? dès aujourd'hui, nous faisons les
fiançailles.

— Certes, si je veux! nos arrière-petits-enfants achèveront notre œuvre,
la main dans la main.

Paul et Antoinette, émus, s'étaient embrassés tandis que Boisgelin, qui n'écoutait pas, regardait ce parc, son ancien domaine, d'un air morne où il n'y avait même plus d'amertume, tellement le monde nouveau le bouleversait et l'hébétait. Et la promenade continua par les allées ombreuses, Luc et Suzanne se taisant, n'échangeant plus que des sourires de délicieuse joie.

Mais l'avenir, déjà, se réalisait un peu plus chaque jour. Et, comme tous rentraient à la Guerdache, ils s'arrêtèrent un moment devant la façade, à gauche du perron, sous les fenêtres mêmes de la chambre où monsieur Jérôme était mort. De là, entre les cimes des grands arbres, on apercevait au loin les toitures de Beauclair, puis la Crêcherie et l'Abîme. En silence, ils contemplèrent ce vaste horizon. On distinguait nettement l'Abîme reconstruit sur le modèle de la Crêcherie, ne formant plus avec elle qu'une même ville du travail réorganisé, ennobli, devenu l'orgueil, la santé et la gaieté. Davantage de justice et d'amour y naissait chaque matin. Et le flot des petites maisons rieuses, parmi les verdures, ce flot que Delaveau inquiet avait vu s'avancer toujours, venait d'envahir les anciens terrains noirs, élargissant sans arrêt la Cité future. Maintenant, elles tenaient tout l'espace, de la rampe des Monts Bleuses à la Mionne, elles allaient bientôt franchir l'étroit torrent, pour balayer le vieux Beauclair, l'amas sordide des masures de servitude et d'agonie. Et elles s'avanceraient encore, encore, bâtissant pierre à pierre, sous le soleil fraternel, jusqu'aux champs fertiles de la Roumagne, la Cité enfin libre, juste et heureuse.

II

Et, tandis que l'évolution emportait Beauclair à son nouveau destin, que la Cité se fondait sous une force bienfaisante, sans cesse accrue, l'amour intervenait, d'un élan irrésistible, jeune, gai et victorieux, des mariages se concluaient de toutes parts, continuellement, rapprochant les classes, hâtant l'harmonie, la paix finale. Le victorieux amour renversait les obstacles, triomphait des pires résistances, et cela dans une passion heureuse de la vie, dans un éclat d'allégresse qui sonnait, au grand soleil, le bonheur d'être, d'aimer, d'enfanter toujours davantage.

Luc et Josine avaient donné l'exemple. Pendant les six ans qui venaient de s'écouler, toute une famille était poussée d'eux, trois garçons et deux filles. L'aîné, Hilaire, né avant la chute de l'Abîme, avait onze ans déjà. Puis, de deux années en deux années, les autres suivaient : Charles, âgé de neuf ans, Thérèse de sept, Pauline de cinq, Jules de trois. Dans l'ancien pavillon agrandi de tout un corps de bâtiment, cette enfance s'ébattait, mettait ses rires et son espoir, grandissait pour leurs unions futures. Comme Luc ravi le disait à Josine souriante, leur constante tendresse était faite de cette fécondité triomphante, car elle devenait plus sienne à chaque enfant qu'elle lui donnait. L'amoureuse dont le désir l'avait autrefois jeté dans la lutte, en héros de conquête, faisait place aujourd'hui à la mère, entourée de ses petits, tout ce foyer pour lequel il combattait maintenant, en pacificateur des terres conquises. Et, quand même, ils s'aimaient toujours en amants, l'amour ne vieillit pas, il reste l'éternelle flamme, le brasier immortel où s'alimente l'existence des mondes. Jamais maison n'avait retenti d'une joie si claire, pleine d'enfants et de fleurs. On s'y aimait si fort; avec une telle gaieté sonnante, que le malheur n'entrait plus. Et, lorsqu'un souvenir du douloureux passé revenait, lorsque Josine se rappelait ses souffrances, la chute où elle aurait achevé de périr, sans la main secourable de Luc, c'était pour se jeter à son cou, d'un élan d'inépuisable gratitude, tandis que lui, ému, la sentait lui devenir plus chère, de tout cet opprobre inique dont il l'avait sauvée.

— Ah ! que je t'aime, mon bon Luc ! et comment te remercierai-je jamais assez de m'avoir faite si digne, si heureuse ?

— Chère, chère Josine ! c'est moi qui dois t'aimer de toute ma reconnaissance ; car, sans toi, rien de ce que j'ai fait n'aurait pu être.

Et ils étaient comme épurés l'un et l'autre par cette création de justice et de paix qui sortait d'eux ; ils disaient encore :

— Il faut aimer les autres comme nous nous aimons, c'est la même flamme qui rapproche tous les êtres, notre bonheur d'amants et d'époux ne saurait durer que dans le bonheur de tous. Divin amour, puisque rien ne peut vivre que par toi, aide-nous donc à finir notre œuvre, embrase les cœurs, fais que tous les couples de la Cité aiment et enfantent, dans l'universelle dilection qui doit tous nous unir !

C'était ce qu'ils appelaient en riant l'oraison de la nouvelle religion de l'humanité. Et, chez eux, à ce foyer parfumé de tendresse, la fleur d'amour avait déjà fleuri délicieusement, pendant les premières années qui suivirent l'incendie de l'Abîme. Nanet, le petit Nanet, qui devenait un homme, logeait chez Luc, avec sa grande, comme il nommait toujours Josine. D'une intelligence vive, d'une bravoure d'entreprise toujours en éveil, il achevait de séduire Luc, au point que celui-ci en faisait son élève le plus cher, un disciple jeune encore, tout imprégné des leçons du maître. Et, pendant ce temps, chez les Jordan, dont la maison était voisine, Nise, la petite Nise, grandissait de son côté, dans la bonne affection de Sœurette, qui l'avait recueillie au lendemain de la catastrophe, heureuse de cette enfant adoptive, trouvant en elle une compagne et une aide d'un charme infini. De sorte que les jeunes gens, continuant à se voir chaque jour, finirent par ne plus vivre que l'un pour l'autre. Leurs fiançailles ne dataient-elles pas de l'enfance, des jours lointains où l'amour enfant, le divin ingénu, les enflammait du besoin de se voir, de jouer ensemble, leur faisait braver les punitions et franchir les murailles pour se retrouver ? Ils étaient alors blonds et frisés comme des petits moutons, ils riaient du même rire argentin, en tombant dans les bras l'un de l'autre, à chaque rencontre, sans savoir que des mondes les séparaient, elle la bourgeoise, la fillette du patron, lui le gamin des rues, le fils pauvre du misérable travail manuel. Puis, il y avait eu l'effroyable tempête de flammes, l'incendie les renouvelant, les fondant en une même chair, Nise sauvée au cou de Nanet, tous les deux couverts de brûlures, un moment en danger de mort. Et ils étaient, aujourd'hui encore, blonds et frisés, ils riaient toujours d'un rire clair, l'air semblable, comme appareillés. Mais elle était devenue une grande fille, lui un grand garçon, et ils s'adoraient.

L'idylle se prolongea près de sept ans, pendant que Luc faisait de Nanet un homme et que Sœurette aidait Nise à grandir en beauté et en bonté. Elle était âgée de treize ans, lors de l'épouvantable fin de son père et de sa mère, dont les corps, réduits en cendres, n'avaient pas même été retrouvés sous les décombres. Longtemps, elle en garda le frisson, et rien ne pressait, on voulut attendre, pour décider le mariage, qu'elle eût vingt ans, afin que la décision fût prise par elle-même, en toute raison et en toute libre volonté. D'ailleurs, Nanet était bien jeune, son aîné de trois années à peine, encore en apprentissage, sous l'affectueuse direction du maître. Et puis, ils étaient si rieurs, si joueurs, qu'ils n'éprouvaient pas de hâte, ravis simplement d'être gais ensemble, de passer les jours à se rire dans les yeux l'un de l'autre. Ils se retrouvaient chaque soir, s'amusaient follement à se conter leur journée, des choses très ordinaires, des riens, toujours les mêmes. Ils se prenaient les mains, se les gardaient pendant des heures, ce qui était la grande récréation, après laquelle il n'y avait plus que le gros baiser, échangé en se séparant. Du reste, cette bonne entente, si vive et si tendre, n'allait pas sans de petites querelles d'amoureux. Nanet trouvait parfois Nise trop orgueilleuse et trop autoritaire, elle faisait la princesse, comme il le disait. Elle était aussi trop coquette, aimant les belles robes, les fêtes où elle avait l'occasion de les promener. Et ce n'était certes pas défendu d'être belle, au contraire ! il fallait toujours être le plus beau qu'on pouvait. Mais ce qui n'était pas bien, c'était de gâter sa beauté par des airs de mépris pour le pauvre monde. Nise, en qui revivait un peu de sa mère jouisseuse et de son père despotique, se fâchait d'abord, entendait prouver qu'elle était la perfection même. Puis, comme elle adorait Nanet, elle se confiait à lui, l'écoutait, désireuse de lui être agréable, en devenant la meilleure possible, la plus simple et la plus douce des petites femmes. Et, quand elle n'y réussissait pas, ce qui était fréquent encore, elle disait en riant que sa fille, si elle en avait une, ferait certainement beaucoup mieux, parce qu'il fallait laisser au sang des princes de ce monde le temps de se démocratiser en une descendance de plus en plus fraternelle.

Enfin, lorsque Nise eut vingt ans, et Nanet vingt-trois, les noces se firent. Elles étaient souhaitées, prévues, attendues. Depuis sept années, il ne s'était point passé un jour, sans qu'un pas fût fait vers ce dénouement de la longue et heureuse idylle. Et, comme ce mariage, la fille des Delaveau épousant le frère de Josine, devenue la femme de Luc, éteignait toutes les haines, consommait le pacte d'alliance, on voulut le glorifier, en faire une fête qui célébrât le pardon du passé, l'entrée radieuse dans l'avenir. Et l'on décida que des chants et des danses auraient lieu sur le terrain même de l'ancien

Abîme, dans une des halles de la nouvelle usine reconstruite, en prolongement de la Crêcherie, toute cette ville industrielle qui, maintenant, tenait des hectares et des hectares, grandissant toujours.

Gaiement, Luc et Sœurette furent les organisateurs, les ordonnateurs de la fête du mariage, ainsi que les témoins, lui de Nanet, elle de Nise. Ils y voulaient un éclat de triomphe, une allégresse d'espoir enfin réalisé, la victoire même de la Cité de travail et de paix, fondée désormais et prospère. Il est bon que les peuples aient de grandes réjouissances, la vie publique a besoin de nombreux jours de beauté, de joie et d'exaltation. Luc et Sœurette choisirent donc la halle de la grande fonderie, une halle immense, avec ses marteaux monstrueux, ses gigantesques ponts roulants, ses grues mobiles, d'une puissance prodigieuse. Les nouvelles constructions, légères, toutes de briques et d'acier, étaient d'une propreté saine, d'une clarté joyeuse, avec leurs grands vitrages qui versaient à flots l'air et la lumière. Aussi laissa-t-on l'outillage en place, car on n'aurait pu imaginer, pour cette cérémonie du travail triomphant, un décor plus beau que ces outils géants, dressant leur profil aux lignes puissantes, d'une beauté souveraine, faite de logique, de force et de certitude. Seulement, on les orna de feuillages, on les couronna de fleurs, en hommage, ainsi que les anciens autels. Les murs de briques furent décorés de guirlandes, on sema les dalles du sol de roses et de genêts effeuillés. C'était comme la floraison même de l'effort humain, tout le séculaire effort vers le bonheur qui finissait par fleurir là, et qui embaumait la besogne de l'ouvrier, autrefois injuste et si dure, libre à présent, attrayante et ne faisant plus que des heureux.

Les deux cortèges partirent, l'un de la maison du fiancé, l'autre de la maison de la fiancée. C'était Luc qui amenait le héros Nanet, suivi de sa femme Josine et de leurs enfants. C'était Sœurette qui, de son côté, amenait l'héroïne Nise, leur fille adoptive, à elle et à son frère Jordan. Ce jour-là, Jordan avait quitté son laboratoire, dans lequel il passait les années, comme des heures, occupé à d'infatigables recherches. Le peuple entier de la Cité nouvelle, où tous les travaux chômaient en signe d'allégresse, attendait sur le parcours, pour acclamer le couple. Le beau soleil luisait, les maisons gaies étaient pavoisées de couleurs vives, les verdures étaient pleines de fleurs et d'oiseaux. Et, derrière les deux cortèges, la foule des travailleurs suivait, un grand concours de peuple joyeux, dont le flot envahit peu à peu les vastes halles de l'usine, larges et hautes comme des nefs d'anciennes cathédrales. Mais ce fut dans la halle de la grande fonderie que les fiancés se rendirent, et tout de suite elle se trouva trop étroite, malgré son immensité. En dehors de Luc, des siens et des Jordan, il y avait là les Boisgelin, Paul, le petit-cousin de la mariée, qui n'avait pas encore épousé Antoinette, car leur mariage ne devait se faire que quatre ans plus tard. Puis, les Bonnaire étaient

Et elle s'enrageait d'être ainsi comblée de douceurs.

là, les Bourron, les Fauchard eux-mêmes, tous les ouvriers dont les bras avaient aidé à cette victoire du travail. Ils avaient pullulé, ces hommes de bonne volonté et de foi, ces ouvriers de la première heure : la foule des camarades présents n'était-elle pas leur famille agrandie, des frères dont le nombre s'augmentait encore tous les jours? On était cinq mille, on serait dix mille, cent mille, un million, l'humanité entière. Et la cérémonie, au milieu des puissantes machines, fleuries et enguirlandées, fut d'une simplicité touchante et souveraine.

Souriants, Luc et Suzanne mirent les mains de Nanet et de Nise l'une dans l'autre.

— Aimez-vous de tout votre cœur, de toute votre chair, et ayez de beaux enfants, qui s'aimeront comme vous vous serez aimés.

La foule acclama, cria le mot d'amour, c'était l'amour roi qui seul pouvait féconder le travail, en faisant la race toujours plus nombreuse et en l'enflammant du désir, éternel foyer de la vie.

Mais il y avait déjà là trop de solennité pour Nanet et pour Nise, qui s'étaient aimés en jouant, dès l'enfance. Les deux petits moutons frisés avaient eu beau grandir, ils restaient deux joujoux, dans leurs habits de fête, tous les deux en blanc, délicieux et tendres. Aussi ne se contentèrent-ils pas de cette cérémonieuse poignée de main qu'on leur faisait se donner. Ils se jetèrent au cou l'un de l'autre.

— Ah! ma petite Nise, que je suis content de t'avoir, moi qui t'attends depuis des années et des années!

— Ah! mon petit Nanet, que je suis heureuse d'être enfin à toi, car c'est la vérité pure, tu m'as bien gagnée!

— Et, petite Nise, te souviens-tu, lorsque je te tirais par les bras, pour t'aider à sauter les murs, ou bien que je te portais à califourchon, en faisant le cheval qui se cabre?

— Et, petit Nanet, te souviens-tu, lorsque nous jouions à cache-cache, et que tu finissais par me trouver parmi les rosiers, si bien cachée, que c'était à en mourir de rire?

— Petite Nise, petite Nise, nous allons nous aimer comme nous avons joué, très fort, très fort, de toute la force de notre santé et de notre gaieté!

— Petit Nanet, petit Nanet, nous avons tant joué, nous nous aimerons tant, que nous nous aimerons dans nos enfants encore et que nous jouerons encore avec les enfants de nos enfants!

Et ils s'embrassaient, et ils riaient, jouaient, au comble de la félicité. Enthousiasmée à ce spectacle, soulevée par une houle de gaieté sonore, la foule battit des mains, cria l'amour, l'amour tout puissant, qui fait sans cesse davantage de vie et de bonheur. L'amour fondait la Cité, l'ensemençait d'une moisson d'hommes meilleurs, pour les prochaines récoltes de justice et de paix. Et, tout de suite, les chants commencèrent, des chœurs où les voix se répondaient, où les vieillards chantaient leur repos bien gagné, les hommes l'effort vainqueur de leur travail, les femmes la douceur secourable de leur tendresse, les enfants l'allégresse confiante de leur espoir. Puis, il y eut les danses, toute une population en joie, une grande ronde finale qui mit ce petit peuple fraternel la main dans la main, qui s'allongea sans fin et qui tourna pendant des heures, au son de musiques claires, par les halles de l'usine immense. Elle s'engagea dans la halle des fours à puddler et des lami-noirs, passa dans la halle des fours à creusets, traversa la halle des tours, revint par la halle des moulages d'acier, emplissant de la turbulence de son rythme, de la gaieté de ses refrains les hautes nefs, où ne retentissait d'ordi-naire que le souffle héroïque du travail. Autrefois, on avait tant peiné, tant souffert, dans le bagne noir, sale et malsain, qui se dressait là et que la flamme avait emporté! Maintenant, le soleil, le plein air, la vie entraient librement. Et la ronde des noces allait et venait toujours autour des grands outils, les presses colossales, les formidables marteaux-pilons, les raboteuses géantes, d'aspect souriant sous leur décor de feuillages et de fleurs, tandis que les deux enfants qu'on mariait menaient le branle, comme s'ils étaient l'âme de ces choses, le lendemain de plus d'équité et de plus de fraternité, assuré par la victoire de leur longue tendresse.

Luc ménageait une surprise à Jordan, voulant le fêter lui aussi, dont les travaux de savant allaient plus faire pour le bonheur de la Cité que cent années de politique. Quand la nuit fut noire, l'usine entière s'embrasa, des milliers de lampes l'inondèrent d'une gaie clarté de plein jour. C'était que les recherches de Jordan avaient enfin abouti, il venait de trouver, après bien des défaites, le transport de la force électrique, sans perte aucune, grâce à de nouveaux appareils, d'ingénieux moyens de transmission. Désormais, le charroi du charbon était économisé, on le brûlait au sortir même du puits, et les machines qui transformaient l'énergie calorique en énergie électrique, l'envoyaient ensuite à la Crêcherie par des câbles spéciaux où la déperdition était nulle, ce qui, d'un coup, abaissait de moitié le prix de revient. Aussi était-ce une première grande victoire, la Crêcherie éclairée à profusion, la force répartie en abondance aux grands et aux petits outils, le bien-être aug-menté, le travail facilité, la fortune élargie. Et c'était en somme un pas nou-veau vers le bonheur.

Lorsque Jordan, devant cette illumination de fête, eut compris l'intention affectueuse de Luc, il se mit à rire comme un enfant.

— Ah! mon ami, vous me donnez aussi mon bouquet, et c'est bien vrai, je l'ai un peu mérité, car vous devez vous en souvenir, voici plus de dix ans que je m'acharne à trouver la solution du problème. A quels obs-tacles je me suis heurté, et que de déroutes, quand je croyais le succès

certain ! N'importe, sur les ruines de mes expériences manquées, je me
remettais le lendemain à la besogne. On réussit toujours, lorsqu'on travaille.

Luc riait avec lui, plein de son courage et de sa foi.

— Je le sais bien, vous en êtes le vivant exemple. Je ne connais pas de
plus grand, de plus haut maître d'énergie que vous, et je me suis fait à
votre école... Alors, voilà donc la nuit vaincue, vous avez mis en fuite les
ténèbres, nous pourrions désormais, avec ce flot d'électricité peu coûteuse,
allumer au-dessus de la Crêcherie, dès le crépuscule, un astre, pour remplacer le soleil. Et vous avez également épargné l'effort humain, un homme
suffit à présent, où il en fallait deux, grâce à cette prodigalité de la force
mécanique, qui supprimera peu à peu la douleur... Nous vous fêtons comme
le maître de la lumière, de la chaleur et de la force.

Jordan, que Sœurette avait enveloppé dans une couverture, par crainte
de la fraîcheur du soir, regardait toujours l'usine immense étinceler
comme un palais de féerie. Petit et chétif, avec son teint blême, son air
d'être à chaque heure sur le point de rendre l'âme, il se promenait dans ces
halles braisillantes, d'une splendeur d'apothéose. Et, depuis dix années
qu'il sortait à peine de son laboratoire, qu'il y vivait absorbé dans sa tâche,
ignorant presque les événements du dehors, s'en remettant à sa sœur et à
son ami pour la direction du vaste domaine, agrandi sans cesse, il arrivait
là un peu en homme d'une autre planète, il s'émerveillait des résultats
obtenus, du succès de cette œuvre dont il était l'artisan le plus ignoré et le
plus actif.

— Oui, oui, murmura-t-il, c'est déjà bien, voilà pas mal de terrain
gagné. Nous marchons, l'avenir rêvé se rapproche... Et je vous dois des
excuses, mon cher Luc, car je ne vous ai point caché, au début, que je ne
croyais guère en votre mission. Est-ce singulier, la peine que nous avons à
partager la foi des autres, lorsqu'ils travaillent sur un autre terrain que
nous !... Enfin, vous m'avez converti, vous hâterez sûrement le bonheur,
puisque vous voilà réalisant chaque jour plus de solidarité et plus de justice.
Mais vous avez encore beaucoup à faire, et moi-même, hélas ! je n'ai rien
fait, à côté de ce que je voudrais faire encore.

Il était devenu grave, l'air soucieux.

— Ce prix de revient que nous avons diminué de moitié environ, il reste
de beaucoup trop élevé. Et puis, ces installations compliquées et coûteuses,
à l'orifice des puits, ces machines à vapeur, ces chaudières, sans compter
ces kilomètres de câbles, d'un si gros entretien, tout cela est barbare, tout
cela mange du temps et de l'argent... Et il faudrait autre chose, une autre
chose plus pratique, plus simple, plus directe. Ah ! je sais bien dans quel
sens je dois chercher, mais une telle recherche semble une folie, je n'ose

dire à personne l'œuvre que j'ai entreprise, car je ne puis moi-même l'énoncer avec la clarté désirable... Oui, il faudrait supprimer la machine à vapeur, la chaudière, qui est l'intermédiaire gênant, entre la houille extraite et l'électricité produite. Il faudrait, en un mot, transformer directement l'énergie calorique contenue dans le charbon, en énergie électrique, sans passer par l'énergie mécanique... Comment ? je ne sais pas encore. Si je le savais, le nouveau problème serait résolu. Mais je me suis mis à la besogne, j'espère, je trouverai sans doute. Et vous verriez, vous verriez alors, l'électricité ne coûterait presque plus rien, nous pourrions la donner à tous, la répandre, en faire le victorieux agent du bien-être universel.

Il s'enthousiasmait, il se grandissait sur ses petits pieds, avec des gestes passionnés, lui si muet, si réfléchi d'ordinaire.

— Le jour doit venir où l'électricité sera à tout le monde, comme l'eau des fleuves, comme le vent du ciel. Il faudra non seulement la donner, mais la prodiguer, laisser les hommes en disposer à leur guise, ainsi que de l'air qu'il respire. Elle circulera dans les villes telle que le sang même de la vie sociale. Dans chaque maison, il y aura de simples robinets à tourner, pour qu'on ait à profusion la force, la chaleur, la lumière, aussi aisément qu'on a aujourd'hui l'eau de source. Et, la nuit, dans le ciel noir, elle allumera un autre soleil, qui éteindra les étoiles. Et elle supprimera l'hiver, elle fera naître l'éternel été, en réchauffant le vieux monde, en montant fondre la neige, jusque dans les nuages... C'est pourquoi je ne suis pas très fier de ce que j'ai fait, un bien petit résultat, à côté de ce qu'il reste à conquérir.

Et il conclut, d'un air de tranquille dédain :

— Je ne peux pas même encore mettre en œuvre, pratiquement, mes fours électriques pour la fonte du fer. Ils sont toujours des fours de laboratoire, des fours d'expériences. L'électricité reste trop chère, il faut attendre que l'emploi en soit rémunérateur, et pour cela, je le répète, elle doit ne pas plus coûter que l'eau des fleuves et l'air du ciel... Quand je la pourrai donner à flots, sans compter, mes fours transformeront la métallurgie. Et je connais bien l'unique chemin, je me suis remis au travail.

La fête de nuit fut merveilleuse. Les danses et les chants avaient repris, dans les halles étincelantes, où tout le peuple célébrait les noces. Ce qui éclatait dans la joie de tous, c'était le travail délivré, remis en honneur, devenu la gaieté, la santé; c'était la misère vaincue, la fortune publique rendue peu à peu à la communauté, au nom du droit sacré que chacun a de vivre et d'être heureux; et c'était aussi l'espoir d'un avenir de paix et d'équité plus hautes, absolues, où se réaliserait le rêve fraternel d'une société solidaire et libre. L'amour accomplirait ce miracle, et l'on reconduisit Nanet et Nise à leur maison nuptiale, en acclamant l'amour qui les avait unis, l'amour qui allait faire naître d'eux d'autres amours sans fin.

Vers ce temps, l'amour révolutionna également la bourgeoisie de Beauclair, et ce fut chez les paisibles Mazelle, les rentiers, les bons paresseux, que souffla la tempête. Leur fille Louise les avait toujours surpris et bousculés, tellement elle différait d'eux, très active, très entreprenante, s'occupant sans cesse dans la maison, en disant que la paresse la tuerait. Le ménage, qui mettait sa parfaite félicité à ne rien faire, très raisonnable d'ailleurs, heureux de la grande aisance gagnée autrefois, ayant la sagesse d'en jouir sans courir aucun risque d'ambition, n'arrivait pas à comprendre comment Louise pouvait gâter ses journées par une agitation inutile. Elle était fille unique, elle aurait une très belle fortune, placée en rentes solides sur l'État, et n'était-elle pas dès lors déraisonnable, en ne s'enfermant pas dans son coin de paix, à l'abri des ennuis de l'existence? Eux se contentaient si bien de leur bonheur égoïste, sans fenêtre sur le malheur des autres, très honnêtes, très affectueux, très pitoyables pour eux sinon pour autrui, s'adorant, se soignant, se dorlotant en tendres et fidèles époux! Pourquoi leur fillette s'inquiétait-elle du mendiant qui passait, des idées qui changeaient le monde, des événements qui troublaient la rue? Elle était toujours frémissante, vivante, tout la passionnait, elle donnait un peu de son existence à tous. Aussi, dans l'adoration profonde qu'ils avaient pour elle, entrait-il beaucoup de la stupeur d'avoir fait une fille où ils ne retrouvaient rien d'eux-mêmes. Et voilà qu'elle achevait de les bouleverser par un coup de passion, dont ils avaient d'abord haussé les épaules, croyant à une amourette, mais qui s'était aggravé, au point de leur faire croire que la fin des temps était proche!

Louise Mazelle, qui était restée la grande amie de Nise Delaveau, continuait à la voir fréquemment chez les Boisgelin, depuis que ceux-ci se trouvaient installés à la Crêcherie. Et là, elle avait rencontré de nouveau Lucien Bonnaire, son camarade d'autrefois, au temps où elle s'échappait si ardemment, pour jouer avec les gamins des rues. Eux deux aussi étaient de la partie, le fameux jour où le petit bateau de Lucien avait marché tout seul sur l'eau de la mare; et ils en étaient encore, lorsqu'on se rejoignait en cachette, en sautant par-dessus les murs. Mais, à présent, Lucien avait grandi, c'était un beau et fort garçon de vingt-trois ans, tandis qu'elle-même en avait vingt. S'il ne faisait plus des petits bateaux qui marchaient sur l'eau, il était devenu, sous la conduite de Luc, un ouvrier mécanicien très intelligent, très inventif, destiné à rendre de grands services à la Crêcherie, où il s'occupait déjà du montage des machines. Ce n'était point un monsieur, il apportait une sorte de fierté brave à rester un simple ouvrier, ainsi que son père, qu'il vénérait. Et, sans doute, dans la passion dont Louise s'était mise à brûler pour lui, entrait un peu de la naturelle révolte qui la poussait à choquer les idées bourgeoises, à ne pas agir comme les gens du monde dont elle faisait partie. La camaraderie ancienne était vite devenue chez elle un amour passionné, s'irritant des obstacles. Lui, le cœur touché de la tendresse vive de cette jolie fille, si alerte, si souriante, avait fini par se laisser aller à l'aimer aussi profondément. Mais, des deux, il était à coup sûr le plus sage, ne voulant heurter personne, souffrant à l'idée qu'elle était bien trop fine, bien trop riche pour lui, parlant seulement de ne se marier jamais, s'il la perdait; tandis qu'elle, à la seule pensée qu'on pouvait s'opposer à leur mariage, entrait dans des rébellions folles, parlait tout bonnement de planter là situation et fortune, pour aller vivre avec lui.

Alors, pendant près de six mois, ce fut la lutte. Chez les parents de Lucien, un tel mariage, qui aurait dû être un honneur, ne soulevait pourtant qu'une sourde défiance. Bonnaire, surtout, avec sa grande raison, aurait mieux aimé que Lucien épousât la fille d'un camarade. Les temps avaient marché déjà, il n'y avait plus à être fier de voir un de ses fils monter d'une classe, au bras d'une fille de la bourgeoisie agonisante. Bientôt, le profit serait pour la bourgeoisie, lorsqu'elle se referait du sang rouge, de la santé et de la force, en s'alliant au peuple. Des querelles éclataient à ce sujet dans le ménage de Bonnaire, car sa femme, la Toupe terrible, en personne orgueilleuse, aurait sans doute consenti, mais à la condition de devenir elle aussi une dame, avec de belles robes et des bijoux. Rien de l'évolution qui se passait autour d'elle n'avait pu entamer son besoin de dominer et de paraître, elle gardait son caractère exécrable, même dans l'aisance assurée où ils vivaient maintenant, reprochant à son mari de ne pas avoir fait fortune, par exemple comme monsieur Mazelle, un malin qui ne travaillait plus depuis longtemps. Elle aurait porté des chapeaux, elle se serait prélassée sur les promenades, en rentière jouissant délicieusement de la paresse. Et, lorsqu'elle entendit Lucien déclarer que, s'il épousait Louise, il était bien résolu à ce que pas un sou des Mazelle n'entrât dans son ménage, elle acheva de perdre la tête, elle partit à son tour en guerre, contre une union qui ne lui paraissait plus profitable. A quoi bon épouser cette fille si mince, pas jolie, l'air drôle, si ce n'était pour son argent? Ce serait le comble à toutes les extraordinaires choses dont le spectacle l'ahurissait, et auxquelles, depuis longtemps, elle avait cessé de rien comprendre.

Un soir surtout, il y eut une explication orageuse entre la Toupe, Bonnaire et leur fils Lucien, en présence du père Lunot, qui vivait encore, à plus de soixante-dix ans. C'était à la fin du dîner, dans la petite salle à manger si propre et si gaie, dont la fenêtre ouvrait sur les verdures du jardin. Il y avait même des fleurs sur la table, toujours abondamment servie. Et le père Lunot, qui avait maintenant du tabac à discrétion, venait d'allumer sa pipe, lorsque la Toupe devint aigre, au dessert, à propos de rien, pour le plaisir de se fâcher, ainsi qu'elle en avait gardé l'habitude.

— Alors, dit-elle à Lucien, c'est décidé, tu veux toujours l'épouser, cette demoiselle? Je t'ai encore aperçu avec elle aujourd'hui, devant la porte des Boisgelin. Si tu nous aimais un peu, il me semble que tu aurais déjà cessé de la voir, puisque tu sais que ton père et moi, nous ne sommes pas si enchantés de ce mariage.

Lucien, en bon fils, évitait de discuter, ce qu'il savait d'ailleurs inutile. Il se tourna vers Bonnaire.

— Mais, répondit-il simplement, mon père est prêt à consentir, je crois.

Ce fut, pour la Toupe, comme un coup de fouet qui la jeta sur son mari.

— Quoi donc? voilà que tu donnes ton consentement, sans me prévenir! Il n'y a pas quinze jours, qu'une telle union ne te semblait guère raisonnable et que tu n'étais pas sans crainte pour le bonheur de notre enfant, s'il faisait cette folie. Tu tournes donc comme une girouette?

Tranquillement, Bonnaire s'expliqua.

— J'aurais préféré que le garçon fît un autre choix. Mais il a près de vingt-quatre ans, je ne vais pas, dans une affaire de cœur, lui imposer ma volonté. Il sait ce que je pense, il agira pour le mieux.

— Ah bien! reprit violemment la Toupe, tu es de facile composition, tu as beau te croire un homme libre, tu finis toujours par dire comme les autres. Depuis bientôt vingt ans que tu es ici, avec ton monsieur Luc, tu répètes qu'il n'a pas tes idées, qu'il aurait fallu commencer par s'emparer des outils du travail, sans accepter l'argent des bourgeois; mais tu n'en cèdes pas moins aux moindres désirs de ton monsieur Luc, tu en es peut-être même aujourd'hui à trouver très bien tout ce que vous avez fait ensemble.

Et elle continua, elle tâcha de le blesser dans sa foi, dans sa fierté, sachant où était le point sensible. Souvent, elle l'avait exaspéré, en s'efforçant de le mettre en contradiction avec lui-même. Cette fois, il se contenta de hausser les épaules.

— Sans doute, ce que nous avons fait ensemble est très bien. Je puis regretter encore qu'il n'ait pas suivi mes idées. Seulement, tu devrais être la dernière à te plaindre de ce qui existe ici, car nous ne savons plus ce que c'est que la misère, nous sommes heureux, pas un de ces rentiers dont tu rêves n'a autant de bonheur.

Elle ne céda pas, elle s'irrita davantage.

— Ce qui existe ici, tu serais bien aimable de me l'expliquer, car tu sais, je n'y ai jamais rien compris. Si tu es si heureux, tant mieux! moi, je ne suis pas heureuse. Le bonheur, vois-tu, c'est quand on a beaucoup d'argent, qu'on se retire et qu'on ne fait plus rien. Avec toutes vos histoires, vos partages de bénéfices, vos magasins où l'on se fournit au rabais, vos bons et vos caisses, ça ne fera jamais que j'aie cent mille francs à moi, dans ma poche, pour les dépenser à ma guise, en choses qui me plaisent... Je suis malheureuse, très malheureuse !

Elle exagérait, voulant lui être désagréable, mais elle disait vrai pourtant, elle ne s'était pas acclimatée à la Crêcherie, elle y souffrait dans un atavisme de femme coquette et dépensière, dont la solidarité communiste blessait tous les instincts. Ménagère propre et active, caractère exécrable, têtue, bornée, quand ce n'était pas son plaisir de comprendre, elle continuait à changer en enfer son ménage, malgré ses qualités, malgré le grand bien-être où la maison aurait dû s'épanouir maintenant.

Bonnaire se laissa emporter à lui dire :

— Tu es folle, c'est toi qui fais ton malheur et le nôtre !

Alors, elle sanglota. Lucien, gêné, lorsqu'une de ces disputes éclatait entre ses parents, dut sortir de son silence et l'embrasser, en lui jurant qu'il l'aimait, qu'il la respectait. Mais elle s'acharnait quand même, elle cria encore à son mari :

— Tiens ! demande-le à mon père, ce qu'il en pense, de votre usine en actions, de cette fameuse justice et de ce fameux bonheur qui vont régénérer le monde. Lui est un ancien ouvrier, tu ne l'accuseras pas de dire des bêtises comme une femme, et il a soixante-dix ans, tu dois en croire sa sagesse.

Puis, se tournant vers le père Lunot, qui suçait le tuyau de sa pipe, d'un air de béate enfance :

— N'est-ce pas, père, qu'ils sont idiots, avec toutes leurs machines pour se passer des patrons, et que c'est encore eux qui s'en mordront les doigts.

Le vieillard, ahuri, la regarda, avant de répondre d'une voix sourde :

— Bien sûr... Les Ragu et les Qurignon, ah ! c'étaient des camarades autrefois ! Il y a eu monsieur Michel, qui était mon aîné de cinq ans. Moi, c'est sous monsieur Jérôme, son père, que je suis entré à l'usine. Mais, avant ces deux-là, il y avait eu monsieur Blaise, avec lequel mon père, Jean Ragu, et mon grand-père, Pierre Ragu, ont travaillé. Pierre Ragu et Blaise Qurignon, c'étaient deux compagnons, deux ouvriers étireurs qui tapaient à la même enclume. Et voilà, et les Qurignon sont des patrons archi-millionnaires, et les Ragu sont restés de pauvres bougres... Toujours on recommence, les choses ne peuvent pas changer, il faut donc croire qu'elles sont bien ainsi.

Il divaguait un peu, dans sa somnolence de très vieille bête éclopée, oubliée, échappée par miracle à l'abattoir commun. Souvent, il ne se rappelait pas le lendemain les événements de la veille.

— Mais, père Lunot, dit Bonnaire, c'est justement que les choses changent beaucoup depuis quelque temps... Monsieur Jérôme, dont vous parlez, est mort, et il a rendu ce qui lui restait de sa fortune.

— Comment, il a rendu?

— Oui, il a rendu aux camarades la richesse qu'il devait à leur effort, à leur longue souffrance... Souvenez-vous, il y a longtemps déjà.

Le vieillard fouillait dans sa mémoire obscure.

— Ah! bon, bon! ça me revient, cette drôle d'histoire!.. Eh bien! s'il a rendu, c'est un imbécile!

Le mot tomba avec une netteté méprisante, car le rêve du père Lunot n'avait jamais été que de faire une grosse fortune, comme les Qurign n, pour jouir ensuite de la vie en patron triomphant, en monsieur oisif, s'amusant du matin au soir. Il en était resté là, avec toute la génération des vieux esclaves exploités et fourbus, résignés à leurs chaînes, qui gardaient l'unique regret de n'être pas nés parmi les exploiteurs.

La Toupe éclata d'un rire insultant.

— Tu vois! le père n'est pas si bête que vous autres, il ne va pas chercher midi à quatorze heures. L'argent, c'est l'argent, et quand on a de l'argent, on est le maître, voilà!

Bonnaire haussa ses fortes épaules, tandis que Lucien silencieux regardait par la fenêtre les rosiers fleuris du jardin. A quoi bon discuter? elle était le passé têtu, elle mourrait dans le paradis communiste, au sein du bonheur fraternel, en le niant, en regrettant le temps de misère noire, où elle attendait d'avoir économisé dix sous pour courir s'acheter un ruban.

Babette Bourron, justement, entra, et elle, toujours gaie, était au contraire dans un continuel ravissement de sa situation nouvelle. Elle avait, par le réconfort de son optimisme souriant, aidé à sauver son homme, Bourron le simple, du gouffre où devait culbuter Ragu. Toujours elle s'était montrée confiante dans l'avenir, certaine que les choses s'arrangeraient très bien, inventant parfois, pour remplacer le pain absent, des histoires d'extraordinaires bonheurs, tombés du ciel. Et, comme elle le disait en plaisantant, cette Crêcherie où le travail devenait propre, aimable et honorifique, où l'on vivait au milieu de toutes les douceurs réservées jadis aux bourgeois seuls, n'était-ce pas son paradis qui se réalisait? Aussi sa figure poupine, restée fraîche, sous un gros chignon noué à la diable, rayonnait-elle de la joie d'avoir un homme guéri de la boisson, avec deux beaux enfants qu'elle marierait bientôt, dans une maison à elle, belle et joyeuse comme une maison de riches.

— Eh bien! c'est donc décidé, cria-t-elle, Lucien va l'épouser, sa Louise Mazelle, cette petite bourgeoise si charmante, qui n'a pas honte de nous?

— Qui vous a dit ça? demanda rudement la Toupe.

— Mais c'est madame Luc, c'est Josine, que j'ai rencontrée ce matin.

La Toupe devint blanche de colère contenue. Dans son irritation inapaisée, sans fin possible, contre la Crêcherie, il y avait surtout beaucoup de la haine dont elle poursuivait Josine. Jamais elle n'avait pardonné à « cette fille » son union avec Luc, l'exaltation de chance heureuse où elle la voyait, femme du héros aimé de tous, mère de beaux enfants qui grandissaient pour le bonheur. Et dire qu'elle se souvenait des jours où la misérable créature mourait de faim, jetée à la rue par son frère ! Maintenant, elle se croyait écrasée par elle, quand elle la rencontrait coiffée d'un chapeau, comme une dame. Et c'était là ce bonheur d'une autre qu'elle n'accepterait jamais.

— Josine, dit-elle avec brutalité, au lieu de s'occuper des mariages qui ne la regardent pas, ferait mieux de faire oublier les siens, célébrés la semaine des quatre jeudis... Et puis, vous m'agacez tous, fichez-moi la paix !

Elle quitta la pièce, fit claquer la porte, les laissant dans un silence embarrassé. Ce fut Babette qui se mit à rire la première, habituée aux façons de son amie, qu'elle avait l'indulgence sereine de trouver brave femme, quoique mauvaise tête. Des larmes étaient montées aux yeux de Lucien, car c'était sa vie dont on disputait ainsi, au milieu de tant de méchante humeur. Mais son père lui serra la main amicalement, comme pour lui promettre d'arranger les choses. Il n'en restait pas moins très triste lui-même, bouleversé de voir le bonheur, même dans plus de justice et plus de paix, à la merci des querelles du foyer. Suffirait-il donc toujours d'un exécrable caractère pour gâter les fruits de la fraternité? Et seul le père Lunot garda son inconscience béate, endormi à moitié, sa pipe à la bouche.

Cependant, si Lucien ne doutait point du consentement final de ses parents, Louise sentait, chez les siens, une résistance plus grande, et la lutte s'aggravait chaque jour. Les Mazelle adorant leur fille, c'était au nom de cette adoration qu'ils s'entêtaient à ne pas céder, non dans des explications violentes, mais par leur inertie bonasse, une sorte de vague ensommeillement, qui, croyaient-ils, lasserait son caprice. Elle avait beau emplir la maison du vol de ses jupes, taper fiévreusement sur son piano, jeter les bouquets encore frais par les fenêtres, donner les signes du trouble le plus passionné : ils lui souriaient paisiblement, affectaient de ne rien comprendre, s'efforçaient de la bourrer de friandises et de cadeaux. Et elle s'enrageait d'être ainsi comblée de douceurs, lorsqu'on lui refusait l'unique chose qui lui serait délicieuse, si bien qu'elle finit par menacer ses parents de tomber malade. Elle prit même le lit, se tourna contre le mur, ne voulut plus leur répondre. Novarre, appelé, déclara que ces maladies-là n'étaient pas du domaine de sa science. La seule guérison des filles en mal d'amour, c'était de les laisser libres d'aimer. Alors, éperdus, comprenant que le cas devenait sérieux, les Mazelle tinrent conseil, passèrent une nuit blanche, dans l'alcôve conjugale, à se demander s'ils devaient céder. L'affaire leur parut si grave, si grosse de conséquences, qu'ils n'osèrent prendre une décision, en s'en tenant à leurs propres lumières; et ils résolurent de réunir leurs amis, pour leur soumettre le cas. N'était-ce pas une désertion, ce don de leur fille à un ouvrier, dans les circonstances révolutionnaires où Beauclair se débattait? Ils sentaient cette union décisive, une abdication dernière de la bourgeoisie, du négoce et de la rente. Et il était naturel que les autorités, têtes de la classe possédante et dirigeante, fussent consultées. Un bel après-midi, ils invitèrent donc le sous-préfet Châtelard, le maire Gourier, le président Gaume et l'abbé Marle, à venir prendre une tasse de thé, dans leur jardin fleuri, où ils avaient passé tant de paresseuses journées, allongés au fond de grands fauteuils berceurs, face à face, regardant pousser les roses, sans même se donner la fatigue de causer entre eux.

— Tu comprends, dit Mazelle, nous ferons ce que ces messieurs nous conseilleront de faire. Ils en savent plus long que nous, et personne ne pourra nous blâmer, de suivre leurs avis... Moi, je commence à ne plus sentir ma tête, avec toute cette histoire qui m'emplit le cerveau du matin au soir.

— Moi aussi, dit madame Mazelle. Ce n'est pas une existence, de toujours réfléchir. Rien n'est plus mauvais pour ma maladie, je le sens bien.

Le thé fut servi dans le jardin, sous un berceau de roses, par cette belle après-midi ensoleillée. Et ce fut le sous-préfet Châtelard et le maire Gourier qui se rendirent les premiers à l'invitation. Ils étaient restés inséparables, un lien plus fort semblait s'être noué entre eux, depuis qu'ils avaient perdu madame Gourier, la toujours belle Léonore. Pendant cinq ans, ils venaient de la garder infirme, clouée dans un fauteuil par une paralysie des jambes, entourée de petits soins, le bon ami suppléant le mari, la veillant, lui faisant des lectures, aux heures où ce dernier s'absentait. Jamais liaison plus paisible ne s'était prolongée ainsi, jusqu'au bout. Et c'était dans les bras de Châtelard que Léonore était morte, tout d'un coup, un soir qu'il l'aidait à prendre une tasse de tilleul, pendant que Gourier fumait dehors un cigare. Lorsque celui-ci était rentré, tous deux l'avaient pleurée ensemble. Maintenant, ils ne se quittaient guère, dans les loisirs que l'administration de la ville leur laissait, car ils ne l'administraient plus que théoriquement, après de mûres et sages délibérations, au cours desquelles le sous-préfet avait décidé le maire à suivre son exemple, fermer les yeux, laisser aller les choses, ne pas se gâter la vie en se mettant en travers de l'évolution, dont personne au monde n'arrêterait la marche pourtant. Gourier, que la peur travaillait parfois, jetait à des idées cruelles, avait quelque peine à se faire une si aimable philosophie. Il s'était réconcilié avec son fils Achille, qui avait eu de Ma-Bleue, dans leur nid d'amour si vaillamment conquis et défendu, une délicieuse fillette, Léonie, aux yeux bleus de lac bleu immense, de ciel bleu infini, les yeux de sa mère adorable; et, à présent, grande fille de vingt ans bientôt, bonne à marier, elle avait séduit le grand-père. Aussi se résignait-il à ouvrir sa porte au ménage irrégulier, ce fils révolté contre son autorité jadis, cette Ma-Bleue dont il parlait encore parfois comme d'une sauvagesse. Ainsi qu'il le disait, c'était dur pour un maire, le magistrat légal du mariage, d'accepter à son foyer un ménage révolutionnaire, marié sous les étoiles, par une nuit chaude, où la terre sentait bon. Mais les temps étaient si étranges, il se passait de si extraordinaires choses, qu'une petite-fille charmante, née du libre amour impénitent, devenait un cadeau très acceptable. Gaiement, Châtelard avait exigé la réconciliation, et Gourier, depuis que son fils lui amenait Léonie, était acquis un peu plus chaque jour à cette Crêcherie, demeurée quand même pour lui un foyer de catastrophes, malgré la nécessité où il s'était trouvé de mettre, lui aussi, sa grande cordonnerie en actions, et de syndiquer autour d'elle toutes les industries du vêtement.

Le président Gaume se fit attendre, ainsi que l'abbé Marle, et les Mazelle ne purent se tenir d'expliquer tout de suite leur cas au sous-préfet et au maire. Devaient-ils se résigner, devant le caprice déraisonnable de leur fille Louise ?

— Vous comprenez, monsieur le sous-préfet, dit Mazelle d'un air d'importance inquiète, en dehors du chagrin que nous causerait un pareil mariage, il y a le déplorable effet social, la responsabilité dont nous sentons tout le poids vis-à-vis des personnes distinguées de notre classe... Nous allons aux abîmes.

On était assis dans une ombre tiède, que parfumaient les roses grimpantes, devant une table au gai linge de couleur, chargée de petits gâteaux; et Châtelard, toujours correct et portant beau, malgré son âge, eut un de ses sourires d'ironie discrète.

— Mais nous y sommes, aux abîmes, cher monsieur Mazelle. Vous auriez bien tort de vous gêner pour le gouvernement, pour l'administration, et même pour le beau monde; car voyez-vous, tout cela n'existe désormais qu'en apparence... Sans doute, je suis toujours sous-préfet, et mon ami Gourier est toujours maire. Seulement, comme il n'y a plus derrière nous d'État réel et solide, nous ne sommes guère que des fantômes... Et il en va également des puissants et des riches dont le pouvoir et la fortune sont emportés un peu chaque jour par la nouvelle organisation du travail. Aussi, ne vous donnez donc pas la peine de les défendre, puisque eux-mêmes, cédant au vertige, deviennent les ouvriers actifs de la révolution... Allez, allez ! ne résistez pas, abandonnez-vous !

Il aimait ce genre de plaisanterie, qui terrifiait les derniers bourgeois de Beauclair. C'était d'ailleurs une façon aimable de dire la vérité en plaisantant, dans la conviction où il était que le vieux monde était fini et qu'un monde nouveau naissait des décombres. A Paris, les plus graves événements s'accomplissaient, le vieil édifice tombait pierre à pierre, faisant place à toute une construction transitoire, où s'indiquait nettement déjà la Cité future de justice et de paix. Et ces choses lui donnaient raison, il était heureux de s'être fait oublier dans ce coin de province, en y gouvernant le moins possible, certain maintenant d'y mourir de sa belle mort, avec le régime qu'il portait depuis de longues années en terre, d'un air souriant de philosophe et d'homme du monde.

Les Mazelle avaient pâli. Tandis que la femme se pâmait au fond de son fauteuil, les yeux sur les gâteaux, le mari s'écria :

— Vraiment, le croyez-vous, sommes-nous menacés à ce point?... Je sais bien qu'on parle de réduire la rente.

— La rente, reprit tranquillement Châtelard, elle sera supprimée avant vingt ans; ou, du moins, on trouvera une combinaison, qui, progressivement, dépossédera les rentiers. Le projet en est à l'étude.

Madame Mazelle soupira, comme si elle rendait l'âme.

— Oh! nous serons morts, je l'espère bien, nous n'aurons pas la douleur de voir ces infamies. C'est notre pauvre fille qui en souffrira, et raison de plus pour la forcer à faire un beau mariage.

Châtelard, impitoyable, dit encore :

— Mais il n'y a plus de beaux mariages, puisque l'héritage va disparaître. C'est chose à peu près résolue. Désormais chaque ménage sera forcé de faire lui-même son bonheur. Et que votre Louise épouse un fils de bourgeois ou un fils d'ouvrier, la mise de fonds sera bientôt la même, de l'amour s'ils ont la chance de s'aimer, et de l'activité à la besogne, s'ils ont l'intelligence de n'être pas des paresseux.

Il y eut un grand silence, on entendit le petit bruit d'ailes d'une fauvette qui voletait dans les rosiers.

— Alors, finit par demander Mazelle anéanti, c'est donc le conseil que vous nous donnez, monsieur le sous-préfet. Selon vous, nous pouvons accepter pour gendre ce Lucien Bonnaire ?

— Oh! mon Dieu, oui! La terre n'en tournera pas moins en paix, croyez-moi. Et, du moment que les deux enfants s'adorent, vous êtes toujours sûrs de faire au moins deux heureux.

Gourier n'avait encore rien dit. Il était mal à l'aise, d'être appelé à trancher une question pareille, lui dont le fils s'en était allé vivre avec Ma-Bleue, cette libre fille des rochers, qu'il recevait maintenant dans sa très bourgeoise demeure. Et l'aveu de sa gêne lui échappa.

— C'est bien vrai, le mieux est encore de les marier. Lorsque les parents ne les marient pas, ils filent et se marient tout seuls... Ah! dans quels temps vivons-nous?

Il levait les bras au ciel, il fallait tout l'ascendant de Châtelard, pour qu'il ne tombât pas à la mélancolie noire. Son goût d'autrefois, sa passion des petites ouvrières, lui faisait aujourd'hui, disait-on, une vieillesse hébétée, coupée de continuels petits sommes. Il s'endormait partout, à table, au milieu d'une conversation, dehors même en se promenant. Et il conclut de son air résigné d'ancien patron terrible, vaincu par les faits :

— Enfin, que voulez-vous? après nous le déluge, comme disent beaucoup des nôtres. Nous sommes finis.

Ce fut sur cette parole que le président Gaume arriva, très en retard. Ses jambes avaient enflé, il marchait avec peine, en s'aidant d'une canne. Il allait avoir soixante-dix ans et il attendait sa retraite, dans le dégoût caché de cette justice humaine qu'il avait rendue pendant de si longues années, en s'en remettant à la stricte application de la loi écrite, comme un prêtre qui ne croit plus et que seul le dogme soutient. Mais, à son foyer, le drame d'amour et de trahison avait continué son œuvre têtue, impitoyable. Après la mort de sa femme, qui s'était suicidée jadis sous ses yeux, en confessant sa faute, le désastre venait d'être achevé par sa fille Lucile, mariée au capitaine Jollivet, qu'elle avait fait tuer par son amant, avant de s'enfuir avec celui-ci. C'était toute une affreuse histoire, la fille coquette et sensuelle recommençant la trahison de la mère, acculant plus tard son mari à un duel, une sorte d'assassinat. Le capitaine, appelé par une lettre anonyme, était tombé sur un flagrant délit, sa femme demi-nue aux bras d'un grand gaillard, qui lui avait jeté un couteau, pour que la querelle fût vidée sur le-champ. Selon d'autres, le capitaine avait cherché la mort, ne s'était pas même défendu, pris d'horreur, désertant ce monde nouveau où il n'y avait pour lui que des amertumes et des hontes. Depuis quelque temps, en effet, on le rencontrait la tête basse, anéanti de voir crouler tout ce qu'il avait aimé. Il ne discutait plus, ne combattait plus, laissait le travail et la paix triompher, comprenant sans doute que le rôle de l'épée était fini. Et peut-être avait-il eu le courage dernier de vouloir partir sous le couteau, dont sa femme adorée, exécrée, tenait le manche. L'orage affreux avait passé sur le président Gaume, sa fille était en fuite, traquée par la police, son gendre n'était plus, retrouvé dans une mare de sang, enterré avec son trou au cœur, et lui restait seul, n'ayant désormais auprès de lui que le fils de Lucile, André, âgé déjà de seize ans, un garçon délicat et affectueux, le triste héritage du couple tragique, dont son cœur de grand-père s'occupait avec une tendresse inquiète. C'était assez, il ne fallait pas que la destinée vengeresse, punissant quelque ancien crime ignoré, s'acharnât davantage. Et il se demandait à quelle force bonne, à quel avenir de vraie justice et d'amour fidèle il donnerait ce jeune homme, pour que sa race fût renouvelée et enfin heureuse.

Mis au courant, questionné par Mazelle sur l'opportunité d'un mariage entre Louise et Lucien Bonnaire, le président Gaume s'écria tout de suite :

— Mariez-les, mariez-les, s'ils ont l'un pour l'autre le grand amour qui

... Comment voulez-vous séparer ces enfants, qui semblent avoir grandi les uns pour les autres?

25

les fait ainsi entrer en lutte avec leurs familles et passer par-dessus tous les obstacles. Seul, l'amour décide du bonheur.

Puis, il regretta, comme un aveu, ce cri que lui arrachait l'amertume de sa vie entière, car il achevait de mourir dans le mensonge de son attitude rigide, de son visage austère et froid. Il reprit :

— N'attendez pas l'abbé Marle. Je viens de le rencontrer, et il m'a chargé de vous présenter ses excuses. Il courait à l'église chercher les saintes huiles, pour porter l'extrême-onction à la vieille madame Jollivet, une tante de mon gendre, qui vient d'entrer en agonie... Le pauvre abbé, il perd là une de ses dernières pénitentes, il en avait des larmes dans les yeux.

— Oh ! ça, que les curés soient balayés, c'est ce qu'il y a de bon dans l'affaire, dit Gourier, qui était resté un mangeur de prêtres. La République serait encore à nous, s'ils n'avaient pas voulu nous la prendre. Ils ont fini par pousser le peuple à tout bousculer et à être le maître.

— Pauvre abbé Marle ! répéta pitoyablement Châtelard, il me fait de la peine dans son église vide, et vous avez bien raison, madame Mazelle, de lui envoyer encore des bouquets pour la Vierge.

Il y eut un nouveau silence, l'ombre douloureuse du prêtre passa dans le clair soleil, dans l'odeur des roses. Il avait perdu, avec Léonore, sa paroissienne la plus fidèle, la plus chère. Sans doute, madame Mazelle lui restait ; mais elle n'était pas une croyante au fond, elle ne demandait à la religion que l'ornement, le certificat de bourgeoisie bien pensante. Et l'abbé n'ignorait pas son destin, on le trouverait mort à l'autel, un jour, sous les décombres de la voûte de son église, qui menaçait ruine, et qu'il ne pouvait faire réparer, faute d'argent. A la Mairie comme à la Sous-Préfecture, on n'avait plus de fonds pour un tel travail. Il s'était adressé aux fidèles, en avait obtenu, à grand'peine, une somme dérisoire. Maintenant, il était résigné, il attendait la chute, en continuant à célébrer le culte, sans paraître savoir la menace d'écrasement, là haut, sur sa tête. Son église se vidait, son Dieu semblait mourir un peu chaque jour, et il mourrait avec lui, lorsque la vieille maison divine se fendrait de toutes parts et le broierait, sous le poids du grand Christ, attaché au mur. Et ils auraient le même tombeau, dans la terre où tout retourne.

D'ailleurs, madame Mazelle était bien trop bouleversée par ses soucis personnels, pour s'intéresser en ce moment au sort douloureux de l'abbé Marle. Si une solution n'intervenait pas, elle craignait d'en tomber sérieusement malade, elle qui avait tiré tant d'heures cajolées et tendres de la maladie innomée, dont s'était embellie son existence. Tous ses invités se trouvant là, elle avait quitté son fauteuil pour servir le thé, qui fumait dans la claire porcelaine, tandis qu'un rayon de soleil dorait les petits gâteaux, sur leurs assiettes de cristal, à profusion. Et elle hochait sa grosse tête placide, elle n'était point convaincue.

— Vous avez beau dire, mes amis, c'est vraiment la fin du monde, ce mariage, et je ne puis m'y décider.

— Nous attendrons encore, déclara Mazelle, nous lasserons la patience de Louise.

Mais le ménage resta saisi, Louise en personne était debout devant eux, à l'entrée du berceau, parmi les roses ensoleillées. Ils la croyaient dans sa chambre, sur sa chaise longue, souffrante de ce mal sans nom, que le mari aimé et désiré pouvait seul guérir, selon l'ordonnance du docteur Novarre. Elle devait s'être doutée qu'on décidait de son sort, et elle avait simplement passé un peignoir à petites fleurs rouges, en se contentant de nouer ses beaux cheveux noirs. Descendue ainsi à la hâte, toute vibrante de la continuelle passion qui l'animait, elle était charmante, avec sa figure mince, où luisaient ses yeux un peu obliques, dont le chagrin lui-même ne pouvait éteindre la gaie lumière. Elle avait entendu les dernières paroles de ses parents.

— Ah! maman, ah! papa, que dites-vous donc tous les deux? Croyez-vous qu'il s'agisse simplement d'un caprice de petite fille?... Je vous l'ai déclaré, je veux Lucien pour mari, et Lucien sera mon mari.

Mazelle, à demi vaincu par cette brusque apparition, se débattit encore.

— Mais, malheureuse enfant, songe donc! notre fortune, dont tu devais hériter, est déjà compromise, et tu te trouveras sans argent un jour.

— Comprends donc la situation, insista madame Mazelle. Avec notre argent, même compromis, tu pourrais faire encore un mariage raisonnable.

Alors, Louise éclata, d'une véhémence joyeuse et superbe.

— Votre argent, je m'en moque bien! Vous pouvez le garder, votre argent! Si vous me le donniez, votre argent, Lucien ne voudrait plus de moi... De l'argent, mais pourquoi faire? A quoi ça sert-il, l'argent? pas à aimer, pas à être heureux? Lucien me gagnera mon pain, et moi aussi, je le gagnerai, s'il est nécessaire. Ce sera délicieux.

Elle clamait cela avec une telle force de jeunesse et d'espoir, que les Mazelle, inquiets pour sa raison, voulurent la calmer, en cédant enfin. Ils n'étaient point d'ailleurs gens à résister davantage, désireux de sauver leur tranquillité dernière. Tout en buvant leur thé, le sous-préfet Châtelard, le maire Gourier et le président Gaume souriaient avec quelque embarras, car ils sentaient le libre amour de cette gamine les balayer comme des brins de paille. Il fallait bien consentir à ce qu'on ne pouvait empêcher.

Ce fut Châtelard qui conclut, de son air de moquerie aimable, à peine sensible.

— Notre ami Gourier a raison, nous sommes finis, puisque ce sont les enfants qui font la loi.

Le mariage de Lucien Bonnaire et de Louise Mazelle eut lieu un mois plus tard. Châtelard, pour son amusement personnel, décida son ami Gourier à donner, le soir des noces, un bal à la Mairie, comme pour honorer leurs amis, les Mazelle. Au fond, il trouvait plaisant de faire danser la bourgeoisie de Beauclair à ce mariage, transformé en un symbole de l'avènement du peuple. On danserait sur les ruines de l'autorité, dans cette Mairie qui devenait peu à peu la vraie Maison commune, où le rôle du maire n'était déjà plus que d'être un lien fraternel, entre les divers groupes sociaux. La salle fut décorée très luxueusement, il y eut de la musique et des chants, comme au mariage de Nanet et de Nise. Et ce furent aussi des acclamations, lorsque les mariés parurent, Lucien si solide et si fort, avec tous les camarades de la Crêcherie, Louise si passionnée et si fine, suivie de tout le beau monde, dont ses parents avaient voulu la présence, par une sorte de protestation suprême. Seulement, il arriva que le beau monde fut noyé dans le flot populaire, gagné à la joie peu à peu débordante, conquis et perdu, au point qu'il en résulta beaucoup d'autres mariages, entre les garçons et les filles des deux classes différentes. De nouveau, l'amour triomphait, le tout-puissant amour qui enflamme l'univers vivant, qui l'emporte à sa destinée heureuse.

Et la jeunesse fleurissait partout, des alliances encore se conclurent, des couples que des mondes semblaient séparer se mirent en marche pour la Cité future, rapprochés par l'éternel désir. A son tour, l'ancien commerce de Beauclair, près de disparaître, donna ses filles et ses garçons aux ouvriers de la Crêcherie, aux paysans des Combettes. Et les Laboque commencèrent, en laissant leur fils Auguste épouser Marthe Bourron, et leur fille Eulalie épouser Arsène Lenfant. Eux, depuis quelques années, ne luttaient plus, vaincus, car ils sentaient mourir l'ancien négoce, rouage inutile, mangeur d'énergie et de richesse. D'abord, ils avaient dû accepter que leur boutique de la rue de Brias devînt un simple dépôt des produits de la Crêcherie et des autres usines syndiquées. Ensuite, faisant un nouveau pas, ils avaient consenti à fermer cette boutique, qui s'était comme fondue dans les Magasins-Généraux, où l'indulgence de Luc leur avait assuré une sorte de retraite, un emploi de surveillance. D'ailleurs, l'âge était venu, ils vivaient maintenant dans la retraite, amers, effarés de ce monde qui n'avait plus leur passion du lucre, emportés par les générations nouvelles, grandies pour d'autres activités et d'autres joies. Et c'était ainsi que leurs deux enfants, Auguste et Eulalie, obéissant à l'amour, le grand ouvrier d'harmonie et de paix, se mariaient à leur gré, sans trouver d'autre obstacle chez leurs parents que la sourde désapprobation des vieilles gens qui pleurent le passé. Les deux mariages devaient avoir lieu le même jour, aux Combettes, devenues un gros bourg, le faubourg même de Beauclair, avec de gais et vastes bâtiments, où se sentait la richesse inépuisable de la terre. Et la double cérémonie se célébra au moment de la moisson, le dernier jour, lorsque, de toutes parts, les meules énormes se dressèrent, dans l'immense plaine blonde.

Déjà Feuillat, l'ancien fermier de la Guerdache, avait marié son fils Léon à Eugénie, la fille d'Yvonnot, l'adjoint, qu'il avait réconcilié autrefois avec Lenfant, le maire, réconciliation initiale d'où était née la bonne entente de tous les habitants de la commune, ce large mouvement d'association qui avait fait du pauvre village haineux un bourg fraternel si florissant. Aujourd'hui, Feuillat, très âgé, était comme le patriarche de cette société agricole commençante, car il l'avait rêvée, voulue secrètement, autrefois, lorsqu'il combattait le système meurtrier du fermage, avec la sourde prescience de l'incalculable fortune que les cultivateurs tireraient de la terre, quand ils se mettraient d'accord pour l'aimer en hommes de science et de méthode. Chez ce simple fermier, d'abord dur et rapace comme tous ceux de sa classe, l'amour vrai de cette terre, qui, depuis des siècles, usait si douloureusement ses ancêtres, semblait avoir suffi pour l'éclairer enfin, lui faire entrevoir le salut, la paix entre les paysans de bonne volonté, l'effort mis en commun, la terre redevenue une mère unique, labourée, ensemencée, moissonnée par une même famille. Et il avait assisté à la réalisation de son rêve, il avait vu les champs des voisins se joindre aux champs des voisins, la ferme de la Guerdache se fondre dans la commune des Combettes, d'autres petites communes se réunir à celle-ci, tout un domaine vaste se créer, se mettre en marche, en s'augmentant ainsi de proche en proche, pour la conquête totale de la plaine immense de la Roumagne. Avec Lenfant et Yvonnot, les fondateurs de l'association, Feuillat, qui en était resté l'âme, formait une sorte de conseil des anciens, que l'on consultait sur toutes choses, et dont on se trouvait bien de suivre les avis.

Aussi, lorsque le mariage du fils de Lenfant, Arsène, avec Eulalie Laboque, fut décidé, et que le frère de cette dernière, Auguste, voulut célébrer en même temps son propre mariage avec Marthe Bourron, Feuillat eut l'idée, acceptée, acclamée par tous, de faire une grande et belle fête, qui serait comme la fête même des Combettes pacifiées, enrichies, triomphantes. On y boirait à la fraternité du paysan et de l'ouvrier industriel, qu'on opposait jadis si criminellement l'un à l'autre, et dont l'alliance pouvait seule fonder la richesse, la paix sociales. On y boirait aussi à la fin de tous les antagonismes, à la disparition de ce commerce barbare, perpétuant la lutte haineuse entre le marchand qui vend l'outil, le paysan qui fait pousser le blé, et le boulanger qui revend le pain, renchéri par le vol de tant d'intermédiaires. Et quel meilleur jour choisir, pour fêter la réconciliation, le jour où les ennemis d'autrefois, les castes acharnées à se dévorer et à se détruire, finissaient par échanger leurs garçons et leurs filles, en des unions qui hâteraient l'avenir! Puisque la vie bienfaisante, grâce à sa continuelle évolution, rapprochait ainsi les cœurs, des réjouissances publiques devaient dire l'étape heureuse où l'on était arrivé, et cela dans l'allégresse des prodi-

gieuses récoltes qui allaient emplir les greniers des Combettes. Il fut résolu
que la fête aurait lieu en plein air, près du bourg, dans un vaste champ, où
se dressaient, pareilles aux colonnes symétriques d'un temple géant, de
hautes meules, couleur d'or sous le clair soleil. A l'infini, jusqu'au lointain
horizon, la colonnade se prolongeait, d'autres meules, d'autres meules
encore, disant la fécondité inépuisable de la terre. Et ce fut là qu'on chanta,
qu'on dansa, dans la bonne odeur du blé mûr, au milieu de l'immense plaine
fertile, dont le travail des hommes, enfin réconciliés, tirait assez de pain
pour le bonheur de tous.

Les Laboque amenèrent tout l'ancien commerce de Beauclair, tandis que
les Bourron amenaient toute la Crêcherie. Les Lenfant étaient là, chez eux, et
jamais encore on n'avait fraternisé si largement, les divers groupes mêlés,
confondus en une seule famille. Sans doute, les Laboque restaient graves,
l'air gêné. Mais, si les Lenfant s'égayaient de bon cœur, la grande joie fut pour
Babette Bourron, qui triomphait avec son éternelle belle humeur, sa certitude de voir, au travers des pires tourments, les choses finir quand même
très bien. Elle était l'espérance, elle rayonnait derrière les deux couples, et
lorsque ceux-ci arrivèrent, Marthe Bourron au bras d'Auguste Laboque,
Eulalie Laboque au bras d'Arsène Lenfant, ils apportèrent un tel éclat de
jeunesse, de force et de joie, qu'une acclamation sans fin roula, d'un bout
à l'autre des chaumes. On leur criait des tendresses, on les aimait, on les
célébrait, parce qu'ils étaient l'amour souverain et victorieux, cet amour
dont la flamme avait rapproché déjà ce peuple, en lui donnant la virilité de
ces moissons débordantes, au sein desquelles il pullulerait désormais, un
peuple uni, libre, ignorant la haine et la faim.

Ce jour-là, d'autres mariages se décidèrent, comme il était arrivé aux
noces de Lucien Bonnaire et de Louise Mazelle. Madame Mitaine, l'ancienne
boulangère, qui, malgré ses soixante-cinq ans, était restée la Belle madame
Mitaine, embrassa Olympe Lenfant, la sœur de l'un des mariés, en lui disant
qu'elle serait heureuse de l'appeler sa fille, car son fils Évariste lui avait
confessé qu'il l'adorait. Depuis une dizaine d'années, la belle boulangère
avait perdu son mari et ne tenait plus la boutique, fondue elle aussi dans les
Magasins-Généraux de la Crêcherie, à l'exemple de presque tout le commerce
de détail de la ville. Elle vivait en bonne travailleuse retraitée, avec son Évariste, très fière de ce que Luc leur avait confié la direction des pétrins électriques, d'où sortait maintenant en abondance un pain léger et blanc, pour le
peuple entier. Et, comme Évariste à son tour embrassait Olympe rose de
plaisir, en guise de fiançailles, madame Mitaine reconnut en une petite vieille,
maigre et noire, assise au pied d'une meule, son ancienne voisine, madame
Dacheux, la bouchère. Elle vint s'asseoir près d'elle.

— N'est-ce pas? lui dit-elle gaiement, il faut bien que ça finisse par des mariages, puisque tout ce petit monde, autrefois, jouait ensemble.

Mais madame Dacheux restait muette et sombre. Elle aussi avait perdu son mari, mort à la suite d'un coup maladroit de couperet, qui lui avait abattu la main droite. Selon certaines gens, la maladresse n'y était pour rien, le boucher s'était volontairement coupé le poing, dans un accès de furieuse colère, plutôt que de signer la cession de sa boutique à la Crêcherie. Les derniers événements, l'idée que la viande sainte, la viande des riches, allait être mise à la portée de tous et paraître sur les tables les plus pauvres, devaient avoir bouleversé sa conception sociale de gros homme tyrannique, violent et réactionnaire, au point de le rendre fou. Et il était mort d'une gangrène mal soignée, en laissant sa veuve sous la terreur des derniers jurons, dont il l'avait accablée dans son agonie.

— Et votre Julienne? demanda encore madame Mitaine de son air aimable. Je l'ai rencontrée l'autre jour, elle est superbe.

L'ancienne bouchère dut finir par répondre. Elle désigna du geste un couple, dans un quadrille.

— Elle est là qui danse. Je la surveille.

Julienne, en effet, dansait aux bras d'un grand et beau garçon, Louis Fauchard, le fils de l'ouvrier arracheur. Elle, forte, la chair blanche, la face rayonnante de santé, s'épanouissait d'aise, dans l'étreinte passionnée de ce gaillard vigoureux, au visage tendre, un des meilleurs forgerons de la Crêcherie.

— Alors, c'est un mariage encore? reprit en riant la belle madame Mitaine.

Mais madame Dacheux se récria, avec un frisson.

— Oh! non, oh! non, comment pouvez-vous dire cela? Vous connaissiez bien les idées de mon mari, il sortirait de sa tombe, si je mariais sa fille à cet ouvrier, le fils de ces pauvres gens, de cette Natalie pitoyable, toujours en quête d'un pot-au-feu à crédit, et qu'il a tant de fois chassée, parce qu'elle ne payait pas.

Elle continua, conta sa torture, d'une voix basse et tremblante. Son mari la visitait la nuit. Même mort, il la courbait sous son autorité despotique, la querellait et la brutalisait en rêve, avec de diaboliques menaces. La triste femme insignifiante, toujours ahurie, avait cette malechance dernière, de ne pas même trouver un peu de paix dans son veuvage.

— Si je mariais Julienne contre son gré, conclut-elle, il reviendrait pour sûr chaque nuit m'injurier et me battre.

Elle pleurait, et madame Mitaine la réconforta, en lui affirmant que ses cauchemars, au contraire, s'en iraient, si elle faisait du bonheur autour d'elle. Justement, Natalie, la plaintive madame Fauchard, sans cesse à la recherche autrefois des quatre litres de son homme, s'était approchée, de son pas hésitant. Elle ne souffrait plus à cette heure de la misère noire, elle occupait une des petites maisons claires de la Crêcherie, avec Fauchard, qui venait de cesser tout travail, infirme, hébété. Elle logeait aussi chez elle son frère Fortuné, âgé de quarante-cinq ans à peine, et dont la besogne de brute, machinale, uniforme, dès l'âge de quinze ans, à l'Abîme, avait fait un vieillard précoce, à demi aveugle et sourd. Aussi, malgré le bien-être qu'elle devait au système nouveau de pensions et d'aide mutuelle, était-elle restée dolente, lamentable débris du passé, avec ses deux hommes, ses deux enfants sur les bras, comme elle disait. C'était la leçon, l'exemple des hontes et des douleurs du salariat, légué aux jeunes générations.

— Vous n'avez pas vu mes hommes? demanda-t-elle à madame Mitaine. Je les ai perdus dans la foule... Ah! les voici.

Et l'on vit passer, au bras l'un de l'autre, soutenant leur marche tremblante, les deux beaux-frères, Fauchard ruiné, fini, tel que le revenant du travail déshonoré et douloureux, Fortuné moins âgé, tout aussi anéanti, comme frappé d'imbécillité. Et, dans la foule si vigoureuse, si débordante de vie nouvelle et d'espoir, au milieu de ces meules odorantes qui entassaient le blé de tout un peuple, ils allaient doucement, promenant leur décrépitude, sans comprendre, sans répondre aux saluts.

— Laissez-les donc au soleil, ça leur fait du bien, reprit madame Mitaine. Et votre fils, il est solide et joyeux?

— Oh! sûrement, Louis se porte à merveille, répondit madame Fauchard. Dans ce temps-ci, les fils ne ressemblent guère aux pères. Voyez comme il danse! Jamais il ne connaîtra le froid et la faim.

Alors, la boulangère, avec sa bonne âme d'ancienne belle femme, entreprit de rendre heureux le couple qui riait si tendrement, en dansant devant elle. Elle rapprocha les deux mères, elle fit asseoir côte à côte madame Fauchard et madame Dacheux, puis elle attendrit tellement celle-ci, qu'elle finit par l'ébranler, par la convaincre. Elle souffrait seulement de sa solitude, il lui fallait des petits-enfants qui grimperaient sur ses genoux et qui mettraient en fuite les fantômes. Et la pauvre petite vieille s'écria enfin :

— Ah! mon Dieu! je veux bien tout de même, à la condition qu'on ne me laissera pas seule. Moi, je n'ai jamais dit non à personne, c'est lui qui ne voulait pas. Mais, si vous vous y mettez tous, et si vous promettez de me défendre, faites, faites!

Lorsque Louis et Julienne surent que leurs mères consentaient, ils accoururent, se jetèrent dans leurs bras, avec des larmes et des rires. Et ce fut, parmi tant d'allégresse, une allégresse nouvelle.

— Voyons, répétait madame Mitaine, comment voulez-vous séparer ces jeunes gens, qui semblent tous avoir grandi les uns pour les autres? Je viens de donner mon Évariste à Olympe Lenfant, et je me rappelle encore celle-ci venant toute petite dans ma boulangerie, où mon gamin lui offrait des gâteaux. C'est comme ce Louis Fauchard, que de fois je l'ai vu rôder devant votre boucherie, madame Dacheux, et jouer avec votre Julienne! Les Laboque, les Bourron, les Lenfant, les Yvonnot, dont on célèbre maintenant les mariages, mais tout cela poussait ensemble, aux heures mêmes où les parents se déchiraient, et c'est aujourd'hui la grande et tendre moisson!

Et elle riait plus haut, et elle avait son air d'infinie bonté, ayant gardé comme un parfum du bon pain tiède, au milieu duquel elle avait vécu, en belle boulangère blonde. Et, autour d'elle, la joie montait, on vint dire que d'autres fiançailles s'étaient faites, celles de Sébastien Bourron et d'Agathe Fauchard, celles de Nicolas Yvonnot et de Zoé Bonnaire. L'amour, le souverain amour élargissait sans cesse la réconciliation, achevait de fondre toutes les classes. C'était lui qui avait fécondé cette plaine, chargé les arbres d'une telle quantité de fruits que les arbres en cassaient, couvert les sillons d'une telle abondance de blé que les meules, d'un bout à l'autre de l'horizon, dressaient le temple de la paix. Il volait dans l'odeur puissante de cette fertilité, il présidait à ces noces heureuses d'où allait naître un pullulement de générations plus libres et plus justes. Et, jusqu'au soir, sous les étoiles, la fête dura, tout un triomphe de l'amour, rapprochant les cœurs, les fondant les uns dans les autres, parmi les danses et les chants de ce petit peuple joyeux, en marche pour l'unité et l'harmonie futures.

Mais, dans cette fraternité envahissante, il était un homme, un ancêtre, le maître fondeur Morfain, qui restait debout à l'écart, muet et sauvage, sans pouvoir, sans vouloir comprendre. Il demeurait toujours, comme un des Vulcains préhistoriques, dans son trou de rochers, près du haut fourneau dont il avait la surveillance; et il y vivait seul maintenant, en solitaire désireux de se mettre hors des temps, ayant rompu tout rapport avec les générations naissantes. Déjà, quand sa fille Ma-Bleue était partie, pour aller vivre son rêve de tendresse avec Achille Gourier, le Prince Charmant de ses nuits bleues, il avait bien senti que les temps nouveaux lui prenaient le meilleur de lui-même. Puis, une autre aventure tendre lui avait enlevé son fils, Petit-Da, le grand garçon, le bon géant vigoureux, qui s'était tout d'un coup passionné pour la fille des Caffiaux, les épiciers-cabaretiers, Honorine, une petite brune vive et alerte. Il avait d'abord refusé violemment de consentir au mariage, plein de mépris pour cette famille d'empoisonneurs, gens louches, lesquels d'ailleurs lui rendaient son dédain, en disant leur répugnance vaniteuse à laisser leur enfant épouser un ouvrier. Pourtant, Caffiaux avait cédé le premier, car il se montrait toujours très habile, très souple. Il venait de se faire, après avoir fermé son débit de boissons, une belle situation de gardien-chef, dans les Magasins-Généraux de la Crêcherie; et les anciennes vilaines histoires s'oubliaient, il affectait désormais trop de dévouement aux idées de solidarité, pour s'entêter à un refus qui aurait pu lui nuire. Alors, Petit-Da, emporté par le désir, avait passé outre aux volontés de son père. Il s'en était suivi une terrible querelle, une rupture affreuse entre les deux hommes. Et, depuis ce temps, le maître fondeur, muré dans son roc, ne vivait plus, ne parlait plus que pour diriger son haut fourneau, en spectre immobile et farouche des âges morts.

Des années et des années s'écoulèrent, sans que le vieux Morfain parût même vieillir. Il était toujours le vainqueur du feu, le colosse à l'énorme tête roussie, au nez en bec d'aigle, aux yeux de flamme, entre des joues que des laves semblaient avoir dévastées. Sa bouche torturée, qui ne s'ouvrait plus, gardait son rouge fauve de brûlure. Et rien d'humain ne paraissait plus devoir le toucher, au fond de la solitude implacable où il s'était enfermé, quand il s'était aperçu que sa fille et son fils pactisaient avec les autres, ceux de demain. Ma-Bleue avait eu d'Achille une fillette délicieuse, Léonie, qui grandissait en grâce et en tendresse. Petit-Da venait d'avoir d'Honorine un garçon fort et charmant, Raymond, un intelligent petit homme qui bientôt serait en âge d'être à son tour marié. Mais le grand-père ne se laissait pas attendrir, il repoussait les enfants, il s'obstinait même à ne pas les voir. C'étaient des choses, pour lui, se passant dans l'autre monde, et il n'en était point ému. Au contraire, sous l'écroulement de ses affections humaines, la sorte de passion paternelle qu'il avait toujours eue pour son haut fourneau, semblait grandir. Il voyait en lui son enfant géant, le monstre grondant d'un perpétuel incendie, dont il soignait nuit et jour, heure par heure, les digestions de flammes. Les moindres dérangements, lorsque les coulées perdaient de leur éclat, le jetaient à des angoisses tendres; et il passait les nuits blanches, surveillait le bon fonctionnement des tuyères, se dévouait comme un jeune homme amoureux, au milieu des braises, dont sa peau ne paraissait plus craindre l'atroce cuisson. Luc, après avoir parlé de le mettre à la retraite, inquiet de son grand âge, n'avait pas eu la force de prendre cette mesure, devant la révolte frémissante, le chagrin inconsolable de ce héros du travail douloureux, si fier de s'être usé et brûlé les muscles dans sa tâche obscure de conquérant du feu. L'heure de la retraite allait sonner elle-même, par l'inévitable évolution des progrès en marche, et Luc eut la bonté compatissante d'attendre.

Déjà, Morfain s'était senti menacé. Il n'ignorait point les recherches savantes que faisait le maître Jordan, afin de remplacer le haut fourneau, si lourd, si lent, si barbare en son enfer peu maniable, par des batteries légères et promptes de fours électriques. L'idée qu'on pouvait éteindre et démolir le colosse qui flambait pendant des sept et huit années, le bouleversait. Aussi se renseignait-il, et il s'était inquiété, lorsque Jordan avait réalisé un premier progrès en brûlant le charbon au sortir de la mine, sous

les chaudières des machines, puis en amenant l'électricité à la Crêcherie par
des câbles, sans déperdition aucune. Mais, comme le prix de revient restait
beaucoup trop élevé, pour permettre d'employer la force électrique à la
fonte du minerai de fer, il avait pu se réjouir de l'inutilité de cette victoire.
Pendant dix années encore, chacun des échecs nouveaux de Jordan l'avait
trouvé heureux, sourdement ironique, convaincu que le feu se défendrait,
ne se laisserait jamais vaincre par cette puissance, ce tonnerre mystérieux
dont on ne voyait pas même l'éclair. Il souhaitait la défaite du maître,
l'anéantissement des appareils sans cesse construits, perfectionnés de jour
en jour. Et voilà que, tout d'un coup, la menace s'aggrava, le bruit courut
que Jordan venait enfin de réaliser sa grande œuvre : il avait trouvé le moyen
de transformer directement l'énergie calorifique contenue dans le charbon, en
énergie électrique, sans passer par l'énergie mécanique, c'est-à-dire en sup-
primant la machine à vapeur, cet intermédiaire si encombrant, si coûteux.
De sorte que le problème était résolu, le prix de revient de l'électricité allait
être si réduit, qu'on pourrait l'employer utilement à la fonte du minerai de
fer. Des appareils de production fonctionnaient déjà, on installait une première batterie de fours électriques, et Morfain, désespéré, rôdait autour de
son haut fourneau, de son air farouche et têtu, comme s'il eût voulu le
défendre.

Cependant, Luc ne donna pas tout de suite l'ordre d'éteindre le haut
fourneau, désireux de procéder d'abord à des expériences concluantes, avec
la batterie. Pendant près de six mois, les deux fontes marchèrent parallèlement, et ce furent, pour le vieux maître fondeur, d'abominables jours, car
maintenant il sentait condamné le monstre aimé dont il avait la garde. Il le
voyait délaissé de tous, personne ne montait plus, les curiosités heureuses
s'empressaient, en bas, autour de ces fours électriques, qui tenaient si peu
de place, et qui faisaient, disait-on, de si bonne et de si prompte besogne.
Lui, plein de rancune violente, n'avait pas voulu descendre les voir, ces
inventions qu'il traitait dédaigneusement de joujoux bons pour des enfants.
Est-ce que l'ancienne méthode, le feu libre et clair, qui avait donné à
l'homme l'empire du monde, pouvait être détrônée? On y reviendrait, à ces
fourneaux géants, dont la fournaise avait brûlé pendant des siècles, sans
jamais s'éteindre. Et, dans sa solitude, avec les quelques hommes de son
équipe, silencieux comme lui, il se contentait de regarder de très haut le
hangar sous lequel fonctionnaient les fours électriques, heureux encore, la
nuit, lorsqu'il incendiait l'horizon de ses grandes coulées éclatantes.

Mais le jour vint pourtant où Luc condamna le haut fourneau, dont il
avait constaté par l'expérience le rendement si pénible et plus onéreux
désormais. Il fut résolu qu'on le laisserait s'éteindre, pour le démolir, après
avoir tiré de lui une dernière coulée. Prévenu, Morfain ne répondit rien,

impassible, avec sa face de bronze, qui ne disait même plus les tumultes de
son âme. On eut peur de ce beau calme, Ma-Bleue monta voir son père,
accompagnée de sa grande fille Léonie, tandis que Petit-Da eut, lui aussi, cette
tendre pensée, en amenant son grand fils Raymond. Un instant, ainsi qu'autrefois, la famille se trouva réunie dans le trou de rochers, le père géant,
entre la fille, toute bleue de ses yeux bleus, et le fils, bon colosse attendri
par les souffles de demain ; et il y avait en outre là, maintenant, la petite-
fille d'aimable beauté, le petit-fils d'intelligence vive, en qui s'incarnait la
génération nouvelle, active ouvrière de bonheur. Le grand-père consentit à
ce qu'on le baisât, qu'on le caressât, sans repousser les enfants, comme il
faisait à l'ordinaire. Bien qu'il eût juré de ne jamais les voir, il se laissa
cette fois envahir. Mais il ne rendait pas les caresses, l'air déjà hors des
temps, tel qu'un héros des époques abolies, chez lequel toute humanité était
morte. Cela se passait par un jour d'automne sombre et froid, au crépuscule
hâtif, dont le voile de crêpe tombait du ciel blafard, enveloppant la terre
noire. Et il se leva, il ne rompit son éternel silence que pour dire :

— Allons ! on m'attend, il y a une coulée encore.

C'était la dernière. Tous le suivirent devant le haut fourneau. Les
hommes de l'équipe étaient là, noyés d'ombre, attendant, et ce fut l'habituelle besogne, le ringard enfoncé dans le tampon de terre réfractaire, le
trou de coulée agrandi, enfin le flot tumultueux du métal en fusion roulant
le long des rigoles son ruisseau de flammes, allant emplir les moules de
mares embrasées. Une fois encore, de ce sillon, de ces champs de feu, se
leva une moisson incessante d'étincelles, des étincelles bleues d'une légèreté
délicate, des fusées d'or d'une délicieuse finesse, toute une floraison de
bluets parmi des épis d'or. Une clarté aveuglante, dans le crépuscule morne,
ensoleilla le haut fourneau, les constructions voisines, les toitures de Beauclair au loin, l'horizon immense. Puis, tout s'éteignit, la nuit profonde
régna, et ce fut la fin, le haut fourneau avait vécu.

Morfain, qui avait regardé, sans une parole, ne bougeait pas, restait dans
l'ombre, comme une de ces roches d'alentour que la nuit venait de reprendre.

— Père, dit doucement Ma-Bleue, maintenant qu'il n'y aura plus d'ouvrage ici, il va falloir descendre chez nous. Depuis longtemps, ta chambre
est prête.

Et Petit-Da dit à son tour :

— Père, cette fois-ci, c'est bien le repos pour toi, et tu as aussi ta
chambre chez nous. Tu te partageras, tu te donneras un peu à chacun de
tes deux enfants.

Mais le vieux maître fondeur ne répondait point. Un soupir finit par
soulever sa poitrine d'un grondement douloureux, et il dit :

— C'est ça, je descendrai, j'irai voir... Allez-vous-en.

Pendant quinze jours encore, on ne put décider Morfain à quitter le haut fourneau. Il en suivait le lent refroidissement, comme une agonie. Il restait là le dernier, il le tâtait chaque soir, pour s'assurer s'il n'était pas tout à fait mort. Et, tant qu'il sentit en lui un peu de chaleur, il s'entêta, le veilla ainsi qu'un ami dont on n'abandonne les restes qu'au néant. Mais les démolisseurs arrivèrent, et on le vit un soir, dans un arrachement suprême, quitter son trou de rochers, descendre à la Crêcherie, pour se rendre directement, de son pas encore solide de grand vieillard vaincu, au vaste hangar vitré, sous lequel fonctionnait la batterie de fours électriques.

Justement, Jordan et Luc s'y trouvaient, avec Petit-Da, chargé par eux de diriger la fonte, aidé de son fils Raymond, déjà bon ouvrier électricien. Le fonctionnement se réglait encore de jour en jour, et c'était pourquoi Jordan ne quittait guère le hangar, dans le désir de rendre parfaite la méthode nouvelle, qui lui avait demandé tant d'années de recherches et d'expériences.

— Ah ! mon vieux Morfain ! cria-t-il, joyeux. Vous voilà donc raisonnable !

Impassible, la face couleur de vieille fonte, le héros se contenta de dire :

— Oui, monsieur Jordan, j'ai voulu voir votre machine.

Luc, un peu inquiet, l'examina, car il l'avait fait surveiller, ayant su qu'on l'avait surpris, penché sur le gueulard du haut fourneau, encore plein de braise, de l'air d'un homme prêt à faire le saut dans cet enfer effroyable. Un ouvrier de son équipe l'avait sauvé de cette mort, le dernier don de sa vieille chair au monstre, tout ce qui restait de sa carcasse cuite et recuite cent fois, comme s'il eût mis sa gloire à finir par le feu, tant aimé et servi fidèlement depuis plus d'un demi-siècle.

— C'est bien cela, mon brave Morfain, d'être curieux à votre âge, dit Luc, sans le quitter des yeux. Regardez ces joujoux.

La batterie des dix fours s'alignait, dix cubes de briques rouges de deux mètres de hauteur sur un mètre cinquante de largeur. Et l'on voyait seulement, au-dessus, l'armature des puissantes électrodes, des épais cylindres de charbon, à laquelle venaient s'attacher les câbles, conducteurs de l'électricité. L'opération était très simple. Une vis sans fin, qui obéissait à un bouton, desservait les dix fours, charriait le minerai et le versait dans chacun d'eux. Un deuxième bouton établissait le courant, l'arc dont l'extraordinaire température de deux mille degrés pouvait fondre deux cents kilogrammes de métal en cinq minutes. Et il suffisait de tourner un troisième bouton pour que la porte de platine fermant chaque four se soulevât, et pour qu'une sorte de trottoir roulant, garni de sable fin, se mît en marche, recevant les dix gueuses de deux cents kilogrammes, qu'il emportait ensuite à l'air froid du dehors.

— Eh bien ! mon brave Morfain, reprit Jordan, avec sa joie d'enfant heureux, qu'en dites-vous ?

Et il lui expliqua le rendement. Ces joujoux-là, à deux cents kilogrammes de fonte chacun, toutes les cinq minutes, arrivaient ensemble à un
total de deux cent quarante tonnes par jour, en les faisant travailler seulement pendant dix heures. C'était un rendement prodigieux, surtout si l'on
songeait que l'ancien haut fourneau, brûlant jour et nuit, n'atteignait pas le
tiers de cette production. Aussi les fours électriques marchaient-ils rarement
plus de trois ou quatre heures, et là était la commodité, de pouvoir les
éteindre et les rallumer, selon les besoins, afin d'en obtenir à l'instant la
quantité voulue de matière première. Et quelle aisance, quelle propreté,
quelle simplicité! Il n'y avait presque plus de poussières, les électrodes fournissant elles-mêmes le carbone nécessaire à la carburation du minerai. Des
gaz seuls s'échappaient, et les laitiers étaient si peu abondants, qu'on s'en
débarrassait sans peine par des nettoyages quotidiens. Plus de colosse barbare, dont la bonne digestion donnait tant d'inquiétudes? plus de ces
organes multiples, encombrants, dont il avait fallu l'entourer, les épura-
teurs, les réchauffeurs, la machine soufflante, le continuel courant d'eau! Le
ventre n'était plus menacé d'engorgement, de refroidissement. Pour une
tuyère qui fonctionnait mal, on ne parlait plus de tout démolir, de vider le
monstre en plein feu. Toute une petite armée, les chargeurs veillant au gueulard, les fondeurs tapant sur le tampon, se cuisant aux flammes des coulées,
n'étaient plus en perpétuelle alerte, à se succéder en équipe de jour et en
équipe de nuit. Sur quinze mètres de long, sur cinq de large, la batterie des
dix fours électriques, avec son trottoir roulant, tenait à l'aise, dans le grand
hangar vitré, gai et luisant, qui l'abritait. Et trois enfants auraient suffi, pour
tout mettre en marche, l'un au bouton de la vis sans fin, l'autre au bouton
des électrodes, le troisième au bouton du trottoir.

— Qu'en dites-vous? qu'en dites-vous, mon brave Morfain? répétait
Jordan, qui triomphait.

Le vieux maître fondeur, sans un mot, sans un geste, regardait toujours.
La nuit tombait déjà, le hangar s'emplissait d'ombre, et le fonctionnement
de la batterie était saisissant, dans sa régularité mécanique et douce. Froids,
obscurs, les dix fours semblaient dormir, tandis que les petits chariots de
minerai, mus par la vis sans fin, se déversaient un à un. Puis, toutes les
cinq minutes, les portes de platine s'ouvraient, les dix jets blancs des dix
coulées incendiaient l'ombre, les dix gueuses de fonte, fleuries de bluets
parmi des épis d'or, voyageaient, étaient emportées sur le trottoir roulant,
d'un lent mouvement continu. Et, à la longue, le spectacle devenait extraordinaire, de ces illuminations brusques et comme rythmées, de ces splendeurs
d'astres, dont le hangar tout entier flamboyait, à des intervalles égaux.

Petit-Da, jusque-là silencieux, voulut donner des explications. Il désigna,
descendant des charpentes, le gros câble qui amenait le courant.

— Vois-tu, père, l'électricité arrive par là, et c'est d'une force telle, que, si on rompait les fils, tout sauterait, comme dans un coup de tonnerre.

Luc, rassuré, en voyant Morfain si calme, se mit à rire.

— Ne dites donc pas cela, vous feriez peur à notre petit monde. Rien ne sauterait, l'imprudent qui toucherait les fils serait seul en danger. Et puis, le câble est solide.

— Ah! ça, oui! reprit Petit-Da, il faudrait une fameuse poigne pour le rompre.

Morfain, toujours impassible, s'était approché, n'avait plus qu'à lever les mains pour atteindre le câble. Il resta là immobile quelques secondes encore, avec sa face desséchée, où rien ne se lisait. Mais, soudainement, une telle flamme s'alluma dans ses yeux, que Luc fut repris d'inquiétude, avec la sourde angoisse de la catastrophe.

— Tu crois, une rude poigne? finit par dire Morfain, se décidant à parler. Voyons donc ça, mon garçon!

Et, avant qu'on eût même le temps d'interven r, il saisit le câble entre ses mains durcies par le feu, pareilles à des pinces de fer. Et il le tordit, il le rompit, d'un effort surhumain, comme un géant irrité casserait la ficelle d'un jouet d'enfant. Et ce fut la foudre, les fils s'étaient touchés, une étincelle formidable avait jailli, éblouissante. Et tout le hangar fut plongé dans une obscurité profonde, on n'entendit plus, parmi ces ténèbres, que la chute d'un grand corps, le grand vieillard foudroyé qui tombait d'un seul bloc, ainsi qu'un chêne abattu.

On dut courir chercher des lanternes. Jordan et Luc, bouleversés, purent seulement constater la mort, pendant que Petit-Da criait et pleurait. Étendu, la face vers le ciel, le vieux maître fondeur ne semblait pas avoir souffert, colosse intact de vieille fonte, sur lequel le feu ne pouvait plus mordre. Ses vêtements brûlaient, et il fallut les éteindr Il n'avait sans doute pas voulu survivre au monstre aimé, à ce haut fo neau antique dont il restait le dernier fervent. Avec lui, finissait la u... première, l'homme dompteur du feu, conquérant des métaux, courbé sous l'esclavage de la douloureuse besogne, fier de se faire une noblesse de ce long labeur écrasant de l'humanité en marche pour le bonheur futur. Il avait même évité de savoir que des temps nouveaux étaient nés, apportant à chacun, grâce à la victoire du juste travail, un peu de repos, un peu de la joie libre, de la jouissance heureuse, dont seuls, jusque-là, quelques privilégiés avaient goûté la douceur, grâce à l'inique souffrance du plus grand nombre. Et il tombait en héros farouche et têtu de l'ancienne et terrible corvée, en Vulcain enchaîné à sa forge, ennemi aveugle de tout ce qui le libérait, mettant sa gloire dans son asservissement, refusant comme une déchéance que la souffrance et l'effort pussent un jour être diminués. La force du nouvel âge, la foudre qu'il était venu nier, insulter, l'avait anéanti, et il dormait.

Il paraissait tout naturel d'éveiller seulement, chez ces écoliers, le désir d'apprendre.

A quelques années de là, trois mariages encore se conclurent, achevant
de mêler les classes, de resserrer les liens, chez le petit peuple de fraternité
et de paix, de plus en plus élargi. Le fils aîné de Luc et de Josine, Hilaire
Froment, un fort garçon de vingt-six ans déjà, épousa Colette, une délicieuse
petite blonde dont les dix-huit ans fleurissaient, la fille de Nanet et de Nise ;
et, dès lors, le sang des Delaveau s'apaisa dans le sang des Froment et de
cette Josine misérable, ramassée jadis à demi morte de faim, au seuil de
l'Abîme. Puis, ce fut une Froment encore, Thérèse, la troisième née, grande,
belle et joyeuse, qui, à dix-sept ans, épousa Raymond, son aîné de deux
ans, le fils de Petit-Da et d'Honorine Caffiaux ; et, cette fois, le sang des
Froment s'alliait à celui des Morfain, les ouvriers épiques, et à celui des
Caffiaux, l'ancien commerce que la Crêcherie était venue détruire. Enfin, ce
fut Léonie, aux vingt ans aimables, la fille d'Achille Gourier et de Ma-Bleue,
qui épousa un fils de Bonnaire, de même âge qu'elle, Séverin, le cadet de
Lucien ; et la bourgeoisie agonisante s'unissait là au peuple, aux rudes
travailleurs résignés des âges morts, ainsi qu'aux travailleurs révolutionnaires en train de se libérer.

On donna de grandes fêtes, la descendance heureuse de Luc et de Josine
allait fructifier, pulluler, aider à peupler la Cité nouvelle, bâtie par Luc
pour que Josine, et tout le peuple avec elle, fussent sauvés de l'inique
misère. C'était le torrent d'amour, la vie qui s'élargissait sans cesse, décuplant les moissons, faisant toujours pousser plus d'hommes pour plus de
vérité et plus de justice. Le victorieux amour, jeune et gai, emportait les
couples, les familles, la ville entière, à l'harmonie finale, au bonheur enfin
conquis. Et, chaque mariage amenant l'éclosion, parmi les verdures, d'une
petite maison de plus, le flot des maisons blanches ne s'arrêtait jamais,
achevait d'envahir et de balayer l'ancien Beauclair. Le vieux quartier
lépreux, les masures immondes où le travail avait agonisé pendant des
siècles, était rasé, assaini depuis longtemps, remplacé par de larges voies,
plantées d'arbres, bordées de façades rieuses. Maintenant, le quartier bourgeois se trouvait menacé, des percées de rues nouvelles permettaient
d'agrandir et d'affecter à d'autres usages les anciens édifices, la Sous-
Préfecture, la Mairie, le Tribunal, la Prison. Seule, la très vieille Église
restait lézardée, croulante, au milieu d'une place déserte, pareille à un
champ d'orties et de ronces. Partout, les logis héréditaires, les maisons de
rapport faisaient place à des constructions plus fraternelles et plus saines,
éparses dans l'immense jardin que devenait toute la ville, égayées chacune
de lumière vive et d'eaux ruisselantes. Et la Cité se fondait, une très grande
et très glorieuse Cité dont les avenues s'allongeaient toujours, et qui débordait déjà dans les champs voisins de la fertile Roumagne.

III

Il s'écoula dix années encore, et l'amour qui avait uni les couples, l'amour vainqueur et fécond fit naître et grandir dans chaque ménage une floraison d'enfants, dont la poussée nouvelle apportait l'avenir. A chaque génération neuve, un peu plus de vérité, de justice et de paix s'épandrait et régnerait par le monde.

Luc, âgé de soixante-cinq ans déjà, se prenait, à mesure qu'il vieillissait, d'une affection, d'une passion croissante pour les enfants. Maintenant que le bâtisseur de ville, le créateur de peuple, qui était en lui, voyait se construire la Cité rêvée, il se préoccupait surtout des générations en germe, il allait aux petits enfants, leur donnait toutes ses heures, dans la pensée qu'ils étaient l'avenir. C'étaient eux, c'étaient les enfants de leurs enfants, et c'étaient plus encore les enfants de ceux-ci qui devaient un jour être un peuple intelligent et sage, où s'accomplirait tout ce qu'il avait voulu d'équité et de bonté. On ne peut refaire les hommes mûrs, quand ils ont vécu dans des croyances et des habitudes, où l'atavisme les enchaîne. Mais on agit sur les enfants, en les libérant des idées fausses, en les aidant à croître et à progresser, selon l'évolution naturelle qu'ils apportent avec eux. Et, il le sentait bien, chaque génération doit être ainsi un pas en avant, chacune d'elles crée davantage de certitude, réalise plus de paix et de bonheur. Aussi disait-il d'habitude, avec un bon rire, que les enfants étaient les conquérants les plus forts et les plus victorieux de son petit peuple en marche.

Dans les grandes visites matinales que, deux fois par semaine, Luc continuait de faire à son œuvre, il consacrait donc le meilleur de son cœur et de son temps aux Écoles, même aux Crèches, où l'on gardait les tout petits. Il commençait généralement par eux avant d'aller aux Ateliers et aux Maga-

sins, il se donnait la joie de toute cette enfance rieuse et saine, dès le clair
lever du soleil. Comme il changeait, chaque semaine, les jours de sa tournée
de surveillance et d'encouragement, on ne l'attendait pas, il tombait dans la
bonne surprise qu'il faisait à ce petit monde turbulent, où tous l'adoraient
comme un grand-père très gai et très bon.

Or, ce mardi-là, Luc ayant résolu de rendre visite à ses chers enfants,
ainsi qu'il les nommait tous, se dirigeait vers les Écoles, dès huit heures,
par une délicieuse matinée de printemps. Le soleil tombait en pluie d'or
parmi les jeunes verdures, et il suivait à petits pas une des avenues, lorsqu'il
s'arrêta, en entendant une voix chère qui l'appelait, comme il passait devant
la maison habitée par les Boisgelin.

Suzanne, l'ayant vu passer, s'était avancée jusqu'à la porte du jardin.

— Oh! je vous en prie, mon ami, entrez un instant... Ce pauvre homme
est repris d'un accès, et il m'inquiète beaucoup.

Elle parlait de Boisgelin, son mari. Pendant quelque temps, il avait
essayé du travail, mal à l'aise de son oisiveté, au milieu de cette ruche
active, bourdonnante du labeur de tous. La paresse finissait par lui être
trop lourde, la chasse et le cheval ne suffisaient plus à emplir ses journées.
Aussi Luc, sur la prière de Suzanne, pour aider à la transformation espérée,
lui avait-il confié une sorte d'inspection, une petite besogne de contrôle,
dans les Magasins-Généraux. Mais l'homme qui n'a jamais rien fait de ses dix
doigts, l'oisif de naissance, ne dispose plus de sa volonté, ne peut plus se
plier à une règle, à une méthode. Boisgelin dut constater bientôt qu'il était
incapable d'une occupation suivie. Son cerveau fuyait, ses membres cessaient d'obéir, il était pris de somnolence, d'anéantissement. Il souffrait trop
de cette impuissance affreuse, il se laissa retomber peu à peu au vide de son
existence ancienne, aux journées de fainéantise, toutes passées dans la même
inutilité. Seulement, il n'avait plus l'étourdissement du plaisir et du luxe, il
fut envahi d'un ennui morne, immense, sans cesse accru, dont rien ne le
tirait. Et il acheva de vieillir ainsi dans la stupeur, dans l'hébétement des
choses imprévues, extraordinaires, qui se passaient autour de lui, comme
s'il était tombé sur une autre planète.

— Est-ce qu'il a des crises de violence? demanda Luc à Suzanne.

— Oh! non, répondit-elle. Il est simplement très sombre, très soupçonneux, et mon inquiétude vient de ce que sa folie le reprend.

La raison de Boisgelin, en effet, semblait s'être obscurcie, à la suite de
la vie oisive qu'il traînait, au travers de cette Cité d'activité et de travail.
Du matin au soir, on le rencontrait, tel que le fantôme de la paresse,
blême, effaré, errant par les rues vivantes, par les Écoles en rumeur, par
les Ateliers retentissants, obligé de se garer à chaque pas, sous la menace
d'être submergé et emporté. Lui seul ne faisait rien, tandis que tous les

autres s'employaient, s'empressaient, débordants de la joie et de la santé de l'action. Il ne s'était pas acclimaté, il s'était détraqué, au milieu de ce monde nouveau, et sa folie fut de croire, peu à peu, en se voyant seul à ne pas travailler, parmi ce peuple de travailleurs, qu'il était le maître, le roi, et que ce peuple était un peuple d'esclaves, travaillant à son intention, amassant d'incalculables richesses dont il disposait à sa guise, pour son unique jouissance. Lorsque la vieille société croulait, l'idée du capital, en lui, avait résisté, debout quand même, et il demeurait le capitaliste fou, le capitaliste dieu, qui, possesseur de tous les capitaux de la terre, avait réduit tous les hommes à n'être plus que ses esclaves, les misérables artisans de son bonheur égoïste.

Luc trouva Boisgelin sur le seuil de la maison, habillé déjà, avec le soin correct qu'il continuait à prendre de sa personne. A soixante-dix ans, il restait le bellâtre de vaniteuse allure, la face rasée, le monocle à l'œil. Seul, le regard vacillant, la bouche molle, disaient l'effondrement intérieur. Un jonc à la main, un chapeau luisant posé légèrement sur l'oreille, il voulait sortir.

— Comment! déjà levé, déjà en course! s'écria Luc, qui affecta un air de belle humeur.

— Mais il le faut bien, mon cher, répondit Boisgelin, après un silence, en l'examinant d'un regard soupçonneux. Tout le monde me trompe, comment voulez-vous que je dorme tranquille, avec les millions par jour que mon argent me rapporte et que me gagne ce peuple d'ouvriers? Je suis forcé de me rendre compte, de voir comment les choses se passent, afin d'éviter le coulage de centaines de mille francs à l'heure.

Suzanne fit à Luc un signe désespéré. Puis, elle intervint.

— Moi, je lui conseillais de ne pas sortir aujourd'hui. A quoi bon tout ce tracas?

Son mari la fit taire.

— Ce n'est pas seulement l'argent d'aujourd'hui qui me préoccupe, c'est tout cet argent amassé, ces milliards que les millions quotidiens viennent encore grossir chaque soir. Je finis par ne plus me reconnaître, par ne plus savoir de quelle façon vivre, au milieu de cette fortune colossale. Il faut bien que je la place, n'est-ce pas? que je la gère, que je la surveille, pour éviter d'être volé par trop. Oh! c'est un travail dont vous n'avez pas la moindre idée, et qui me rend malheureux, oh! malheureux à en mourir, plus malheureux que les pauvres sans feu et sans pain.

Sa voix s'était mise à trembler d'une indicible douleur, de grosses larmes roulèrent sur ses joues. Il faisait pitié, et Luc, qui souffrait de lui comme d'une anomalie dans sa Cité travailleuse, fut pourtant remué jusqu'au fond du cœur.

— Bah! vous pouvez bien vous reposer un jour, reprit-il. Je suis de
l'avis de votre femme, je ne sortirais pas à votre place, je regarderais fleurir
les roses de mon jardin.

Méfiant, Boisgelin l'examina de nouveau. Puis, comme cédant à un besoin
de confidence, vis-à-vis d'un intime auquel il osait se confier :

— Non, non, il est indispensable que je sorte... Ce qui me gêne plus
encore que la surveillance de mes ouvriers et la bonne administration de ma
fortune, c'est de ne pas savoir où mettre mon argent. Pensez donc, des milliards et des milliards! Ça finit par encombrer, il n'y a pas de salles assez
grandes. Alors, j'ai l'idée d'aller voir, de chercher si je ne trouverai pas un
trou assez profond... Seulement, ne dites rien, personne ne doit s'en douter.

Et, comme Luc glacé, terrifié, regardait à son tour Suzanne toute pâle
et qui contenait ses larmes, Boisgelin profita de leur immobilité, pour passer
entre eux et s'échapper. D'un pas encore rapide, il gagna l'avenue ensoleillée, il disparut. Luc voulait courir, le ramener de force.

— Je vous assure, mon amie, vous avez tort de le laisser ainsi errer à sa
guise, en liberté. Je ne puis le rencontrer de la sorte, rôdant partout, autour
des Écoles, au travers des Ateliers et des Magasins, sans craindre un malheur,
quelque douloureuse catastrophe.

Depuis longtemps, il éprouvait ce malaise, et l'occasion seule lui donnait
le courage de l'avouer à Suzanne. Rien ne lui était plus pénible que le spectacle de ce vieillard éperdu, retombé en enfance, promenant sa folie de
paresse et de luxe, parmi son petit peuple en marche. Quand il le rencontrait,
tel qu'une protestation dernière du passé, il le suivait des yeux, il emportait
l'inquiétude de ce détraqué, fantôme errant de la société morte.

Mais Suzanne s'efforça de le rassurer.

— Il est inoffensif, je vous le jure. Moi, je tremble uniquement pour lui;
car il est des heures où je le vois si sombre, si misérable, avec tout cet argent
dont il est accablé, que je redoute de sa part un brusque besoin d'en finir.
Seulement, comment aurais-je la force de l'enfermer? Il n'est heureux que
dehors, ce serait une cruauté inutile, du moment où il n'adresse même jamais
la parole à personne, sauvage et craintif comme un enfant qui fait l'école
buissonnière.

Les larmes qu'elle contenait se mirent à couler.

— Ah! le malheureux, j'ai beaucoup souffert par lui, mais il ne m'avait
pas encore fait tant de peine!

Puis, quand elle sut que Luc se rendait aux Écoles, elle voulut l'accompagner. Le grand âge était venu pour elle aussi, elle avait soixante-huit ans;
mais elle était restée saine, légère, très active, ayant le besoin de s'intéresser
aux autres, de se dépenser en bonnes œuvres. Et, depuis qu'elle habitait à la
Crêcherie, depuis que son fils Paul, marié, père de plusieurs enfants, ne

l'occupait plus, elle s'était créé une famille élargie, en se faisant institutrice, maîtresse de solfège et de chant pour la classe primaire, les tout petits. Cela l'aidait à vivre heureuse, la ravissait d'éveiller la musique dans ces âmes pures, où chantait l'enfance. Elle était bonne musicienne, et d'ailleurs son ambition n'était pas de leur donner beaucoup de science, elle voulait simplement leur rendre le chant naturel, comme aux oiseaux des bois, comme à toutes les créatures qui vivent libres et gaies. Et elle avait obtenu des résultats merveilleux, sa classe était d'une joie sonnante de volière, toute la jeunesse qui sortait de ses mains emplissait ensuite les autres classes, les ateliers, la ville entière, d'une perpétuelle et gazouillante allégresse.

— Mais ce n'est pas votre cours aujourd'hui, lui fit remarquer Luc.

— Non, je veux seulement profiter de la récréation pour faire répéter un chœur à mes petits anges. Et puis, nous avons des décisions à prendre, avec Sœurette et Josine.

Toutes trois étaient devenues de grandes amies, des inséparables. Sœurette avait gardé la direction de la Crèche centrale, où elle veillait sur le tout petit monde, les enfants au berceau et ceux qui marchaient à peine. Quant à Josine, elle dirigeait l'atelier de couture et de ménage, elle faisait, de toutes les filles qui passaient par les Écoles, de bonnes épouses, de bonnes mères, capables de conduire une maison. En outre, elles formaient, à elles trois, une sorte de conseil, chargé de discuter les questions graves qui intéressaient la femme, dans la Cité nouvelle.

Luc et Suzanne avaient suivi l'avenue, et ils débouchèrent sur la vaste place, où se trouvait la Maison-Commune, entourée de pelouses, toutes verdoyantes, fleuries d'arbustes et de corbeilles. Ce n'était plus la très modeste bâtisse des premières années, un véritable palais s'était construit, avec une large façade polychrome, dont les grès décorés et les faïences peintes se mariaient au fer apparent, pour la gaieté des yeux. De vastes salles de réunion, de jeux et de spectacles, permettaient au peuple de s'y trouver à l'aise, chez lui, fraternisant en des fêtes fréquentes dont les réjouissances coupaient les jours de travail. Le plus possible, en dehors de la vie familiale, vécue par chacun à sa guise, au fond de sa petite maison discrète, il était bon que l'existence publique fût mise en commun, tous vivant de la vie de tous, réalisant peu à peu l'harmonie rêvée. Et c'était pourquoi, si les petites maisons étaient modestes, la Maison-Commune éclatait de luxe, toute l'ampleur et toute la beauté de la souveraine demeure du peuple roi. Elle tendait à devenir une ville dans la ville, tellement elle s'élargissait sans cesse, selon les besoins croissants. Derrière, des bâtiments s'ajoutaient, des Bibliothèques, des Laboratoires, des Salles de cours et de conférences, permettant à chacun l'instruction libre, les recherches, les expériences, la diffusion des vérités conquises. Il y avait aussi des préaux, des hangars pour les exercices du corps, sans parler d'une

admirable installation de Bains gratuits, des baignoires, des piscines, inon-
dées d'une eau fraîche et pure, cette eau ruisselante, captée sur les pentes
des Monts Bleuses, et qui était par son abondance intarissable la propreté,
la santé, l'allégresse continuelle de la grande Cité naissante. Mais, surtout,
les Écoles étaient devenues un monde, occupant maintenant des constructions éparses, à côté de la Maison-Commune, car plusieurs milliers d'enfants
y suivaient les cours. Pour éviter l'entassement toujours nuisible, on y avait
créé des divisions nombreuses, ayant chacune son pavillon dont les baies ouvraient sur les jardins. Et c'était comme une ville de l'enfance et de la jeunesse,
depuis les tout petits au berceau, jusqu'aux grands garçons et aux grandes
filles qui sortaient d'apprentissage, après avoir passé les cinq classes, où une
instruction et une éducation intégrales leur étaient données.

— Oh ! dit Luc avec son bon sourire, je commence par le commencement,
j'entre toujours en premier lieu chez mes petits amis qui tètent encore.

— Mais sans doute, répondit Suzanne, s'égayant elle aussi. J'entre avec
vous.

Dans ce pavillon, le premier à droite, au milieu des roses du jardin,
Sœurette régnait sur une centaine de berceaux et sur autant de petites
chaises roulantes. Elle surveillait aussi les pavillons du voisinage, mais elle
revenait toujours à celui-ci, où étaient trois petites-filles et un petit-fils de
Luc, qu'elle adorait. Luc et Josine, sachant combien cet élevage en commun
était profitable à la Cité, donnaient l'exemple, en voulant que les enfants de
leurs enfants fussent élevés, dès les premiers pas, avec les enfants des autres.

Josine, justement, se trouvait là, près de Sœurette. Ni l'une ni l'autre
n'étaient plus jeunes, la première âgée de cinquante-huit ans, la seconde de
soixante-cinq. Mais Josine gardait sa grâce souple, sa délicatesse blonde, sous
ses cheveux admirables, dont l'or fin avait simplement pâli ; tandis que Sœurette, comme il arrive aux filles disgraciées, maigres, brunes, semblait ne pas
vieillir, prenait avec l'âge un charme de jeunesse persistante, de bonté active.
Suzanne était encore leur aînée à toutes les deux, avec ses soixante-huit ans,
embellie par l'âge elle aussi, n'ayant jamais eu d'autre beauté que sa douceur affectueuse, sa haute raison attendrie d'indulgence. Et toutes trois entouraient Luc comme trois cœurs fidèles, l'une l'épouse aimante, les deux autres
les amies dévouées jusqu'à la passion.

Lorsque Luc entra, en compagnie de Suzanne, Josine tenait sur ses
genoux un petit garçon de deux ans à peine, dont Sœurette examinait la
menotte droite.

— Qu'a donc mon petit Olivier ? demanda-t-il inquiet déjà. Est-ce qu'il
s'est blessé ?

C'était le dernier venu, son petit-fils, Olivier Froment, né de son fils aîné
Hilaire Froment et de Colette, fille de Nanet et de Nise. Tous les mariages qui

s'étaient conclus, portaient maintenant leurs fruits, emplissaient les Crèches et les Écoles d'un flot sans cesse grossi de têtes blondes et brunes, le petit peuple en train de pousser sans relâche pour demain.

— Oh! dit Sœurette, c'est une simple écharde qui doit venir de la tablette de sa chaise... Là! c'est guéri!

L'enfant avait eu un cri léger, puis il s'était remis à rire. Mais une fillette de quatre ans, lâchée en liberté celle-là, accourut les bras ouverts, comme pour le saisir et l'emporter.

— Veux-tu bien le laisser tranquille, Mariette! cria Josine prise de peur. On ne fait pas une poupée de son petit frère!

Mariette protesta, dit qu'elle était sage. Et Josine, en bonne grand'mère radoucie, regarda Luc, et tous deux sourirent, si heureux de ce petit peuple, poussé de leur tendresse. Suzanne, d'ailleurs, leur amenait deux autres blondines, Hélène et Berthe, deux jumelles de quatre ans, leurs petites-filles aussi. Elles étaient nées de leur deuxième fille, Pauline, qui venait d'épouser André Jollivet, dont le grand-père, le président Gaume avait pris soin, après la disparition de Lucile et la mort tragique du capitaine. Luc et Josine, sur leurs cinq enfants, en avaient déjà marié trois, Hilaire, Thérèse, Pauline, et deux n'étaient encore que fiancés, Charles et Jules.

— Et ces mignonnes-là, vous les oubliez! dit gaiement Suzanne.

Les deux jumelles, Hélène et Berthe, s'étaient jetées au cou de Luc, qu'elles adoraient. Mariette aussi l'envahissait, lui grimpait aux jambes; tandis qu'Olivier lui-même, le tout petit, tendait ses menottes guéries, criant avec une frénésie de désir, pour que le grand-papa le prît sur ses épaules. Luc, étouffé sous les caresses, plaisanta.

— C'est cela, chère amie, il ne manque plus que vous alliez chercher Maurice, votre rossignol, comme vous dites. Ils seraient cinq à me manger, Bon Dieu! que vais-je devenir, quand ils seront des douzaines?

Et, remettant par terre les jumelles et Mariette, cette délicieuse enfance aux chairs roses, aux yeux purs, il prit un instant Olivier, le lança en l'air, très haut, ce qui lui fit pousser des cris de ravissement. Puis, l'ayant replacé dans sa chaise:

— Allons, soyez raisonnables, on ne peut pas toujours jouer, il faut que je m'occupe des autres.

Alors, guidé par Sœurette, suivi de Josine et de Suzanne, il fit le tour des salles. C'était un charme exquis, ces maisons de la toute petite enfance, avec leurs murs blancs, leurs berceaux blancs, leur petit peuple blanc, toute cette blancheur, si gaie dans le plein soleil, dont les rayons entraient par les hautes fenêtres. Là aussi l'eau ruisselait, on en sentait la fraîcheur cristalline, on en entendait le murmure, comme si des ruisseaux clairs entretenaient partout l'excessive propreté qui éclatait dans les plus modestes ustensiles.

Cela sentait bon la candeur et la santé. Si des cris parfois sortaient des berceaux, on n'entendait le plus souvent que le joli babil, les rires argentins des enfants marchant déjà, emplissant les salles de leurs continuelles envolées. Des jouets, autre petit peuple muet, vivaient partout leur vie naïve et comique, des poupées, des pantins, des chevaux de bois, des voitures. Et ils étaient la propriété de tous, des garçons comme des filles, confondus les uns et les autres en une même famille, poussant ensemble dès les premiers langes, en sœurs et en frères, en maris et en femmes, qui devaient, jusqu'à la tombe, mener côte à côte une existence commune.

Souvent, Luc s'arrêtait, se récriait. Oh! la belle petite fille, oh! le beau petit garçon! Et il se trompait, et il riait, le petit garçon étant une petite fille, ou bien le contraire.

— Comment! dit-il en s'arrêtant devant un berceau, vous avez encore là deux jumelles? Quels amours d'enfants, si semblables, d'une beauté si tendre!

— Mais non, mais non! s'écria Sœurette amusée. C'est une fillette à qui le petit garçon du berceau voisin est venu rendre visite. Dès qu'ils peuvent se rejoindre, nous en retrouvons parfois trois ou quatre dans les bras les uns des autres.

Et tous s'égayèrent de cette belle moisson d'affection et d'amour, en train de germer. Suzanne, qui, d'abord, avait témoigné les plus grandes craintes, même les plus vives répugnances, pour l'éducation et l'instruction en commun des deux sexes, s'émerveillait maintenant des admirables résultats obtenus. Ces garçons et ces filles, que l'on consentait bien autrefois à laisser voisiner jusqu'à l'âge de sept ou huit ans, mais qu'on isolait ensuite, entre lesquels on bâtissait un mur infranchissable, grandissaient alors dans l'ignorance les uns des autres, étaient devenus des étrangers, des ennemis, le soir des noces, où, brutalement, on jetait la femme aux bras de l'homme. Les cerveaux cessaient d'être de la même race, le mystère exaspérait le désir sensuel, c'était la chaude ruée du mâle et l'hypocrite réserve de la femelle, toute la bataille de deux créatures hostiles, aux idées différentes, aux intérêts opposés. Et, aujourd'hui, dans les jeunes ménages, Suzanne pouvait constater l'heureuse paix acquise déjà, une fusion plus étroite d'intelligence et de sentiment, la raison, la bonne entente, la fraternité dans l'amour. Mais, surtout, elle était frappée, dans les Écoles mêmes, des bons effets du mélange des sexes, qui éveillait une sorte d'émulation nouvelle, donnant de la douceur aux garçons, de la décision aux filles, les préparant par une pénétration intime, une connaissance libre et entière, à se fondre complètement, à n'être plus qu'un esprit, qu'un être au foyer familial. L'expérience était faite, on ne constatait pas un cas de l'excitation sensuelle tant redoutée, le niveau moral au contraire se relevait, et c'était merveille de voir ces garçons, ces filles, aller d'eux-mêmes aux études qui devaient leur être les plus utiles, grâce à la grande liberté laissée à chaque écolier de travailler selon son goût, pour les besoins de son avenir.

Suzanne dit en plaisantant :

— Les fiançailles se font dès le berceau, et ça supprime le divorce, car on se connaît de trop pour se prendre à la légère... Allons, mon bon Luc, voici la récréation, et je veux que vous entendiez chanter mes élèves.

Sœurette resta parmi son petit peuple, l'heure du bain était venue, tandis que Josine devait se rendre à son atelier de couture, où des filles préféraient passer la récréation, ravies d'apprendre à faire des robes pour leurs poupées. Et Luc seul suivit Suzanne, le long de la galerie couverte, sur laquelle ouvraient les cinq classes.

Ces classes étaient devenues tout un monde. Il avait fallu les subdiviser, créer des locaux plus vastes, élargir aussi les dépendances, les gymnases, les ateliers d'apprentissage, les jardins, où les enfants, toutes les deux heures, étaient lâchés en liberté. Après quelques tâtonnements, la méthode d'instruction et d'éducation se trouvait fixée désormais, et ce libre enseignement qui rendait l'étude attrayante, en laissant à l'élève sa personnalité, en lui demandant le seul effort dont il était capable pour les leçons préférées, choisies sans contrainte, donnait d'admirables résultats, augmentait chaque année la Cité d'une génération nouvelle, capable de plus de vérité et de plus de justice. C'était la bonne, l'unique façon de hâter l'avenir, de faire pousser les hommes chargés de réaliser demain, délivrés des dogmes menteurs, grandis dans les réalités nécessaires, acquis aux faits scientifiques démontrés, dont l'ensemble constitue la certitude inébranlable. Maintenant, rien ne semblait plus logique ni plus profitable que de ne pas courber une classe entière sous la férule d'un maître, s'efforçant d'imposer sa foi personnelle à une cinquantaine d'écoliers, de cervelles et de sensibilités différentes. Il paraissait tout naturel d'éveiller seulement, chez ces écoliers, le désir d'apprendre, puis de les diriger dans leurs découvertes, de favoriser les facultés individuelles qui se manifestaient dans chacun. Les cinq classes étaient devenues ainsi des terrains d'expérience, où les enfants, d'une façon graduée, parcouraient le champ des connaissances humaines, non plus pour les engloutir, goulûment, sans rien en digérer, mais pour éveiller chacun à leur contact sa propre énergie intellectuelle, pour se les assimiler selon sa personnelle compréhension, surtout pour décider la spécialité plus étroite où il se sentait entraîné. Jamais l'expression qu'on était là pour apprendre à apprendre n'avait encore été si vraie. C'était le débrouillage des jeunes cerveaux, le choix de chaque enfant parmi l'immensité du savoir, la meilleure façon logique d'utiliser plus tard tout son effort, tout ce qu'il apportait d'intelligence et d'énergie. Et cela grâce à l'attrait de l'étude, à la liberté saine et féconde, aux continuelles récréations de joie et de force dont on coupait les heures de travail.

Un instant encore, Luc et Suzanne durent attendre que les classes fussent terminées. De la galerie couverte, dont ils longeaient le promenoir à petits pas, ils pouvaient jeter un coup d'œil dans les grandes salles, où les élèves avaient chacun sa petite table et sa chaise. On avait renoncé aux tables et aux bancs continus, on leur donnait ainsi la sensation d'être leur maître. Mais quel gai spectacle, ces filles, ces garçons, ainsi mêlés au petit bonheur des places! Et quelle attention passionnée ils prêtaient à la parole du professeur, debout parmi eux, allant de l'un à l'autre, causant sa leçon, provoquant les contradictions parfois! Comme il n'y avait plus ni punitions ni récompenses, tous satisfaisaient leur besoin naissant de gloire, dans cette lutte à qui montrerait le mieux qu'il avait compris. Souvent, le professeur cédait la parole à ceux qu'il sentait pleins du sujet, les cours prenaient ainsi un intérêt de discussion renouvelé sans cesse. Par les moyens les plus variés, le but unique était de rendre les études vivantes, de les tirer de la lettre morte des livres, pour leur donner la vie des choses, la passion des idées. Et le plaisir en naissait, le plaisir d'apprendre, de savoir, et les cinq classes déroulaient l'ensemble logique des connaissances humaines, comme le drame émouvant et réel du vaste monde, que chacun de nous doit connaître, s'il veut y agir et y être heureux.

Il y eut une joyeuse clameur, c'était enfin la récréation. Toutes les deux heures, les jardins se trouvaient envahis, et il fallait voir le gai tumulte de la sortie des classes, ce flot de garçons et de filles qui fraternisaient en bons amis! On les retrouvait côte à côte partout, des jeux s'organisaient sans distinction de sexe, d'autres préféraient causer gaiement, d'autres se rendaient dans les gymnases ou dans les ateliers d'apprentissage. Les rires montaient très francs et très purs. Un seul jeu était tombé en désuétude, on avait cessé de jouer au petit mari et à la petite femme, car on n'était plus là qu'entre camarades. Dans la vie, on aurait bien le temps, puisque désormais on ne se quittait pas et qu'on poussait ensemble, pour se mieux connaître et s'aimer davantage.

Mais un garçon de neuf ans, très beau, très fort, vint se jeter dans les bras de Luc, en criant :

— Bonjour, grand-père!

C'était Maurice, le fils de Thérèse Froment, qui avait épousé un Morfain, Raymond, né de Petit-Da, le bon géant, et d'Honorine Caffiaux.

— Ah! dit Suzanne heureuse, voilà mon rossignol... Hein! voulez-vous? mes enfants, nous allons répéter notre chœur si joli sur cette pelouse, entre ces grands marronniers.

Déjà toute une bande l'entourait. Parmi les beaux enfants rieurs, il y avait là deux garçons et une fille que Luc embrassa. Ludovic Boisgelin, âgé de onze ans était né de Paul Boisgelin et d'Antoinette Bonnaire, ce mariage d'amour vainqueur, qui, après tant d'autres, avait achevé la fusion des classes. Félicien Bonnaire, âgé de quatorze ans, était né de Séverin Bonnaire et de Léonie, la fille d'Achille Gourier et de Ma-Bleue, le couple de libre tendresse qui avait fleuri parmi les roches sauvages et embaumées des Monts-Bleuses. Germaine Yvonnot, âgée de seize ans, était la petite-fille d'Auguste Laboque et de Martha Bourron, la fille de leur fils Adolphe et de Zoé Bonnaire, belle enfant brune et rieuse en qui s'unissait, se réconciliait le sang fraternel, si longtemps en guerre, de l'ouvrier, du paysan et du petit commerçant. Et Luc s'amusait à débrouiller l'écheveau compliqué de ces alliances, de ces croisements continuels, et il se reconnaissait très bien au milieu de ces jeunes têtes, il était ravi de cette végétation sans fin, pullulant avec les mariages, peuplant sa ville.

— Vous allez les entendre, dit Suzanne. C'est un hymne au soleil levant, un salut de l'enfance à l'astre qui va mûrir les moissons.

Sur la pelouse, au milieu des grands marronniers, une cinquantaine d'enfants se trouvaient réunis. Et le chant s'éleva, très frais, très pur et très gai. Cela était sans grande science musicale, une simple suite de couplets alternés, dits par une fillette et par un petit garçon, que le chœur appuyait. Mais l'allégresse était vive, le sentiment si plein d'une naïve foi en l'astre de bonté et de lumière, que ces voix grêles, un peu aigres, prenaient un charme attendrissant. Le petit garçon, Maurice Morfain, qui donnait la réplique à la fillette, Germaine Yvonnot, avait en effet, comme le disait Suzanne, une voix d'ange, d'une légèreté cristalline, filant à l'aigu des sons délicieux de flûte. Puis, c'était le gazouillis du chœur, un ramage d'oiseaux lâchés et caquetant parmi les branches. Rien n'était plus amusant que de les entendre.

Luc riait, en bon grand-père ravi, et Maurice, tout glorieux, vint se jeter de nouveau entre ses bras.

— Mais c'est vrai, mon petit homme, tu chantes comme un rossignol des bois! Voilà qui est joliment bon, parce que, dans la vie, vois-tu, tu chanteras, aux heures de souci, et ça te donnera du courage. Il ne faut jamais pleurer, il faut chanter toujours.

— Eh! c'est ce que je leur dis, s'écria Suzanne avec sa tendre bravoure. Il faut que tout le monde chante, je leur apprends à chanter pour qu'ils chantent ici, à l'école, et plus tard dans les ateliers, et plus tard dans l'existence entière. Un peuple qui chante est un peuple de santé et de joie.

Elle s'égayait, elle ne mettait aucune rudesse ni aucune vanité dans son enseignement, donnant ainsi ses leçons parmi les verdures du jardin, simplement satisfaite d'ouvrir ces petites âmes à la belle humeur du chant fraternel, à la beauté claire de l'harmonie. Comme elle le disait, la Cité heureuse, au jour de la justice et de la paix, chanterait tout entière sous le soleil.

— Allons, mes petits amis, encore une fois, et bien en mesure, ne vous pressez pas, nous avons le temps.

De nouveau, le chant s'éleva. Mais, vers la fin du morceau, un trouble se produisit. Derrière les marronniers, dans un massif d'arbustes, un homme avait paru, l'air furtif, tournant le dos, se cachant. Luc pourtant avait reconnu Boisgelin, et il fut surpris de son singulier manège, quand il le vit se baisser, fouiller des yeux les herbes, comme s'il y cherchait une cachette, un trou ignoré. Puis, il crut comprendre, le pauvre homme devait s'inquiéter, dans sa folie, d'un coin discret, où il pourrait entasser ses incalculables richesses, pour qu'on ne les lui volât pas. Souvent on le rencontrait éperdu, tremblant de peur, ne sachant au fond de quel gouffre enterrer ce trop de fortune, dont le poids l'écrasait. Et Luc en eut un frisson de grande pitié, surtout lorsqu'il vit les enfants s'effrayer de l'inquiétante apparition, comme une bande de gais pinsons que le vol effaré d'un oiseau de nuit met en fuite.

Suzanne, un peu pâle, répéta très haut :

— En mesure, en mesure, mes chéris! enlevez la phrase finale, de tout votre bon petit cœur !

Boisgelin, soupçonneux, hagard, avait disparu, ainsi qu'une ombre noire parmi les arbustes en fleur. Et, dès que les enfants rassurés eurent salué le soleil souverain d'un dernier cri d'allégresse, Luc et Suzanne les félicitèrent, les renvoyèrent à leurs jeux. Puis, restés seuls, tous deux se dirigèrent vers les ateliers d'apprentissage, de l'autre côté du jardin.

— Vous l'avez vu, dit-elle très bas, après un silence. Ah! le malheureux, quelle inquiétude il me donne !

Et, comme Luc regrettait de n'avoir pu rejoindre Boisgelin pour le ramener chez lui, elle se récria de nouveau :

— Mais il ne vous aurait pas suivi, il aurait fallu lutter, tout un scandale. Je vous le répète, mon unique crainte est qu'on ne le retrouve un jour fracassé, au fond de quelque trou.

Ils retombèrent dans le silence, ils arrivèrent aux ateliers d'apprentissage. Beaucoup des élèves venaient y passer une partie de la récréation, à raboter du bois, à limer du fer, à coudre ou à broder, pendant que d'autres, maîtres d'un terrain voisin, s'occupaient à bêcher, à semer, à sarcler. Et ils retrouvèrent Josine dans une vaste salle, où des machines à coudre, des métiers à tricoter et à tisser fonctionnaient côte à côte, dirigés par des filles et des garçons; car, au sortir des Écoles, les deux sexes restaient mêlés, continuaient la vie en commun, partageant les travaux et les plaisirs, les devoirs et les droits, comme ils avaient partagé les études. Des chants retentissaient, une émulation joyeuse animait cet atelier d'apprentissage.

— Vous entendez, ils chantent, dit Suzanne, reprise de gaieté. Ils chanteront toujours, mes oiseaux chanteurs.

Josine montrait à une grande fillette de seize ans, Clémentine Bourron, comment il fallait conduire une machine à coudre pour obtenir un certain point de broderie. Et une autre fillette, plus jeune, âgée de neuf ans, Aline Boisgelin, attendait, pour qu'elle lui enseignât de quelle façon on rabattait à la main une couture. Clémentine, qui était la fille de Sébastien Bourron et d'Agathe Fauchard, avait pour grand-père maternel l'arracheur Fauchard et pour grand-père paternel le puddleur Bourron. Aline, sœur cadette de Ludovic, née de Paul Boisgelin et d'Antoinette Bonnaire, eut un rire tendre, lorsqu'elle aperçut sa grand'mère Suzanne, dont elle était adorée.

— Oh! tu sais, grand'mère, je ne peux pas encore très bien les rabattre, les coutures, mais je les fais déjà joliment droites... N'est-ce pas, amie Josine?

Suzanne l'embrassa, puis regarda Josine lui rabattre un bout de couture, comme modèle. Luc lui-même s'intéressait à ces menus travaux, sachant bien qu'il n'y a rien d'indifférent, que la vie heureuse est faite de l'heureux emploi des heures, de l'être tout entier utilisé, employant toutes ses énergies physiques et intellectuelles à vivre logiquement, normalement, toute la vie. Et Sœurette les ayant rejoints, au moment où il quittait Josine et Suzanne, pour se rendre à l'usine, il se retrouva un instant dans le jardin fleuri avec les trois femmes, les trois cœurs passionnés et dévoués, qui l'aidaient si puissamment à réaliser son rêve de bonté et de justice.

Ils causèrent encore sous les ombrages, se distribuant la besogne, examinant les résolutions à prendre. Si leur petit monde poussait si gaillardement, sans trop de heurts, donnant une si belle moisson de bons résultats, c'était grâce à ce principe des éducateurs, des instructeurs : il n'y a pas de passions mauvaises dans l'être humain, il n'y a que des énergies, car les passions sont toutes des forces admirables, et il s'agit uniquement de les utiliser pour le bonheur des individus et de la communauté. Est-ce que le désir, condamné par les religions, le désir, que des siècles d'ascétisme se sont efforcés de détruire comme une bête mauvaise, le désir traqué, écrasé dans l'homme et dans la femme, victorieux quand même, n'est pas la flamme vivante du monde, le levier qui met les astres en branle, la vie en marche dont la disparition éteindrait le soleil, replongerait la terre aux ténèbres glacées du néant? Il n'y a pas de concupiscents, il n'y a que des cœurs de flamme qui rêvent d'infini dans la joie d'amour. Il n'y a pas d'homme colère, d'homme avare, d'homme menteur, gourmand, paresseux,

Sous la clarté mourante du ciel, il avait reconnu Boisgelin.

envieux, orgueilleux, il n'y a que des hommes dont on n'a pas su diriger les forces intérieures, les énergies déréglées, les besoins d'action, de lutte et de victoire. Avec un avare, on fait un prudent, un économe. Avec un emporté, un envieux, un orgueilleux, on fait un héros, se donnant tout entier pour un peu de gloire. Mutiler l'homme d'une passion, c'est comme si on lui coupait un membre : il n'est plus entier, on en fait un infirme, on lui enlève de son sang, de sa puissance. Et c'est merveille que l'humanité ait pu vivre, sous ces religions de mort qui, depuis si longtemps, s'acharnent à tuer l'homme dans l'homme, en voulant l'amener à un Dieu de cruauté et de mensonge, dont le règne ne s'établirait que sur de la poussière humaine.

Dans les Écoles, dans les Ateliers d'apprentissage, et même dès les premiers pas, dès les jeux puérils des Crèches, on utilisait donc les passions naissantes des enfants, au lieu de les réprimer. Si les paresseux étaient soignés comme des malades, dont on cherchait à éveiller l'émulation et la volonté, en les faisant s'appliquer aux études librement choisies par eux, comprises et aimées, on usait la force des violents à des travaux plus durs, on tirait des avares tout un bénéfice de logique et de méthode, on obtenait des envieux, des orgueilleux, d'admirables profits d'intelligence vaste, triomphant dans les besognes les plus malaisées. Ce qu'une morale de restriction hypocrite a nommé les plus bas instincts de l'homme devenait ainsi l'ardent foyer où la vie puisait son inextinguible flamme. Toutes les forces vivantes se remettaient en leur place, toute la création se réglait en son ordre souverain, et elle roulait à pleins bords le flot des êtres, et elle emmenait l'humanité à la Cité heureuse. Au lieu de l'imbécile imagination du péché originel, de l'homme mauvais qu'un Dieu d'illogisme punit et doit sauver à chaque pas, entre la menace d'un enfer enfantin et la promesse d'un paradis menteur, il n'y avait plus que l'évolution naturelle d'une espèce d'êtres supérieurs, simplement en lutte contre les forces de la nature, et qui les vaincront, qui les soumettront pour leur bonheur, le jour où, cessant leur guerre fratricide, ils vivront en frères tout-puissants, après avoir douloureusement conquis la vérité, la justice et la paix.

— C'est très bien, finit par dire Luc, lorsqu'il eut réglé la journée avec Josine, Sœurette et Suzanne. Allez, mes bonnes amies, et que votre cœur fasse le reste.

Toutes trois l'entouraient, comme l'émanation même de l'affectueuse solidarité, de l'universel amour qu'il rêvait d'épandre parmi les hommes. Elles s'étaient pris les mains, elles lui souriaient, si âgées déjà, avec leurs cheveux blancs, très douces, très belles encore, d'une beauté extraordinaire d'infinie bonté. Et, quand il les quitta pour se rendre à l'usine, elles le suivirent longtemps de leurs yeux tendres.

A l'usine, les halles, les ateliers s'étaient élargis encore, dans la gaieté saine du plein soleil et du grand air qui les inondaient. De toutes parts, les eaux fraîches, ruisselantes, lavaient les dalles de ciment, emportaient les moindres poussières, de sorte que la maison du travail, autrefois si noire, si boueuse, si empuantie, reluisait partout maintenant d'une admirable propreté. Sous les immenses vitrages clairs, on aurait cru entrer dans une ville de bon ordre, de joie et de richesse. Les machines, désormais, faisaient presque toute la besogne. Actionnées par l'électricité, elles étaient là, superbes, en rangs pressés, telles qu'une armée d'ouvrières dociles, infatigables, sans cesse prêtes à donner leur effort. Si leurs bras de métal finissaient par s'user, on les remplaçait simplement, et elles ignoraient la douleur, elles avaient en partie supprimé la douleur humaine. C'était la machine enfin amie, non plus la machine des débuts, concurrente qui aggravait la faim de l'ouvrier en faisant baisser les salaires, mais la machine libératrice, devenue l'universel outil, peinant pour l'homme, pendant qu'il se reposait. Il n'y avait plus, autour de ces solides travailleuses, que des conducteurs, des surveillants, dont l'unique besogne consistait à manœuvrer des leviers de mise en marche, à s'assurer du bon fonctionnement des mécanismes. La journée ne dépassait pas quatre heures, et jamais un ouvrier ne faisait une tâche pendant plus de deux heures, relayé par un camarade, passant lui-même à un labeur autre, art industriel, culture ou fonction publique. Comme l'emploi général de la force électrique supprimait à peu près l'ancien vacarme dont retentissaient les halles, elles s'égayaient du seul chant des travailleurs, cette allégresse chantante qu'ils apportaient des Écoles, comme une floraison d'harmonie embellissant leur vie entière. Et ces hommes qui chantaient, autour de ces machines si douces et si fortes en leur silence, dans l'éclat de leurs aciers et de leurs cuivres, disaient la joie du juste travail, glorieux et sauveur.

Luc, en passant dans la halle des fours à puddler, s'arrêta un instant, pour échanger un mot amical avec un fort garçon d'une vingtaine d'années, qui suffisait à la conduite d'un des fours.

— Eh bien ! Adolphe, ça marche, vous êtes content ?

— Certes oui, monsieur Luc. J'achève ma tâche de deux heures, et voici la boule bonne à être retirée du four.

Adolphe était le fils d'Auguste Laboque et de Marthe Bourron. Mais, comme autrefois son grand-père maternel, le puddleur Bourron, aujourd'hui à la retraite, il n'avait plus à faire la terrible besogne du brassage, la boule de métal en fusion brassée longuement à l'aide du ringard, dans le flamboiement du feu. Le brassage s'opérait mécaniquement, et même un ingénieux système sortait la boule étincelante, la chargeait sur le chariot roulant, qui l'amenait ensuite sous le marteau cingleur, sans nécessiter l'intervention de l'ouvrier.

Gaiement, Adolphe reprit :

— Vous allez voir, la qualité est supérieure, et c'est si simple, ce bon travail !

Il avait abaissé un levier, il y eut un déclenchement, une porte s'ouvrit, laissa glisser jusqu'au chariot la boule, pareille à un astre incendiant l'horizon d'une traînée lumineuse. Et lui souriait toujours, le teint frais, sans une goutte de sueur, les membres souples et fins, en homme que trop de fatigue ne déformait pas. Déjà le chariot était allé décharger son fardeau sous le marteau cingleur de modèle récent, actionné par l'électricité, et qui faisait lui aussi toute la besogne, sans que le forgeron chargé de le conduire eût à se casser les bras, à tourner et à retourner le massiau dans tous les sens. La danse en était si aisée, si claire, qu'elle devenait une musique accompagnant la belle humeur des ouvriers.

— Je me dépêche, dit encore Adolphe, après s'être lavé les mains. J'ai à terminer un modèle de table qui me passionne, et je vais faire deux heures aux ateliers de menuiserie.

En effet, il était menuisier en même temps que puddleur, ayant appris plusieurs métiers, comme tous les jeunes gens de son âge, pour ne pas s'abêtir dans une spécialité étroite. Le travail devenait une joie, une récréation, en se variant, en se renouvelant toujours ainsi.

— Bon plaisir ! lui cria simplement Luc, joyeux de sa joie.

— Oui, oui, merci, monsieur Luc. C'est le mot, bon travail, bon plaisir !

Mais où Luc passait quelques minutes heureuses, les matins de visite, c'était dans la halle des fours à creusets. Comme il s'y sentait loin de l'ancien enfer, les fours à creusets de l'Abîme, les fosses ardentes grondant ainsi que des volcans, et d'où les misérables ouvriers, dans une réverbération d'incendie, devaient retirer à bout de bras les cent livres de métal en fusion ! Au lieu de la salle noire, poussiéreuse, d'une saleté immonde, s'étendait une vaste galerie que les grands vitrages ensoleillaient, pavée de larges dalles, entre lesquelles s'ouvraient les batteries de fours symétriques. L'emploi de l'électricité les laissait froids, silencieux, d'une propreté claire. Et, là aussi, des machines faisaient toute la besogne, descendaient les creusets, les remontaient embrasés, les vidaient dans les moules, sous la simple surveillance des ouvriers conducteurs. Des femmes même se trouvaient là, préposées à la distribution de la force électrique, car on avait remarqué chez elles plus de soin et de justesse dans le maniement des appareils de précision.

Justement, Luc s'approcha d'une grande et belle fille de vingt ans, Laure Fauchard, née de Louis Fauchard et de Julienne Dacheux, et qui debout près d'un appareil, très attentive, donnait le courant à un four, selon les indications d'un jeune ouvrier, en train de surveiller la fusion.

— Eh bien ! Laure, demanda-t-il, vous n'êtes pas fatiguée ?

— Oh ! non, monsieur Luc, ça m'amuse. Comment voulez-vous que je me fatigue, à tourner ce petit volant ?

Le jeune ouvrier, Hippolyte Mitaine, âgé de vingt-trois ans bientôt, s'était approché. Lui était né d'Évariste Mitaine et d'Olympe Lenfant, et on le disait fiancé à Laure Fauchard.

— Monsieur Luc, dit-il, si vous voulez voir fondre des lingots, nous sommes prêts.

Et, mise en branle, la machine, avec son aisance tranquille, sortit les creusets incandescents, les versa dans des lingotières, qu'un mécanisme amenait à tour de rôle. En cinq minutes, tandis que les ouvriers regardaient, la besogne se trouva proprement faite, le four put recevoir une nouvelle charge.

— Et voilà ! dit Laure en riant de son beau rire. Quand je songe à toutes les terribles histoires dont mon pauvre grand-père Fauchard a bercé mon enfance ! Il n'avait plus trop la tête à lui, il racontait des choses à faire frémir sur son ancien métier d'arracheur, comme s'il avait vécu sa vie dans le feu, le ventre et les membres mangés par la flamme. Tous les anciens nous trouvent bien heureux maintenant.

Luc était devenu grave, tandis que ses yeux se mouillaient d'émotion.

— Oui, oui, les grands-pères ont eu beaucoup de souffrances. Et c'est pour cela que les petits-enfants ont la vie meilleure... Travaillez bien, aimez-vous bien, la vie sera meilleure encore à vos fils et à vos filles !

Et Luc continua sa visite, et partout où il se rendit, dans les différentes halles, celle du moulage d'acier, celle de la grosse forge, celle des grands et petits tours, il trouva la même propreté saine, la même gaieté chantante, le même travail aisé et amusant, grâce à la diversité des tâches et à l'aide souveraine des machines. L'ouvrier, qui n'était plus la bête de somme écrasée, méprisée, redevenait une conscience, une intelligence, désormais libre et glorieux. Et, quand Luc acheva son tour matinal, par la halle des laminoirs, à côté des fours à puddler, il s'y arrêta de nouveau, pour dire un mot amical à un garçon d'environ vingt-six ans, Alexandre Feuillat, qui arrivait.

— Oui, monsieur Luc, je viens des Combettes, où j'aide mon père. Nous avions des semences à finir, j'ai fait deux heures là-bas... Maintenant, je vais faire ici deux heures encore, car il y a une commande de rails qui presse.

Il était fils de Léon Feuillat et d'Eugénie Yvonnot. Et, d'imagination vive, il s'amusait, après ses quatre heures réglementaires de travail, à des dessins d'ornement, pour les ateliers du potier Lange.

Mais, déjà, il s'était mis à la besogne, surveillant un grand train de laminoirs qui fabriquait des rails. Luc, bienveillant, heureux, regardait. Depuis qu'on employait la force électrique, le vacarme terrible des laminoirs avait disparu, ils fonctionnaient d'un air de douceur huilée, avec le seul bruit argentin de chaque rail qui jaillissait, s'ajoutant aux rails en train de se refroidir. C'était la bonne production incessante des époques de paix, des rails, et encore des rails, pour que toutes les frontières fussent franchies et pour que tous les peuples, rapprochés, fissent un seul peuple, sur la terre entière sillonnée de routes. C'étaient de grands navires en acier, non plus d'abominables navires de guerre, portant la dévastation et la mort, mais des navires de solidarité, de fraternité, échangeant les produits des continents, décuplant la richesse familiale de l'humanité, à ce point qu'une prodigieuse abondance régnait partout. C'étaient des ponts facilitant aussi les communications, des poutres et des charpentes métalliques dressant les innombrables monuments dont les citoyens réconciliés avaient besoin pour la vie publique, les Maisons-Communes, les Bibliothèques, les Musées, les Asiles de protection et de refuge, les Magasins-Généraux immenses, des Entrepôts et des Greniers capables de contenir la vie et l'entretien des nations fédérées. C'étaient enfin les machines sans nombre, qui, en tous lieux, pour toutes les besognes, remplaçaient les bras de l'homme, celles qui cultivaient la terre, celles qui travaillaient dans les ateliers, celles qui roulaient à l'infini, par les routes, par les flots, par les cieux. Et Luc se réjouissait de tout ce fer devenu pacifique, le métal de conquête dont l'humanité n'avait si longtemps tiré que des épées, pour ses luttes sanglantes, dont elle avait fait plus tard des canons et des obus, aux époques des derniers carnages, et dont elle bâtissait sa Maison de fraternité, de justice et de bonheur, maintenant que la paix était conquise.

Avant de rentrer, Luc voulut donner un dernier coup d'œil à la batterie de fours électriques, qui avait remplacé le haut fourneau de Morfain. Justement, sous le hangar aux vitres claires, dans un grand rayon de soleil, la batterie fonctionnait. Toutes les cinq minutes, le mécanisme chargeait les fours, après que le trottoir roulant avait emporté les dix gueuses, dont la gaieté de l'astre faisait pâlir le flamboiement. Et il y avait encore là deux jeunes filles veillant aux appareils électriques, toutes deux d'une vingtaine d'années, l'une d'un blond délicieux, Claudine, née de Lucien Bonnaire et de Louise Mazelle, l'autre d'un noir superbe, Céline, née d'Arsène Lenfant et d'Eulalie Laboque. Attentives à donner et à supprimer le courant, elles ne purent que sourire à Luc. Mais il y eut un repos, et elles s'avancèrent, en apercevant tout un groupe d'enfants, qui s'arrêtaient curieusement au seuil du hangar.

— Bonjour, mon petit Maurice! bonjour, mon petit Ludovic! bonjour, ma petite Aline!... Les classes sont donc finies, que vous venez nous voir?

On permettait ainsi aux écoliers, en manière de récréation, de courir librement à travers l'usine, dans l'idée qu'ils s'y familiarisaient avec le travail, tout en y acquérant des notions premières.

Luc, heureux de revoir son petit-fils Maurice, fit entrer toute la bande. Et il répondit aux questions nombreuses, il expliqua le mécanisme des fours, il fit même fonctionner les appareils pour montrer aux enfants comment il suffisait que Claudine, ou Céline, tournât un petit levier, pour mettre le métal en fusion et le faire couler en un jet éblouissant.

— Oh ! je sais, j'ai déjà vu ça, dit Maurice, avec l'importance d'un petit homme, dont les neuf ans avaient appris beaucoup de choses. Grand-père Morfain, un jour, m'a tout montré... Mais, dis-moi, grand-père Froment, c'est donc vrai qu'autrefois il y avait des fourneaux hauts comme des montagnes, et qu'il fallait se brûler la figure jour et nuit, pour en tirer quelque chose ?

Tous se mirent à rire, et ce fut Claudine qui répondit :

— Bien sûr ! Grand-père Bonnaire me l'a conté souvent, et tu devrais connaître l'histoire, mon petit Maurice, toi dont le bisaïeul, le grand Morfain, comme on le nomme encore, a été le dernier à se battre en héros avec le feu. Il vivait là-haut dans un trou de roches, il ne descendait jamais à la ville, il veillait d'un bout de l'année à l'autre sur son fourneau géant, le monstre, dont on voit encore les ruines, au flanc de la montagne, tel qu'un donjon éventré des anciens âges.

Maurice, les yeux arrondis par l'étonnement, écoutait avec l'intérêt passionné d'un enfant à qui l'on raconte quelque prodigieux conte de fées.

— Oh ! je sais, je sais, grand-père Morfain m'a déjà dit tout ça de son père et du fourneau haut comme une montagne. Mais, tout de même, j'ai cru qu'il inventait ça pour nous amuser, car il en invente d'autres, quand il veut nous faire rire... Alors, c'est vrai ?

— Mais oui, c'est vrai ! continua Claudine. Il y avait en haut des ouvriers qui chargeaient le fourneau, en y versant des charretées de minerai et de charbon, et il y avait en bas d'autres ouvriers qui veillaient sans cesse, toujours aux petits soins pour que le monstre n'eût pas une indigestion, dont l'embarras aurait empêché la bonne besogne de se faire.

— Et, reprit à son tour Céline, l'autre jeune fille, ça durait sept ou huit ans, pendant sept ou huit ans le monstre restait allumé, toujours flambant comme un cratère, sans qu'on pût seulement le laisser se refroidir un peu, car, s'il se refroidissait, c'était une très grande perte, il fallait lui ouvrir le ventre, le nettoyer et le rebâtir presque à neuf.

— Alors, dit encore Claudine, tu comprends, mon petit Maurice, le grand Morfain, ton bisaïeul, avait joliment de la besogne à ne pas quitter ce feu de sept ou huit ans, sans compter que, toutes les cinq heures, il fallait, à coups de ringard, déboucher le trou de coulée, pour vider le creuset du métal fondu, un vrai ruisseau de flammes, dont la chaleur vous rôtissait comme un canard à la broche.

Du coup, les trois enfants, stupéfaits jusque-là, partirent d'un éclat de rire. Oh! le canard à la broche, le grand Morfain qui rôtissait comme un canard!

— Ah bien! dit Ludovic Boisgelin, ce n'était pas drôle de travailler dans ce temps-là. Ça devait donner trop de peine.

— Sans doute, dit sa sœur Aline, j'aime mieux être née plus tard, c'est si amusant de travailler aujourd'hui.

Mais Maurice était redevenu sérieux, l'air réfléchi, ruminant dans sa petite tête les choses incroyab'es qu'on lui racontait. Et il finit par conclure :

— Ça ne fait rien, il devait être rudement fort, le père de grand-père, et si ça va mieux aujourd'hui, c'est peut-être parce qu'il s'est donné tant de peine autrefois.

Luc, qui s'était contenté d'écouter en souriant, fut ravi de cette bonne réflexion. Il prit Maurice, le souleva, le baisa sur les deux joues.

— Tu as raison, gamin! C'est comme si tu travailles de tout ton cœur maintenant, les arrière-petits-enfants seront bien plus heureux encore... Et tu vois, déjà, on ne se rôtit plus comme des canards.

Sur son ordre, on avait remis en marche la batterie des fours électriques. Claudine et Céline, d'un simple geste, donnaient ou interrompaient le courant. Les fours se chargeaient, la fusion s'opérait, et, toutes les cinq minutes, le trottoir roulant recevait les dix gueuses embrasées, qu'il emportait. Les enfants voulurent faire marcher eux-mêmes le mécanisme, et quelle joie, ce travail si aisé, après le récit déjà légendaire des travaux de Morfain, qui semblaient les travaux d'un géant douloureux, dans un monde disparu!

Mais il y eut une apparition, et les écoliers en promenade, troublés, s'envolèrent. Luc aperçut de nouveau Boisgelin, debout à une porte du hangar, épiant, surveillant le travail d'un regard soupçonneux et courroucé de maître qui s'inquiète, dans la continuelle crainte d'être volé par ses hommes. On le rencontrait souvent ainsi, sur tous les points de l'usine, éperdu de ne pouvoir en inspecter à la fois l'immensité, devenu de plus en plus fou à l'idée des millions qu'il perdait par jour, en n'arrivant pas à contrôler par lui-même la besogne de ce peuple qui lui gagnait des milliards. Ils étaient trop, il ne parvenait pas à les voir tous, il succombait dans la bonne administration d'une fortune démesurée, dont le poids l'écrasait, comme si le ciel lui fût tombé sur la tête. Et il était si hagard, si épuisé de battre inutilement les ateliers des travailleurs, lui qui n'avait jamais rien fait de ses dix doigts, que Luc, pris d'une grande pitié, voulut cette fois le rejoindre, pour tâcher de le calmer et de le ramener doucement

à sa demeure. Mais Boisgelin se tenait sur ses gardes, il fit un saut en
arrière, il disparut au pas de course, du côté des grandes halles.

Et sa promenade du matin étant finie, Luc rentra chez lui. Il ne pouvait
plus tout visiter, depuis que sa ville s'élargissait sans cesse, il ne se promenait plus, au travers des quartiers si nombreux, qu'en créateur reposé et
heureux de voir sa création se multiplier d'elle-même, envahir peu à peu
toute la plaine. L'après-midi, ce jour-là, après être retourné donner un
coup d'œil aux Magasins-Généraux, il entra passer une heure chez les
Jordan, comme le jour allait baisser. Dans le petit salon, ouvrant sur le
parc, il trouva Sœurette, avec l'instituteur Hermeline et l'abbé Marle; tandis
que Jordan, allongé sur un canapé, enveloppé d'un grand châle, songeait
selon sa coutume, en regardant le soleil se coucher à l'horizon. L'aimable
docteur Novarre venait d'être emporté en quelques heures, au milieu des
roses de son jardin, avec l'unique regret de ne pas vivre assez longtemps
pour assister à la réalisation de tant de belles choses, auxquelles il n'avait
guère cru d'abord. Et Sœurette ne recevait donc plus que l'instituteur et le
curé, de loin en loin, lorsqu'ils cédaient à la très vieille habitude de se
rencontrer chez elle. Hermeline, âgé de soixante-dix ans, maintenant
retraité, achevait sa vie, dans une amertume affreuse, dans une colère sans
cesse accrue contre tout ce qui se passait sous ses yeux. Et il en était arrivé
à trouver tiède l'abbé Marle, son aîné de cinq ans, qui s'enfermait en une
douloureuse dignité, en un silence de plus en plus hautain, à mesure qu'il
voyait son église se vider et son Dieu mourir.

Justement, comme Luc s'asseyait près de Sœurette, muette, douce et
patiente, l'instituteur reprenait ses vieilles accusations de républicain
sectaire, autoritaire, en bousculant le prêtre.

— Voyons, voyons! l'abbé, puisque je dis comme vous, aidez-moi...
C'est la fin du monde, ces enfants chez lesquels on cultive les passions, les
plantes mauvaises que nous avions la mission, nous les éducateurs, d'arracher autrefois. Comment veut-on que l'État ait des citoyens disciplinés,
élevés pour le servir, lorsqu'on lâche chez eux la bride à l'individualité anar-
chique?... Si nous, les hommes de méthode et de raison, nous ne sauvons
pas la république, elle est perdue.

Depuis le jour où il parlait ainsi de sauver la république, contre ceux
qu'il appelait les socialistes, les anarchistes, il était passé à la réaction, il
avait rejoint le prêtre dans sa haine de tout ce qui se libérait sans lui, en
dehors de son étroite formule de jacobin têtu.

Et il continua, avec plus de violence :

— Je vous le dis, l'abbé, votre église va être balayée, si vous ne vous
défendez pas... Sans doute, votre religion n'a jamais été la mienne. Mais j'ai
toujours reconnu la nécessité d'une religion pour le peuple, et certainement

le catholicisme était une machine de gouvernement admirable... Agissez donc! nous voilà avec vous, et nous nous expliquerons après, quand nous aurons ensemble reconquis les âmes et les corps.

L'abbé Marle n'eut d'abord qu'un long hochement de tête. Il ne répondait plus, il ne se fâchait plus. Puis, il finit par dire de sa voix lente :

— Je remplis tout mon devoir, je suis à l'autel chaque matin, même lorsque mon église est vide, et j'implore Dieu pour qu'il fasse un miracle... Il le fera sûrement, s'il le juge nécessaire.

Cela mit le comble à l'exaspération de l'instituteur.

— Allons donc, il faut l'aider, votre Dieu! C'est de la lâcheté que de ne pas agir.

Sœurette crut devoir intervenir, en souriant, pleine de tolérance pour ces vaincus de demain.

— Si le bon docteur était encore là, dit-elle, il vous supplierait de ne pas être à ce point d'accord, puisque votre entente aggrave votre querelle... Vous me désolez, mes amis, j'aurais été très heureuse, non pas de vous convertir à nos idées, mais de vous entendre au moins reconnaître, devant l'expérience, un peu du grand bien qu'elles ont réalisé dans ce pays.

Tous deux avaient gardé pour elle, si douce, si sainte, une grande différence, et leur présence dans ce petit salon, au foyer même de la Cité nouvelle, montrait quel ascendant amical elle exerçait toujours sur eux. Ils allaient jusqu'à y supporter le voisinage de Luc, l'adversaire victorieux, qui, d'ailleurs, discrètement, évitait de triompher, devant cette agonie amère et violente du vieux monde. Cette fois-ci encore, il n'intervenait pas, il écoutait Hermeline nier furieusement tout ce qu'il avait créé, parce que tout avait réussi. C'était la révolte dernière du principe d'autorité contre la libération naturelle et sociale de l'homme, l'autre forme de la tyrannie, l'État tout-puissant en face de la toute-puissante Église, qui se sont disputé voracement les peuples, quittes à s'entendre, à se liguer pour les reconquérir, le jour où ils les voyaient près d'échapper à la servitude civile comme à la servitude religieuse.

— Ah! cria encore Hermeline, si vous vous avouez vaincu, l'abbé, c'est bien fini, je n'ai plus qu'à me taire, comme vous, et à mourir dans mon coin!

Le prêtre hocha de nouveau la tête, en son douloureux silence. Pourtant, il déclara une dernière fois :

— Dieu ne peut pas être vaincu, c'est Dieu qui doit agir.

Lentement, la nuit tombait sur le parc, le petit salon s'emplissait d'une ombre croissante, et personne ne parla plus, un grand frisson passa, venu du mélancolique passé. L'instituteur se leva, fit ses adieux. Puis, comme le prêtre se levait à son tour, Sœurette voulut lui mettre discrètement dans la

main la somme qu'elle lui donnait, à chacune de ses visites, **pour ses
pauvres**. Mais cette aumône, acceptée depuis plus de quarante ans, il la
refusa, il dit, à voix lente et basse :

— Non, merci, mademoiselle, gardez cet argent, je ne saurais qu'en
faire, il n'y a plus de pauvres.

Ah! quelle parole pour Luc, il n'y a plus de pauvres! Son cœur en avait
bondi dans sa poitrine. Plus de pauvres, plus d'affamés, dans ce Beauclair
qu'il avait connu si noir, si misérable, avec sa population maudite de
travailleurs mourant de faim! Toutes les plaies affreuses du salariat allaient-
elles donc se guérir, la honte et le crime devaient-ils disparaître avec la
misère? Il avait suffi que le travail fût réorganisé selon la justice, pour que
déjà se fût accomplie une meilleure répartition de la richesse. Et, quand le
travail serait l'honneur, la santé, la joie, une humanité de paix et de fraternité peuplerait enfin la Cité heureuse.

Jordan, sur le canapé, enveloppé dans son châle, n'avait pas un mouvement, voyageant sans doute à travers les espaces infinis, où se perdait son
regard. Lorsque l'abbé Marle et Hermeline furent partis, il finit par
s'éveiller. Et, sans quitter des yeux le coucher de l'astre, dont il semblait
suivre la lente disparition avec un intérêt passionné, il dit comme en un
rêve :

— Chaque fois que je vois le soleil se coucher, je suis pris d'une tristesse infinie et d'une cruelle inquiétude. S'il ne revenait pas, s'il ne se relevait plus sur la terre noire et glacée, quelle terrible mort pour toute vie!
C'est lui le père, c'est lui le fécondateur, l'engendreur, sans lequel les
germes se dessécheraient ou pourriraient. Et c'est en lui qu'il faut mettre
notre espoir de soulagement et de bonheur futur, car, s'il ne nous aidait pas,
la vie finirait par se tarir un jour.

Luc s'était mis à sourire. Il savait que Jordan, malgré son grand âge, ses
soixante-quinze ans bientôt, étudiait, depuis plusieurs années, l'ardu
problème de capter la chaleur solaire, de façon à l'emmagasiner, dans de
vastes réservoirs, d'où il la distribuerait ensuite comme l'unique, la grande
et éternelle force vivante. Un temps viendrait où le charbon s'épuiserait au
fond des mines, et où prendrait-on alors l'énergie nécessaire, le torrent
d'électricité devenu indispensable à l'existence? Grâce à ses premières découvertes, il était parvenu à donner la force électrique presque pour rien. Mais
quelle victoire, s'il réussissait à faire du soleil le moteur universel, s'il
puisait directement en lui cette puissance calorifique endormie dans le
charbon, s'il l'employait comme le fécondateur unique, le père même de
l'immortelle vie! Il n'avait plus que cette dernière découverte à réaliser, et
son œuvre serait accomplie, il pourrait mourir.

— Soyez tranquille, dit Luc gaiement, le soleil se lèvera demain, et vous achèverez de lui ravir le feu sacré, la divine flamme, créatrice et travailleuse éternelle.

Sœurette, s'inquiétant du petit vent du soir, dont les souffles frais entraient par la fenêtre, vint demander à son frère :

— Tu n'as pas froid, veux-tu que je ferme ?

Mais il refusa du geste, il se laissa seulement envelopper jusqu'au menton dans le grand châle. Il semblait ne plus vivre que par un miracle, uniquement parce qu'il voulait vivre, ayant ajourné la mort au soir de son dernier jour de travail, le soir triomphant, où, la tâche faite, l'œuvre debout, il dormirait enfin son bon sommeil d'ouvrier loyal et satisfait. Sa sœur redoublait de précautions, des soins extrêmes le prolongeaient, lui donnaient encore par journée les deux heures d'énergie physique et intellectuelle, dont il utilisait merveilleusement chaque minute, à force de méthode. Et ce pauvre être chétif, très vieux, à demi mort, que le moindre courant d'air menaçait de supprimer, achevait de conquérir et de gouverner le monde, simplement en travailleur têtu, qui ne lâchait pas sa besogne.

— Vous vivrez cent ans, dit encore Luc, avec son rire affectueux.

A son tour, Jordan s'égaya.

— Mais sans doute, si cent ans me sont nécessaires.

De nouveau, il se fit un grand silence, dans le petit salon d'une intimité attendrie. Cela était délicieux, ce lent crépuscule tiède qui envahissait le parc, dont les allées profondes se noyaient d'une ombre croissante. Une clarté de songe flottait encore au ras des pelouses, tandis que, dans les lointains bleuâtres, les grands arbres s'évanouissaient, en visions tremblantes et légères. Et c'était l'heure des amoureux, le parc de la Crêcherie leur restait ouvert légèrement, ils y venaient ainsi dès la fin du jour, après le travail et les occupations quotidiennes. Personne ne s'y inquiétait des couples errants, des ombres enlacées, peu à peu fondues, disparues au milieu des verdures. On les y confiait à la garde des vieux chênes amis, on comptait sur le libre amour pour les rendre doux et chastes, en futurs époux dont l'étreinte devient indissoluble, si elle a été mutuellement voulue. Il n'est pour toujours aimer que de savoir pourquoi et comment on aime. Qui s'est choisi, en sachant et en consentant, ne se sépare plus. Et, déjà, par les avenues obscures, par les pelouses envahies d'ombre, des couples erraient, peuplaient d'apparitions lentes le mystère accru des ténèbres, dans le frisson pâmé de la terre, aux odeurs fraîches de printemps.

Puis, des couples encore arrivèrent, et Luc en reconnut plusieurs, des garçons et des filles qu'il avait vus le matin, dans les ateliers. N'étaient-ce pas Adolphe Laboque et Germaine Yvonnot, ces deux ombres errantes, si étroitement unies, emportées comme d'un seul vol, à la pointe des herbes ? Ces deux autres, dont les têtes appuyées, rapprochées, mêlaient leurs chevelures, n'étaient-ce pas Hippolyte Mitaine et Laure Fauchard? Ces deux autres encore, n'étaient-ce pas Alexandre Feuillat et Clémentine Bourron, dont les bras liés à la taille paraissaient devoir ne se dénouer jamais? Et Luc eut au cœur une émotion plus douce, lorsqu'il crut reconnaître deux des siens, son fils Charles, qui serrait contre sa poitrine la brune Céline Lenfant, et son fils Jules, qui emmenait à son cou la blonde Claudine Bonnaire. Ah! les beaux jeunes gens, les messagers du printemps nouveau, les derniers couples nés à l'amour, chez lesquels se rallumait l'inextinguible désir, la torche de vie que les générations se passent de l'une à l'autre. Ils étaient encore dans le chaste frisson des premiers mots balbutiés, des caresses innocentes, une étreinte où les cœurs ignorants se cherchent, un baiser furtif dont la douceur suffit à ouvrir le ciel. Mais, bientôt, en sa flamme souveraine, le besoin de l'enfant les unirait, les confondrait, pour que d'autres ouvriers d'amour naquissent d'eux, d'autres couples, qui, plus tard, viendraient dans ce parc promener de même le délicieux éveil de leur tendresse. Toujours, maintenant, il y aurait plus de bonheur, plus de libre passion travaillant à plus d'harmonie. Et des couples, des couples arrivaient sans cesse, le parc achevait de se peupler peu à peu de tous les amoureux de la Cité heureuse, c'était la soirée exquise après la bonne journée de travail, des pelouses et des taillis de songe, noyés de mystère et de parfum, où l'on n'entendait plus que le petit bruit des rires et des baisers.

A ce moment, devant le salon, une ombre s'arrêta. C'était Suzanne, inquiète, qui cherchait Luc, pour lui dire son souci. Et, quand elle l'eut enfin retrouvé là, elle lui expliqua combien elle se tourmentait de n'avoir pas encore vu Boisgelin rentrer. Jamais il ne s'était attardé ainsi, jusqu'à la nuit tombée.

— Vous aviez raison, répétait-elle, j'ai eu tort de le laisser à sa folie... Ah! le malheureux, le vieil enfant!

Luc, gagné par ses craintes, la renvoya chez elle.

— Il peut rentrer d'une minute à l'autre, le mieux est que vous soyez là... Moi, je vais faire battre les environs, et je vous porterai des nouvelles.

Tout de suite, il prit deux hommes avec lui, il traversa le parc, dans l'idée de commencer les recherches du côté des ateliers. Mais il avait à peine fait trois cents pas, il se trouvait près du petit lac, sous les saules, en un coin de paradis, lorsqu'un léger cri de terreur, parti d'un bouquet de feuillages voisin, l'arrêta brusquement. Et il vit sortir des feuillages un couple d'amoureux effrayé, dans lequel il crut reconnaître son fils Jules et la blonde Claudine Bonnaire.

— Quoi donc? qu'avez-vous? leur cria-t-il.

Ils ne répondirent pas, ils fuyaient légèrement, comme sous un vent de terreur, en oiseaux d'amour dont quelque rencontre affreuse avait troublé les caresses. Puis, quand il se fut décidé, pour voir, à pénétrer dans le taillis, par l'étroit sentier qui le traversait, lui-même laissa échapper un cri d'épouvante. Il venait de presque se heurter contre un corps, pendu à une branche, barrant le sentier de sa masse noire. Sous la clarté mourante du ciel, où naissaient les étoiles, il avait reconnu Boisgelin.

— Ah! le malheureux, le vieil enfant! murmura-t-il comme Suzanne, bouleversé, désespéré de ce drame atroce, dont elle aurait le gros chagrin.

Vivement, aidé des deux hommes, il décrocha le pendu, il l'allongea sur le sol. Mais le corps était déjà froid, le suicide devait remonter aux premières heures de l'après-midi, tout de suite après la course éperdue du malheureux au travers de l'usine en travail. Et il crut comprendre, quand il remarqua, au pied de l'arbre, un grand trou que Boisgelin avait dû s'acharner d'abord à creuser avec les mains, avec les ongles, pour y cacher, y enterrer la prodigieuse fortune que lui gagnait son peuple de travailleurs, toute la ville en besogne, et qu'il ne pouvait plus administrer ni même loger quelque part. Ensuite, sans doute, désespérant de faire le trou assez vaste, craignant de ne pouvoir y loger l'amas colossal de son trésor, il avait résolu de mourir là, sous ce monstrueux embarras d'un capital dont la masse démesurée, sans cesse accrue, l'écrasait. Sa journée entière de course éperdue, sa folie maniaque d'oisif ne pouvant plus vivre dans la Cité nouvelle du juste travail, aboutissait à cette mort tragique. Et, dans la tiède nuit nuptiale, le parc s'emplissait d'un frôlement de caresses, d'un chuchotement de voix amoureuses.

Pour ne pas jeter l'épouvante parmi les couples dont les ombres légères glissaient entre les arbres, autour de lui, Luc envoya les deux hommes chercher une civière à la Crêcherie, en les priant de ne dire à personne la lugubre découverte. Puis, lorsqu'ils furent de retour et qu'ils eurent couché le corps sous les petits rideaux de toile grise, le triste cortège se mit en marche, par les sentiers les plus noirs, afin de n'être pas vu. Ainsi, la mort affreuse passa muette, noyée de ténèbres, au travers du délicieux réveil printanier, frissonnant de vie nouvelle. De partout des amoureux semblaient naître, il en surgissait au coude de chaque avenue, au détour de chaque buisson, dans le pullulement des germes qui soulevaient la terre pâmée. Un parfum de fleurs embaumait l'air, les mains se cherchaient, les lèvres s'unissaient, avec l'imperceptible bruit du bouton en train d'éclore. Et c'était le torrent des êtres élargi d'un flot nouveau, la mort vaincue sans cesse, demain poussant toujours, pour plus de vérité, plus de justice et de bonheur.

Devant la porte de la maison, Suzanne attendait, angoissée, les yeux au loin dans la nuit. Lorsqu'elle aperçut la civière, elle comprit, elle eut une plainte sourde. Et, lorsque Luc, en quelques mots, lui eut conté la fin misérable de l'inutile endormi là, elle ne put que répéter encore, devant l'évo-

cation de toute cette existence, vide, empoisonnée et empoisonneuse, dont
elle avait tant souffert :

— Ah ! le malheureux, le vieil enfant !

D'autres catastrophes se produisirent, dans l'écroulement fatal de la
vieille société pourrie, condamnée à disparaître. Mais, le mois suivant, la
plus retentissante fut l'effondrement des toitures de la vieille église Saint-
Vincent, un matin de clair soleil que l'abbé Marle était à l'autel, célébrant
la messe pour les seuls moineaux qui voletaient au travers de la nef déserte.

Depuis longtemps, le curé n'ignorait pas que son église lui croulerait un
jour sur la tête. Elle datait du seizième siècle, très endommagée, d'une élégance fine, lézardée de partout. On avait bien réparé le clocher, quarante
ans plus tôt; seulement, faute des fonds nécessaires, on avait dû remettre la
réfection des toitures, dont les charpentes, à moitié mangées, fléchissaient
déjà; et, depuis cette époque, les demandes de crédits nouveaux étaient
restées vaines. L'État, écrasé sous la dette, abandonnait cette église d'un
pays perdu. La ville de Beauclair refusait toute contribution, le maire Gourier
n'ayant jamais été avec les prêtres. De sorte que le curé, réduit à ses propres
ressources, avait dû finir par se mettre personnellement en campagne, pour
chercher la grosse somme dont le besoin devenait plus pressant de jour en
jour, s'il ne voulait pas recevoir la maison de Dieu sur les épaules. Mais,
vainement, il frappa aux portes de ses riches pénitentes, les fidèles devenaient rares, leur zèle se refroidissait. Tant que la femme du maire avait
vécu, la belle Léonore, dont la grande dévotion compensait l'athéisme de
son mari, il avait trouvé chez elle un appui précieux. Ensuite, madame Mazelle
seule lui était restée, d'une ferveur déclinante, peu généreuse de sa nature.
Et, plus tard, lorsque, dans le désarroi de ses rentes compromises, elle était
venue de moins en moins à Saint-Vincent, il avait perdu en elle sa dernière
paroissienne de luxe, n'y recevant désormais la visite que de quelques pau-
vresses, dont la misère s'entêtait à l'espoir d'une vie meilleure. Puis, enfin,
depuis le jour où il n'y avait plus eu de pauvres, son église achevait de se
vider, il y vivait dans la solitude, dans l'abandon définitif où les hommes
laissaient son Dieu d'erreur et de misère.

Alors, l'abbé Marle sentit un monde finir et s'anéantir autour de lui. Ses
complaisances n'avaient pu sauver la bourgeoisie menteuse, empoisonneuse,
rongée du mal d'iniquité. Vainement, il avait couvert son agonie du manteau
de la religion, elle était morte en un dernier scandale. Et, de même, il avait
eu beau se réfugier dans la lettre stricte du dogme, pour ne rien accorder
aux vérités de la science, dont il sentait le suprême assaut vainqueur, en train
de détruire le séculaire édifice du catholicisme. La science achevait de faire
brèche, le dogme était finalement emporté, le royaume de Dieu allait être
remis sur la terre, au nom de la justice triomphante. Une religion nouvelle,

C'était un continuel émiettement, un travail sourd de destruction.

la religion de l'homme, enfin conscient, libre et maître de son destin, balayait
les anciennes mythologies, les symbolismes où s'étaient égarées les angoisses
de sa longue lutte contre la nature. Après les temples des anciennes idolâ-
tries, l'église catholique disparaissait à son tour, aujourd'hui qu'un peuple
fraternel mettait son bonheur certain en la seule force vivante de sa solidarité, sans avoir le besoin de tout un système politique de peines et de récompenses. Et le prêtre, depuis que le confessionnal et la sainte table étaient
désertés, depuis que la nef se vidait de fidèles, entendait bien chaque jour,
à sa messe, les lézardes des murs s'agrandir, les charpentes des toits craquer
davantage. C'était un continuel émiettement, un travail sourd de destruction,
de ruine prochaine, dont il percevait les moindres petits bruits avant-cou-
reurs. Puisqu'il n'avait pas réussi à convoquer les maçons, même pour les
réparations urgentes, il lui fallait laisser l'œuvre de mort suivre son cours,
aboutir à la fin naturelle de toutes choses; et il attendait simplement, il continuait à dire sa messe, en héros de la foi, seul avec son Dieu délaissé, tandis
que les voûtes se fendaient au-dessus de l'autel.

Ce matin-là, l'abbé Marle remarqua qu'une immense crevasse nouvelle
s'était produite, pendant la nuit, à la voûte de la nef. Et, certain de l'effondrement attendu depuis des mois, il vint pourtant célébrer sa dernière messe,
vêtu de ses habits sacerdotaux les plus riches. Très grand, très fort, avec son
nez en bec d'aigle, il se tenait encore droit et ferme, malgré son grand âge.
Il se passait de servants, il allait, venait, disait les paroles sacramentelles,
faisait les gestes consacrés, comme si une foule se fût pressée là, docile à sa
voix. Et, dans l'abandon croissant, des chaises brisées gisaient seules sur les
dalles, pareilles à ces sièges de jardin, lamentables, noirs de moisissure,
oubliés l'hiver sous la pluie. Des herbes poussaient au pied des colonnes, qui
se couvraient de mousse. Tous les vents soufflaient par les vitres cassées,
pendant que la grand'porte elle-même, descellée à demi, laissait pénétrer
les bêtes du voisinage. Mais, par ce beau jour clair, le soleil surtout entrait
en vainqueur, c'était comme un envahissement triomphal de la vie qui prenait
possession de cette ruine tragique, où des oiseaux voletaient, où des avoines
folles germaient jusque dans les manteaux de pierre des vieux saints. Et,
dominant l'autel, un grand Christ de bois peint et doré, régnait encore, allongeait son corps blême et douloureux de supplicié, éclaboussé d'un sang noir,
dont les gouttes ruisselaient comme des larmes.

Pendant l'Évangile, l'abbé Marle entendit un craquement plus fort. Des
poussières, des débris de plâtre, tombèrent sur l'autel. Puis, au moment de
l'Offertoire, le bruit recommença, déchirant, d'une sécheresse sinistre, et il
y eut un vacillement, comme si l'édifice oscillait quelques secondes, avant
de s'écraser. Alors, le prêtre, réunissant les forces dernières de sa foi, pour
l'Élévation, mit toute son âme à supplier Dieu de faire le miracle dont il

attendait depuis tant de jours le resplendissement glorieux et sauveur. Si Dieu le voulait, l'église allait retrouver sa jeunesse vigoureuse, ses forts piliers soutenant la nef indestructible. Les maçons n'étaient point nécessaires, la toute-puissance divine suffisait, un sanctuaire magnifique renaîtrait, avec des chapelles d'or, des vitraux de pourpre, des boiseries merveilleuses, des marbres éclatants, tandis qu'un peuple de fidèles agenouillés chanterait le cantique de la résurrection, parmi des milliers de cierges, aux volées retentissantes des cloches. O Dieu de souveraineté et d'éternité, rebâtissez d'un geste votre maison auguste, vous seul pouvez la remettre debout, l'emplir de vos adorateurs reconquis, si vous ne voulez pas être anéanti vous-même sous ses décombres ! Et, au moment où le prêtre élevait le calice, ce ne fut pas le miracle demandé qui se produisit, ce fut l'anéantissement. Il se tenait là debout, les deux bras levés, dans un geste superbe d'héroïque croyance, provoquant son Souverain Maître à mourir avec lui, si la fin du culte était venue. La voûte se fendit comme sous un coup de foudre, la toiture s'écroula dans un tourbillon de débris, avec un effroyable grondement de tonnerre. Ebranlé, le clocher oscilla, s'abattit à son tour, achevant d'éventrer la nef, entraînant le reste des murailles disjointes. Et il ne demeura rien sous le clair soleil, qu'un tas énorme de gravats, dans lequel on ne retrouva même pas le corps de l'abbé Marle, dont les poussières de l'autel écrasé semblaient avoir mangé la chair et bu le sang. Et l'on ne retrouva rien non plus du grand Christ de bois peint et doré, foudroyé lui aussi, tombé en poudre. Une religion encore était morte, le dernier prêtre, disant sa dernière messe, dans la dernière église.

Pendant quelques jours, on aperçut le vieil Hermeline, l'ancien instituteur, qui rôdait autour des décombres, en parlant tout haut, comme font les gens très âgés, lorsqu'une idée fixe les hante. On ne distinguait pas bien ses paroles, il semblait discuter toujours, reprocher à l'abbé de n'avoir pas obtenu de son Dieu le miracle nécessaire. Puis, un matin, on le trouva mort dans son lit. Et, plus tard, lorsqu'on eut déblayé les décombres, un jardin fut créé là, de beaux arbres, des allées ombreuses, au travers de pelouses embaumées. Des amoureux y vinrent, ainsi qu'ils allaient, par les soirées douces, au parc de la Crêcherie. La Cité heureuse s'élargissait toujours, les enfants grandissaient, faisaient de nouveaux couples d'amants, dont les baisers dans l'ombre semaient d'autres enfants, pour de continuelles moissons futures. Après la gaie journée de travail, des roses épanouies montaient de chaque buisson. Et, dans ce jardin délicieux, où dormait la poussière d'une religion de misère et de mort, poussait maintenant l'allégresse humaine, la débordante floraison de la vie.

IV

Pendant dix années encore, la Cité acheva de se fonder, d'organiser la
société nouvelle en sa justice et en sa paix. Et, cette année-là, le 20 juin, la
veille d'une des grandes fêtes du Travail qui avaient lieu quatre fois par an,
aux quatre saisons, Bonnaire fit une rencontre.

Agé de quatre-vingt-cinq ans bientôt, Bonnaire était le patriarche, le
héros du travail. Resté droit, grand et fort, avec sa tête solide, aux épais
cheveux blancs, il était très alerte, très sain et très gai. L'ancien révolutionnaire, le collectiviste théorique que le bonheur réalisé des camarades avait
pacifié, vivait maintenant dans la récompense de son long effort, cette conquête de l'harmonie solidaire où il voyait grandir en félicité ses petits-enfants
et ses arrière-petits-enfants. Il restait un des derniers ouvriers survivants de
la grande lutte, un des combattants de cette réorganisation du travail qui
avait amené une juste répartition de la richesse, tout en rendant au travailleur sa noblesse, sa libre individualité d'homme et de citoyen. Et il était couvert d'ans et de gloire, fier d'avoir aidé par sa nombreuse descendance à la
fusion des classes ennemies, utile encore par sa beauté et sa bonté d'ancêtre,
au soir de l'existence.

Or, ce soir-là, au déclin du jour, Bonnaire se trouvait donc en promenade, à l'entrée des gorges de Brias. S'aidant simplement d'une canne, il
faisait souvent ainsi de longues courses à pied, pour le plaisir de revoir le
pays, en évoquant de vieux souvenirs. Et il était arrivé justement à l'endroit
de la route où s'ouvrait, autrefois, la porte de l'Abîme, depuis longtemps disparu. Là aussi se trouvait alors, jeté sur la Mionne, un pont de bois, dont il
ne restait plus trace, car on avait couvert le torrent sur une centaine de
mètres, pour faire passer un large boulevard. Que de changements ! qui

aurait reconnu l'ancien seuil boueux et noir de l'usine maudite, à cette place, au tournant de cette avenue si calme, si claire, bordée de maisons riantes? Et, comme il s'arrêtait un instant, dans sa haute taille, dans sa grande beauté de vieillard heureux, il eut la vive surprise d'apercevoir, échoué sur un banc, un autre vieil homme, mais qui paraissait détruit par la misère, les vêtements en loques, la face ruinée, embroussaillée de poils, le corps amaigri, tremblant de toutes les fièvres mauvaises.

— Un pauvre! murmura-t-il, parlant à voix haute, dans son étonnement.

C'était bien un pauvre, et il y avait des années déjà qu'il n'en avait pas rencontré. A la vérité, celui-ci, visiblement, n'était pas du pays. Les souliers et les vêtements blancs de poussière, il devait être tombé là de fatigue, à l'entrée de la ville, après des jours et des jours de marche. Son bâton et sa besace vide, échappés de ses mains lasses, gisaient à ses pieds. L'air épuisé, les yeux errants, il regardait autour de lui, en homme perdu, qui ne sait plus où il est.

Très apitoyé, Bonnaire s'avança.

— Mon pauvre homme, puis-je venir à votre aide?... Vous êtes à bout de force et vous semblez dans une grande peine.

Puis, comme le pauvre ne répondait pas, les regards toujours effarés, allant d'un point de l'horizon à l'autre :

— Avez-vous faim? avez-vous besoin d'un bon lit? Je vais vous conduire, vous trouverez ici aide et secours.

Enfin, le vieil homme, si misérable, si ravagé, se décida, bégayant tout bas, se parlant à lui-même :

— Beauclair, Beauclair, est-ce bien Beauclair?

— Sans doute Beauclair, vous êtes à Beauclair, c'est certain, déclara l'ancien maître puddleur qui souriait.

Mais, en voyant le pauvre donner des marques croissantes d'une surprise inquiète, pleine de doute, il finit par comprendre.

— Vous avez connu Beauclair autrefois, il y a longtemps peut être que que vous n'y êtes venu?

— Oui, plus de cinquante ans, répondit l'inconnu de sa voix sourde.

Bonnaire alors éclata d'un bon rire.

— Ah! ça ne m'étonne pas, si vous avez de la peine à vous retrouver. Il y a eu quelques changements... Ainsi, tenez! à cette place, l'usine de l'Abîme a disparu, tandis que, là-bas, plus loin, tout le vieux Beauclair, l'amas sordide, a été rasé; et, vous voyez, c'est une Cité nouvelle qui s'est bâtie, c'est le parc de la Crêcherie qui s'est continué, envahissant l'ancienne ville de ses verdures, un jardin immense où les petites maisons blanches s'égayent parmi les arbres... Naturellement, il faut réfléchir, avant de s'y reconnaître.

Le pauvre avait suivi les explications, tournant les yeux vers les points

que le vieillard, d'une gaieté si douce, lui désignait de la main. Mais il hocha
de nouveau la tête, il ne pouvait croire à la réalité de ce qu'on lui disait.

— Non, non, je ne vois pas, ce n'est plus Beauclair... Voilà bien les
deux promontoires des Monts Bleuses, entre lesquels s'élargit la gorge de
Brias, et voilà bien, au loin, la plaine de la Roumagne. C'est tout ce qui
reste, ces jardins et ces maisons sont d'un autre pays, d'un pays de richesse
et d'enchantement, que je n'ai jamais vu... Allons, il faut marcher encore,
je me suis pour sûr trompé de chemin.

Il faisait un effort pour se lever du banc, en ramassant son bâton et sa
besace, lorsque ses regards se posèrent enfin sur le vieillard, à l'obligeance
si amicale. Jusque-là, il s'était comme replié, regardant en un rêve, se parlant à demi-voix. Puis, tout d'un coup, au premier coup d'œil jeté sur Bonnaire, il devint muet, il parut frémir dans sa hâte à s'éloigner. L'avait-il
donc reconnu, lui qui ne reconnaissait pas la ville ? Et celui-ci fut si remué
de la soudaine flamme, flambant sur ce visage méconnaissable, embroussaillé de poils, qu'il l'examina avec plus d'attention. Où avait-il donc vu ces
yeux clairs, incendiés par moments de sauvage violence ? Brusquement, le
souvenir s'éveilla, il frémit à son tour, tandis que tout le passé revivait dans
le cri qui jaillissait de ses lèvres :

— Ragu !

Depuis cinquante ans, on le croyait mort. Le corps mutilé, broyé, trouvé
au fond d'un gouffre des Monts Bleuses, le lendemain de sa fuite, après son
crime, n'était donc pas le sien ? Il vivait, il vivait, grand Dieu ! il reparaissait, et cette résurrection extraordinaire, ce mort sortant du tombeau après
tant d'événements, apportait avec lui la sourde angoisse de ce qui s'était
passé hier et de ce qui se passerait demain.

— Ragu, Ragu, c'est toi !

Il avait de nouveau son bâton à la main, sa besace sur l'épaule. Mais, du
moment qu'il était reconnu, pourquoi serait-il reparti ? Il ne pouvait s'être
trompé de route.

— C'est moi, bien sûr, mon vieux Bonnaire, et puisque tu vis toujours,
toi mon aîné de dix ans, je puis bien vivre aussi, ah ! très endommagé, à
peine complet, c'est vrai ?

Puis, de son ton goguenard d'autrefois :

— Allons, tu m'en donnes ta parole, c'est bien Beauclair, tout ce grand
jardin si magnifique, avec ces jolies maisons. Et je suis donc arrivé, il ne me
reste qu'à trouver une auberge, où l'on me permettra de me coucher, dans
un coin d'écurie.

Pourquoi donc revenait-il ? quel projet s'agitait sous ce crâne dévasté,
derrière cette face torturée par tant d'années de vagabondage et de vie mauvaise ? Bonnaire, de plus en plus inquiet, empli de craintes, le voyait déjà

troubler la fête du lendemain par quelque scandale. Il n'osa le questionner tout de suite. Mais il voulut l'avoir sous sa garde, plein de pitié aussi, le cœur ému de le retrouver dans un tel dénuement.

— Il n'y a plus d'auberge, mon brave, et tu vas venir chez moi. Tu mangeras à ta faim, tu dormiras dans un lit frais. Puis, nous causerons, tu me diras ce que tu veux, et je t'aiderai pour que tu te contentes, si c'est possible.

Ragu goguenarda encore.

— Oh! ce que je veux! rien, ça ne compte plus, la volonté d'un vieux mendiant, à demi infirme. Je veux vous revoir, donner en passant un coup d'œil au pays où je suis né. Ça me tourmentait, cette idée-là, je ne serais pas mort tranquille, si je n'étais pas revenu faire un bout de promenade par ici... N'est-ce pas? c'est permis à tout le monde, les routes sont toujours libres?

— Sans doute.

— Alors, je me suis donc mis en chemin. Oh! il y a des années et des années. Quand on a de mauvaises jambes et pas un sou, on n'avance pas vite. Mais tout de même on arrive, puisque me voilà... Et c'est dit, allons chez toi, du moment que tu m'offres l'hospitalité en bon camarade.

La nuit venait, les deux vieillards purent traverser doucement le nouveau Beauclair, sans que personne les remarquât. Et Ragu continuait à s'étonner, jetait des regards à droite et à gauche, ne reconnaissait aucun des endroits par où il passait. Enfin, lorsque Bonnaire s'arrêta devant une des maisons les plus charmantes, sous un bouquet de beaux arbres, il laissa échapper ce cri, dans lequel toute son âme de jadis reparaissait :

— Tu as donc fait fortune, te voilà bourgeois!

L'ancien maître puddleur s'était mis à rire.

— Non, non, je n'ai été, je ne suis qu'un ouvrier. Mais c'est vrai pourtant, nous avons tous fait fortune, nous sommes tous des bourgeois.

Ragu ricana, comme rassuré, dans sa crainte envieuse.

— Un ouvrier ne peut pas être un bourgeois, et, lorsqu'on travaille encore, c'est qu'on n'a pas fait fortune.

— C'est bon, mon brave, nous causerons, je t'expliquerai cela... Entre, entre, en attendant.

Bonnaire se trouvait seul, pour le moment, dans cette maison qui était celle de sa petite-fille Claudine, mariée à Charles Froment. Depuis longtemps déjà, le père Lunot était mort, et sa fille, la sœur de Ragu, la Toupe terrible, l'avait rejoint l'année précédente, après une querelle affreuse, où elle s'était tourné les sangs, comme elle disait. Lorsque Ragu apprit cette double perte, la maison vide désormais de sa sœur et de son père, il eut un simple geste, il sembla dire qu'il s'y attendait, à cause de leur grand âge. Après un demi-siècle d'absence, on n'est pas surpris de ne retrouver personne.

— Et nous sommes donc ici chez ma petite-fille Claudine, la fille de mon aîné Lucien, qui a épousé Louise Mazelle, la demoiselle des rentiers dont tu dois te souvenir. Claudine elle-même s'est mariée avec Charles Froment, un fils du maître de la Crêcherie. Mais ils ont justement mené leur fillette Alice, une gamine de huit ans, chez une tante, à Formeries, d'où ils ne doivent revenir que demain soir.

Puis, gaiement, il conclut :

— Voici quelques mois que les enfants m'ont pris avec eux, pour me dorloter... La maison est à nous, mange et bois, ensuite je te conduirai à ton lit, et demain, quand il fera jour, nous verrons.

Étourdi, Ragu l'avait écouté. Tous ces noms, tous ces mariages, ces trois générations qui défilaient au galop, l'ahurissaient. Comment comprendre, comment se reconnaître, au milieu de ces événements ignorés, de ces mariages et de ces naissances? Il ne parla plus, il mangea de la viande froide, des fruits, avidement, assis devant la table heureuse et abondante, dans la salle claire qu'une lampe électrique inondait d'une vive clarté. Le sentiment du bien-être, de l'aisance dont il se sentait entouré, devait peser lourdement à ses épaules de vieux vagabond, car il semblait plus vieilli, plus fini encore, tandis que, la face dans son assiette, il dévorait, avec des regards louches, sur tout ce bonheur dont il n'était pas. Les longues rancunes amassées, les fièvres de vengeances impuissantes, le rêve maintenant irréalisable de triompher enfin sur le désastre souhaité des autres, sortaient de son silence même, de l'accablement où le jetait tant de richesse entrevue. Et, pendant qu'il mangeait de la sorte, Bonnaire, repris de malaise à le voir si sombre, si inquiétant, se demandait par quelles aventures inconnues il avait pu rouler durant un demi-siècle, s'étonnant aussi de ce qu'il fût vivant encore, dans une telle misère.

— D'où reviens-tu donc? finit-il par lui demander.

— Oh! de partout! répondit Ragu, avec un geste qui faisait le tour de l'horizon.

— Alors, tu as dû en voir, des pays, des gens et des choses?

— Oh! oui, en France, en Allemagne, en Angleterre, en Amérique, j'ai promené ma carcasse d'un bout du monde à l'autre.

Et, avant d'aller dormir, allumant sa pipe, il dit en gros son existence d'ouvrier errant, révolté contre le travail, paresseux et jouisseur. C'était toujours le fruit gâté du salariat, le salarié rêvant la destruction du patron, uniquement pour prendre sa place, pour écraser à son tour les camarades. Il n'y avait pas d'autre bonheur, une grosse fortune gagnée, mangée dans la joie d'avoir su exploiter la misère du pauvre monde. Et, violent en paroles, lâche quand même devant le maître, travailleur malhonnête, ivrogne incapable d'une besogne suivie, il avait ainsi roulé d'atelier en atelier, de contrée en contrée, se faisant chasser de partout, s'en allant lui-même en des

coups de tête imbéciles. Jamais il n'avait pu mettre un sou de côté, en tous
lieux la misère était devenue son hôtesse, chaque année de plus lui apportait
une déchéance nouvelle. Et, quand l'âge vint, ce fut miracle en effet, s'il ne
mourut pas de faim et d'abandon, au coin d'une borne. Jusqu'à près de
soixante ans, il travailla, obtint encore de petites besognes à faire. Ensuite,
il s'échoua dans un hôpital, dut finir par en sortir, puis retomba dans un
autre. Depuis quinze années, il s'entêtait à vivre ainsi, sans trop savoir comment, au petit bonheur des rencontres. Maintenant, il mendiait, il trouvait
le long des routes le morceau de pain, la botte de paille nécessaires. Et rien
en lui n'avait changé, ni la rage sourde, ni la furieuse envie d'être le patron
et de jouir.

— Mais, reprit Bonnaire, qui retenait le flot de questions montant à ses
lèvres, tous ces pays que tu as traversés doivent être en révolution. Ici, je
sais bien, nous avons marché vite, nous sommes en avance. Cependant, le
monde entier est en marche, n'est-ce pas?

— Oui, oui, répondit Ragu, de son air blagueur, ils se battent, ils refont
la société, ce qui ne m'a pas empêché de crever de faim partout.

En Allemagne, en Angleterre, surtout en Amérique, il avait traversé des
grèves, des émeutes terribles. Dans tous les pays où il s'était rendu, au hasard
de sa rancune et de sa paresse, il avait vu se dérouler de tragiques événements. Les derniers empires croulaient, des républiques naissaient à la
place, des fédérations de peuples voisins commençaient à supprimer les frontières. C'était comme une débâcle au printemps, lorsque les glaces se fondent
et disparaissent, découvrant la terre fécondée, où les germes poussent, fleu-
rissent en quelques jours, au grand soleil fraternel. Certainement, l'humanité
entière se trouvait en évolution, occupée enfin à fonder la Cité heureuse.
Mais, lui, mauvais ouvrier, noceur toujours mécontent, avait simplement
souffert de ces catastrophes, au travers desquelles il se plaignait d'attraper
des coups, sans jamais seulement rencontrer l'occasion de piller la cave d'un
riche, pour boire une fois à sa soif. Aujourd'hui, vieux vagabond, vieux mendiant, il s'en moquait bien, de leur Cité de justice et de paix! Ça ne lui ren-
drait pas ses vingt ans, ça ne lui donnerait pas un palais, avec des esclaves,
où il aurait achevé sa vie dans les plaisirs, comme les rois dont parlent les
livres. Et il plaisantait amèrement tout ce bête de genre humain qui prenait
tant de peine, pour préparer aux arrière-petits-enfants du prochain siècle
une maison un peu plus propre, dont les hommes d'aujourd'hui ne jouissaient qu'en rêve.

— Ce rêve a longtemps suffi au bonheur, dit Bonnaire tranquillement.
Mais ce que tu dis n'est plus vrai, la maison est dès aujourd'hui presque
reconstruite, très belle, très saine, très gaie, et je te la montrerai demain, tu
verras s'il n'y a pas désormais plaisir à l'habiter.

Alors, il lui expliqua que, le lendemain, il le ferait assister à une des quatre fêtes du Travail, qui mettaient Beauclair en grande allégresse, le premier jour de chaque saison. Chacune d'elles était marquée par des réjouissances particulières, empruntées à la saison même. Et celle du lendemain, la fête de l'été, s'égayait de toutes les fleurs et de tous les fruits de la terre, débordait en une abondance prodigieuse des richesses conquises, en une splendeur souveraine des horizons et du ciel, où flambait le puissant soleil de juin.

Ragu était retombé dans son inquiétude sombre, dans la sourde crainte de trouver, à Beauclair, l'antique rêve du bonheur social réalisé enfin. Est-ce que, vraiment, après avoir traversé, au milieu de luttes douloureuses, tant de pays en gésine de la société de demain, il allait la voir presque installée déjà, en cette ville, la sienne, qu'il avait dû fuir, un soir de folie homicide? Ce bonheur si furieusement cherché partout, il se créait là, chez lui, pendant son absence; et, quand il revenait, c'était uniquement pour constater la félicité des autres, à l'heure où lui-même ne pouvait plus compter sur aucune joie. Cette idée d'avoir ainsi, jusqu'au bout, manqué sa vie, achevait de l'anéantir, dans sa fatigue et sa misère, tandis qu'il finissait en silence la bouteille de vin posée devant lui. Et, lorsque Bonnaire se leva pour le mener à sa chambre, une pièce blanche, avec un grand lit blanc, et qui sentait bon, il le suivit d'un pas alourdi, souffrant de cette hospitalité si large, si fraternelle, en son aisance heureuse.

— Dors bien, mon brave, à demain matin.

— Oui, à demain matin, si tout ce sacré monde n'a pas croulé pendant la nuit.

Cependant, Bonnaire, après s'être également couché, eut quelque peine à s'endormir. Lui aussi restait tourmenté, en se demandant quelles pouvaient être les intentions de Ragu. A dix reprises, il avait résisté au désir de l'interroger directement, par crainte de provoquer une explication dangereuse. N'était il pas préférable de se réserver, puis d'agir selon les circonstances? Il redoutait quelque scène atroce, ce misérable vagabond, fou de misère et de désastre, revenant pour un scandale, insultant Luc, insultant Josine, recommençant peut-être son crime. Aussi se jurait-il de ne pas le quitter un instant le lendemain, de le promener partout, pour être certain de ne le laisser aller seul nulle part. D'ailleurs, dans cette idée de tout lui montrer, il mettait une sage tactique, l'espérance de le paralyser par le spectacle de tant de richesse, de tant de puissance acquises, au point de lui faire sentir l'inutilité de la rage et de la révolte d'un seul. Quand il saurait, il n'oserait plus, sa défaite serait définitive. Et Bonnaire s'endormit enfin, résolu à ce dernier combat, pour l'harmonie, pour la paix et l'amour de tous.

Le lendemain, dès six heures, des fanfares de trompettes sonnèrent, passèrent en joyeux appels sur les toitures de Beauclair, annonçant la fête du Travail. Le soleil était déjà haut, un astre de joie et de force, dans un admirable ciel de juin, à l'immensité bleue. Des fenêtres s'ouvrirent, des saluts volèrent parmi les verdures, d'une maison à l'autre, et l'on sentit l'âme populaire de la Cité nouvelle entrer en allégresse, tandis que les appels des trompettes continuaient, éveillaient de jardin en jardin les cris des enfants et les rires des couples d'amour.

Bonnaire, vite habillé, trouva Ragu debout, lavé à grande eau dans la baignoire voisine, vêtu des vêtements propres, posés la veille sur une chaise. Et Ragu, reposé, était redevenu goguenard, ouvertement décidé à se moquer de tout, à ne pas convenir du moindre progrès. En voyant entrer son hôte, il eut son mauvais rire, son rire insultant et salisseur.

— Dis donc, mon vieux, en font-ils un sacré vacarme, avec leurs trompettes, ces bougres-là! Ça doit être bien embêtant pour les gens qui n'aiment pas à être réveillés en sursaut. Est-ce que, tous les matins, on vous joue cette musique, dans votre caserne?

Le vieux maître puddleur préféra le voir ainsi. Il se mit paisiblement à sourire.

— Non, non, ce n'est aujourd'hui que le gai réveil des jours de fête. Les autres jours, on peut faire la grasse matinée, dans un délicieux silence. Mais, quand la vie est bonne, on se lève toujours de grand matin, et les infirmes seuls ont le regret de rester au lit.

Puis, avec sa bonté prévenante :

— As-tu bien dormi? As-tu trouvé ce dont tu avais besoin?

Ragu tâcha d'être encore désagréable.

— Oh! je dors bien partout, voici des années que je couche dans les meules, et ça vaut les meilleurs lit du monde... C'est comme toutes ces inventions, ces baignoires, ces robinets d'eau froide et d'eau chaude, ces chauffages électriques fonctionnant à l'aide d'un simple bouton, ça rend certainement des services, quand on est pressé. Autrement, il est encore préférable de se laver à la rivière et de se chauffer avec un bon vieux poêle.

Et il conclut, en voyant son hôte ne pas répondre.

— Vous avez trop d'eau dans vos maisons, elles doivent être humides.

Ah! quel blasphème! ces eaux ruisselantes, ces eaux bienfaisantes, si pures, si fraîches, qui étaient maintenant la santé, la joie et la force de Beauclair, dont elles baignaient les rues et les jardins d'une éternelle jeunesse!

— Nos eaux sont nos amies, les bonnes fées de notre heureux destin, dit simplement Bonnaire. Tu les verras partout jaillir et féconder la Cité... Allons, viens déjeuner d'abord, puis nous sortirons tout de suite.

Ce premier déjeuner fut délicieux, dans la claire salle à manger, envahie par le soleil levant. Sur la nappe très blanche, il y avait du lait, des œufs,

des fruits, avec du pain si doré, si parfumé, qu'on le sentait pétri et cuit par
des machines soigneuses, pour un peuple heureux. Et le vieil hôte prodiguait à son misérable convive des attentions délicates, une sorte d'hospitalité
tendre, héroïque et simple, qui semblait mettre dans l'air calme, une douceur, une bonté infinies.

Ils causèrent de nouveau en mangeant. Comme la veille, Bonnaire ne crut
pas devoir poser des questions directes, par prudence. Pourtant, il sentait
bien que Ragu, à l'exemple de tous les criminels, revenait aux lieux mêmes
où il avait commis son crime, dévoré de l'invincible besoin de voir, de savoir.
Josine vivait-elle encore? que faisait-elle? et Luc, sauvé de la mort, l'avait-il
prise avec lui? enfin qu'étaient-ils devenus l'un et l'autre? Toutes ces curiosités ardentes luisaient sûrement dans la flamme dont brûlaient les yeux du
vieux vagabond. Mais, comme il n'ouvrait pas les lèvres de ces choses, gardant son secret, Bonnaire dut se contenter de mettre à exécution le plan
arrêté par lui la veille, l'exaltation de la Cité nouvelle, la glorification de sa
prospérité et de sa puissance. Et, tout en ne nommant même pas Luc, il se mit
à expliquer la grandeur de son œuvre.

— Pour que tu comprennes, mon brave, il est nécessaire que je te dise
un peu où nous en sommes, avant d'aller nous promener dans Beauclair.
Aujourd'hui, c'est le triomphe, c'est la floraison complète du mouvement qui
commençait à peine, au moment de ton départ.

Et il reprit l'évolution au début, l'usine de la Crêcherie fondée sur l'association du capital, du travail et de l'intelligence, mise en actions, avec partage des bénéfices. Il la montra en lutte avec l'autre usine, l'Abîme, la
forme barbare du salariat, finissant par la vaincre, la remplaçant, conquérant peu à peu le vieux Beauclair misérable, du flot victorieux de ses petites
maisons blanches, si gaies, si heureuses. Puis, il conta comment, par imitation,
par nécessité, les autres usines du voisinage étaient venues se fondre dans
l'association première, comment d'autres groupes s'étaient fatalement créés,
le groupe du vêtement, le groupe du bâtiment, tous les métiers du même
ordre se syndiquant peu à peu, toutes les espèces, toutes les familles se
rejoignant, s'unissant à l'infini. Alors, la double coopération de production
et de consommation avait achevé la victoire, et le travail en se réorganisant
sur ce vaste plan, cette mise en pratique de la solidarité humaine, avait fait
sortir de terre la société nouvelle. On ne travaillait que quatre heures et d'un
travail librement choisi, qui pouvait varier sans cesse pour rester attrayant,
car chaque ouvrier avait plusieurs métiers, dont l'exercice lui permettait de
passer d'un groupe dans un autre. Ces métiers se sériaient logiquement,
comme la structure même du nouvel ordre social, le travail régulateur,
unique loi de la vie. Les machines, les ennemies d'autrefois, étaient devenues
les esclaves dociles, chargées des gros efforts. A quarante ans, le citoyen avait

payé sa dette de travailleur à la Cité, il œuvrait seulement pour sa joie personnelle. Et, tandis que la coopération de production faisait ainsi naître cette société de justice et de paix, basée sur le travail consenti par tous, la coopération de consommation avait condamné le commerce à disparaître, rouage inutile, mangeur d'énergie et de gain. Le paysan donnait son blé à l'ouvrier industriel qui donnait son fer et ses outils. Des Magasins-Généraux centralisaient les produits, les distribuaient directement, selon les besoins. Des millions et des millions se trouvaient gagnés de la sorte, depuis que rien n'en était détourné au passage par l'agio et par le vol. Toute l'existence se simplifiait, on tendait à la disparition complète du numéraire, à la fermeture des Tribunaux et des Prisons, les questions d'intérêts privés cessant de se produire, de jeter l'homme sur l'homme, dans une folie de fraude, de pillage et de meurtre. Pourquoi le crime désormais, puisqu'il n'y avait plus de pauvres; plus de déshérités, puisque la paix fraternelle s'établissait chaque jour davantage entre les citoyens, convaincus enfin que le bonheur de chacun était fait du bonheur de tous? Une longue paix régnait, l'impôt du sang avait disparu comme les autres impôts, plus d'octroi, de contributions d'aucune espèce, plus de prohibitions, la liberté totale de la production et des échanges. Et, depuis surtout que les parasites étaient supprimés, les innombrables employés, fonctionnaires, magistrats, hommes de caserne ou d'église, qui suçaient autrefois la vie du corps social, une formidable richesse s'était déclarée, un si prodigieux entassement de biens, que, d'année en année, les greniers, devenus trop étroits, craquaient sous l'abondance toujours accrue de la fortune publique.

— Tout ça, c'est très bien, interrompit Ragu. Mais, n'importe! le vrai plaisir est de ne rien faire, et si vous travaillez encore, vous n'êtes pas des messieurs. Je ne sors pas de là.., Puis, d'une façon comme d'une autre, on vous paye toujours, c'est toujours le salariat, et te voilà donc converti, toi qui exigeais l'entière destruction du capital?

Bonnaire eut son rire de joyeuse franchise.

— C'est vrai, on a fini par me convertir. Je croyais à la nécessité d'une brusque révolution, d'un coup de main qui nous aurait livré le pouvoir, avec la possession du sol et de tous les outils du travail. Mais comment résister à la force de l'expérience? Depuis tant d'années, je vois ici la conquête certaine de cette justice sociale, de ce bonheur fraternel, dont le rêve me hantait! Alors, la patience m'est venue, j'ai la faiblesse de me contenter des conquêtes d'aujourd'hui, dans la certitude où je suis de la victoire définitive de demain... Et, je te l'accorde, il reste beaucoup à faire, notre liberté et notre justice ne sont pas totales, le capital et le salariat doivent complètement disparaître, le pacte social se libérera de toutes les formes de l'autorité, l'individu libre dans l'humanité libre. Et nous faisons simplement en sorte que les enfants de nos petits-enfants réalisent cette Cité de toute justice et de toute liberté.

Il finit alors en expliquant les méthodes d'instruction et d'éducation nouvelles, les Crèches, les Écoles, les Ateliers d'apprentissage, l'éveil de l'homme chez l'enfant, toutes les énergies passionnelles acceptées, cultivées, le garçon et la fille poussant ensemble, nouant plus étroitement le lien du couple d'amour, dont la force de la Cité doit dépendre. L'avenir de plus en plus libérateur était là, dans ces couples de demain, qui grandissaient pour lui, avec la volonté et l'intelligence des besognes décisives. Chaque génération, plus libérée, plus capable d'équité et de bonté, apporterait sa pierre à l'œuvre finale. Et, en attendant, la richesse incalculable de la Cité irait en augmentant toujours, maintenant que la suppression de l'héritage, presque entièrement accomplie, ne permettant plus les grandes fortunes individuelles, scandaleuses et empoisonneuses, faisait peu à peu que le produit prodigieux du travail de tous appartenait désormais à tous. Les rentes, les grands-livres tombaient eux aussi en morceaux, et les rentiers, et les oisifs vivant du travail des autres ou d'eux-mêmes, amassé, thésaurisé égoïstement, étaient une espèce en train de disparaître. Tous les citoyens se trouvaient également riches, puisque la Cité, qui débordait du travail commun, affranchi d'entraves, préservé du gaspillage et du vol, entassait des richesses immenses, dont il faudrait sûrement un jour modérer la production. Les jouissances réservées jadis aux rares privilégiés, les mets délicats, les fleurs, les parures d'éclat et de charme embellissant la vie, étaient aujourd'hui le luxe de tous. Si, au foyer des familles, régnait une grande simplicité, chacun se contentant de sa maison heureuse, les édifices publics éclataient d'une somptuosité extraordinaire, vastes à y loger d'innombrables foules, d'une commodité et d'un charme à en faire les palais du peuple, les lieux de dilection où il se plaisait à vivre. C'étaient des Musées, des Bibliothèques, des Théâtres, des établissements de Bains, de Jeux, de Divertissements, de simples Portiques, ouvrant sur des salles de réunions, de cours mutuels, de conférences, que la ville entière fréquentait, aux heures de repos. Et les maisons hospitalières pullulaient aussi, des Hôpitaux isolés pour chaque maladie, des Hospices où les infirmes, où les vieillards entraient librement, des Refuges surtout pour les mères et pour les enfants, qui prenaient la femme enceinte dès les mois durs de la grossesse, qui la gardaient après les couches, elle et son nouveau-né, jusqu'au retour complet des forces. Ainsi revenait et s'affirmait, dans la Cité nouvelle, le culte de l'enfant et de la mère, la même source de l'éternelle vie, l'enfant messager victorieux de l'avenir.

— Maintenant, conclut gaiement Bonnaire, puisque tu as fini de déjeuner, allons voir ces belles choses, notre Beauclair rebâti et glorifié, dans son éclat de fête. Je ne te ferai pas grâce d'un seul coin intéressant.

Ragu, résolu à ne pas se rendre, haussait d'avance les épaules, en répétant le mot qu'il croyait décisif :

— Comme tu voudras, mais vous n'êtes pas des messieurs, vous restez de pauvres bougres, si vous travaillez toujours. Le travail est votre maître, et vous n'êtes encore qu'un peuple d'esclaves.

Devant la porte, une petite voiture électrique à deux places attendait. Il y en avait de pareilles à la disposition de tous. L'ancien maître puddleur, qui, malgré son grand âge, avait gardé les yeux clairs et la main ferme, fit monter son compagnon et s'installa lui-même pour conduire.

— Tu ne vas pas achever de m'estropier, avec cette mécanique-là ?

— Non, non, n'aie pas peur. L'électricité me connaît, voici des années que nous faisons bon ménage ensemble.

Et il disait cela d'un ton dévot et attendri, comme s'il eût parlé d'une divinité nouvelle, d'une puissance bienfaisante dont la Cité tirait le meilleur de sa prospérité et de sa joie.

— Tu la retrouveras partout, la grande et souveraine énergie, sans laquelle tant de rapides progrès n'auraient pu s'accomplir. Elle est désormais l'unique force qui alimente nos machines; et elle ne reste pas seulement dans nos ateliers communs, elle se rend à domicile, elle y actionne les petits métiers particuliers, elle est l'ouvrière domestiquée dont chacun dispose, pour les plus infimes besognes, en tournant simplement un bouton. On tourne un autre bouton, et elle nous éclaire. On tourne un autre bouton, et elle nous chauffe. Partout, aux champs, à la ville, dans les rues comme au fond des plus modestes demeures, elle est présente, elle travaille silencieusement à notre place, elle est la nature domptée, la foudre asservie, dont notre bonheur est fait. Et il a fallu la fabriquer par quantités incalculables, l'avoir comme nous avons l'air du ciel, pour rien, pour le plaisir de le respirer, sans craindre jamais le gaspillage, quelle que soit la dépense folle que nous pouvons en faire. Mais, paraît-il, il n'y en a pas encore assez, l'ancien maître de la Crècherie dit qu'il cherche toujours à nous en donner davantage, afin de nous permettre, la nuit, d'allumer un astre au-dessus de Beauclair, pour remplacer le soleil et faire régner chez nous le resplendissement d'un jour éternel.

Il riait de bon cœur, à cet espoir de mettre à jamais les ténèbres en fuite, pendant que la voiturette filait par les larges avenues, de son train si rapide et si doux. Son idée, avant de parcourir Beauclair, était d'aller jusqu'aux Combettes, de montrer d'abord à son compagnon le magnifique domaine qui changeait la Roumagne en un paradis de fertilité et de délices. Cette matinée de fête ensoleillait tout, les routes étaient d'une gaieté sonnante, sous le beau soleil triomphal. D'autres voiturettes, en nombre infini, les parcouraient, toutes pleines de chants et de rires. Beaucoup de piétons

D'où sortait une bonne odeur de famille heureuse de rires et de chansons.

aussi arrivaient des villages voisins, la plupart en bandes, des garçons et des filles enrubannés, qui saluaient joyeusement au passage le vieillard, l'ancêtre. Et quelles cultures admirables se déroulaient aux deux bords des routes, de vastes champs de blé dont on ne voyait pas le bout, des mers de blé d'un vert profond et puissant! Au lieu des anciens lopins de terre, découpés avaricieusement en parts étroites, d'une maigreur étique de sol mal nourri et mal cultivé, la plaine entière n'était plus qu'un seul et immense champ, fumé, labouré, ensemencé par des mains associées et riches, et où la solidarité des hommes, réconciliés enfin, avait déterminé une fécondité formidable, des récoltes géantes pour un peuple équitable et fraternel. Quand la terre n'était pas bonne, on refaisait la terre, on lui donnait, chimiquement, les qualités dont elle manquait. On la chauffait, on l'abritait, des cultures intensives donnaient deux récoltes, des légumes et des fruits en toutes saisons. Grâce aux machines, les bras des hommes étaient épargnés, des lieues de labours se couvraient de moissons comme par prodige. Même on parlait de devenir les maîtres des nuages, de les diriger à volonté, grâce à de larges courants électriques, de sorte que, dès lors, on obtiendrait des jours de pluie ou des jours de soleil, selon les besoins de l'agriculture. L'homme, après avoir conquis la terre, allait conquérir le ciel, il ferait des astres sa dépendance. Les matins de grande fête, il nettoierait le ciel bleu, d'un bleu plus vaste et plus profond, il dégagerait le soleil, tel qu'un lustre pendu au plafond de l'immense salle. Et, cette fois déjà, pour cette fête du Travail, au premier jour de l'été, le lustre flambait d'un éclat éblouissant, le long des routes dont la blancheur gaie serpentait parmi les nappes ondulantes des grands blés verts, à l'infini.

— Tu vois, mon brave, reprit Bonnaire, avec un grand geste, d'un bout à l'autre de l'horizon, nous avons du pain. C'est le pain pour tous, le pain auquel chacun a droit en naissant.

— Vous nourrissez donc même ceux qui ne travaillent pas? demanda Ragu.

— Certainement... Mais il n'y a guère que les malades et les infirmes qui ne travaillent pas. Quand on se porte bien, on s'ennuie trop à ne rien faire.

Maintenant, la voiturette traversait des vergers, et c'était délicieux, ces allées interminables de cerisiers couverts de fruits rouges. On aurait dit des arbres enchantés dont les grappes jouaient et riaient au soleil. Les abricots n'étaient pas mûrs, les pommiers et les poiriers pliaient sous l'abondance de leur charge, verte encore. C'était une extraordinaire prodigalité, de quoi donner du dessert à tout un peuple, jusqu'au printemps prochain.

— Du pain pour tous, c'est maigre, reprit Ragu ironiquement.

— Oh! dit Bonnaire, qui se mit aussi à plaisanter, on ajoute un peu de dessert. Tu vois, ce ne sont pas les fruits qui manquent.

Ils étaient arrivés aux Combettes. Le village sordide avait disparu, des maisons blanches s'étaient bâties parmi les verdures, le long du Grand-Jean, le ruisseau infect autrefois, canalisé aujourd'hui, roulant une eau pure, une des causes de la fertilité environnante. Ce n'était plus l'ancienne campagne d'abandon, de saleté et de misère, où les paysans croupissaient depuis des siècles, dans l'entêtement borné de la routine et de la haine. L'esprit de vérité, de liberté, avait passé là, une évolution s'était faite vers la science et l'harmonie, éclairant les intelligences, réconciliant les cœurs, apportant la santé, la richesse, la joie. Depuis que tous avaient consenti à s'associer, le bonheur de chacun était né. Et jamais expérience plus concluante n'avait chanté gaiement sous le soleil, la leçon de choses resplendissait aux Combettes, avec ces maisons éparses, d'où sortaient une bonne odeur de familles heureuses, des rires et des chansons.

— Tu te rappelles les anciennes Combettes? demanda de nouveau Bonnaire, les masures dans la boue et le fumier, les paysans aux yeux farouches qui se plaignaient de crever de faim? Regarde ce que l'association en a fait.

Mais, dans sa jalousie sauvage, Ragu ne voulait pas se laisser convaincre, espérant quand même découvrir quelque part le malheur, cette malédiction du travail restée dans son sang de paresseux, de salarié rivé à sa chaîne, par son long atavisme d'esclave.

— S'ils travaillent, ils ne sont pas heureux, répéta-t-il obstinément. Leur bonheur est mensonger, le souverain bien est de ne rien faire.

Et, lui qui tapait sur les curés autrefois :

— Le catéchisme ne dit-il pas que le travail est la punition, la dégradation de l'homme? Quand on va dans le paradis, on ne fait plus rien.

Au retour, ils passèrent devant la Guerdache, un des jardins publics de la Cité nouvelle, toujours empli de jeunes mères et d'un vol d'enfants joueurs. La vaste habitation, qu'on avait encore agrandie, continuait à servir de maison de repos aux accouchées récentes, qui attendaient là leur rétablissement complet, parmi les grands arbres et les fleurs. C'était un domaine magnifique, un de ces palais d'autrefois, dont le peuple avait hérité légitimement, où il se trouvait enfin chez lui, en sa naturelle souveraineté. Les pelouses s'égayaient de corbeilles odorantes, les allées profondes s'enfonçaient sous les hautes voûtes de feuillages, délicieuses d'ombre et de silence. Et, par ces majestueuses avenues, le long desquelles jadis les chasses galopaient, des mères paisibles, en robes claires, poussaient de petites voitures, où riaient des nouveau-nés.

— Qu'est-ce que ça me fiche, dit encore Ragu, un luxe et une jouissance dont tout le monde profite? Ce n'est plus si bon, du moment qu'ils ne sont pas à moi seul.

Mais la voiturette filait toujours, et ils rentrèrent dans le nouveau Beauclair. L'aspect général de la ville reconstruite était bien celui d'un immense jardin, où les maisons s'étaient naturellement espacées, parmi les verdures, en un besoin de grand air et de vie libre. Au lieu de se serrer les unes contre les autres, comme aux époques de tyrannie et de terreur, les maisons semblaient s'être dispersées, pour plus de paix, plus de santé heureuse. Les terrains, remis en commun, ne coûtaient rien, s'étendaient d'un promontoire à l'autre des Monts Bleuses. Pourquoi se serait-on entassé, lorsque la plaine se déroulait? Quelques milliers de mètres sont-ils donc de trop pour une famille, lorsque tant d'immenses contrées de la terre ne sont même pas habitées? Chacun avait donc choisi son lot, puis s'était mis à bâtir à sa fantaisie. Aucun alignement, de larges avenues qui coupaient les jardins, pour la facilité des communications, et simplement des maisons dans les arbres, au gré de chaque ménage. Seulement, quelles que fussent leur orientation et leur disposition particulières, elles gardaient toutes un air de famille, un grand air de propreté et de joie. Surtout elles s'ornaient toutes de grès et de faïences aux couleurs vives, de tuiles émaillées, de pignons, d'encadrements, de panneaux, de frises, de corniches, dont les bleus de liserons, les jaunes de pissenlits, les rouges de coquelicots, les faisaient ressembler à de grands bouquets fleuris, entre les massifs verts des arbres. Rien n'était d'un charme plus gai, on sentait là une floraison renaissante de la beauté populaire, un peu déjà de cette beauté à laquelle le peuple avait droit et que son génie épanouirait de plus en plus, en moisson de chefs-d'œuvre. Puis, sur les places, aux carrefours des larges avenues, se dressaient les monuments publics, d'immenses constructions où le fer et l'acier triomphaient en des charpentes hardies. La magnificence en était faite de simplicité, d'appropriation logique à l'usage, d'intelligente grandeur dans le choix des matériaux et dans la décoration. Tout le peuple devait y être chez lui, les Musées, les Bibliothèques, les Théâtres, les Bains, les Laboratoires, les Salles de réunions et de divertissements, n'étaient que des Maisons-Communes ouvertes à la nation entière, où se vivait librement, fraternellement, la vie sociale. Et des essais de Portiques s'ébauchaient déjà, des bouts d'avenue couverts de vitres, et qu'on se proposait de chauffer l'hiver, pour permettre la tranquille circulation, par les grandes pluies et par les grands froids.

Cependant, Ragu donnait, malgré lui, des signes de surprise, et Bonnaire, le voyant absolument perdu, se mit à rire.

— Ah! ce n'est plus très facile de se reconnaître... Nous sommes sur l'ancienne place de la Mairie, tu te souviens, cette place carrée d'où partaient les quatre grandes voies, la rue de Brias, la rue de Formeries, la rue de Saint-Cron et la rue de Magnolles. Seulement, comme le vieux bâtiment de la Mairie tombait de pourriture, on l'a démoli, avec l'École ancienne, où tant de gamins avaient ânonné, sous la férule. Et tu vois, à la place, cette série de grands pavillons, les Laboratoires de chimie et de physique, où chaque savant est libre de venir étudier, expérimenter, lorsqu'il pense avoir fait quelque découverte, utile à la communauté. Puis les quatre rues se sont transformées, des masures ont disparu, on a planté des arbres, et il n'est guère resté que les anciennes maisons bourgeoises, avec leurs jardins, où les mariages ont fini par installer nos descendants, à nous les pauvres bougres de jadis.

Dès lors, Ragu finit par se retrouver, dans cet ancien beau quartier de Beauclair, le moins atteint naturellement. Il fallut pourtant que Bonnaire continuât à lui signaler au passage les transformations décisives, dues à la victoire de la société nouvelle. On avait gardé la Sous-Préfecture, en y ajoutant deux ailes en forme de galeries, pour y installer une Bibliothèque. De même, le Tribunal était devenu un Musée, tandis que la Prison neuve, avec ses cellules, avait pu être changée, sans trop de frais, en une maison de Bains, où l'eau jaillissante des sources abondait. Le jardin planté sur les terrains de l'Église écroulée avait déjà de beaux ombrages, autour du petit lac qui s'était formé à la place même de l'antique crypte souterraine. A mesure que les autorités diverses, d'administration et de répression, tendaient à disparaître, les bâtiments faisaient retour au peuple ; et il en disposait pour son bien-être et pour sa joie.

Mais, comme la voiturette revenait, remontait une grande et belle avenue, Ragu se sentit perdu de nouveau.

— Où sommes-nous donc ici?

— Dans l'ancienne rue de Brias, répondit Bonnaire. Ah! l'aspect en a bien changé. C'est que, le petit commerce ayant disparu complètement, les boutiques se sont fermées une à une, les vieilles maisons ont fini par être démolies, laissant la place à ces constructions nouvelles, si riantes parmi les aubépines et les lilas. Et, là, vers la droite, on a couvert le Clouque, cet égout empoisonné, sur lequel maintenant passe la contre-allée de cette avenue.

Il continua, il évoqua l'étroite, la noire rue de Brias, avec son pavé toujours boueux, avec son continuel piétinement de troupeaux. Le travail blême et rageur y traînait sa fatigue, la faim et la prostitution y rôdaient le soir, les ménagères pauvres y allaient de boutique en boutique, soucieuses, en quête de petits crédits. C'était-là que les Laboque régnaient, prélevant leur dîme sur les acheteurs, que Caffiaux empoisonnait les ouvriers de son alcool frelaté, que le boucher Dacheux surveillait sa viande, la viande sacrée, la nourriture des riches ; tandis que la belle boulangère, la bonne madame Mitaine, était la seule à bien vouloir fermer les yeux, quand un pain ou

deux disparaissaient de son étalage, les jours où les petits de la rue avaient
trop faim. Et, maintenant, le pavé s'était nettoyé de tant de misère et de tant
de souffrance, un souffle libérateur avait comme emporté les boutiques, où
la pauvreté de tous s'aggravait des gains du commerce, rouage inutile,
mangeur de richesse et de force. L'avenue passait, libre, élargie, assainie,
inondée de grand soleil, n'ayant plus à ses deux bords que des maisons de
travailleurs heureux, pendant que la foule y riait, y chantait, par cette claire
matinée de fête triomphale.

— Mais alors, s'écria Ragu, si le Clouque est ici, sous ces talus gazon-
nés, le vieux Beauclair se trouvait donc là-bas, à la place de ce parc nouveau, où des façades blanches se cachent à demi dans les ombrages?

Et, cette fois, il demeura béant. C'était bien le vieux Beauclair, l'amas
sordide de masures qui s'étalaient en une mare nauséabonde, des rues sans
jour, sans air, empuanties par un ruisseau central. Le misérable monde du
travail s'entassait dans ces nids à vermine et à épidémies, y agonisait depuis
des siècles, sous l'affreuse iniquité sociale. Surtout, il se rappelait la rue
des Trois-Lunes, la plus obscure, la plus étranglée, la plus immonde de
toutes. Et voilà qu'un coup de vent justicier et vengeur avait purifié ce
cloaque, en emportant ces abominables décombres, en semant à la place
ces arbres, ces verdures, où des logis de santé et de joie avaient poussé!
Rien n'était resté de l'ancienne ignominie, de ce bagne suant son poison
sous le ciel, comme un ulcère dont l'humanité serait morte. Avec la justice,
la vie était revenue, et c'étaient aussi des rires et des chants qui sortaient
de chaque demeure, qui emplissaient les larges rues nouvelles, débordantes
d'une jeunesse en fête.

Bonnaire s'amusait de l'étonnement de Ragu, le promenant d'un train
ralenti par les voies neuves de cette heureuse Cité du travail. Le jour férié
de chômage et de réjouissance l'embellissait encore, toutes les maisons
étaient pavoisées, faisaient claquer au léger vent du matin des oriflammes
de couleurs vives, tandis que des étoffes éclatantes drapaient les portes et
les fenêtres. Les seuils étaient couverts de roses, les rues elles-mêmes en
étaient jonchées, une telle abondance de roses, poussées dans de vastes
champs voisins, que la ville entière pouvait s'en parer comme une femme
au matin des noces. Des musiques retentissaient partout, des chœurs de
jeunes filles et de jeunes hommes s'envolaient par de grandes ondes sonores,
des voix pures d'enfants montaient très haut, se perdaient dans le soleil. Et
le limpide, le réjouissant soleil était lui aussi de la fête, d'immenses nappes
d'or élargies sans fin sous la tente somptueuse du ciel, légère et d'une soie
délicieusement bleue. Toute la population commençait à sortir, en clairs
vêtements, parée de belles étoffes, si chères autrefois, mises aujourd'hui à
la disposition de chacun. Des modes nouvelles, très simples dans leur magni-

licence, rendaient les femmes adorables. L'or, depuis la disparition lente de la monnaie, était réservé aux seuls bijoux, chaque fille à sa naissance trouvait ses colliers, ses bracelets, ses bagues, comme les gamins de jadis trouvaient des jouets. Cela n'avait plus de valeur, l'or devenait simplement de la beauté, de même que bientôt les fours électriques allaient produire les diamants et les pierres précieuses en une quantité incalculable, des sacs de rubis, d'émeraudes, de saphirs, de quoi en couvrir toutes les femmes. Déjà, les amoureuses qui passaient, au bras de leurs amoureux, avaient leur chevelure constellée d'étoiles vives. Et des couples défilaient sans cesse, des fiancés du libre amour, des époux de vingt ans qui s'étaient choisis et qui devaient ne se quitter jamais, des ménages vieillis dans leur tendresse, les mains unies plus étroitement par chaque année nouvelle.

— Où vont-ils donc tous à cette heure? demanda Ragu.

— Ils vont les uns chez les autres, répondit Bonnaire, ils s'invitent pour le grand dîner de ce soir, auquel tu assisteras. Et, du reste, ils ne vont nulle part, ils sortent au bon soleil, ils vivent au grand air leur jour de chômage, parce qu'ils sont gais et qu'ils sont comme chez eux dans leurs belles rues fraternelles. Puis, aujourd'hui, il y a partout des divertissements et des jeux, naturellement gratuits, car l'entrée de tous les établissements publics est libre. Ces bandes d'enfants que tu vois, on les mène dans des cirques, pendant qu'une autre partie de la foule se rend à des réunions, à des spectacles ou à des auditions de musique... Les théâtres sont destinés à faire partie de l'instruction et de l'éducation sociale.

Mais, brusquement, comme il passait devant une maison, dont les habitants étaient sur le point de sortir, il arrêta la voiturette.

— Veux-tu visiter une de nos maisons nouvelles?... Justement, nous voici chez mon petit-fils Félicien, et puisqu'il est encore là, il va nous recevoir.

Félicien était fils de Séverin Bonnaire, qui avait épousé Léonie, la fille de Ma-Bleue et d'Achille Gourier. Lui-même venait d'épouser, quinze jours plus tôt, Hélène Jollivet, fille d'André Jollivet et de Pauline Froment. Mais, lorsque Bonnaire voulut expliquer ces filiations à Ragu, celui-ci eut le geste d'un homme dont la tête se perd, au milieu d'une telle complication des alliances. Et le jeune ménage était charmant, elle très jeune, d'une adorable beauté blonde, lui blond également, grand et fort. Leur maison, où des enfants n'avaient pas encore eu le temps de naître, sentait bon l'amour, avec ses pièces si claires, si gaies, son ameublement tout neuf, d'une élégance simple. Ce jour-là, d'ailleurs, elle était, comme les rues, pleine de roses, car il semblait avoir plu des roses dans Beauclair, il y avait des roses partout, et jusque sur la toiture. On visita la maison entière avec des rires, on revint à la pièce qui servait d'atelier, une vaste pièce carrée, où se trouvait un moteur électrique. Félicien, tourneur sur métaux par goût, en dehors des trois ou quatre autres métiers qu'il exerçait concurremment, préférait travailler chez lui ; et il en était de même pour plusieurs camarades de son âge, un mouvement s'indiquait dans cette génération nouvelle, le petit travailleur à domicile, libre, maître de sa fabrication, en dehors des grands Ateliers sociaux, fondements jusque-là nécessaires de la Cité. Pour ces ouvriers individuels, la force électrique faisait merveille, ils l'avaient chez eux comme ils avaient l'eau des sources. C'était le travail désormais aisé, pouvant être exercé chez soi, proprement, sans fatigue ; c'était chaque maison changée en un atelier de famille, un lien de plus groupant les énergies au foyer, le travailleur entièrement libre dans la ville libre.

— A ce soir, mes enfants, dit Bonnaire en prenant congé. Dînez-vous à notre table ?

— Oh ! non, grand-père, impossible cette fois, nous sommes à la table de grand'mère Morfain. Mais, au dessert, nous voisinerons.

Ragu remonta dans la voiturette, sans dire une parole. Il avait visité la maison en silence, il s'était arrêté un instant devant le petit moteur électrique. Et il réussit encore à secouer l'émotion dont il venait d'être pris, au milieu de tant d'aisance et de bonheur manifeste.

— Voyons, est-ce que c'est des maisons de bourgeois cossus et heureux, ces maisons où, dans la plus grande pièce, il y a une machine ?... J'accorde que vos ouvriers sont mieux logés, ont plus d'agrément depuis le jour où la misère a disparu. Mais ce sont toujours des ouvriers, des mercenaires condamnés au travail. Autrefois, il y avait au moins quelques heureux, les privilégiés qui ne fichaient rien, et tout votre progrès consiste à ce que le peuple entier s'abrutisse sous l'esclavage commun.

Bonnaire haussa doucement les épaules, à ce cri désolé d'un dévot de la paresse, dont le culte s'effondrait.

— Il faudrait s'entendre, mon brave, sur ce que tu appelles l'esclavage. Si respirer, manger, dormir, vivre enfin, est un esclavage, le travail en est un. Puisque tu vis, il faut bien que tu travailles, car tu ne saurais vivre une heure sans travailler... Mais nous causerons de cela. En attendant, nous allons rentrer déjeuner, puis nous passerons l'après-midi à visiter les Ateliers et les Magasins.

Après leur déjeuner, en effet, la course recommença, à pied cette fois, d'un pas de promenade. Ils traversèrent l'usine entière, toutes les halles ensoleillées, où l'acier et les cuivres des nouvelles machines luisaient comme des joyaux. Et ce jour-là, les travailleurs étaient venus, des bandes de jeunes hommes et de jeunes filles, pour enguirlander ces machines de verdures et de roses. N'étaient-elles pas de la fête ? On fêtait le Travail, il fallait bien les fêter, elles aussi, ces puissantes ouvrières, si douces, si dociles qui soulageaient les hommes et les bêtes. Et rien n'était plus attendrissant ni plus gai. Ces roses dont s'ornaient les presses, les marteaux énormes, les raboteuses géantes, les grands tours, les grands laminoirs, disaient combien le travail était devenu attrayant, un bien-être du corps, une joie de l'esprit. Des chants retentissaient, des rondes se formaient, au milieu des rires, toute une farandole, qui peu à peu gagnait d'une halle à l'autre et finissait par changer l'usine en un immense lieu de réjouissance.

Impassible encore, Ragu se promenait, levant les yeux vers les hauts vitrages inondés de soleil, regardant les dalles et les murs d'une netteté éclatante, s'intéressant aux machines, dont beaucoup lui étaient inconnues, colosses faits de rouages compliqués, capables des anciennes besognes humaines, les plus rudes et les plus délicates. Il en était qui avaient des jambes, des bras, des pieds, des mains, pour marcher, pour embrasser, pour étreindre et manier le métal, avec des doigts souples, agiles et forts. Les nouveaux fours à puddler surtout le retinrent, ces fours où le brassage s'opérait mécaniquement. Était-ce possible que « la boule » en sortît ainsi, toute prête à passer sous le marteau cingleur? Et l'électricité qui faisait rouler les ponts, qui mettait les pilons monstrueux en branle, qui actionnait des laminoirs capables de couvrir de rails toute la terre! Elle était partout, cette électricité souveraine, elle avait fini par être le sang même de l'usine, circulant d'un bout à l'autre des ateliers, donnant la vie à toutes choses, devenue l'unique source de mouvement, de chaleur et lumière.

— Sans doute, dut concéder Ragu, c'est très bien, c'est très propre et très grand, ça vaut mieux que nos sales trous d'autrefois, où nous étions comme des cochons à l'auge. On a sûrement réalisé des progrès, l'ennui est de n'avoir pas encore trouvé la façon de donner cent mille francs de rente à chaque citoyen.

— Nous les avons, les cent mille francs de rente, répondit plaisamment Bonnaire. Viens voir.

Et il le mena aux Magasins-Généraux. C'étaient d'immenses granges, d'immenses greniers, d'immenses salles de réserve, où toute la production, toute la richesse de la Cité s'entassait. Chaque année, il avait fallu les agrandir, on ne savait plus où mettre les récoltes, on avait dû même ralentir la production des objets fabriqués, pour qu'un encombrement ne se produisît pas. Et nulle autre part on ne sentait mieux l'incalculable fortune dont un peuple était capable, lorsque disparaissaient les intermédiaires, les oisifs et les voleurs, tous ceux qui vivaient jadis du travail d'autrui, sans rien produire eux-mêmes. La nation entière au travail, avec sa tâche de quatre heures par jour, amoncelait une richesse si prodigieuse, que chaque habitant regorgeait de tous les biens, satisfaisait tous ses désirs, ignorant désormais de l'envie, de la haine et du crime.

— Voilà nos rentes, répétait Bonnaire, chacun de nous peut puiser ici, sans compter. Crois-tu que ça ne représente pas pour chacun cent mille francs de vie heureuse? Sans doute, nous sommes tous aussi riches, et cela, tu l'as dit, gâterait ton plaisir, la fortune ne comptant pas pour toi, si elle n'est pas assaisonnée de la misère des autres. Mais cela a pourtant un avantage, on ne court plus le risque d'être volé ou assassiné, un soir, au coin d'une rue.

Il indiqua aussi qu'un mouvement se produisait, en dehors des Magasins-Généraux : l'échange direct de producteur à producteur, provenant surtout des petits ateliers de famille, des machines à domicile. Les grands Ateliers, les grands Magasins sociaux finiraient peut-être par disparaître un jour, et ce serait un nouveau pas vers plus de liberté, vers l'individu souverainement libre dans l'humanité libre.

Ragu l'écoutait, bouleversé peu à peu par ce bonheur conquis, qu'il aurait voulu nier encore. Et, ne sachant comment cacher l'ébranlement où il était, il cria :

— Alors, tu es anarchiste, à cette heure!

Cette fois, Bonnaire s'égaya bruyamment.

— Oh! mon bon ami, j'étais collectiviste, et tu m'as reproché de ne plus l'être. Maintenant, tu me fais anarchiste... La vérité est que nous ne sommes plus rien du tout, depuis le jour où le rêve commun de bonheur, de vérité et de justice s'est réalisé... Et, j'y songe, viens voir encore quelque chose, pour achever notre visite.

Il le mena derrière les Magasins-Généraux, au bas même de la rampe des Monts Bleuses, à l'endroit où Lange avait jadis installé ses fours rudimentaires de potier, dans un clos de pierres sèches, une sorte de baraquement d'artisan libertaire, vivant en dehors des coutumes et des lois. Aujourd'hui, tout un vaste bâtiment s'élevait là, une fabrique considérable de grès et de faïences, de laquelle sortaient les briques et les tuiles émaillées, les mille décors aux couleurs vives dont s'ornait la ville entière. C'était Lange qui s'était décidé à faire des élèves, cédant aux instances amicales de Luc, lorsqu'il avait vu un peu d'équité s'établir et soulager l'atroce misère. Enfin, puisque le peuple refleurissait à la joie, lui aussi allait donc pouvoir réaliser son rêve, laisser pousser de ses mains les terres cuites éclatantes, les épis d'or, les bluets et les coquelicots, dont il voulait depuis si longtemps égayer les façades, parmi la verdure des jardins. On semblait lui bâtir une ville tout exprès, la ville heureuse des travailleurs délivrés et ennoblis. Et, de ses gros doigts d'ouvrier génial, la beauté s'était épanouie, un art admirable, venant du peuple et retournant au peuple, toute la force et toute la grâce populaires primitives. Il n'avait point renoncé aux objets les plus humbles, la simple argile, la poterie de cuisine et de table, des marmites,

des terrines, des cruches, des assiettes, exquises de formes et de couleurs,
mêlant aux besognes infimes, à la banale vie quotidienne, le charme glorieux
de l'art. Mais, chaque année, il avait élargi sa production, dotant les édifices
publics de frises superbes, peuplant les promenades de statues adorables,
dressant sur les places des fontaines, pareilles à de grands bouquets, d'où
ruisselaient les eaux des sources, en une fraîcheur d'éternelle jeunesse. Et la
pléiade d'artistes qu'il avait faits à son image, parmi les générations nouvelles, produisait maintenant avec une extraordinaire abondance, mettait de
l'art et de la beauté jusque dans les pots dont les ménagères se servaient
pour leurs conserves et leurs confitures.

Justement, Lange était là, sur le seuil de la fabrique, en haut des quelques marches du perron. Bien qu'il eût près de soixante-quinze ans, il restait robuste, dans sa petite taille trapue. C'était toujours la même tête carrée
et rustique, embroussaillée de cheveux et de barbe, aujourd'hui d'un blanc
de neige. Mais, de ses yeux vifs, sortait enfin en clairs sourires l'infinie
bonté, cachée sous la rude écorce. Une bande d'enfants joueurs l'entourait,
des garçons, des filles, qui se bousculaient, les mains tendues, tandis qu'il
procédait à une distribution de petits cadeaux, dont il avait l'habitude, le
jour de chaque fête. Il leur partageait ainsi, en façon de joujoux, des figurines d'argile, faites en quelques coups de pouce, peintes et cuites à la grosse,
mais d'une grâce délicieuse, quelques-unes même d'un comique charmant.
Et elles représentaient les sujets les plus simples du monde, les occupations
de tous les jours, les menus actes et les joies fugitives de chaque heure, des
enfants pleurant ou riant, des jeunes filles faisant le ménage, des ouvriers
au travail, la vie en sa continuelle et merveilleuse floraison.

— Voyons, voyons, mes enfants, ne vous pressez pas, il y en aura
pour tout le monde... Tiens! ma blondine, pour toi, cette fillette qui
met ses bas!... Tiens! mon grand garçon, pour toi, ce gamin qui revient
de l'école!... Tiens! le petit brun là-bas, pour toi, ce forgeron avec son
marteau!

Et il criait, et il riait, très amusé au milieu des enfants heureux, se disputant ses petits bonshommes et ses petites bonnes femmes, comme il nommait ses exquises figurines.

— Ah! prenez garde! il ne faut pas les casser... Placez-les dans vos
chambres, ça vous mettra dans les yeux des lignes agréables, de jolies couleurs. Alors, quand vous serez grands, vous aimerez ce qui est beau et ce
qui est bon, vous serez très beaux et très bons vous-mêmes.

C'était sa théorie, il fallait de la beauté au peuple pour qu'il fût sain et
fraternel. Un peuple satisfait ne pouvait être qu'un peuple intelligent et
harmonieux. Tout chez lui, autour de lui, devait le rappeler à la beauté,
surtout les objets d'un usage courant, les ustensiles, les meubles, la maison

entière. Et la croyance à la supériorité de l'art aristocratique était imbécile, l'art le plus vaste, le plus émouvant, le plus humain, n'était-il pas dans le plus de vie possible? Lorsque l'œuvre serait faite pour tous, elle prendrait une émotion, une grandeur incomparables, l'immensité même des êtres et des choses. D'ailleurs, elle venait de tous, elle sortait des entrailles de l'humanité, car l'œuvre immortelle, défiant les siècles, naissait de la foule, résumait une époque et une civilisation. Et c'était toujours du peuple que l'art fleurissait, pour l'embellir lui-même, lui donner le parfum et l'éclat, aussi nécessaire à son existence que le pain de chaque jour.

— Encore ce paysan qui moissonne, encore cette femme qui lave son linge, tiens! pour toi, ma grande, tiens! pour toi, mon petit homme... Et c'est fini, soyez bien sages maintenant, embrassez pour moi vos mamans et vos papas. Allez, allez, mes petits agneaux, mes petits poulets, la vie est belle, la vie est bonne!

Ragu, immobile, avait écouté en silence, l'air de plus en plus surpris. Il finit par éclater, avec son terrible ricanement.

— Dis donc, l'anarchiste, tu ne parles donc plus de faire sauter toute la boutique?

D'un mouvement brusque, Lange se retourna, le regarda, sans le reconnaître. Il ne se fâcha pas, il se remit à rire.

— Ah! tu me connais, toi dont je ne sais plus le nom... C'est bien vrai, j'ai voulu faire sauter la boutique. Je criais ça partout, à tous les vents, jetant la malédiction à la ville maudite, lui annonçant la destruction prochaine par le fer et la flamme. J'avais même résolu d'être le justicier, en brûlant Beauclair comme dans un coup de foudre... Mais, que veux-tu? les choses ont tourné autrement. Il s'est fait assez de justice déjà pour me désarmer. La ville s'est purifiée, s'est rebâtie, et je ne puis pourtant pas la détruire, maintenant qu'on y réalise tout ce que j'ai voulu, tout ce que j'ai rêvé... N'est-ce pas, Bonnaire? la paix est faite.

Et lui, l'anarchiste d'autrefois, tendit la main à l'ancien collectiviste, avec lequel il avait eu de si furieuses querelles.

— On se serait mangé, n'est-ce pas, Bonnaire?... On était bien d'accord sur la ville de liberté, d'équité et de bonne entente où l'on désirait se rendre. Seulement, on différait sur le chemin à suivre; et ceux qui croyaient devoir passer à droite auraient massacré ceux qui prétendaient passer à gauche... Maintenant que nous y sommes, nous serions trop bêtes de nous quereller encore, n'est-ce pas, Bonnaire? La paix est faite.

Bonnaire, qui avait gardé la main du potier, la serrait, la secouait affectueusement.

— Oui, oui, Lange, nous avions tort de ne pas nous entendre, c'est peut-être ce qui nous empêchait d'avancer. Ou plutôt, nous avions tous raison, puisque à présent nous voilà la main dans la main, en reconnaissant qu'au fond nous voulions tous la même chose.

— Et, reprit Lange, si les choses ne vont pas encore comme l'absolue justice l'exigerait, si toute la liberté, tout l'amour restent à venir, il faut s'en remettre à ces gamins et à ces gamines pour continuer l'œuvre et l'achever un jour... Vous entendez, mes petits poulets, mes petits agneaux, aimez-vous bien !

Les cris et les rires recommençaient, lorsque, brutalement, Ragu intervint de nouveau.

— Et ta Nu-Pieds, dis donc, l'anarchiste manqué, tu en as fait ta femme?

Des larmes soudaines parurent dans les yeux de Lange. Il y avait près de vingt ans déjà, la grande et belle fille, ramassée par bonté sur une route, et qui l'adorait en esclave, était morte entre ses bras, victime d'un affreux accident, resté fort obscur. Il racontait l'explosion d'un de ses fours, la porte de fonte descellée, lancée avec violence, trouant la Nu-pieds en pleine poitrine. Mais la vérité était certainement tout autre : elle l'aidait dans ses expériences d'explosifs, elle devait avoir été foudroyée, pendant des essais pour charger les fameuses petites marmites, dont il parlait si complaisamment, et qu'il devait déposer à la Mairie, à la Sous-Préfecture, au Tribunal, partout où se trouvait une autorité à détruire. Pendant des mois, pendant des années, son cœur avait saigné de cette perte tragique, et, aujourd'hui encore, parmi tant de bonheur réalisé, il pleurait cette amoureuse si passionnée et si douce, qui, pour l'aumône attendrie d'un morceau de pain, lui avait fait à jamais le royal cadeau de sa beauté.

Lange s'avança rudement vers Ragu.

— Tu es un méchant, pourquoi me retournes-tu le cœur?... Qui es-tu? d'où reviens-tu? ne sais-tu pas que ma chère femme est morte et que, tous les soirs encore, je lui demande pardon, on m'accusant de l'avoir tuée? Si je ne suis pas devenu un mauvais homme, je le dois à son tendre souvenir, car elle est toujours là, elle est ma bonne conseillère... Mais toi, tu es un méchant, je ne veux pas te reconnaître, je ne veux pas savoir ton nom. Va-t'en, va-t'en de chez nous!

Il était superbe de violence douloureuse. En lui, sous l'enveloppe mal dégrossie, le poète, qui autrefois éclatait en imaginations vengeresses, d'une grandeur noire, s'était attendri, le cœur trempé d'une bonté frissonnante, immense maintenant.

— L'as-tu donc reconnu? demanda Bonnaire inquiet. Qui donc est-il, dis-le-moi?

— Je ne veux pas le reconnaître, répéta Lange avec plus de force. Je ne dirai rien, qu'il s'en aille, qu'il s'en aille tout de suite!... Il n'est pas fait pour chez nous.

Et Bonnaire, persuadé que le potier avait reconnu l'homme, emmena ce dernier doucement, désireux d'éviter une explication pénible. D'ailleurs, Ragu, sans s'attarder à la querelle, le suivit en silence. Tout ce qu'il voyait, tout ce qu'il entendait, le frappait au cœur, l'emplissait d'un regret amer, d'une envie sans bornes. Et il commençait à chanceler, sous cette félicité conquise, dont il n'était pas, dont il ne serait jamais.

Mais ce fut le soir surtout que le spectacle de Beauclair en fête le bouleversa. Ce premier jour de l'été, un usage avait prévalu, chaque famille dressait sa table au seuil de la maison, dînait dehors, dans la rue, sous les yeux des passants. C'était comme une communion fraternelle de la Cité entière, on rompait le pain et l'on buvait le vin publiquement, les tables finissaient par se rapprocher, ne faisaient plus qu'une table, changeaient la ville en une immense salle de festin, où le peuple devenait une seule et même famille.

Dès sept heures, comme le soleil resplendissait encore, les tables furent dressées, ornées de roses, de la pluie de roses qui embaumait Beauclair, depuis le matin. Les nappes blanches, les vaisselles peintes, les verreries et les argenteries s'égayaient, s'allumaient de la pourpre du couchant. L'argent monnayé tendant à disparaître, chacun avait son gobelet d'argent, comme jadis on avait un gobelet d'étain. Et Bonnaire voulut absolument que Ragu prît place à sa table, à la table de sa petite-fille Claudine, qui avait épousé un fils de Luc, Charles Froment.

— Je vous amène un convive, dit-il simplement, sans le nommer. C'est un étranger, un ami.

Et tous répondirent :

— Il est le bienvenu.

Bonnaire garda Ragu près de lui. Mais la table était longue, quatre générations s'y coudoyaient. L'ancêtre, Bonnaire, y voyait son fils Lucien et sa belle-fille Louise Mazelle, ayant tous les deux dépassé la cinquantaine ; il y voyait sa petite-fille Claudine et son beau-petit-fils Charles Froment, dans leur maturité ; et il y voyait son arrière-petite-fille Alice, une gamine délicieuse de huit ans. Toute une parenté compliquée suivait. Et il expliqua qu'il aurait fallu une table géante, si ses trois autres enfants, Antoinette, Zoé et Séverin, n'avaient pas accepté de dîner à des tables voisines, chez leurs enfants à eux. Il en plaisantait, il disait qu'au dessert on voisinerait, de façon à être quand même tous ensemble.

Ragu regardait surtout Louise Mazelle, jolie et vive encore, avec sa fine tête de chèvre capricieuse. La vue de cette fille de bourgeois, si tendre toujours pour son mari Lucien, le fils d'ouvriers, devait le surprendre. Il se pencha, il questionna Bonnaire à demi-voix.

— Les Mazelle sont donc morts ?

— Oui, de l'épouvante de perdre leurs rentes. La baisse énorme des valeurs, les conversions qui ont bouleversé le grand-livre et qui en ont annoncé la destruction prochaine, sont tombées sur eux comme autant de coups de foudre. Le mari est parti le premier, dans son amour de la divine paresse, tué par l'idée qu'il lui faudrait peut-être se remettre au travail. La femme a traîné quelque temps, ne soignant même plus sa maladie imaginaire, n'osant plus sortir, dans la certitude obstinée qu'on assassinait au coin des rues, depuis le jour où l'on avait touché à la rente. Et sa fille a eu beau vouloir la prendre chez elle, elle étouffait à la pensée d'être nourrie par une autre, on l'a trouvée la face noire, frappée d'apoplexie, le nez tombé dans une liasse de ses titres, désormais inutiles... Pauvres gens ! ils s'en sont allés sans comprendre, effarés, anéantis, en accusant le monde de s'être mis à l'envers.

Ragu hocha la tête, sans larmes pour ces bourgeois, mais trouvant lui aussi qu'un monde d'où était bannie la paresse cessait d'être habitable. Et il se remit à regarder, assombri par la joie croissante des convives, par l'abondance et le luxe de la table, qui semblaient choses naturelles, ne tirant plus à vanité. Toutes les femmes étaient vêtues des mêmes robes de fête, des mêmes soies claires et charmantes, et dans les chevelures de toutes luisaient les mêmes pierres précieuses, les rubis, les saphirs, les émeraudes. Les fleurs, les roses superbes étaient plus aimées encore, plus précieuses, plus vivantes. Dès le milieu du repas, fait de mets très simples, très délicats, de légumes et de fruits surtout, servis sur des plats d'argent, des chants joyeux montaient déjà, saluant le coucher du soleil, lui disait au revoir, dans la certitude de l'heureuse aurore prochaine. Et il se produisit alors un incident délicieux, tous les oiseaux du voisinage, des fauvettes, des rouges-gorges, des pinsons, de simples moineaux, s'abattirent sur la table, avant d'aller se coucher parmi les verdures assombries. Il en arrivait de partout, en un vol hardi, se posant sur les épaules, descendant becqueter les miettes de la nappe, acceptant des friandises de la main des enfants et des femmes. Depuis que Beauclair devenait une ville de concorde et de paix, ils ne l'ignoraient pas, ils ne craignaient plus rien des bons habitants, ni pièges, ni coups de feu ; et ils s'étaient familiarisés, ils faisaient maintenant partie des familles, chaque jardin avait ainsi ses hôtes, qui, aux repas, venaient prendre leur part de la nourriture commune.

— Ah ! voici nos petits amis ! cria Bonnaire. Comme ils jasent ! ils savent bien que c'est jour de fête... Alice, émiette-leur donc du pain.

Et Ragu, la face noire, les yeux douloureux, continuait à regarder les oiseaux s'abattre de toutes parts, en un tourbillon de petites plumes légères, que doraient les derniers rayons. Il en descendait sans cesse des branches, certains s'envolaient, puis revenaient. Le dessert en fut égayé, tant il y eut de

Il se rappelait les bordées anciennes, le camarade s'attardant avec lui chez Cappiaux.

petites pattes sautant lestement parmi les cerises et parmi les roses. Et rien
encore, depuis le matin, au milieu des félicités et des splendeurs visitées,
n'avait dit à Ragu, d'une façon aussi charmante et aussi claire, combien ce
peuple naissant était paisible et heureux.

Il se leva brusquement, s'adressant à Bonnaire.

— J'étouffe, j'ai besoin de marcher... Et puis, je veux voir encore, je
veux tout voir, toutes les tables, tous les convives.

Bonnaire comprit bien. N'était-ce pas Luc et Josine qu'il voulait voir,
auxquels aboutissait sa curiosité ardente, depuis son retour? Et son hôte,
évitant encore une explication décisive, répondit simplement :

— C'est cela, je vais tout te montrer, nous allons faire le tour des tables.

La première table qu'ils rencontrèrent, devant la maison voisine, était
celle des Morfain. Petit-Da la présidait, avec sa femme Honorine Caffiaux,
tous les deux en cheveux blancs; et il y avait là leur fils Raymond, sa femme
Thérèse Froment, ainsi que leur aîné, Maurice Morfain, un grand garçon de
dix-neuf ans déjà. Puis, en face, c'était la descendance de Ma-Bleue, veuve
d'Achille Gourier, et dont les grands yeux de ciel bleu gardaient leur infini
bleu, à près de soixante-dix ans. Elle-même allait être arrière-grand'mère
bientôt, par sa fille Léonie, mariée à Séverin Bonnaire, et par son petit-fils
Félicien, né de ce mariage, et qui venait d'épouser Hélène, fille de Pauline
Froment et d'André Jollivet. Tous étaient présents, même ces deux derniers, venus avec leur fille. On plaisantait Hélène, on projetait de donner à
son premier-né le nom de Grégoire; tandis que sa sœur Berthe, âgée de
quinze ans à peine, riait déjà aux tendresses que lui disait Raymond, son
cousin, un petit ménage d'amour pour plus tard.

L'arrivée de Bonnaire, qui retrouvait là son cadet Séverin, fut saluée par
des acclamations joyeuses. Et Ragu, s'égarant de plus en plus dans ces alliances
enchevêtrées, se fit montrer surtout les deux Froment assises à cette table,
Thérèse et Pauline, les deux filles, en marche déjà vers la quarantaine, adorables toujours de beauté claire et saine. Puis, la vue de Ma-Bleue lui rappela
l'ancien maire Gourier, l'ancien sous-préfet Châtelard; et il voulut connaître
leur fin. Ils avaient fini par s'éteindre à quelques jours l'un de l'autre, dans
l'intimité étroite que la perte commune de la belle Léonore avait resserrée
davantage. Gourier, mort le premier, s'accommodait difficilement au nouvel
état de choses, levant parfois les bras au ciel, en patron étonné de ne plus
l'être, parlant du passé avec une mélancolie de vieil homme, au point de
regretter les cérémonies du culte catholique, la première communion et les
processions, l'encens et les cloches, lui qui avait tant mangé du prêtre autrefois.
Châtelard, au contraire, s'était galamment endormi dans la peau de l'anarchiste, poussé peu à peu sous sa diplomatique réserve, accomplissant son
destin tel qu'il l'avait voulu, heureux, oublié au milieu de ce Beauclair

reconstruit et triomphal, disparaissant en silence avec le régime dont il menait si complaisamment les funérailles, comme englouti lui-même dans la chute du dernier ministère. Mais il était une mort plus haute, plus belle, celle du président Gaume, dont le souvenir s'évoquait là par la présence de son petit-fils André, de ses arrière-petites-filles Hélène et Berthe. Lui avait vécu jusqu'à quatre-vingt-douze ans, seul avec son petit-fils, dans la désolation de sa vie manquée, torturée. Le jour où l'on avait fermé le Tribunal et la Prison, il s'était senti délivré de la hantise de toute son existence de juge. Un homme jugeant des hommes, acceptant d'être la vérité infaillible, la justice absolue, malgré les infirmités possibles de son intelligence et de son cœur, cela le faisait frémir, le jetait maintenant à des scrupules excessifs, à des remords épouvantés, pris de la terreur d'avoir été un mauvais juge. Enfin, la justice qu'il attendait, qu'il craignait de ne pas voir, était donc venue, non pas la justice d'un ordre social inique, régnant par le glaive dont elle défend les quelques spoliateurs et dont elle frappe la foule immense des misérables esclaves, mais la justice d'homme libre à homme libre, donnant à chacun sa part du bonheur légitime, apportant la vérité, la fraternité et la paix. Et, le matin de sa mort, il fit appeler un ancien braconnier, condamné par lui autrefois à une dure peine, pour avoir tué un gendarme dont il venait de recevoir un coup de sabre, et publiquement il se repentit, il dit à voix haute les doutes qui avaient empoisonné sa carrière, il cria ce qu'il avait caché jusque-là, les crimes du Code, les erreurs et les mensonges de la loi, toutes ces armes d'oppression et de haine sociales, tous ces terrains corrompus d'où repoussaient des épidémies de vols et de meurtres.

— Alors, reprit Ragu, ce ménage qui se trouve assis à cette table, ce Félicien et cette Hélène, chez lesquels nous nous sommes arrêtés un instant, ce matin, sont à la fois les petits-enfants des Froment, des Morfain, des Jollivet et des Gaume?... Et tous ces sangs ennemis ne s'empoisonnent pas les uns les autres, dans les veines où ils coulent à présent?

— Mais non, répondit tranquillement Bonnaire. Ils s'y sont réconciliés, et la race a pris plus de beauté et plus de force.

Une nouvelle amertume attendait Ragu, à la table suivante. Celle-ci était la table de Bourron, son ancien camarade, le bon compagnon de fainéantise et d'ivrognerie, qu'il dominait, qu'il débauchait si aisément. Bourron heureux, Bourron sauvé, lorsque lui restait seul dans son enfer! Et Bourron, malgré son grand âge, triomphait en effet, à côté de sa femme Babette, l'éternelle réjouie, dont le bel espoir inaltérable, le ciel obstinément bleu s'était réalisé, sans qu'elle daignât même s'en étonner. Est-ce que cela n'était pas naturel? on était heureux, parce qu'on finit toujours par être heureux. Et, à leur entour, le pullulement n'avait plus de bornes. C'était d'abord Marthe, leur aînée, qui avait épousé Auguste Laboque, et qui en

avait eu Adolphe, lequel s'était marié avec Germaine, fille de Zoé Bonnaire
et de Nicolas Yvonnot. C'était ensuite Sébastien, leur cadet, qui avait
épousé Agathe Fauchard, et qui en avait eu Clémentine, laquelle s'était
mariée avec Alexandre Feuillat, fils de Léon Feuillat et d'Eugénie Yvonnot.
Déjà deux fillettes, issues de ces deux branches, représentaient la quatrième
génération, Simonne Laboque et Amélie Feuillat, l'une et l'autre âgées de
cinq ans. Et il y avait encore là, grâce aux alliances, Louis Fauchard, marié
à Julienne Dacheux, dont il avait eu Laure, et Évariste Mitaine, marié à
Olympe Lenfant, dont il avait eu Hippolyte, et enfin Hippolyte Mitaine,
marié à Laure Fauchard, dont il avait eu François, un gamin de huit ans
bientôt, la quatrième génération aussi de ce côté, en train de pousser gaillardement. Dans Beauclair en joie, on n'aurait pas trouvé de table plus
vaste, toutes les descendances mêlées des Bourron, des Laboque, des Bonnaire, des Yvonnot, des Fauchard, des Feuillat, des Dacheux, des Lenfant
et des Mitaine.

Bonnaire, qui retrouvait encore là une des siennes, Zoé, donnait à Ragu
des détails sur ceux que la mort avait pris. Fauchard et sa femme Natalie,
lui hébété, elle toujours dolente, s'en étaient allés sans avoir compris,
cachant le pain désormais à discrétion, dans la crainte d'être volés. Feuillat,
avant de mourir, avait eu la joie de voir le triomphe du vaste domaine
des Combettes, son œuvre. Lenfant et Yvonnot venaient de le suivre, dans
cette terre aimée intelligemment désormais, virilement fécondée. Après les
Dacheux, après les Caffiaux et les Laboque, tout l'ancien commerce aujour-
d'hui disparu, la belle boulangère, la bonne madame Mitaine, avait fini par
s'éteindre, pleine d'ans, de bonté et de beauté.

Ragu n'écoutait plus, ne pouvait détacher ses yeux de Bourron.

— C'est qu'il a l'air tout jeune ! murmura-t-il, et sa Babette, elle a toujours son joli rire !

Il se rappelait les bordées anciennes, le camarade s'attardant avec lui
chez Caffiaux, déblatérant contre les patrons, rentrant ivre-mort. Et il se
rappelait sa longue vie de misère, à lui, les cinquante années perdues à
rouler d'atelier en hôpital, par le vaste monde. Aujourd'hui, l'expérience
était faite, le travail réorganisé, régénéré, avait sauvé le camarade, à demi
perdu déjà, tandis qu'il revenait, lui, exterminé par l'ancien travail de
misère et de souffrance, le salariat inique, empoisonneur et destructeur.
Et, à ce moment, il y eut un spectacle charmant, qui acheva de l'angoisser.
Simonne Laboque, née d'Adolphe et de Germaine, une gamine blonde de
cinq ans, arrière-petite-fille de Bourron, prit sur la table, de ses petites
menottes, des roses effeuillées, et vint les faire pleuvoir sur la tête blanche
du bisaïeul, souriant.

— Tiens ! grand-père Bourron, en voilà, et en voilà encore ! C'est pour te faire une couronne... Tiens ! tiens ! tu en as dans les cheveux, tu en as dans les oreilles, tu en as sur le nez, tu en as partout !... Et bonne fête, bonne fête, grand-père Bourron !

Toute la table riait, applaudissait, acclamait l'ancêtre. Ragu s'enfuit, entraînant Bonnaire. Il tremblait, il défaillait. Puis, lorsqu'ils furent un peu à l'écart, il lui demanda brusquement, d'une voix sourde :

— Écoute, à quoi bon le taire davantage ? je ne suis venu que pour les voir... Où sont-ils ? montre-les-moi !

C'était de Luc et de Josine qu'il parlait. Mais, comme Bonnaire, ayant compris, tardait à répondre, il continua :

— Depuis ce matin, tu me promènes, je fais semblant de m'intéresser à tout, et pourtant je songe à eux seuls, eux seuls me hantent, car eux seuls m'ont ramené ici, au travers de tant de fatigues et de souffrances... J'ai su, au loin, que je ne l'avais pas tué, et tous les deux vivent encore, n'est-ce pas ? ils ont eu beaucoup d'enfants, ils sont heureux, en plein triomphe, n'est-ce pas ?

Bonnaire réfléchissait. Dans la crainte d'un scandale, il avait jusque-là retardé l'inévitable rencontre. Mais sa tactique n'avait-elle pas réussi ? n'était-il pas parvenu à frapper Ragu d'une sorte de terreur sacrée, devant la grandeur de l'œuvre accomplie ? Il le sentait maintenant éperdu, saisi d'un frisson, les mains trop molles pour un nouveau crime. Alors, de son air de bonhomie sereine, il finit par répondre.

— Tu veux les voir, mon brave, je vais te les montrer. Et, c'est bien vrai, tu verras des gens heureux.

La table de Luc se trouvait tout de suite après celle des Bourron. Il en occupait le centre, avec Josine à sa droite. Et il avait à sa gauche Sœurette et Jordan. Suzanne aussi était là, en face de Luc. Nanet et Nise, grand-père et grand'mère bientôt, avaient pris place près d'elle, les yeux rieurs sous leurs toisons blondes un peu pâlies, comme aux jours déjà lointains où ils n'étaient que des joujoux, de petits moutons frisés. Puis, c'était toute la descendance, entourant la table. Hilaire, l'aîné des Froment, avait épousé Colette, la fille de Nanet et de Nise, et en avait eu Mariette, âgée de près de quinze ans ; tandis que, de Paul Boisgelin et d'Antoinette Bonnaire, naissait Ludovic, qui aurait vingt ans bientôt ; et il y avait promesse d'union entre Ludovic et Mariette, ils dînaient côte à côte, chuchotant, ayant leurs petits secrets dont ils s'égayaient d'un air tendre. Ensuite, venait Jules, le dernier des Froment, qui s'était marié avec Céline, la fille d'Arsène Lenfant et d'Eulalie Laboque, et le ménage avait un gamin de six ans, Richard, d'une beauté d'archange, la passion de son grand-père Luc. Et toute la parenté prolongeait le couvert, c'était la table où fusionnaient le plus étroitement les sangs ennemis, les Froment, les Boisgelin, les Delaveau, mêlés aux sangs des

Bonnaire, des Laboque et des Lenfant, le travail manuel, le commerce et la terre, toute la communion sociale, d'où était sortie la Cité nouvelle, le Beauclair de justice et de paix.

Au moment où Ragu s'approchait, un dernier rayon du soleil couchant embrasait la table d'une gloire, et les bouquets de roses, les plats d'argent, les soies légères et les chevelures endiamantées des femmes, étincelaient, au milieu de cette splendeur. Mais surtout, dans cet au revoir de l'astre, l'allégresse adorable était la hâte des oiseaux du voisinage à s'abattre une fois encore, autour des convives, avant d'aller dormir sur les branches. Il en vint un tel vol, parmi un tel battement d'ailes, que la table en fut couverte, une neige vivante de petites plumes tièdes. Des mains amies les prenaient, les caressaient, les relâchaient. Et cette confiance des rouges-gorges et des pinsons était infiniment douce, célébrait dans l'air calme du soir l'alliance faite désormais entre tous les êtres, l'universelle paix qui régnait entre les hommes, les bêtes et les choses.

— Oh! grand-père Luc, cria le gamin Richard, vois donc, grand'mère Josine a une fauvette qui boit de l'eau dans son verre!

C'était vrai, et Luc, le fondateur de ville, en fut amusé, ému. L'eau était un peu de cette eau si fraîche, si pure, qu'il avait captée parmi les roches des Monts Bleuses, et dont sa ville entière, avec les jardins, les avenues, les fontaines jaillissantes, semblait être née. Il prit le verre, il le leva dans le soleil de pourpre, en disant :

— Josine, il faut boire, il faut boire à la santé de notre Cité heureuse !

Et, lorsque Josine, restée l'amoureuse et la tendre sous ses cheveux blancs, eut trempé en riant ses lèvres, il but à son tour, il reprit :

— A la santé de notre Cité dont c'est aujourd'hui la fête!... Et qu'elle s'élargisse toujours, et qu'elle pousse en liberté, en prospérité, en beauté, et qu'elle conquière toute la terre à l'œuvre d'universelle harmonie !

Dans le soleil qui le nimbait d'une auréole, il était superbe de jeunesse encore, de foi, de joie triomphale. Sans orgueil ni emphase, il disait simplement son bonheur de voir son œuvre enfin vivante et solide. Il était le Fondateur, le Créateur, le Père, et tout ce peuple en joie, tous ces convives à toutes ces tables, où l'on fêtait, avec le Travail, les fécondités de l'Été, étaient son peuple, ses amis, ses parents, sa famille sans cesse élargie, de plus en plus fraternelle et prospère. Et une acclamation accueillit le vœu d'ardente tendresse qu'il portait à sa ville, monta dans l'air du soir, roula de table en table, jusqu'aux lointaines avenues. Tous s'étaient mis debout, levaient à leur tour leur verre, buvaient à la santé de Luc et de Josine, le couple de héros, les patriarches du travail, elle, la rachetée, glorifiée comme épouse et comme mère, lui, le rédempteur, qui, pour la sauver, avait sauvé de l'iniquité et de la souffrance le misérable monde du salariat. Et ce fut une minute d'exaltation et de magnificence, la gratitude passionnée de l'immense foule, la récompense de tant de foi active, l'entrée définitive dans la gloire et dans l'amour.

Alors, Ragu trembla de tous ses membres, frissonnant et blême, sous le vent d'apothéose qui passait. Il ne put supporter l'éclat de beauté et de bonté, dont rayonnaient Luc et Josine. Il recula, et il chancelait, sur le point de fuir, lorsque Luc, qui l'avait remarqué, se tourna vers Bonnaire.

— Ah! mon ami, vous manquiez à ma joie, car vous avez été un autre moi-même, le plus brave, le plus sage, le plus fort ouvrier de l'œuvre, et on ne doit pas me fêter, sans vous fêter aussi... Et, dites-moi, quel est ce vieillard qui se trouve avec vous?

— C'est un étranger.

— Un étranger! qu'il s'approche, qu'il rompe avec nous le pain de nos moissons, et qu'il boive l'eau de nos sources! Notre ville est une ville de bon accueil et de paix pour tous les hommes... Josine, fais une place, et vous, notre ami, que nous ne connaissons pas, approchez-vous, asseyez-vous entre ma femme et moi, car nous voulons honorer en vous tous nos frères inconnus des autres villes du monde.

Ragu, comme pris d'une épouvante sainte, recula encore.

— Non, non! je ne puis pas!

— Pourquoi donc? demanda Luc doucement. Si vous venez de loin, si vous êtes las, vous trouverez ici des mains secourables et consolatrices. Nous ne vous demandons ni votre nom ni votre passé. Chez nous, tout est pardonné, seule la fraternité règne, pour le bonheur de chacun mis dans le bonheur de tous... Et, chère femme, dis-lui donc aussi ces choses, qui seront plus douces, plus convaincantes sur tes lèvres, puisque, moi, je ne semble réussir qu'à l'effrayer.

Alors, Josine elle-même parla.

— Tenez! mon ami, voici notre verre, pourquoi ne boiriez-vous pas à notre santé et à la vôtre? Vous venez de loin, et vous êtes notre frère, nous aurons plaisir à élargir encore notre famille. Il est d'usage à Beauclair maintenant, les jours de fête, de se donner le baiser de paix, qui efface tout... Prenez et buvez, pour l'amour de tous!

Mais Ragu recula de nouveau, plus pâle et plus tremblant, frappé de la terreur des sacrilèges.

— Non, non! je ne puis pas!

A ce moment, Luc et Josine eurent-ils le soupçon de la vérité, reconnurent-ils le misérable qui revenait pour souffrir encore, après avoir traîné si longtemps son destin de paresse et de corruption? Ils le regardèrent de leurs yeux de bonté heureuse, où passait une grande tristesse pitoyable. Et Luc conclut simplement :

— Allez donc à votre gré, puisque vous ne pouvez pas être de notre famille, à l'heure où elle se rapproche, où elle se serre de partout, la main dans la main. Voyez, voyez! la voici qui se confond, les tables vont se joindre aux tables, il n'y aura bientôt plus qu'une table, pour toute une Cité de frères!

Et c'était vrai, les convives commençaient à voisiner, chaque table semblait se mettre en marche vers la table prochaine, peu à peu les tables se soudaient les unes aux autres, comme il arrivait toujours à la fin de ce repas commun, célébrant la fête de l'Été, par une belle soirée de juin. Cela devenait si naturel, les enfants servaient d'abord de messagers, allaient de dessert en dessert, puis les membres épars d'une même famille, au hasard des alliances, tendaient à se réunir, à se retrouver côte à côte. Comment voulait-on que Séverin Bonnaire à la table des Morfain, Zoé Bonnaire à celle des Bourron, et Antoinette Bonnaire à celle de Luc, ne fussent pas entraînés vers la table paternelle, où se trouvait leur frère aîné Lucien? Et les Froment, disséminés, comme le blé qu'on jette aux différents sillons, Charles chez les Bonnaire, Thérèse et Pauline chez les Morfain, comment n'auraient-ils pas donné le branle, emmené les autres, dans le désir d'être avec le père, le fondateur et le créateur? Alors, on vit ce prodigieux spectacle, les tables marchant, se rejoignant, s'ajoutant, finissant par ne plus faire qu'une même table, au travers de la Cité d'allégresse. Le long des avenues, devant les portes des maisons en joie, le repas commun n'avait plus d'interruption, la Pâque de ce peuple fraternel allait s'achever sous les étoiles, en une immense communion, coude à coude, sur la même nappe, parmi les mêmes roses effeuillées. Toute la ville devenait un banquet géant, les familles se mêlaient, se confondaient en une famille unique, et le même souffle animait toutes les poitrines, et le même amour faisait battre tous les cœurs. Du grand ciel pur, tombait une paix délicieuse, souveraine, l'harmonie des mondes et des hommes.

Bonnaire n'était pas intervenu, ne perdant pas Ragu des yeux, regardant s'accomplir en lui le changement qu'il attendait, après cette journée dont les surprises l'avaient ébranlé, une à une, jusqu'à ce resplendissement final qui le terrifiait et l'emportait. Et il le sentit si frappé, si chancelant, qu'il lui donna la main.

— Viens, marchons un peu, l'air du soir est si doux... Dis-moi, crois-tu maintenant à notre bonheur? Tu le vois bien, on peut travailler et être heureux, car la joie, la santé, la vie parfaite est dans le travail. Travailler, c'est vivre, simplement. Et il a fallu une religion de souffrance et de mort pour faire du travail une malédiction et pour mettre la félicité de son paradis dans l'éternelle paresse... Le travail n'est pas notre maître, il est le souffle de notre poitrine, le sang de nos veines, notre unique raison d'aimer, d'enfanter, d'être l'humanité immortelle.

Mais Ragu, dans sa défaite, cessait de discuter, comme brisé de fatigue, las à en mourir.

— Oh! laisse-moi, laisse-moi... Je ne suis qu'un lâche, un enfant aurait eu plus de courage, et je me méprise.

Puis à voix basse :

— J'étais venu pour les tuer tous les deux... Ah! l'interminable voyage, des routes et des routes encore, des années de courses vagues, au travers de pays inconnus, avec cette unique rage au cœur, revenir à Beauclair, retrouver cet homme et cette femme, pour leur planter dans la chair le couteau dont je m'étais si mal servi!... Et voilà que tu m'as amusé, voilà que je viens de trembler devant eux, de reculer comme un lâche, en les voyant si beaux, si grands, si radieux!

A cette confession, Bonnaire avait frémi. La veille, il s'était bien douté du crime, au frisson noir qui passait. Maintenant, devant l'effondrement du misérable, il se sentait pris de pitié.

— Viens, viens, pauvre être, viens chez moi dormir cette nuit encore. Demain, nous verrons.

— Dormir encore chez toi, oh! non, non! je m'en vais, je m'en vais tout de suite.

— Mais tu ne peux partir à cette heure, tu es trop las, trop faible... Pourquoi ne restes-tu pas avec nous? Tu t'apaiseras, tu connaîtras notre bonheur.

— Oh! non, non! il faut que je parte tout de suite, tout de suite. Le potier me l'a bien dit, je ne suis pas fait pour chez vous.

Et, du ton d'un damné mis à la torture, avec une rage sourde :

— Votre bonheur, je ne puis le voir. Je souffrirais trop.

Dès lors, Bonnaire n'insista plus, gagné lui-même d'un malaise, d'une horreur secrète. En silence, il ramena chez lui Ragu, qui reprit sa besace et son bâton, sans vouloir attendre la fin du repas. Pas une parole ne fut échangée, pas un geste de dernier adieu. Et Bonnaire regarda l'homme, le vieillard misérable et foudroyé, partir d'un pas chancelant, disparaître au loin, dans la nuit peu à peu tombée.

Mais Ragu ne put tout de suite fuir Beauclair en fête. Il remonta lentement la gorge de Brias, il s'éleva pas à pas, avec peine, parmi les roches des Monts Bleuses. Maintenant, il dominait la ville, il la revit d'un coup tout entière, lorsqu'il se retourna. Le ciel d'un bleu sombre, d'une pureté immense, étincelait d'étoiles. Et, sous cette douceur de la belle nuit de juin, la ville s'étendait, pareille à un autre ciel, fourmillante, elle aussi, de petits astres sans nombre. C'étaient les milliers et les milliers de lampes électriques qui venaient de s'allumer, le long des tables du festin, au milieu des verdures. Ces tables, il les retrouvait, il les revoyait, comme dessinées en traits de flammes, victorieuses des ténèbres. Elles se prolongeaient, elles finissaient par emplir l'horizon. Et il entendait monter les rires et les chants, il assistait toujours à cette fête géante de tout un peuple attablé là, en une seule et fraternelle famille.

Alors, il voulut fuir encore, il monta plus haut, et il revit la Cité qui resplendissait davantage, quand il se retourna de nouveau. Il monta plus haut, il monta toujours. Mais, à mesure qu'il montait et qu'il se retournait, la Cité semblait s'agrandir, tenait toute la plaine, devenait le ciel lui-même, avec son infini de bleu sombre et d'étoiles étincelantes. Les rires et les chants lui arrivaient plus clairs, la grande famille humaine fêtait la joie du travail, sur la terre féconde. Et il repartit une dernière fois, il marcha longtemps, longtemps, jusqu'à ce qu'il se fût perdu dans les ténèbres.

V

Et des années se passèrent encore, et la mort nécessaire, bonne ouvrière de l'éternelle vie, fit son œuvre, emporta un à un les hommes qui avaient rempli leur tâche. Bourron partit le premier, puis sa femme Babette, de belle humeur jusqu'à son dernier souffle. Ensuite, ce fut Petit-Da, ce fut Ma-Bleue, aux yeux bleus d'infini, d'éternel ciel bleu. Lange mourut, en finissant du pouce une dernière figurine, une délicieuse fille aux pieds nus, à l'image de la Nu-Pieds. Nanet et Nise, disparus, jeunes encore, s'en allèrent en un baiser. Enfin, Bonnaire succomba en héros, debout, comme enseveli dans le branle du travail, un jour qu'il s'était rendu aux Ateliers, pour voir fonctionner un marteau géant, dont chaque coup forgeait une pièce.

Et, de toute leur génération, de tous les fondateurs et les créateurs, dans Beauclair triomphal, Luc et Jordan restèrent seuls, aimés, entourés des soins affectueux de Josine, de Sœurette et de Suzanne. Les trois femmes, d'une santé et d'une vaillance miraculeuses pour leur grand âge, semblaient ne plus vivre que pour être les aides, les soutiens de chaque heure. Suzanne, depuis que Luc marchait difficilement, les jambes peu à peu perdues, cloué presque au fond d'un fauteuil, était venue habiter chez lui, partageant avec Josine la gloire attendrie de le servir. Il avait quatre-vingts ans passés, d'une gaieté inaltérable, d'une intelligence restée entière, tout jeune, comme il le disait en riant, sans ces maudites jambes, qui devenaient de plomb. Et, de même, Sœurette ne quittait pas son frère Jordan, toujours à la besogne dans son laboratoire, où il couchait maintenant, d'où il ne sortait plus. Il était l'aîné de Luc de dix années, ses quatre-vingt-dix ans avaient gardé l'activité lente et méthodique à laquelle il devait son œuvre immense, sans cesse sur le point d'expirer, et d'une telle logique, d'une telle volonté raisonnée au travail, qu'il travaillait encore, lorsque, depuis longtemps déjà, les ouvriers les plus solides de sa génération dormaient sous la terre.

Il l'avait répété souvent, de sa petite voix faible :

— Ceux qui meurent, c'est qu'ils le veulent, et l'on ne meurt pas, tant qu'on a quelque chose à faire. Je me porte très mal, mais je vivrai quand même très vieux, je mourrai seulement le jour où mon œuvre sera finie... Vous verrez, vous verrez! Je le saurai bien, et je vous avertirai, mes bons amis, en vous disant : « Bonsoir, ma journée est faite, je vais dormir. »

Jordan travaillait donc toujours, parce qu'il n'avait pas, selon lui, achevé son œuvre. Il vivait enveloppé dans ses couvertures, il buvait tiède afin de ne pas s'enrhumer, il prenait de longs repos, à demi couché sur une chaise longue, entre les rares heures qu'il pouvait donner à ses recherches. Mais deux ou trois heures, ainsi conquises, lui suffisaient, pour accomplir une besogne considérable, tant il apportait à son effort de méthode, de réalisation utile et certaine. Et Sœurette, très attentive, d'une abnégation absolue, intervenait là, telle qu'un autre lui-même, était à la fois l'infirmière, le secrétaire, l'aide de laboratoire, sans permettre à personne d'approcher son frère. Les jours où il avait les mains trop faibles, impuissantes à l'action, elle exécutait sa pensée, elle finissait par être comme le prolongement de sa vie.

Dans l'idée de Jordan, son œuvre devait être achevée seulement le jour où il aurait donné à la Cité nouvelle l'électricité bienfaisante sans la mesurer, à discrétion, comme l'eau dont le fleuve roule le flot inépuisable, comme l'air que chacun est libre de respirer à sa guise. Depuis près de soixante ans, il avait fait beaucoup pour arriver à cette solution, il avait résolu, par étapes successives, les problèmes qui y acheminaient. D'abord, il s'était ingénié à supprimer les frais de charrois, en brûlant le charbon au sortir du puits, sous les chaudières, et en amenant par des câbles, à chaque usine, la force électrique obtenue ainsi, sans trop de déperdition. Ensuite, il avait imaginé l'appareil si longtemps cherché, il avait pu transformer directement l'énergie calorique contenue dans le charbon, en énergie électrique, sans passer par l'énergie mécanique. C'était la suppression de la chaudière, une amélioration considérable, une économie de plus de cinquante pour cent ; et dès lors, dès que les dynamos s'étaient chargées directement, par la simple combustion du charbon, il avait pu faire fonctionner ses fours électriques, révolutionner la métallurgie, approvisionner déjà la ville abondamment d'électricité, pour tous les usages sociaux et domestiques. Mais elle coûtait encore trop cher, il la voulait pour rien, pareille au vent qui passe, à la disposition de tous. Puis, une terreur lui venait, l'épuisement possible, certain, des mines de charbon. Avant un siècle peut-être, le charbon venant à manquer, ne serait-ce pas la mort du monde actuel, l'arrêt de l'industrie, les moyens de locomotion supprimés, l'humanité immobilisée et refroidie, comme un grand corps

dont le sang ne circule plus? Ce charbon dont il ne pouvait se passer, il en
regardait brûler chaque tonne avec inquiétude, en se disant que c'était une
tonne de moins. Et, chétif, fiévreux, toussant, un pied dans la terre, il se
torturait de la catastrophe qui menaçait les générations futures, il se jurait
de ne pas mourir avant de leur avoir fait le cadeau du flot de force, du flot
de vie prodiguée et sans fin, dont seraient faits leur civilisation et leur
bonheur. Et il s'était remis au travail.

Naturellement, Jordan songea d'abord aux chutes d'eau. C'était la force
mécanique primitive, on l'employait avec succès dans les pays de montagne,
malgré les caprices des torrents, les interruptions fatales des époques de
sécheresse. Par malheur, les quelques ruisseaux des Monts Bleuses, presque
taris, à la suite de la dérivation des sources, n'avaient pas l'énergie nécessaire. Puis, ce n'était pas là une force régulière, constante, d'une abondance
assez large pour réaliser son vaste dessein. Jordan, ensuite, en vint aux
marées, aux continuels flux et reflux de l'Océan, dont on pourrait utiliser
l'éternelle force en marche, battant les rivages. Des savants s'en étaient occupés déjà, il reprit leurs études, il imagina même des appareils d'expérience.
La distance de Beauclair à la mer n'était pas un obstacle, car la transmission
de l'énergie électrique se faisait désormais sans perte, sur des parcours considérables. Mais une autre idée le hantait, s'emparait peu à peu de lui tout
entier, le jetait à un rêve prodigieux, qui finissait par être son œuvre totale
elle-même, dans la pensée qu'il donnerait le bonheur au monde, s'il la réalisait.

De tout temps, Jordan, si pauvre de chair et si frileux, avait eu la passion
du soleil. Il le suivait dans sa course, il le regardait chaque soir se coucher,
avec la crainte, le frisson des ténèbres envahissantes; et, le matin, il se levait
parfois de bonne heure, pour la joie de le voir renaître. S'il s'était noyé dans
la mer, s'il n'avait plus jamais reparu, quelle nuit sans fin, glacée et mortelle, pour la misérable humanité! Et, chez lui, c'était donc un culte du divin
soleil, le père de notre monde, le créateur et le régulateur, qui, après avoir
tiré les êtres du limon, les a réchauffés, les a fait se développer et s'épandre,
les a nourris des fruits de la terre, depuis une suite incalculable de siècles.
Il était l'éternelle source de vie, parce qu'il était la source de lumière, de
chaleur et de mouvement. Dans sa gloire, il régnait en roi très puissant, très
bon et très juste, en dieu nécessaire, sans lequel rien ne serait, et dont la
disparition amènerait la mort de toutes choses. Et, dès lors, pourquoi donc
le soleil ne continuerait-il pas, n'achèverait-il pas son œuvre? Il avait bien,
pendant des mille ans, amassé sa chaleur bienfaisante dans les végétaux et
dans les arbres, dont la houille était faite. Pendant des mille ans, la houille
s'était comme distillée, au sein de la terre, gardant pour nos besoins cet
amas immense de chaleur en réserve, nous la rendant enfin en un cadeau

inappréciable, à l'heure où notre civilisation devait y trouver une splendeur
nouvelle. C'était donc au soleil secourable qu'il fallait s'adresser encore,
c'était lui qui continuerait de donner à sa création, au monde et à l'homme,
toujours plus de vie, plus de vérité et plus de justice, tout le bonheur rêvé.
S'il disparaissait chaque soir, s'il pâlissait l'hiver, il fallait lui demander de
nous laisser une large part de sa flamme, afin de pouvoir attendre son
retour de chaque matin et de patienter sans souffrir pendant les saisons
froides. Ainsi, le problème se posait d'une façon à la fois simple et formidable, il s'agissait de s'adresser directement au soleil, de capter la chaleur
solaire et de la transformer, à l'aide d'appareils spéciaux, en électricité, dont
il faudrait ensuite conserver des provisions énormes, dans des réservoirs im-
perméables. De la sorte, il y aurait sans cesse là une source de force illimitée,
dont on disposerait à sa guise. Pendant les journées brûlantes de l'été, on
moissonnerait les rayons, on les mettrait en grange, en des greniers d'abondance sans fin. Ensuite, quand les nuits se feraient longues, quand l'hiver
viendrait avec ses ténèbres et ses glaces, il y aurait là de la lumière, de la
chaleur et du mouvement, pour la vie heureuse de l'humanité entière. Et
cette force électrique, ravie au soleil créateur, domestiquée par l'homme,
serait enfin sa servante docile et toujours prête, le soulageant dans son
effort, l'aidant à faire du travail la gaieté, la santé, la juste répartition des
richesses, la loi et le culte même de la vie.

Le rêve de Jordan avait occupé déjà d'autres cerveaux, des savants étaient
parvenus à imaginer de petits appareils qui captaient la chaleur solaire et la
transformaient en électricité; mais par quantités infimes, de simples instruments destinés à des expériences de laboratoire. Il fallait réaliser le phéno-
mène en grand, d'une façon pratique, pour les immenses réservoirs nécessaires aux besoins de tout un peuple. Et, pendant des années, on vit Jordan
faire construire, dans l'ancien parc de la Crêcherie, des appareils étranges,
des sortes de tours, dont on ne pouvait deviner l'usage. Il refusait de parler,
il ne confiait à personne le secret de ses recherches. Par les beaux temps,
aux heures où il se sentait assez fort, il arrivait de son petit pas de vieillard
débile, s'enfermait avec des hommes à lui dans l'usine nouvelle, s'y entêtait,
malgré les insuccès, luttait, finissait par conquérir l'astre souverain, lui
fourni laborieuse, qu'un rayon un peu trop vif aurait tué. Jamais héroïsme
ne fut plus grand, jamais l'idée, toute-puissante dans ce corps chétif, ne
donna le spectacle d'une victoire plus haute sur les forces naturelles, hier
foudres meurtrières pour l'homme, aujourd'hui simples énergies conquises, réduites à son service. Et il réussit à résoudre le problème, le bon et
glorieux soleil se laissa prendre un peu de son inépuisable flamme, dont il
réchauffe la terre depuis tant de siècles, sans se refroidir. Après les derniers
essais, une usine définitive fut bâtie, fonctionna, fournit Beauclair d'élec-

tricité toute une année, au gré des habitants, comme les sources des Monts
Bleuses les fournissaient d'eau. Mais un défaut fâcheux persistait pourtant,
les immenses réservoirs perdaient beaucoup, et il y avait là un dernier perfectionnement à trouver, la conservation parfaite des réserves hivernales,
assez de rayons solidement emmagasinés, afin de rallumer au-dessus de la
ville un autre soleil, pendant les longues nuits de décembre.

De nouveau, Jordan s'était remis au travail. Il cherchait, il luttait
encore, résolu toujours à vivre, tant que son œuvre ne serait pas complète.
Ses forces déclinaient, il ne pouvait plus sortir, il devait transmettre ses
ordres à l'usine, pour l'amélioration définitive et tant disputée. Des mois
s'écoulèrent ainsi. Enfermé dans son laboratoire, il y achevait sa tâche, il
voulait s'y éteindre, le jour où cette tâche serait finie. Et ce jour arriva, il
avait trouvé le moyen d'éviter toute perte, de rendre les réservoirs imper-
méables, capables de garder longtemps les provisions de force électrique. Et
il n'eut plus qu'une volonté, dire adieu à son œuvre, embrasser les siens,
puis rentrer dans la vie universelle.

On était alors en octobre, le soleil dorait encore les dernières feuilles d'un
or tiède, clair et doux. Jordan obtint de Sœurette qu'on le porterait une dernière fois, dans un fauteuil, à l'usine où l'on venait d'installer les nouveaux
réservoirs. Il désirait y constater son œuvre victorieuse, assez de soleil
amassé et conservé, pour que Beauclair pût attendre le printemps prochain.
Et, par un après-midi délicieux, il y fut donc conduit, il y passa deux heures,
à tout visiter, à régler le bon fonctionnement des appareils. L'usine était
construite au pied même de la rampe des Monts Bleuses, dans cette partie de
l'ancien parc exposé en plein midi, et dont l'astre faisait autrefois déjà un
paradis débordant de fruits et de fleurs. Des tours dominaient les vastes constructions, d'immenses toitures d'acier et de vitres les reliaient, sans qu'on
vît rien autre du dehors, tous les câbles, conducteurs de la force, passant
sous terre. Puis, Jordan acheva sa visite, en se faisant arrêter un instant
encore dans la cour centrale, d'où il promena un suprême et long regard
autour de lui, sur ce monde nouveau, cette source d'éternelle vie, sa création, la passion de son existence entière. Et il se tourna vers Sœurette, qui
ne l'avait pas quitté, suivant pas à pas le fauteuil, où deux hommes le transportaient.

— Allons, dit-il avec un sourire, c'est fini, et c'est très bien, je puis
m'en aller à présent... Rentrons chez nous, ma sœur.

Il était très gai, radieux d'avoir vu son œuvre complète et debout, en bon
travailleur qui va pouvoir enfin se reposer. Mais, comme sa sœur, pour le
promener un peu, par ce beau temps, avait donné aux hommes l'ordre de faire
un détour, il se trouva tout d'un coup, au sortir d'une allée, devant le pavillon
où Luc habitait, immobilisé lui aussi, les jambes lourdes, ne sortant plus.

Et c'était l'amour épandu, général, naissant du couple pour passer à la mère.

31

Depuis plusieurs mois, les deux amis n'avaient pu se voir. Ils en étaient réduits à correspondre, ils avaient seulement de leurs nouvelles par leurs chères gardiennes, leurs bons anges, toujours en chemin de l'un à l'autre. Et un désir encore, le dernier de son cœur, souleva le mourant, dans le bon sommeil qui commençait à l'envahir.

— Oh ! je t'en prie, ma sœur, arrête-moi là, sous cet arbre, au bord de ces hautes herbes... Toi, monte tout de suite chez Luc, préviens-le, dis-lui que je passe et que je suis devant la porte, à l'attendre.

Sœurette, surprise, un peu inquiète de la grosse émotion d'une telle entrevue, hésita un instant.

— Mais, mon ami, Luc est comme toi, il ne bouge plus, comment pourra-t-il descendre?

Jordan eut de nouveau son gai sourire, dont ses yeux se ranimaient.

— On le descendra, ma sœur. Puisque je vais à lui dans mon fauteuil, il peut bien venir à moi dans le sien.

Et il ajouta tendrement :

— Il fait si bon ici, nous causerons une dernière fois, nous nous ferons nos adieux... Comment nous quitterions-nous à jamais, sans nous être embrassés?

Il fut impossible à Sœurette de refuser davantage, elle monta chez Luc. Tranquille, dans la caresse du soleil couchant, Jordan attendit. Bientôt, sa sœur reparut, lui annonçant la venue de son ami. Et une émotion profonde passa, lorsque Luc reparut à son tour, également porté par deux hommes, dans son fauteuil. Il avança lentement parmi les verdures, suivi de Josine et de Suzanne, qui ne le quittaient pas. Puis, les hommes le déposèrent près de Jordan, et les fauteuils se touchaient, et les deux amis purent se prendre et s'étreindre les mains.

— Ah ! mon bon Jordan, comme je vous remercie, comme c'est bien de vous, cette pensée de nous voir encore et de nous dire adieu !

— Vous seriez venu chez moi, mon bon Luc. Puisque je passais, et que vous étiez là, c'était si simple de nous rencontrer, pour la dernière fois, parmi ces herbes, sous un de nos chers arbres, dont nous avons tant aimé les ombrages.

L'arbre était un grand tilleul argent, un géant superbe, à moitié dépouillé déjà de ses feuilles. Mais le soleil le dorait encore délicieusement, et toute une poussière d'astre retombait de ses branches, en une pluie tiède. La soirée était exquise, d'une paix immense, d'un charme infiniment doux. Un grand rayon baignait les deux vieillards d'une splendeur attendrie, tandis que les trois femmes, debout derrière eux, semblaient les couvrir de leur sollicitude.

— Songez donc ! mon ami, reprit Jordan, nous mêlons nos vies depuis

tant d'années, dans des besognes parallèles! Nous avons fini par être faits
l'un de l'autre. Et j'aurais emporté un remords, si je ne m'étais pas encore
excusé d'avoir si peu cru en votre œuvre, au début, lorsque vous êtes venu à
moi, en me demandant mon aide, pour construire la future Cité de justice.
J'étais convaincu d'un échec.

Luc se mit à rire.

— Oui, oui, mon ami, comme vous le disiez, les luttes politiques, éco-
nomiques et sociales n'étaient point votre affaire... Sans doute, il y a eu
parmi les hommes tant de vaines agitations! Mais quoi? fallait-il donc ne
pas se mêler des faits, laisser l'évolution s'accomplir d'elle-même, dédaigner
de hâter l'heure de la délivrance? Toutes les compromissions, parfois nécessaires, toutes les basses besognes des conducteurs d'hommes ont eu leur
excuse dans les étapes doubles qu'elles ont aidé parfois à franchir.

Vivement, Jordan l'interrompit.

— Vous aviez raison, mon ami, et vous me l'avez prouvé magnifiquement.
Votre lutte, ici, a hâté, a créé tout un monde. Peut-être avez-vous gagné cent
ans sur la misère, sur la souffrance humaine, et cette ville nouvelle, ce
Beauclair aujourd'hui régénéré, où fleurit plus de justice et plus de bonheur,
dit la bonté de votre mission, la gloire bienfaisante de votre œuvre... Vous le
voyez, je suis avec vous de toute ma raison et de tout mon cœur, je ne voudrais point vous quitter sans vous répéter combien vous m'avez acquis à votre
effort, et avec quelle affection croissante je vous ai suivi, dans tout ce que
vous venez de réaliser d'humain et de grand... Souvent, vous avez été mon
exemple.

Mais alors, ce fut Luc qui se récria.

— Oh! mon ami, ne parlons pas d'exemple. C'est vous qui m'en avez
donné un, continuellement, le plus haut, le plus magnifique!... Souvenez-
vous de mes lassitudes, de mes défaillances parfois, et toujours je vous ai
trouvé debout, avec plus de courage, plus de foi dans votre œuvre, même les
jours où toute certitude semblait crouler autour de vous... Votre force invincible a été de ne croire qu'au travail, de mettre en lui l'unique santé,
l'unique raison d'agir et de vivre. Et votre œuvre est ainsi devenue votre
cœur et votre cerveau mêmes, le sang dont battaient vos veines, la pensée
veillant sans cesse au fond de votre intelligence. Elle seule existait, elle seule
se bâtissait de toute la vie que vous lui donniez heure par heure... Aussi
quel monument impérissable, quel don de splendeur et de bonheur vous allez
laisser aux hommes! Mon œuvre à moi, le constructeur de ville, le pasteur de
peuple, n'aurait sans doute pu se faire, et ne serait rien encore, si la vôtre
n'était pas.

Il y eut un silence, un vol d'oiseaux passa, le soleil d'automne pleuvait
des branches dépouillées, avec une douceur plus tendre, à mesure que le soir

tombait. Maternellement, Sœurette s'inquiéta, releva la couverture sur les
genoux de Jordan, tandis que Josine et Suzanne se penchaient vers Luc,
dans la crainte de le voir se fatiguer. Et ce dernier reprit :

— La science reste la grande révolutionnaire, vous me le disiez au début,
et chaque pas en avant de notre longue existence est venu me prouver combien vous aviez raison... Est-ce que le Beauclair d'aisance et de solidité serait
déjà possible, si vous n'aviez mis à sa disposition cette énergie électrique,
l'agent devenu nécessaire de tout travail, de toute vie sociale? La science,
la vérité seule émancipera l'homme toujours davantage, le fera le maître
de sa destinée, lui donnera la souveraineté du monde, en réduisant les
forces naturelles au rôle de dociles servantes... Pendant que je bâtissais,
mon ami, vous me donniez de quoi souffler la vie à mon mortier et à mes
pierres.

— C'est vrai, répondit Jordan de sa petite voix tranquille, la science
affranchira l'homme, car la vérité est au fond la puissante et unique ouvrière
de fraternité et de justice... Et je m'en vais content, je viens de faire ma
dernière visite à notre usine, elle fonctionnera maintenant telle que je la
voulais, pour le soulagement et la félicité de tous.

Il continua, il donna des explications, des instructions sur le fonctionnement des nouveaux appareils, sur l'emploi futur de ces réservoirs inépuisables de force, comme s'il avait dicté à son ami ses volontés dernières. Cela
était son testament, toute la joie, toute la paix, qu'on pouvait tirer de son
œuvre de science. Déjà l'électricité ne coûtait rien, d'une abondance telle,
qu'elle était donnée à discrétion aux habitants, comme l'eau des sources
dont le flot ne tarissait pas, comme le grand air venu librement des quatre
coins de l'horizon. A cette condition seule, elle était la vie.

Dans tous les édifices publics, dans toutes les maisons privées, même les
plus modestes, on distribuait sans compter la lumière, la chaleur, le mouvement. Il suffisait de tourner des boutons, et la maison s'éclairait, se chauffait, la cuisine se faisait, les diverses machines de métier ou d'usage domestique se mettaient en marche. Toutes sortes de petits mécanismes ingénieux
se créaient de jour en jour, pour la besogne du ménage, soulageant les
femmes, substituant l'action mécanique au travail manuel. Enfin, depuis la
ménagère jusqu'à l'ouvrier de l'usine, l'antique bête humaine était peu à
peu soustraite à l'effort physique, d'une douleur inutile, maintenant qu'une
force naturelle conquise, domestiquée, la remplaçait, propre et silencieuse,
sous une simple surveillance. Et c'était l'intelligence affranchie, une hausse
morale et intellectuelle de tous les cerveaux, déprimés jusque-là sous le
travail trop rude, mal réparti, d'une iniquité sauvage pour l'immense foule
des déshérités, voués à l'ignorance, à la bassesse et au crime. Et c'était, non
pas l'oisive paresse, mais un travail plus conscient et plus libre, l'homme

véritablement roi du travail, se donnant aux occupations aimées, créant à
sa guise plus de vérité et de beauté, après les quelques heures de besogne
commune, données à la communauté sociale. Et c'était même les tristes bêtes
domestiques, les chevaux dolents, tous les animaux de trait et de servage,
libérés enfin du chariot à traîner, de la meule à tourner, des fardeaux à
porter, rendus à l'existence heureuse des prairies et des bois.

Mais les applications étaient sans nombre, chaque jour naissait un bienfait nouveau. Jordan avait inventé des lampes d'une puissance de lumière
telle, que deux ou trois suffisaient à éclairer une avenue. Le rêve d'allumer,
la nuit, un autre soleil, au-dessus de Beauclair, allait être réalisé sûrement.
On venait aussi de construire des serres admirables, immenses, où, grâce à
un système perfectionné de chauffage, des fleurs, des légumes, des fruits,
poussaient en toutes saisons. La ville en regorgeait, on les distribuait à
pleines mains, il n'y avait désormais plus d'hiver, comme il n'y avait plus de
nuit. Et les transports, la locomotion, la simple circulation par les rues
populeuses, se trouvaient de plus en plus facilités, grâce à cette force donnée
pour rien, appliquée à une infinité de véhicules, bicyclettes, petites voitures,
chariots, trains de plusieurs wagons.

— Je m'en vais content, répéta Jordan, de son air de gaieté sereine. J'ai
fait ma tâche, et je trouve la besogne assez avancée, pour m'endormir en
toute paix. Demain, la navigation aérienne sera trouvée, l'homme aura
conquis l'infini de l'espace, comme il avait conquis les océans. Demain, il
pourra correspondre d'un bout de la terre à l'autre, sans fils ni câbles. La
parole humaine, le geste humain feront le tour du monde, avec la rapidité
foudroyante de l'éclair... Et, mon ami, c'est bien là cette délivrance des
peuples par la science, la grande révolutionnaire invincible, qui leur appor-
tera toujours plus de paix et de vérité. Déjà, depuis longtemps, vous avez
comme défoncé les frontières, avec vos rails, vos voies ferrées, s'allongeant sans cesse, franchissant les fleuves, perçant les montagnes, ramassant
toutes les nations ensemble, dans les mailles de plus en plus serrées et fraternelles de ce filet géant. Que sera-ce, lorsqu'on causera de capitale à
capitale, amicalement, lorsque la même pensée, à la même minute, occupera
les continents des mêmes intérêts, lorsque les nacelles des ballons voyageront
par le libre infini, la patrie commune, sans connaître de douanes? L'air que
nous respirons tous, l'espace qui est le bien de tous, sera le champ d'harmonie illimité, où, sûrement, l'humanité de demain se réconciliera... Et
voilà pourquoi, mon ami, vous m'avez toujours vu si paisible, si certain de
la délivrance finale. Les hommes avaient beau se dévorer stupidement, dans
leurs luttes aveugles, les religions avaient beau s'obstiner à entasser les
erreurs, les mensonges, pour garder leur domination, la science invincible
avançait quand même d'un pas chaque jour, faisait plus de lumière, plus de

fraternité, plus de bonheur. Et, d'elle-même, par la force irrésistible de la vérité, elle emportera le passé de ténèbres et de haines, elle finira par libérer les intelligences, par rapprocher les cœurs, sous le grand soleil bienfaisant, notre père à tous.

Il se fatiguait, sa voix devenait très faible. Pourtant, il s'égaya encore, en concluant :

— Vous le voyez, mon ami, j'étais aussi révolutionnaire que vous.

— Je le sais, mon ami, répondit Luc, avec une tendresse émue. Vous avez été mon maître en toutes choses, et jamais je ne vous remercierai assez de vos admirables leçons d'énergie, de votre foi superbe dans le travail et dans l'œuvre.

Le soleil baissait, un léger frisson venait de passer parmi les branches du grand tilleul, d'où la poussière d'or de l'astre tombait plus pâle. C'était la nuit prochaine, un repos délicieux envahissait lentement les hautes herbes. Et les trois femmes, debout, toujours muettes et attentives, s'en inquiétèrent, respectueuses pourtant de cet entretien suprême, dont l'émotion les immobilisait. Elles intervinrent avec douceur, sans une parole, d'un simple geste maternel.

Alors, comme Josine et Sœurette le couvraient à son tour, Luc dit simplement :

— Je n'ai pas froid, la soirée est si belle !

Mais, Sœurette s'étant tournée pour regarder le soleil à l'horizon, sur le point de disparaître, Jordan suivit son regard.

— Oui, la nuit tombe, reprit-il. Le soleil peut se coucher, il nous laisse, dans nos granges, de sa bonté et de sa force... Et, cette fois, s'il se couche, c'est donc que ma journée est finie. Je vais aller dormir... Adieu, mon ami.

— Adieu, mon ami, répéta Luc. Je dormirai bientôt de même.

C'étaient les adieux, ils furent d'une poignante tendresse, d'une grandeur simple, extraordinaire. L'un et l'autre savaient qu'ils ne se verraient plus, ils se donnaient le dernier regard, ils se disaient les derniers mots. Et, après soixante années, passées à vivre la même œuvre commune, ils se séparaient pour n'être plus réunis que dans ce torrent des générations, les hommes de demain, dont ils avaient hâté le bonheur.

— Adieu, mon ami, dit de nouveau Jordan. Soyez sans tristesse, la mort est bonne et nécessaire. On revit dans les autres, on reste immortel. Nous nous étions déjà donnés à eux, nous n'avons travaillé que pour eux, et nous renaîtrons en eux, nous aurons ainsi notre part de notre œuvre... Adieu, mon ami.

Et Luc, une fois encore, répéta :

— Adieu, mon ami, tout ce qui restera de nous dira combien nous avons aimé et combien nous avons espéré. Chacun naît pour faire sa tâche, la vie n'a pas d'autre raison, la nature met au monde un être de plus, chaque fois qu'elle a besoin d'un ouvrier de plus. Et, quand sa journée est faite, l'ouvrier peut se coucher, la terre le reprend pour d'autres besognes... Adieu, mon ami.

Il se pencha, voulant l'embrasser. Mais il ne le put, les trois femmes affectueuses durent les aider, les soutenir, dans cette étreinte dernière. Ils en rirent comme des enfants, ils étaient d'une gaieté, d'une sérénité admirables, à cette heure de la séparation, n'éprouvant ni regrets ni remords, ayant fait tout leur devoir, toute leur tâche d'homme. Ils avaient encore moins de crainte, sans terreur sur le lendemain de la mort, certains du grand calme où les bons ouvriers s'endorment. Et ils s'embrassèrent bien tendrement, bien longuement, en mettant ce qu'il leur restait de souffle dans ce baiser.

— Adieu, mon bon Jordan.

— Adieu, mon bon Luc.

Puis, ils ne parlèrent plus. Le silence devint profond et sacré. Le soleil disparut du ciel immense, derrière la ligne lointaine et indécise de l'horizon. Dans le grand tilleul, un oiseau se tut, les branches se noyèrent d'une ombre fine, tandis que les hautes herbes et tout le parc, avec ses futaies, ses allées, ses pelouses, tombaient à la paix délicieuse du soir.

Alors, sur un signe de Sœurette, les deux hommes soulevèrent le fauteuil de Jordan, l'emportèrent, d'une marche douce et lente. Luc, immobile dans le sien, avait demandé d'un geste qu'on le laissât sous l'arbre, un instant encore. Et il regardait son ami qui s'en allait là-bas, au fond de la grande allée, toute droite. L'allée était longue, le fauteuil peu à peu se rapetissait. Il y eut un moment où, Jordan s'étant retourné, un dernier regard, un rire à demi perdu fut échangé. C'était fini, Luc vit le fauteuil se perdre, disparaître, pendant que le parc entier s'endormait, envahi par l'ombre croissante. En rentrant dans son laboratoire, Jordan se coucha, si chétif, si débile en son grand âge, comme réduit à la taille d'un enfant; et, ainsi qu'il l'avait dit, son œuvre étant faite, sa journée finie, il laissa la mort enfin le prendre; il mourut le lendemain, très paisible, très souriant, entre les bras de Sœurette.

Luc devait vivre cinq années encore, dans le fauteuil qu'il ne quittait guère plus, placé près de la fenêtre de sa chambre, et d'où il voyait sa ville s'achever et grandir chaque jour davantage. Une semaine après la mort de Jordan, Sœurette était venue rejoindre Josine et Suzanne auprès de Luc, et elles se trouvaient trois désormais à l'entourer de leur tendresse et de leurs soins. Alors, ce fut pour lui la moisson superbe et débordante de tout l'amour qu'il avait semé, un ensemencement à pleines mains de toutes les terres, autour de lui, et dont les récoltes aujourd'hui s'élargissaient sous le soleil, avec une extraordinaire abondance.

Pendant ses longues heures de contemplation heureuse, devant sa ville prospère, Luc souvent revivait le passé. Et il revoyait d'où il était parti, de la lecture si lointaine déjà d'un petit livre bien modeste, où était résumée la doctrine de Fourier. Il se rappelait la nuit d'insomnie, pendant laquelle, tout fiévreux de sa mission encore obscure, le cerveau et le cœur préparés à recevoir la bonne semence, il s'était mis à lire, pour trouver le sommeil. Et c'était alors que les coups de génie de Fourier, les passions humaines remises en honneur, utilisées, acceptées comme les forces mêmes de la vie, le travail tiré de son bagne, ennobli, rendu attrayant, devenu le nouveau code social, la liberté et la justice peu à peu conquises par un acheminement pacifique, grâce à l'association du capital, du travail et de l'intelligence, ces coups de génie qui le frappaient en pleine surexcitation intellectuelle et morale, l'avaient brusquement illuminé, exalté, jeté dès le lendemain à l'action. C'était à Fourier qu'il devait d'avoir osé, d'avoir tenté l'expérience de la Crêcherie. La première Maison-Commune, avec son École, les premiers Ateliers si propres et si gais, avec leur division du travail, la première Cité ouvrière, avec ses façades blanches riant parmi les verdures, étaient nés de l'idée fouriériste, ensommeillée comme la bonne graine dans les champs d'hiver, toujours prête à germer et à fleurir. La religion de l'humanité, ainsi que le catholicisme, devait mettre peut-être des siècles à s'établir solidement. Mais quelle évolution ensuite, quel élargissement continu, à mesure que l'amour poussait et que la Cité se fondait! Fourier, évolutionniste, homme de méthode et de pratique, en apportant l'association entre le capital, le travail et l'intelligence, à titre d'expérience immédiate, aboutissait d'abord à l'organisation sociale des collectivistes, ensuite même au rêve libertaire des anarchistes. Dans l'association, le capital peu à peu se répartissait, s'anéantissait, le travail et l'intelligence devenaient les seuls régulateurs, les fondements du nouveau pacte. Au bout, il y avait la disparition forcée du commerce, la suppression lente de l'argent, l'un rouage encombrant et dévorateur, l'autre valeur fictive inutile, dans une société où la production de tous déterminait une prodigieuse richesse, circulant en continuels échanges. Aussi, partie de l'expérience de Fourier, la Cité nouvelle devait-elle, à chaque étape, se transformer, avancer vers plus de liberté et d'équité, faire en chemin la conquête des socialistes de sectes ennemies, les collectivistes, les anarchistes eux-mêmes, pour finir par les grouper tous en un peuple fraternel, réconcilié dans le commun idéal, dans le royaume du ciel mis enfin sur la terre.

Et c'était l'admirable, le victorieux spectacle que Luc avait sans cesse sous les yeux, la Cité du bonheur dont les toitures aux couleurs vives, parmi les arbres, se déroulaient devant sa fenêtre. La marche en avant que la première génération, imbue des antiques erreurs, gâtée par le milieu

inique, avait si douloureusement commencée, au milieu de tant d'obstacles,
de tant de haines encore, les générations nouvelles, instruites, refaites par
les Écoles, par les Ateliers, la poursuivaient d'un pas allègre, atteignant les
horizons déclarés jadis chimériques. Grâce au continuel devenir, les enfants,
les enfants des enfants semblaient avoir d'autres cœurs et d'autres cerveaux,
et la fraternité leur devenait facile, dans une société où le bonheur de chacun
était pratiquement fait du bonheur de tous. Avec le commerce, le vol avait
disparu. Avec l'argent, toutes les cupidités criminelles s'en étaient allées.
L'héritage n'existait plus, il ne naissait plus d'oisifs privilégiés, on ne
s'égorgeait plus autour des testaments. A quoi bon se haïr, s'envier, chercher à s'emparer du bien d'autrui par la ruse ou la force, puisque la fortune
publique appartenait à tous, chacun naissant, vivant et mourant aussi
fortuné que le voisin ? Le crime devenait vide de sens, stupide, tout l'appareil sauvage de répression et de châtiment, institué pour protéger le vol des
quelques riches contre la révolte de l'immense foule des misérables, avait
croulé comme inutile, les gendarmeries, les tribunaux, les prisons. Il fallait
vivre au milieu de ce peuple ignorant l'atrocité des guerres, obéissant
à l'unique loi du travail, dans une solidarité faite simplement de raison et
d'intérêt personnel bien entendu, pour comprendre à quel point les pré-
tendues utopies du bonheur universel devenaient possibles, avec un peuple
sauvé des monstrueux mensonges religieux, instruit enfin, sachant la vérité,
voulant la justice. Depuis que les passions, au lieu d'être combattues,
étouffées, se trouvaient cultivées au contraire, comme les forces mêmes de la
vie, elles perdaient leur âcreté de crimes, elles devenaient des vertus
sociales, des floraisons continues d'énergies individuelles. Le bonheur légitime était dans le développement, dans l'éducation des cinq sens et du sens
d'amour, car tout l'homme devait jouir, se satisfaire sans hypocrisie, au
plein soleil. Le long effort de l'humanité en lutte aboutissait à la libre expansion de l'individu, à une société de satisfaction complète, l'homme étant tout
l'homme et vivant toute la vie. Et la Cité heureuse s'était ainsi réalisée
dans la religion de la vie, la religion de l'humanité enfin libérée des
dogmes, trouvant en elle-même sa raison d'être, sa fin, sa joie et sa
gloire.

Mais Luc, surtout, assistait au triomphe du travail sauveur, créateur et
régulateur du monde. Dès le premier jour, il avait voulu la disparition, la
mort du salariat inique, source de misère et de souffrance, base pourrie de
l'ancien édifice social, qui croulait de toutes parts. Et il avait rêvé l'autre
chose, la réorganisation du travail, le nouveau pacte qui permettrait une
juste répartition des richesses. Seulement, que d'étapes il avait fallu franchir, avant de faire de ce rêve une réalité, cette Cité heureuse fondée par
lui ! Ici encore, l'évolution était partie de Fourier, l'association des travail-

leurs, les ateliers aux besognes variées, réduites, attrayantes, les groupes se sériant, se séparant pour se rejoindre, se mêlant en un continuel jeu des libres organes, qui est la vie même. Toute la commune libertaire était en germe dans Fourier, car, s'il a répudié la révolution brutale, s'il a commencé par utiliser les rouages de la société existante, le résultat de son effort, son espoir du lendemain tendait à la destruction de cette société. Longtemps encore, le salariat avait donc agonisé, à l'usine de la Crêcherie, en passant par les états intermédiaires de l'association, le partage des bénéfices, le tant pour cent d'intérêts dans l'œuvre commune. Puis, il s'était même transformé au point de satisfaire les collectivistes, le jour où il avait réalisé leur formule, toute une circulation réglementée de bons de travail. Il n'était pourtant toujours que le salariat atténué, déguisé, refusant de mourir. Et, seule, la commune libertaire l'avait détruit, emporté, en une dernière étape, celle de la délivrance par la liberté et par la justice totales, la chimère d'autrefois, l'unité, l'harmonie enfin vivantes. Aucune autorité n'existait plus, le nouveau pacte social se fondait uniquement sur le lien du travail nécessaire, accepté par tous, devenu la loi et le culte. Une infinité de groupes le pratiquaient, partis des anciens groupes du bâtiment, du vêtement, des métaux, des ouvriers industriels, des ouvriers de la terre, mais se multipliant, se variant sans fin, se pénétrant les uns les autres, de façon à se plier à toutes les volontés individuelles, à tous les besoins de la communauté. Rien n'arrêtait plus l'expansion de chacun, le citoyen évoluait à son gré dans son devoir de travailleur, faisait partie d'autant de groupes qu'il voulait, passait du travail de la terre au travail de l'usine, donnait ses heures au gré de ses facultés et de son désir. Et il n'y avait ainsi plus de luttes de classes, puisqu'une classe unique existait, tout un peuple d'artisans, également riches, également heureux, de même instruction, de même éducation, sans nulle différence ni dans le costume, ni dans le logement, ni dans les mœurs. Et c'était le travail roi, le travail seul guide, seul maître et seul dieu, d'une noblesse souveraine, ayant racheté l'humanité qui se mourait de mensonge et d'injustice, la rendant enfin à la vigueur, à la joie de vivre, à l'amour et à la beauté.

Luc en riait d'aise, lorsqu'un souffle de la brise matinale lui apportait les rires et les chants, dont la gaieté sonore montait sans cesse de sa ville. Quel bon travail, facile et délicieux! A peine quelques heures par jour, et d'une besogne de surveillance, tellement les nouvelles machines, puissantes, ingénieuses, avaient fini par avoir des pieds et des mains, comme les anciens esclaves. Elles soulevaient des montagnes, elles prenaient les objets les plus délicats, les façonnaient avec un soin infini. Elles marchaient, elles obéissaient, pareilles à des êtres ignorant la souffrance, s'usant sans fatigue. Grâce à elles, l'homme achevait de conquérir la nature, d'en faire sa dépendance et son paradis. Et de quelle prodigieuse richesse elles le comblaient, une abondance toujours croissante des fleurs et des fruits de la terre, un luxe de plus en plus grand des objets manufacturés, chaque citoyen regorgeant de tous les biens, vivant en prince de ses quelques heures de travail, lui que la faim étranglait autrefois, après d'abominables corvées de dix heures ! Et quel admirable essor ce travail si réduit, d'un effort si léger, avait donné aux études des savants, aux œuvres des artistes, en ouvrant le champ de l'intelligence à tous, en libérant tant d'heures des basses et grossières besognes ! Dans les laboratoires, ouverts largement aux recherches, il ne se passait pas de semaine sans qu'on fît des découvertes merveilleuses. Une mentalité se créait de jour en jour supérieure, depuis que le peuple entier était instruit dans la vérité, par les méthodes expérimentales ; et les grandes intelligences cessaient d'être l'exception rare, les producteurs de génie se levaient en foule. La chimie déjà révolutionnait l'alimentation, la terre aurait pu ne plus produire de blé, ni d'oliviers, ni de vignes, il serait sorti quand même des laboratoires assez de pain, d'huile et de vin, pour en fournir la ville entière. En physique, en matière d'électricité surtout, les inventions continuaient à reculer les bornes du possible, donnaient aux hommes la toute-puissance des dieux, sachant tout, voyant tout, pouvant tout. Puis, c'était l'envol des artistes, la beauté élargie, accrue, devenue une floraison immense, universelle, où tous pouvaient se fleurir et se parfumer. Il n'était pas de produits modestes, d'objets d'usage courant, d'ustensiles de ménage, où l'art ne s'épanouît en charmantes imaginations, dans la forme, la couleur, l'expression même. Lange, avec ses briques émaillées, ses faïences et ses grès polychromes, avait le premier embelli la vie quotidienne des foules, et maintenant des légions d'artistes se levaient, il naissait un artiste en chaque ouvrier industriel, le travail de tous les métiers n'allait plus sans la beauté innée, la beauté grande et simple de l'œuvre vécue, voulue, adaptée au service qu'elle devait rendre. Puis, c'était une extraordinaire végétation de tous les arts, depuis que l'âme de la foule battait dans toutes les âmes, et que toute la vie était vécue, avec toutes les passions libérées, tout l'amour donné et reçu. S'inspirant de cette dilection universelle, la musique était la voix même du peuple heureux, des musiciens trouvaient pour lui, venant de lui, des chants sublimes, dont la continuelle harmonie baignait les théâtres, les ateliers, les maisons, les rues. Des architectes bâtissaient pour le peuple des palais immenses et superbes, faits à son image, d'une ampleur, d'une majesté une et variée comme la multitude, avec les adorables fantaisies des milliers d'individualités qui s'y résumaient. Des sculpteurs peuplaient de bronzes, de marbres vivants, les jardins et les musées, des peintres décoraient de scènes prises à l'existence quotidienne les édifices publics, les gares, les halles, les bibliothèques, les salles de spectacles, d'études et de divertissements. Et surtout des écrivains donnaient à ce peuple innombrable, à la nation entière qui les lisait, des œuvres fortes, puissantes, vastes, nées d'elle-même et faites pour elle. Le génie, où s'amasse l'énergie intellectuelle des générations, s'élargissait, à mesure que des forces nouvelles lui venaient d'une humanité plus instruite et plus libre. Jamais encore le génie n'avait eu cette splendeur. Ce n'était plus la serre chaude d'une littérature bornée, aristocratique, c'était la pleine humanité, des poèmes où débordait la vie de tous, que tous avaient aidé à faire de leur sang, et qui retournaient au cœur de tous.

Et Luc, plein de sérénité, sans crainte pour l'avenir, regardait sa ville croître encore, comme une belle et forte personne, d'une éternelle jeunesse. Elle était descendue des gorges de Brias, entre les deux promontoires des Monts Bleuses, elle envahissait maintenant les prairies de la Roumagne. Par les beaux temps, ses façades blanches riaient au milieu des verdures, sans qu'une fumée ternît la pureté de l'air; car les cheminées étaient abolies, l'électricité ayant remplacé partout les chauffages au bois et au charbon. Le grand ciel bleu la tendait de sa soie légère, immaculée, sans une poussière de suie. Et elle restait comme neuve, d'une gaieté luisante, sous la brise qui la rafraîchissait; tandis qu'on entendait monter de partout, des maisons, des édifices, des avenues, des fontaines innombrables, un bruit d'eaux chantantes, le ruissellement cristallin des sources, dont la pureté et la santé l'entretenaient dans une perpétuelle allégresse. La population s'accroissait toujours, des maisons se bâtissaient, des jardins se créaient. Un peuple heureux, libre et fraternel, est un foyer d'attraction, où tous les peuples voisins viennent forcément se fondre. Les petites villes des environs, Saint-Cron, Formeries, Magnolles, avaient dû suivre l'exemple de Beauclair, s'étaient peu à peu groupées, associées, puis avaient fini par être un simple prolongement de la ville initiatrice. Il suffisait d'avoir tenté l'expérience en petit, on gagnait de proche en proche l'arrondissement, le département, le pays entier. C'était l'irrésistible bonheur en marche; rien ne pourra faire obstacle à la force du bonheur réalisé, quand les hommes en auront la perception nette et décisive. Il n'y a jamais eu qu'une lutte humaine, la lutte pour le bonheur, et elle est au fond de toute religion, de tout gouvernement. L'égoïsme n'est que l'effort individuel pour tirer à soi le plus de bonheur possible; et pourquoi chaque citoyen ne mettrait-il pas son égoïsme à traiter les autres citoyens en frères, le jour où il sera convaincu que la félicité de chacun est dans la félicité de tous? Si les intérêts se trouvaient en lutte, c'était que l'ancien pacte social les voulait différents, les opposait les uns aux autres, en faisant de la guerre la nécessité vivante, l'âme même des sociétés. Mais que le contraire soit démontré, que le travail réorganisé répartisse justement la richesse, que les passions libérées et agissantes aboutissent à l'unité, à l'harmonie, et aussitôt la paix se fait, le bonheur s'établit, en un fraternel contrat de solidarité. Pourquoi se battre, lorsque les intérêts ne s'opposent plus? Depuis tant de siècles, si l'humanité avait mis à conquérir le monde, à soumettre les forces naturelles, les efforts acharnés et douloureux des générations, cette somme prodigieuse des efforts, du sang et des larmes, qu'elle a dépensés à s'entre-dévorer, il y a longtemps qu'elle serait la reine indiscutée, souverainement joyeuse, des êtres et des choses. Le jour où elle s'est aperçue de son imbécile démence, où l'homme a cessé d'être un loup pour l'homme, tous unis dans l'œuvre commune du bonheur, dépensant à être les maîtres des éléments le génie et la richesse gaspillés à s'anéantir de créature à créature, de nation à nation, les peuples se sont mis en marche pour la Cité heureuse. Et il n'est pas vrai qu'un peuple dont tous les besoins seraient satisfaits, n'ayant plus à lutter pour l'existence, perdrait peu à peu la force de vivre, tomberait bientôt à la torpeur, à l'engourdissement final. Le rêve restera toujours sans limites, il y aura toujours beaucoup d'inconnu à conquérir. A chaque besoin nouveau contenté, le désir en fera succéder un autre, dont la satisfaction exaltera les hommes, fera d'eux des héros de la science et de la beauté. Comme le rêve, le désir est infini, et si l'on s'est longtemps battu entre soi pour se voler le bonheur, on luttera tous ensemble pour l'élargir sans cesse, pour en faire un festin immense, resplendissant de joie et de gloire, capable d'assouvir les passions décuplées de plusieurs milliards d'hommes. Et il n'y aura plus que des héros, et tout enfant à sa naissance recevra un cadeau de bienvenue, la terre entière, le ciel sans bornes, le soleil paternel, source de l'immortelle vie.

Dans sa gaieté de chaque heure, Luc, en face de sa ville triomphante, répétait, avec un grand geste, au loin, que l'amour seul avait fait ces prodiges. C'était l'amour dont il avait jeté les semences et qu'il récoltait aujourd'hui en moissons inépuisables de bonté, de fraternité. Dès le premier jour, il avait senti la nécessité de fonder la ville par la femme et pour la femme, s'il la voulait féconde, à jamais désirable et belle. La femme sauvée, Josine remise en sa place de beauté, de dignité et de tendresse, n'était-ce pas la future alliance faite, le couple uni, générateur de paix sociale, de libre et juste existence en commun? Ensuite, l'instruction, l'éducation nouvelles, en réunissant les deux sexes, en leur donnant les mêmes connaissances, les avaient lentement acheminés à une bonne entente complète, grandis côte à côte, désireux du but désormais unique, aimer beaucoup pour être beaucoup aimé. Faire du bonheur était la grande sagesse, la façon logique d'avoir du bonheur soi-même. Et les couples avaient naturellement fleuri, le choix d'amour, l'union était devenue libre, aucune loi ne régissait plus le mariage, soumis au seul consentement mutuel. Un jeune homme, une jeune fille se connaissaient depuis l'École, avaient passé par les mêmes Ateliers, et lorsqu'ils se donnaient l'un à l'autre; c'était simplement comme la floraison d'une longue intimité. Ils se donnaient pour la vie, les longues unions fidèles étaient le plus grand nombre, on vieillissait ensemble, après avoir grandi ensemble, dans le don délicieux de deux êtres, de droits égaux, de tendresses égales. Cependant, la liberté restait entière, la séparation était toujours possible pour ceux qui ne s'entendaient plus, et les enfants demeuraient à l'un ou à l'autre, à leur gré, ou bien à la commune, si des difficultés survenaient. L'âpre duel de l'homme et de la femme, toutes les questions qui, pendant si longtemps, avaient dressé les deux sexes d'un devant l'autre, en ennemis sauvages, irréconciliables, se trouvaient très facilement résolues par cette solution de la femme libérée en toutes choses, redevenue la compagne libre de l'homme, reprenant sa place d'égale et d'indispensable dans le couple d'amour. Elle pouvait ne pas se marier, vivre en homme, remplir en tout et partout le rôle d'un homme ; mais à quoi bon se mutiler, nier le désir, se mettre à part de la vie ? Il n'est qu'une raison, qu'une beauté, et c'est toute la vie, le plus de vie possible. Aussi l'ordre naturel s'était-il bientôt établi de lui-même, la paix s'était faite, là aussi, entre les sexes réconciliés, trouvant chacun son bonheur dans le bonheur du ménage, goûtant enfin les délices du lien d'amour, débarrassé des bassesses de l'argent et des convenances. Lorsque deux amoureux, la chair en fleur, se donnaient le baiser des fiançailles, par une nuit tiède, ils étaient bien certains de céder à la passion seule. L'un d'eux ne pouvait plus se vendre pour la dot de l'autre, et les familles n'avaient sûrement pas maquignonné leur accouplement, comme on mène une femelle à l'étalon, en vue d'un commerce.

Et c'était le plein amour, le sens d'amour développé, épuré, assaini, devenu le parfum, la flamme, le foyer même de l'existence. Et c'était l'amour épandu, général, universel, naissant du couple pour passer à la mère, au père, aux enfants, aux parents, aux voisins, aux citoyens, aux hommes de l'humanité entière, en des ondes de plus en plus élargies, en une mer d'amour qui finissait par baigner le monde. La dilection était comme l'air pur dont toutes les poitrines se nourrissaient, il n'y avait plus qu'un même souffle de dilection fraternelle, et elle seule avait fini par réaliser l'unité tant rêvée, la divine harmonie. L'humanité équilibrée enfin comme les astres, par l'attraction, la loi de justice, de solidarité et d'amour, voyagerait désormais heureuse, au travers de l'éternel infini. Et telle était la moisson sans cesse renaissante, l'immense moisson de tendresse et de bonté, que Luc, chaque matin, voyait pousser de partout, de tous les sillons qu'il avait si largement ensemencés, de sa ville entière, où, dans les Écoles, dans les Ateliers, dans chaque maison, et jusque dans chaque cœur, il jetait la bonne graine, depuis tant d'années, à pleines mains.

— Voyez donc ! voyez donc ! disait-il en riant parfois, le matin, lorsque

Josine, Sœurette et Suzanne restaient groupées près de son fauteuil, devant
la fenêtre grande ouverte, voyez donc! des arbres ont encore fleuri depuis
hier soir, et il y a des baisers encore qui semblent s'envoler des toits, comme
des oiseaux chanteurs... Tenez! là-bas, à droite, à gauche, c'est de l'amour
battant des ailes, dans le soleil levant.

Toutes les trois, elles riaient aussi, elles plaisantaient d'un air tendre,
pour lui plaire.

— Certainement, disait Josine, il y a de ce côté, au-dessus de cette maison,
aux tuiles bleues, semées d'étoiles blanches, un grand frisson de soleil qui en
annonce la grande allégresse intérieure. Des amoureux doivent y avoir célébré
leur nuit de noce.

— Et regardez, en face, disait Sœurette, sur la façade éclatante de cette
autre maison, aux faïences décorées de roses, comme les vitres flamboient,
d'un éclat d'astre à son aurore! Sûrement, un enfant vient d'y naître.

— Et partout, sur tous les logis, sur la ville entière, disait Suzanne, les
rayons pleuvent, se redressent en épis d'or, en un champ fraternel de prodigieuse fertilité. N'est-ce pas la paix de tous, l'amour de tous, qui chaque
jour pousse et se moissonne là?

Luc les écoutait, avec ravissement. Et quelle adorable récompense, quel
cadeau délicieux l'amour lui donnait, en l'entourant, dans son grand âge, de
ces floraisons d'amour sublime, de ces trois femmes dont la présence embaumait et faisait resplendir ses derniers jours! Nulle part, l'amour n'avait
poussé en une aussi magnifique moisson, et c'était encore chez lui, autour
de lui, que la récolte en était la plus ample et la plus exquise. Trois femmes
l'adoraient, l'enveloppaient à chaque heure de leur sollicitude, d'un culte
d'affection et de dévotion, sans cesse aux petits soins. Et elles étaient infiniment bonnes, infiniment tendres, avec des yeux de sérénité qui lui donnaient
la continuelle joie de vivre, avec des mains de douceur dont elles le soutenaient jusqu'au seuil de la tombe. Et elles étaient infiniment vieilles, toutes
blanches, toutes légères comme des âmes, devenues augustes, pareilles à des
flammes pures, actives et gaies, brûlant de l'éternelle et jeune passion du
grand vieillard. Il vivait toujours, et elles vivaient encore, et elles restaient sa
force, son action, son intelligence, continuellement là, bien portantes et
solides malgré tout, allant et venant lorsque lui-même ne bougeait plus, en
gardiennes et en ménagères, en compagnes dont sa longue existence était
comme allongée, élargie sans fin, au delà des limites humaines.

Josine, à soixante-dix-huit ans, restait l'amoureuse, l'Ève autrefois
sauvée de la faute et de la souffrance. Très mince, telle qu'une fleur séchée
et pâlie, ayant encore son parfum, elle gardait sa grâce souple, son charme
délicat. Au clair soleil, ses cheveux blancs retrouvaient leur reflet d'or, l'or
souverain de la jeunesse. Et Luc l'adorait toujours, comme au jour loin-

Ah ! la dernière guerre, la dernière bataille.

tain où il l'avait secourue, aimant en elle le peuple souffrant, la femme torturée, l'ayant choisie la plus misérable, la plus douloureuse, afin de sauver avec elle, s'il la sauvait, tous les déshérités de ce monde, étranglés par la honte et la faim. Aujourd'hui encore, il baisait avec religion sa main mutilée, la blessure de l'inique travail, de ce bagne du salariat d'où sa pitié, son amour pour elle, l'avaient aidé à tirer les travailleurs. Dans sa mission de rédemption et de délivrance, il n'était pas resté infécond, il avait senti le besoin d'une femme, la nécessité d'être fort et complet, pour racheter ses frères. C'était du couple, de la fécondité de l'amante que le nouveau peuple était né. Quand il avait eu des enfants d'elle, son œuvre elle-même avait procréé, s'était éternisée. Et elle l'adorait aussi toujours, de son adoration de la première rencontre, avec une flamme de tendre gratitude, un don délicieux de sa personne entière, une passion et un désir d'infini dans l'amour, dont l'âge n'avait pas affaibli l'inextinguible flamme.

Sœurette, de même âge que Luc, et dont les quatre-vingt-cinq ans allaient sonner bientôt, était la plus active, debout, s'occupant, la journée entière. Depuis longtemps, elle ne semblait plus vieillir, toute menue, comme rapetissée encore, mais embellie certainement par la douce vieillesse. Jadis si noire, si maigre, si disgraciée, elle était devenue une exquise petite vieille, une souris blanche, avec des yeux de lumière. Dans la crise affreuse de son amour pour Luc, dans sa douleur d'aimer et de ne pas être aimée, son frère Jordan lui avait bien dit qu'elle se résignerait, qu'elle ferait au bonheur des autres le sacrifice de sa passion. Et elle s'était en effet résignée chaque jour davantage, son renoncement avait fini par être une pure joie, une force de divine allégresse. Elle aimait toujours Luc, elle l'aimait dans chacun de ses enfants et de ses petits-enfants, dont elle aidait Josine à s'occuper. Elle l'aimait toujours, et d'un amour de plus en plus profond, dégagé de tout égoïsme, flamme chaste, brûlante de fraternité et de maternité. Les soins délicats, les réconforts discrets dont elle avait comblé son frère, elle les donnait maintenant à son ami, elle veillait sans cesse, pour lui faire de chaque heure un délice. Et tout son bonheur était là, sentir combien il l'aimait lui-même, finir un siècle dans cette amitié passionnée, aussi douce que l'amour.

Suzanne, âgée de quatre-vingt-huit ans, était l'aînée, la sérieuse et la vénérable. De taille mince, elle demeurait droite, avec son tendre visage, dont le seul charme, autrefois déjà, était dans la bonté, la raison solide et indulgente. Mais elle ne marchait plus guère, ses yeux secourables disaient seuls son besoin de s'intéresser aux autres, de se dépenser en bonnes œuvres. D'ordinaire, maintenant, elle restait assise près de Luc, elle lui tenait compagnie, pendant que les deux autres, Josine et Sœurette, s'empressaient trottaient sans bruit. Elle aussi l'avait tant aimé, aux heures tristes de sa jeunesse, d'un amour consolateur, longtemps ignoré d'elle-même ! Tout entière, elle s'était donnée sans le savoir, dans le rêve du héros qu'elle aurait voulu encourager, aider de sa tendresse ; et, le jour où son cœur avait parlé, le héros était aux bras d'une autre amante, une amie seule pouvait encore prendre place à son foyer. Cette amie, elle l'était depuis des années nombreuses, avec une infinie douceur, une sérénité de tout son être, trouvant enfin la paix parfaite dans la communion de cœur et d'esprit où elle vivait avec l'homme qui était devenu son frère. Et cette amitié sans doute, pour elle comme pour Sœurette, n'était si délicieuse, que grâce au brasier d'amour dont elle était née et dont elle gardait le feu éternel.

Ainsi, Luc, très vieux, très grand, très beau, achevait de vivre dans l'amour des trois femmes, très vieilles, très grandes et très belles. Lui, avec sa haute taille que ses quatre-vingt-cinq ans n'avaient pas courbée, demeurait sain et fort, d'une solidité de chêne. Seules, ses jambes s'étaient raidies, comme pour le clouer là, devant sa fenêtre, en spectateur heureux, maintenant que sa ville était fondée. Au-dessus de son front, en forme de tour, ses épais cheveux, dont pas un n'était tombé, avaient simplement blanchi, le coiffant d'une crinière, la débordante crinière blanche d'un vieux lion au repos. Et ses derniers jours s'éclairaient, s'embaumaient de cette adoration dont l'entouraient Josine, Sœurette et Suzanne. Il les avait aimées, il les aimait toutes les trois, de son vaste amour, d'où s'épanchaient tant de désir, tant de fraternité, tant de bonté, un flot où roulait la vie, avec ses passions sans nombre, fleuve immense auquel tous les cœurs peuvent boire. Et l'amante, et les amies, il les embrassait les unes et les autres d'une même étreinte humaine, pour faire encore et encore plus de vie, plus de bonheur.

Mais des signes apparurent. Ainsi que Jordan sans doute, l'œuvre étant faite, Luc allait mourir. Un sommeil montait en lui, un repos bien gagné, dont il attendait l'heure avec une sérénité joyeuse. Il vit venir la mort gaiement, il la savait nécessaire et douce, sans avoir le besoin de la promesse menteuse du ciel, pour l'accepter d'un cœur brave. Le ciel, désormais, était sur la terre, où le plus de vérité et de justice possible réalisait l'idéal, tout le bonheur humain. Chaque être restait immortel dans les générations nées de lui, le torrent d'amour s'augmentait de chaque amour, roulait à l'infini, assurant l'éternité à tous ceux qui avaient vécu, aimé, enfanté. Et Luc savait qu'il pouvait mourir, mais qu'il renaîtrait continuellement dans les hommes sans nombre, dont il avait voulu l'existence meilleure et plus fortunée. C'était la seule certitude de survie, elle lui donnait une paix admirable, il avait tant aimé les autres et s'était tant dépensé au soulagement de leur misère, qu'il trouvait comme une récompense et une béatitude à s'endormir en eux, à profiter lui-même de son œuvre, au sein des générations de plus en plus heureuses.

Alors, Josine, Sœurette et Suzanne, dans leur inquiétude à le voir ainsi s'assoupir doucement, ne voulurent pourtant pas être tristes. Chaque matin, elles ouvrirent les fenêtres, pour que le bon soleil entrât librement, elles parèrent et embaumèrent la chambre de fleurs, de gros bouquets d'un éclat et d'un parfum d'enfance. Mais, surtout, sachant combien Luc aimait les enfants, elles l'entourèrent à chaque heure d'une bande joyeuse de gamins et de gamines, dont les têtes blondes ou brunes étaient comme d'autres bouquets, demain en fleur, la force et la beauté des années futures. Et, lorsque tout ce petit monde était là, jouant avec des rires autour de son fauteuil, Luc leur souriait tendrement, suivait leurs jeux d'un air amusé, ravi de s'en aller ainsi, au milieu d'une joie si pure et d'un si vivant espoir.

Or, le jour où la mort devait venir, très juste, très bonne, quand tomberait le crépuscule, les trois femmes qui en sentaient l'approche, aux yeux de clarté du grand vieillard, invitèrent les arrière-petits-enfants de sa descendance, les tout petits, ceux dont la vue lui apporterait, au dernier instant, le plus de jeunesse et le plus d'avenir. Et ceux-ci en amenèrent d'autres, des grands, des camarades, les descendants des travailleurs dont l'effort solidaire avait autrefois fondé la Crêcherie. Ce fut un spectacle adorable, cette chambre ensoleillée, pleine d'enfants et de roses, tandis que le héros, le vieux lion à la crinière blanche, s'intéressait encore à eux, de son air d'allégresse attendrie. Et il les reconnaissait bien tous, il les nommait, les questionnait.

Un grand garçon de dix-huit ans, François, fils d'Hippolyte Mitaine et de Laure Fauchard, le regardait, avec deux grosses larmes, qu'il tâchait de contenir. Et il l'appela.

— Viens donc me serrer la main, mon beau François. Il ne faut pas avoir de tristesse, tu vois comme nous sommes tous contents... Et sois un brave homme, tu as encore grandi, tu vas faire un amoureux superbe.

Puis, ce furent deux jeunes filles de quinze ans, Amélie, née d'Alexandre Feuillat et de Clémentine Bourron, et Simonne, née d'Adolphe Laboque et de Germaine Yvonnot.

— Ah! vous êtes gaies, vous deux, mes belles filles, et vous avez bien raison... Venez, que je vous embrasse, sur vos joues de printemps, et soyez toujours gaies et belles, c'est le bonheur.

Ensuite, il ne reconnut plus que les siens, dont le nombre allait en se multipliant sans cesse. Deux de ses petits-enfants étaient là, une petite-fille de dix-huit ans, Alice, née de Charles Froment et de Claudine Bonnaire, et un petit-fils de seize ans, Richard, né de Jules Froment et de Céline Lenfant. On avait seulement amené les filles et les garçons, car les petits-enfants mariés, avec leurs femmes et leur famille, auraient fait éclater la chambre. Et il riait plus tendrement, en appelant près de lui Alice et Richard.

32*

— Ma blonde Alice, te voilà bonne à marier, choisis un garçon joyeux et sain comme toi. Ah! c'est déjà fait, aimez-vous bien, ayez des enfants sains et joyeux come vous... Et toi, mon grand Richard, tu vas entrer en apprentissage, dans un atelier de chaussures, et c'est en outre, je crois, la musique qui te passionne. Travaille et chante, aie du génie.

Mais, à ce moment, le flot des tout petits finit par l'envahir. Ils étaient quatre, trois garçons et une fillette, ses arrière-petits-enfants tous les quatre, qui s'efforçaient de grimper sur ses genoux. Et il commença par prendre l'aîné, Georges, âgé de sept ans, fils de Maurice Morfain et de Berthe Jollivet, cousin et cousine, l'un fils de Raymond Morfain et de Thérèse Froment, l'autre fille d'André Jollivet et de Pauline Froment.

— Ah! mon bon petit Georges, le cher petit-fils de mes deux filles, ma brune Thérèse et ma blonde Pauline!... Tes yeux étaient ceux de ma Pauline, et maintenant voilà qu'ils deviennent ceux de ma Thérèse? Et ta bouche si fraîche, si rieuse, est-elle de ma Thérèse, est-elle de ma Pauline?... Baise-moi bien fort, bien fort, mon petit Georges, pour te souvenir longtemps, longtemps, de moi.

Puis, ce fut le tour de Grégoire Bonnaire, plus petit celui-là, cinq ans à peine. Il était fils de Félicien Bonnaire et d'Hélène Jollivet, le premier né de Séverin Bonnaire et de Léonie Gourier, la seconde née d'André Jollivet et de Pauline Froment.

— Encore un petit homme de ma Pauline!... N'est-ce pas? mon Grégoire, que grand'maman Pauline est gentille, les mains toujours pleines de bonnes choses.... Et moi, le grand-grand-papa, tu m'aimes bien, mon Grégoire, tu voudras toujours être sage et beau, n'est-ce pas? quand tu te souviendras de moi... Baise-moi, baise-moi très fort.

Et, pour finir, il prit les deux derniers, Clément et Luce, le frère et la sœur, l'un sur le genou droit, l'autre sur le genou gauche. Clément avait cinq ans, Luce avait deux ans. Ils étaient nés de Ludovic Boisgelin et de Mariette Froment. Mais ici les souvenirs se levaient en foule, avec Ludovic, fils de Paul Boisgelin et d'Antoinette Bonnaire, avec Mariette, fille d'Hilaire Froment et de Colette, la délicieuse, l'aînée de Nanet et de Nise. Les Delaveau, les Boisgelin, les Bonnaire, mêlés aux Froment, renaissaient sous ces fronts purs, aux légers cheveux bouclés.

— Venez, venez, petit Clément, petite Luce, mes chers amours. Si vous saviez tout ce que je retrouve, tout ce que je lis au fond de vos yeux clairs!... Petit Clément, tu es déjà très bon et très fort, oh! je le sais, je suis renseigné par grand-père Hilaire, qui est bien content de t'entendre toujours rire... Et toi, petite Luce, si petite, parlant à peine, on te sait tout de même une brave petite femme, car tu ne pleures jamais, tu tends gaiement tes menottes au bon soleil... Il faut aussi me baiser, vous deux, mes beaux enfants adorés, le meilleur de ce que je vais laisser de moi, toute ma force et toute mon espérance !

Les autres s'étaient rapprochés, il aurait voulu avoir les bras assez longs, pour tous les prendre et les serrer tous sur son cœur. C'était à eux qu'il confiait l'avenir, il leur léguait son œuvre, comme à des forces nouvelles qui devaient la revivre et l'élargir sans fin. Toujours il s'en était remis aux enfants, aux générations futures, pour achever l'œuvre du bonheur. Et ces chers enfants nés de lui, et dont il était si tendrement entouré, dans la paix sereine de sa dernière heure, quel testament de justice, de vérité et de bonté il leur laissait, avec quelle passion il faisait d'eux les exécuteurs de son rêve, l'humanité de plus en plus libérée, heureuse !

— Allez, allez, mes enfants chéris ! soyez sages, soyez très justes et très bons ! souvenez-vous de m'avoir tous embrassé aujourd'hui, et aimez-moi toujours bien, aimez-vous toujours bien les uns les autres ! Vous saurez un jour, vous ferez ce que nous avons fait, et vos enfants à leur tour devront faire ce que vous ferez, beaucoup de travail, beaucoup de vie, beaucoup d'amour !... En attendant, mes enfants chéris, allez, allez jouer, soyez très sains et très gais !

Josine, Sœurette et Suzanne voulurent alors congédier la bande joueuse, par crainte du tapage, en voyant Luc s'affaiblir peu à peu. Mais il n'y consentit point, il désira garder les enfants près de lui, afin de s'en aller doucement, dans le bruit joyeux de leurs rires. Et il fut convenu que les enfants descendraient jouer au jardin, sous sa fenêtre. Il les entendait, il les voyait, il était content.

Déjà, le soleil baissait à l'horizon, un grand soleil d'été dont la ville entière resplendissait. La chambre en était toute dorée, comme d'une gloire, et Luc, dans cette splendeur, assis au fond de son fauteuil, garda longtemps le silence, les yeux sur l'immense horizon. Une paix profonde se faisait, Josine et Sœurette, muettes comme lui, étaient venues s'accouder à sa droite et à sa gauche, tandis que Suzanne, assise, semblait suivre elle aussi le même rêve. Et il parla enfin, d'une voix ralentie, qui semblait devenir peu à peu lointaine.

— Oui, notre ville est là, Beauclair régénéré flamboie dans l'air pur, et je sais que les villes voisines, Brias, Magnolles, Formeries, Saint-Cron, ont dû nous suivre, se sont refaites également, amenées à nous par l'exemple, conquises au tout-puissant bonheur... Mais, par delà ce large horizon, de l'autre côté des Monts Bleuses, et là-bas, après le vague infini de la Roumagne, que devient le vaste monde, où les provinces et les nations en sont-elles de la longue lutte, de la rude et sanglante marche vers la Cité heureuse ?

De nouveau, il se tut, envahi de pensées. Il n'ignorait pas que l'évolution s'accomplissait partout, se propageant à chaque heure avec une vitesse

accrue. Des simples villes, le mouvement avait gagné les provinces, puis la
nation entière, puis les nations voisines; et il n'y avait plus de frontières,
plus de montagnes, plus d'océans infranchissables, la délivrance volait d'un
continent à l'autre, balayant les gouvernements et les religions, unissant les
races. Seulement, dans cette reconstruction de l'humanité, les événements
ne s'accomplissaient pas partout de la même façon. Tandis que Beauclair
évoluait sans trop de luttes, grâce à l'expérience tentée avec l'association, en
un lent acheminement vers toutes les libertés, la révolution éclatait ailleurs,
le sang coulait, parmi les massacres et les incendies. Il n'était pas deux États
voisins qui eussent pris la même route, et c'était par les chemins les plus différents, les plus contraires, que tous les peuples allaient se rencontrer en la
même fraternelle Cité, la métropole enfin conquise de la fédération humaine.

Et Luc reprit, comme en un rêve, de sa voix qui s'affaiblissait :

— Ah! je voudrais savoir, oui! avant de quitter mon œuvre, je voudrais
savoir jusqu'où, dès aujourd'hui, la grande besogne est faite... Je dormirais
mieux, j'emporterais encore plus de certitude et d'espérance.

Il y eut un autre silence. Comme lui, Josine, Sœurette et Suzanne, très
vieilles, très belles et très bonnes, rêvaient toujours, les yeux au loin.

Puis, ce fut Josine qui commença.

— J'ai su des choses, un voyageur m'a fait ce récit... Dans une grande
République, les collectivistes sont devenus les maîtres du pouvoir. Pendant
des années, ils ont mené la plus acharnée des batailles politiques, pour
s'emparer des Chambres et du gouvernement. Et, légalement, ils n'ont pu
y parvenir, ils ont dû faire un coup d'État, lorsqu'ils se sont sentis en force,
certains de trouver un appui solide dans le peuple. Dès le lendemain, ils ont
appliqué leur programme entièrement, à coups de lois et de décrets. L'expropriation en masse a commencé, toute la richesse privée est devenue la
richesse de la nation, tous les instruments du travail ont fait retour aux travailleurs. Il n'y a plus eu ni propriétaires, ni capitalistes, ni patrons, l'État
seul a régné, maître de tout, à la fois propriétaire, capitaliste et patron,
régulateur et distributeur de la vie sociale... Mais cette secousse immense,
ces modifications brusques et radicales ne purent naturellement se produire
sans des troubles terribles. Les classes ne se laissent pas déposséder ainsi,
même des biens volés, et d'effroyables émeutes éclatèrent de toutes parts. Des
propriétaires préférèrent se faire tuer, sur le seuil de leur domaine. D'autres
détruisirent leurs biens, inondèrent des mines, ravagèrent des voies ferrées,
anéantirent des usines et des manufactures, pendant que des capitalistes
brûlaient leurs valeurs et jetaient leur or à la mer. Il fallut faire le siège de
certaines maisons, des villes entières durent être prises d'assaut. Pendant des
années, l'affreuse guerre civile régna, et les pavés furent rouges de sang, et
les fleuves roulèrent des cadavres... Puis, l'État souverain avait toutes sortes

de difficultés pour que l'ordre nouveau marchât sans heurt. L'heure de travail était devenue l'unité de valeur, permettant les échanges, grâce à un système de bons. D'abord, on avait créé une commission de statistique veillant à la production et répartissant les produits, au prorata du travail de chacun. Ensuite, on avait senti le besoin d'autres bureaux de contrôle, et une organisation compliquée semblait repousser peu à peu, encombrer les rouages de la société naissante. On retombait à l'enrégimentement de la caserne, jamais cadres plus durs n'avaient parqué les hommes en des cases plus étroites... Et, pourtant, l'évolution s'accomplissait, c'était quand même un pas vers la justice, le travail rentrait en honneur, la richesse se répartissait chaque jour avec plus d'équité. Au bout, il y avait fatalement la disparition du salariat et du capital, la suppression du commerce et de l'argent. Et, m'a-t-on raconté, voilà qu'aujourd'hui cet État collectiviste, bouleversé par tant de catastrophes, arrosé de tant de sang, entre dans la paix, aboutit à la fraternelle solidarité des peuples libres et travailleurs.

Josine ne parla plus, retombée dans sa contemplation muette du vaste horizon. Et Luc reprit doucement :

— Oui, c'est un des chemins sanglants, un de ceux dont je n'ai pas voulu. Mais, à cette heure, qu'importe! puisqu'il conduisait à la même unité, à la même harmonie.

Alors, ce fut Sœurette qui parla, les yeux grands ouverts sur le vaste monde, par derrière les promontoires géants des Monts Bleuses.

— J'ai su également toute une histoire, des témoins m'ont raconté ces effrayantes choses... C'est dans un vaste empire voisin, les anarchistes ont fini par faire sauter la vieille charpente sociale, à coups de bombes et de mitraille. Le peuple avait tant souffert qu'il s'était mis avec eux, achevant l'œuvre libératrice de destruction, balayant jusqu'aux dernières miettes du monde pourri. Longtemps, les villes dans la nuit avaient flambé comme des torches, au milieu du hurlement des anciens bourreaux égorgés, qui ne voulaient pas mourir. Et c'était le déluge de sang prédit, dont les prophètes de l'anarchie avaient annoncé longtemps la nécessité féconde... Ensuite, les temps nouveaux commencèrent. Le cri n'était pas « à chacun selon ses œuvres », mais « à chacun selon ses besoins ». L'homme avait droit à la vie, au logement, au vêtement, au pain quotidien. On avait donc mis toutes les richesses en tas, puis on avait partagé, ne commençant à rationner chacun que le jour où il n'y en avait plus eu autant pour tous. L'humanité entière au travail, la nature exploitée avec science et méthode, devaient fournir des produits incalculables, une fortune immense, suffisante pour combler les appétits des peuples décuplés. Lorsque la société voleuse et parasitaire aurait disparu, avec l'argent, source de tous les crimes, avec les lois sauvages de restriction et de répression, sources de toutes les iniquités, la paix régnerait par la communauté libertaire, où le bonheur de chacun serait fait du bonheur de tous... Et plus d'autorité d'aucune sorte, plus de lois, plus de gouvernement. Si les anarchistes avaient accepté le fer et le feu, la nécessité sanglante d'une extermination première, c'était dans la certitude de ne pouvoir détruire à fond les anciens atavismes monarchiques et religieux, écraser à jamais l'autorité en ses derniers germes, que sous cette brutale cautérisation de la plaie séculaire. D'un coup, si l'on ne voulait pas être repris, il fallait couper les vives attaches avec le passé d'erreur et de despotisme. Toute politique était mauvaise, empoisonneuse, parce qu'elle se trouvait fatalement faite de compromissions et de marchés, dont les déshérités resteraient les dupes... Et, sur les ruines du vieux monde détruit, balayé, le rêve hautain et pur de l'anarchie avait ensuite tenté de se réaliser. C'était la conception la plus large, la plus idéale d'une humanité juste et paisible, l'homme libre dans la société libre, chaque être délivré de toutes les entraves, jouissant à l'infini de tous ses sens et de toutes ses facultés, exerçant pleinement son droit de vivre, d'être heureux par sa part de possession de tous les biens de la terre. Peu à peu, l'anarchie en était alors venue à se fondre dans l'évolution communiste, car elle n'était en réalité qu'une négation politique, elle différait simplement des autres sectes socialistes par sa volonté de tout abattre pour tout reconstruire. Elle acceptait l'association, les groupes libres vivant d'échanges, sans cesse en état de circulation, se dépensant et se reconstituant, comme le sang même du corps, et le grand empire où elle avait triomphé, parmi les massacres et les incendies, est allé rejoindre les autres peuples libérés, dans la fédération universelle.

Sœurette cessa de parler, immobile et rêveuse, le coude appuyé au dossier du fauteuil. Et Luc dit avec lenteur, de sa voix qui s'embarrassait :

— Oui, au dernier jour, au seuil de la terre promise, les anarchistes, après les collectivistes, devaient rejoindre les disciples de Fourier. Si les chemins étaient différents, le but restait commun.

Puis, après une songerie, il dit encore :

— Que de larmes, que de sang, que d'abominables guerres, pour conquérir la paix fraternelle, voulue également par tous! Tant de siècles d'égorgement fratricide parmi les hommes, lorsque la question était simplement de savoir s'il fallait passer à droite ou à gauche, pour arriver plus vite au bonheur final?

Silencieuse jusqu'alors, Suzanne, assise, et les yeux, elle aussi, perdus par delà les horizons, prit enfin la parole, dans un grand frisson de pitié.

— Ah! la dernière guerre, la dernière bataille! Elles furent si terribles, que les hommes, à jamais, en ont brisé leurs épées et leurs canons... C'était au début des grandes crises sociales qui viennent de renouveler le monde, et j'ai su ces effroyables choses par des hommes, dont la raison avait failli

se perdre, au milieu de ce choc suprême entre les nations. Dans la crise
affolée des peuples, gros de la société future, une moitié de l'Europe s'était
jetée sur l'autre, et les continents avaient suivi, des escadres se heurtaient
sur tous les océans, pour la domination des eaux et de la terre. Pas une
nation n'avait pu rester à l'écart, elles s'étaient entraînées les unes les
autres, deux armées immenses entraient en ligne, toutes brûlantes des
fureurs ancestrales, résolues à s'écraser, comme si, par les champs vides et
stériles, il y avait, sur deux hommes, un homme de trop... Et les deux
armées immenses de frères ennemis se rencontrèrent au centre de l'Europe,
en de vastes plaines, où des millions d'êtres pouvaient s'égorger. Sur des
lieues et des lieues, les troupes se déployèrent, suivies d'autres troupes de
renfort, un tel torrent d'hommes, que, pendant un mois, la bataille dura.
Chaque jour, il y avait encore de la chair humaine pour les balles et les
boulets. On ne prenait même plus le temps d'enlever les morts, les tas
faisaient des murs, derrière lesquels des régiments nouveaux, intarissables,
venaient se faire tuer. La nuit n'arrêtait pas le combat, on s'égorgeait dans
l'ombre. Le soleil, à chacune de ses aurores, éclairait des mares de sang
élargies, un champ de carnage où l'horrible moisson entassait les cadavres
en meules, de plus en plus hautes... Et, de partout, c'était la foudre, des
corps d'armée entiers disparaissaient dans un coup de tonnerre. Les combattants n'avaient pas même besoin de s'approcher ni de se voir, les canons
tuaient de l'autre côté de l'horizon, lançaient des obus dont l'explosion
rasait des hectares de terrain, asphyxiait, empoisonnait. Du ciel lui-même,
des ballons jetaient des bombes, incendiaient les villes au passage. La science
avait inventé des explosifs, des engins capables de porter la mort à des
distances prodigieuses, d'engloutir brusquement tout un peuple, comme en
un tremblement de terre... Et quel monstrueux massacre, au dernier soir de
cette bataille géante! Jamais encore un pareil sacrifice humain n'avait fumé
sous le ciel. Plus d'un million d'hommes étaient couchés là, par les vastes
champs dévastés, le long des rivières, au travers des prairies. On pouvait
marcher pendant des heures et des heures, toujours on rencontrait une
moisson plus large de soldats égorgés, les yeux grands ouverts, criant la folie
humaine de leurs bouches béantes et noires... Et ce fut la dernière bataille,
tellement l'épouvante glaça les cœurs, au réveil de cette ivresse affreuse, et
tellement la certitude vint à chacun que la guerre n'était plus possible, avec
la toute-puissance de la science, souveraine faiseuse de vie, et non de mort.

Suzanne retomba dans le silence, frémissante, les yeux clairs, radieux de
la paix future. Et Luc conclut, de sa voix devenue faible comme un souffle :

— Oui, la guerre est morte, c'est l'étape suprême, le baiser entre frères,
au terme du long voyage, si rude, si douloureux... Ma journée est finie, je
puis dormir.

Il ne parla plus, cette minute dernière fut auguste et douce. Josine, Sœurette et Suzanne ne bougeaient pas, attendaient sans tristesse, avec une ferveur tendre, dans la chambre si calme et si gaie, toute pleine de fleurs et de soleil. En bas, sous la fenêtre, la bande joyeuse des enfants jouait toujours, et l'on entendait les cris des tout petits, les rires des grands, cette allégresse de l'avenir en marche, vers des joies de plus en plus larges. Puis, c'était l'immense ciel bleu, le soleil amical resplendissant à l'horizon, le fécondateur, le père, dont on avait capté et domestiqué la force créatrice. Et, sous le flamboiement de ses rayons de gloire, c'étaient les toitures étincelantes de Beauclair triomphant, la ruche à cette heure en pleine besogne, où le travail régénéré ne faisait plus que des heureux, par la juste répartition des biens de ce monde. Et c'était encore, au delà des champs fertiles de la Roumagne, de l'autre côté des Monts Bleuses, la fédération prochaine des peuples, l'unique peuple fraternel, l'humanité remplissant enfin sa destinée de vérité, de justice et de paix.

Alors, Luc, d'un dernier regard, embrassa la ville, l'horizon, la terre entière, où l'évolution, commencée par lui, se propageait et s'achevait. L'œuvre était faite, la Cité était fondée. Et Luc expira, entra dans le torrent d'universel amour, d'éternelle vie.

FIN DU TOME DEUXIÈME

6810. — L.-Imprimeries réunies, rue Saint-Benoît, 7. — MOTTEROZ et MARTINET, directeurs.

OEUVRES COMPLÈTES ILLUSTRÉES

DE

ÉMILE ZOLA

— ÉDITION NE VARIETUR —

LES QUATRE ÉVANGILES

TRAVAIL

TOME SECOND

PARIS

BIBLIOTHÈQUE-CHARPENTIER

EUGÈNE FASQUELLE, ÉDITEUR

11, RUE DE GRENELLE, 11

1906

TRAVAIL

ŒUVRES COMPLÈTES ILLUSTRÉES DE ÉMILE ZOLA

— ÉDITION NE VARIETUR —

LES QUATRE ÉVANGILES

TRAVAIL

TOME SECOND

PARIS

BIBLIOTHÈQUE-CHARPENTIER

EUGÈNE FASQUELLE, ÉDITEUR

11, RUE DE GRENELLE, 11

—

1906

ŒUVRES COMPLÈTES ILLUSTRÉES

DE

ÉMILE ZOLA

LES ROUGON-MACQUART

La Fortune des Rougon. 1 vol.

La Curée. . . . . 1 vol.

Le Ventre de Paris . . . 2 vol.

La Conquête de Plassans. 1 vol.

La Faute de l'Abbé Mouret 1 vol.

S. E. Eugène Rougon. . 2 vol.

L'Assommoir . . . . . . 2 vol.

Une Page d'Amour. . . . 1 vol.

Nana . . . . 2 vol.

Pot-Bouille . . . . 2 vol.

Au Bonheur des Dames. 2 vol.

La Joie de vivre. . . . . 2 vol.

Germinal. . . . . 2 vol.

L'Œuvre. . . . . 1 vol.

La Terre . . . . 2 vol.

Le Rêve . . . . 1 vol.

La Bête humaine. . . . . 1 vol.

L'Argent . . . . 1 vol.

La Débâcle. . . . . 2 vol.

Le Docteur Pascal . . . . 1 vol.

LES TROIS VILLES

Lourdes. . . . . 2 vol.

Rome. . . . . 2 vol.

Paris . . . . 2 vol.

LES ÉVANGILES

Fécondité. . . . . 2 vol.

Travail. . . . . 2 vol.

Vérité. . . . . 2 vol.

ROMANS, CONTES ET NOUVELLES

Thérèse Raquin. — Le Capitaine Burle. . . . . 2 vol.

Les Mystères de Marseille. — Naïs Micoulin. 1 vol.

Madeleine Férat. — La Confession de Claude. — Le Vœu d'une morte. 1 vol.

Contes à Ninon. . . . . . 1 vol.

Théâtre. . . . . 1 vol.

Œuvres critiques . . . . 2 vol.

1696. — L.-Imprimeries réunies, rue Saint-Benoît, 7. — Paris.

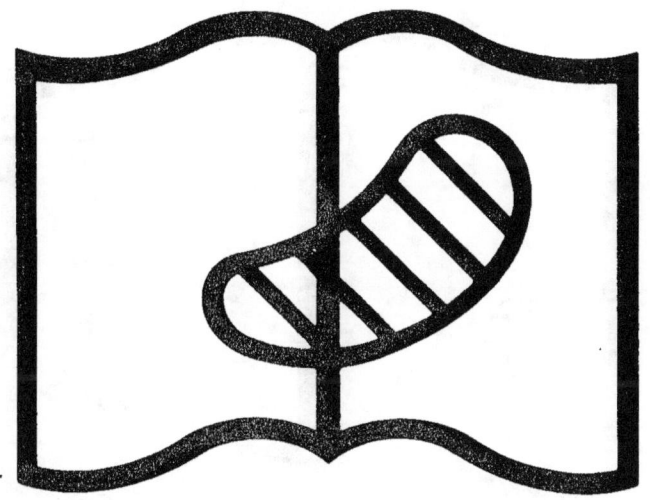

Original illisible

NF Z 43-120-10

Pagination incorrecte — date incorrecte

NF Z 43-120-12

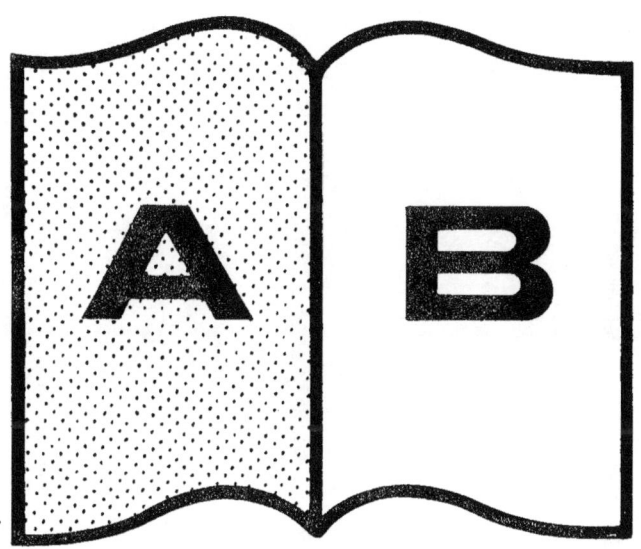

Contraste insuffisant

NF Z 43-120-14